PODOLI
Bradaw
Grudek
Kaminieck
Chotzyn
Czarnowiaz
Pruth A.
Soczowa
Iassy
Neumarck
Clausenburg
ANSYLVANIA
MOLDAVIA
BESS
Obliez
Brady
Polada
Targorod
Hermanstat
Pitesek
Olten
Falexin
Padna
Ialas
Targovisco
Tarvis
Bukorest
WALACHIA
Silist
Risow
Arcim
Ialonicz
Ermistat
Orsova
Kis
Axiopoli
Russi
BULGARIA
Zelin
Nicopoli
Monte Argentaro
Nissa
Giustendil
Sophia
Adrianop
Philipp opoli
Uscopia
ROMAN
Trajanop
Heraclea Sintica

DĚJINY STÁTŮ

DĚJINY SLOVENSKA

DUŠAN KOVÁČ

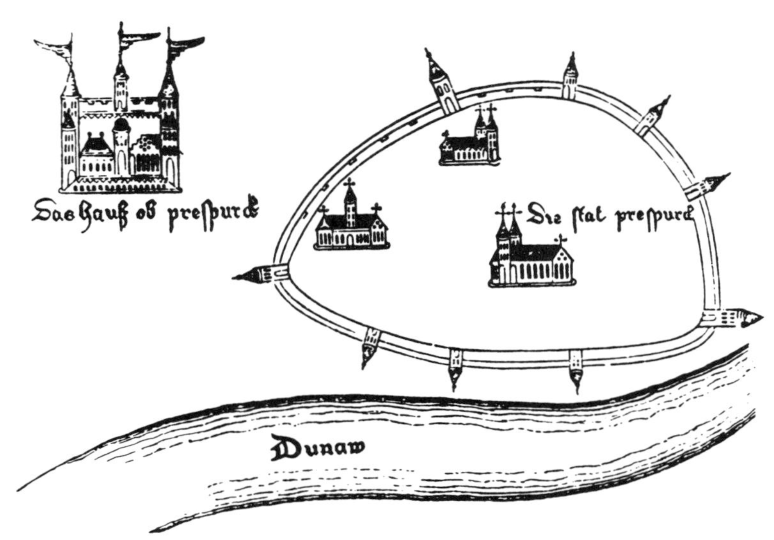
Das Hauß ob preſpurck
Die ſtat preſpurck
Dunaw

NAKLADATELSTVÍ
LIDOVÉ NOVINY

ISBN 80-7106-267-7

PŘEDMLUVA

Vycházejí-li Dějiny Slovenska v edici Dějiny států, čtenář se může hned zeptat: Budou to dějiny od roku 1993? Samozřejmě, ani období po roce 1993, ani samotný rok 1993 a rozdělení Československa nejsou ještě historiky, respektive nástroji, jimiž disponuje historická věda, dostatečně prozkoumány. Je to mnohem spíš naše současnost než dějiny.

Pokud bychom dějinami států rozuměli i dějiny státněpolitických programů, pak by dějiny Slovenska mohly v tomto smyslu sahat do poloviny 19. století. Jestliže však stát chápeme v striktním a moderním slova smyslu, potom by nebyly starší například ani dějiny Itálie, o mnoha jiných současných evropských státech ani nemluvě.

Je tedy jasné, že také pod pojmem dějiny Slovenska budeme rozumět předmět mnohem širší než dějiny samostatného slovenského státu nebo slovenské státnosti. V slovenské historiografii se už delší dobu ustálil **předmět** dějin Slovenska: jsou to dějiny současného slovenského teritoria kombinované s dějinami slovenského etnika. Tento princip se ukázal pro poznání vývoje slovenské společnosti jako nejproduktivnější. Musíme se ovšem vyvarovat rizika, jež vyplývá z přeceňování principu kauzality v dějinách. Každá historická událost a každý historický proces nepochybně souvisí s událostmi a procesy, které časově předcházely, a zároveň také ovlivňují události a procesy, jež následují po nich. Taková časová souvislost však nemusí být vždycky v pravém slova smyslu i souvislostí příčinnou. Právě přeceňování kauzality má na svědomí řadu historických mýtů.

V slovenském případě je to například mýtus o tisíciletém úsilí nebo boji Slováků o vlastní státnost. Pravda, vznik samostatného slovenského státu roku 1993 si lze těžko představit bez vzniku a existence státu československého, tedy bez toho, aby se Slovensko vymanilo z Uherska. Také rok 1918 by byl nepředstavitelný bez slovenského politického programu a bez procesu formování moderního slovenského národa. Tento proces zase souvisí s osvícenstvím, ale rovněž, paradoxně, se stavovskými povstáními v Uhrách. A tak bychom mohli po časové ose pokračovat až k Velké Moravě nebo k příchodu Slovanů do Karpatské kotliny. Kdybychom však potom časovou osu proměnili v oblouk a tvrdili, že příčiny vzniku slovenského státu spočívají už kdesi ve Velké Moravě nebo v onom mýtickém tisíciletém boji Slováků o vlastní stát, dospěli bychom k závěru evidentně nepravdivému. Na místo historie by nastoupila ideologie. Historikové už vědí, že s příčinnými vztahy mají pracovat velmi obezřele, ideology tato otázka nezajímá. Pokud se tedy v současnosti ozývají hlasy, že po vzniku Slovenské republiky roku 1993 je nutno předělat celé slovenské dějiny (a míní se tím, že se mají předělat právě ideologicky v tom smyslu, že je třeba hledat začátky slovenské státnosti – obrazně řečeno – až někde u neander-

Cassovia
Tepus
Sylva Vrgart
Saio flu
Neusoll
Kremnitz
Trencin
Nitria
Gran flu
Danaw
flu Gran
Ofen
Schuth

tálců), pak jsou to hlasy ideologů, nikoli historiků. Dějiny jsou však záležitostí historiků.

Proto je účelné, a tady se už také vytvořila určitá tradice, začínat dějiny Slovenska jako dějiny teritoria, tj. dějinami jeho osídlení. Jedním z důvodů je i historický čas. Archeologicky dokázané začátky osídlení území Slovenska jsou staré asi 100 000 let. Člověk dnešního typu se na slovenském území vyskytoval před 30 000 lety, zemědělská kultura zde existuje od 5. tisíciletí př. Kr. Naproti tomu slovanské osídlení trvá na slovenském území pouze 15 století a o Slovácích jako samostatném etniku je korektní mluvit teprve od 10. století. Současné vědecké poznatky sice soudí, že Slované přišli do Karpatské kotliny v době, kdy byla velmi řídce osídlena, od známých historických dob však nikdy nebyla úplně pustá. Předhistorická etnika spolu s historickými národy – Kelty, Germány a nakonec i Římany – zde zanechala své stopy. Obyvatelstvo se stěhovalo, mísilo, docházelo k bojům i splývání, asimilaci. Například germánští Svébové obývající po určitou dobu území Slovenska putovali po celé Evropě, než se usadili na jejím západním konci, na Pyrenejském poloostrově, kde založili stát trvající až do konce 6. století. Evropa a v určitých dobách i Eurasie tvořila jeden kontinent, kde se navzájem střetávaly kultury a národy. A území Slovenska bylo prokazatelně jednou z křižovatek těchto migračních pohybů. K etnickým střetům zde docházelo také v dobách následujících, ať to byli Mongolové, Turci, kolonizace německá, habánská, valašská, migrace v rámci Uher, stěhování do zámoří. To všechno tvoří svým způsobem kontinuitu a ovlivňovalo to historický proces na současném slovenském území.

Vycházíme-li z principu státnosti, pak se dějiny Slovenska odehrávaly především v dvou státních rámcích – v Uhrách a Československu. A přece se dějiny Slovenska tímto rámcem zcela nevyčerpávají. Zjistili bychom to, kdybychom chtěli dějiny Slovenska zkusmo nahradit dějinami Uher (Maďarska) do roku 1918 a po roce 1918 dějinami Československa. Ukázalo by se, že pouhý součet dějin těchto dvou států ještě netvoří to, co bychom chtěli poznat. Kromě tohoto extrému však existuje i druhá krajnost: chápat dějiny Slovenska prostě jako dějiny jakéhosi „slovenského disentu“ v Uhrách nebo snad také v Československu. Ani tak by nevznikl plastický a pochopitelný obraz o vývoji slovenské společnosti. Vždycky se však bude některým čtenářům možná zdát, že v této knize je příliš mnoho celouherských nebo zase celočeskoslovenských záležitostí. Především český čtenář najde v tomto díle také podstatnou část svých, tj. českých dějin. Není však možné psát dějiny Slovenska pouze jako dějiny regionu nebo jako dějiny „slovenské otázky“. Najít správné proporce, to je pro slovenského historika nesmírně důležitá otázka, jakou historikové jiných států a národů řešit nemusí, nebo aspoň ne v takovém rozsahu. V podstatě se jedná o otázku míry. Ostatně každé umění, jak věděl už Johann Wolfgang

◀ *Lazarova mapa s vyobrazením Slovenska, kde Bratislava (Prešporok) se nachází v levém dolním rohu a Košice (Cassovia) v pravém horním*

Obrázky ze života slovenského rolníka podle trnavského kalendáře z roku 1612

Goethe, je uměním míry. A takto podané dějiny Slovenska jsou na jedné straně vědou, ale na druhé straně tak trochu i uměním.

S problémem koncepce slovenských dějin se slovenská historiografie potýkala již od samých začátků. Už v předvědeckém období, kdy historiografie vznikala jako svérázná „obrana" Slováků, bylo nutno řešit otázku předmětu dějiny Slovenska a Slováků. Na tento problém narazil už Juraj Papánek v prvním známém pokusu o syntetické podání dějin Slováků (*Historia gentis Slavae*, 1780), zamýšleli se nad ním rovněž „obrozenečtí" historikové a spisovatelé. Toto období vyvrcholilo v dalších významných syntézách z pera Júlia Botta (*Slováci. Vývin ich národného povedomia* a *Krátka história Slovákov*) z počátku 20. století. Zatímco v prvním díle Botto sleduje slovenskou národní identitu a pro nedostatek poznatků vlastně celý středověk vypustil a v souladu s tehdejšími představami k Velké Moravě hned připojil období „národního obrození", v druhém díle se už setkáváme i s obrysem středověkých uherských dějin, ovšem zatím jen v náznacích.

Profesionální slovenská historiografie existuje teprve od roku 1918. V meziválečném období však historický výzkum nevyústil do významnější syntézy, i když v osobě Daniela Rapanta našlo slovenské dějepisectví svého prvního významného profesionálního badatele s neobyčejně širokým a hlavně hlubokým ponorem. Po roce 1918 se začala i na Slovensku prosazovat koncepce československých dějin, jež vyplývala z koncepce jednotného československého národa. Rozvíjející se historický výzkum na Slovensku však brzy ukázal, že tato konstrukce je neudržitelná a že dějiny Slovenska mají svou vlastní dynamiku a v nejednom období se od českých dějin liší i svou periodizací. S touto koncepcí se musel vyrovnávat i Daniel Rapant. Dospěl nakonec k závěru, že o československých dějinách lze mluvit teprve po roce 1918 jako o československých státních dějinách. Přesto se po roce 1945, a zejména po roce 1948, koncepce československých dějin od pravěku po současnost objevila znovu a svou podobu dostala ve dvou pokusech o vytvoření syntézy československých dějin – v padesátých letech to byla čtyřsvazková tzv. maketa *Přehled československých dějin*, a pak v osmdesátých letech začatá a nedokončená syntéza *Přehled dějin Československa.*

Rozvíjející se výzkum v oblasti slovenských dějin, publikování některých prvních edic dokumentů a celé řady dílčích monografií a studií vedly nakonec k pokusu o zpracování vědecké syntézy *Dejin Slovenska.* První pokus skončil vydáním dvou svazků, které obsahovaly dějiny Slovenska do konce 19. století. Druhý pokus z osmdesátých let byl edičně úspěšnější – vyšly *Dejiny Slovenska* v šesti svazcích. Na obou pokusech se však už podepsala doba – v terminologii, ale hlavně v ideologické deformaci historického procesu ve smyslu režimem tehdy shora naoktrojované pseudomarxistické, fakticky spíš stalinisticko-poststalinistické ideologie, která poznamenala celé dílo, zejména však dějiny 20. století.

Je nutno zmínit se také o krátkém období trvání slovenského státu v letech 1939–1945. Z odborného hlediska v té době sice nevzniklo žádné významnější historické dílo, vytvořila se však celá soustava idealizovaného, novoromantického a mýtického pohledu na slovenskou minulost. Důvod byl zcela pochopitelný. Slovenský stát vznikl z Hitlerova příkazu a na jeho nátlak bez aktivního přičinění a bez vůle Slováků. Mytologizovaný pohled na dějiny měl kromě jiného za úkol zastřít tuto skutečnost a vykreslit slovenský stát jako výsledek tisíciletého úsilí

DANVBIVS
FLV.

Pohled na Bratislavu z roku 1593

Rolnický pár z okolí Zvolena ve svátečním, litografie P. M. Bohúně

Slováků. Právě v tomto kontextu vznikla nejedna maďarofobní a čechofobní konstrukce. Protičeská tvrzení typu „Masaryk dal střílet do slovenských dělníků“, „Beneš nechal sestřelit Štefánika“, „Slovensko se mělo stát českou kolonií“ a podobně měla vlastně slovenskému člověku vysvětlovat, proč bylo odtržení od Česko-Slovenska nevyhnutelné. Je to téměř klasický příklad instrumentalizace historie. Celá soustava zkresleného ľudáckého výkladu slovenských dějin byla evidentním krokem zpět od pozitivismu rapantovského typu směrem k nacionalistickému romantismu první poloviny 19. století. Přesto se v určitých vrstvách slovenské společnosti uchovala a po roce 1989 zažila renesanci, která byla po roce 1993 ještě posílena.

V současné slovenské historické literatuře chybějí odborně fundované dějiny Slovenska určené širšímu publiku. Jedinou knihou tohoto typu, která splňuje kritéria odbornosti i čtivosti, představují *Slovenské dejiny,* jež vyšly roku 1992 v Matici slovenské (autoři R. Marsina, V. Čičaj, D. Kováč a Ď. Lipták). Nově koncipované učebnice mají zatím na Slovensku k dispozici pouze žáci na základních školách.

Pustit se do takového díla je nesnadný úkol. Práce tohoto typu vycházejí buď z pera jednoho autora, nebo jsou dílem kolektivním. Kolektivní práce mají nespornou výhodu v tom, že každý z autorů je odborníkem na období a problematiku, kterou se zabývá. Riziko spočívá v tom, že se obtížně zachovává jednotný styl a často se ztrácí ucelený pohled na úkor detailů konkrétního období. Pokud se takového díla chopí jeden autor, těžko se může vyhnout některým zjednodušením a vždycky hrozí, že se mu přihodí nějaká chyba. V současnosti již málokdy nacházíme historiky, kteří se jako badatelé zabývají více staletími či několika obdobími. Pro mne osobně je těžiště výzkumné práce v 19. a v první polovině 20. století. Jistou výhodou pro mne bylo, že jsem se jako ředitel Historického ústavu SAV i jako člen redakční rady *Historického časopisu* už z titulu své funkce musel zabývat i výsledky, jichž ve svém výzkumu dosáhli mí kolegové historici zabývající se jinými obdobími. Přesto bych si nikdy netroufal předložit veřejnosti práci, kterou by mi pečlivě nepřečetli a neposoudili ostatní kolegové. Rád bych poděkoval za cenné připomínky a doplňky k mému rukopisu kolegům Alexandru Avenáriovi, Michalu Barnovskému, Valeriánovi Bystrickému, Dušanovi Čaplovičovi, Viliamu Čičajovi, Ľudovítovi Haraksimovi, Ivanu Kamencovi, Evě Kowalské, Natálii Krajčovičové, Jánu Lukačkovi, Elene Mannové, Milanovi Podrimavskému, Janovi Rychlíkovi, Dušanovi Škvarnovi a Jozefovi Žatkuliakovi. Etnografu Arne Mannovi děkuji za poskytnutí materiálů k dějinám Romů. Katarině Hradské za poskytnutí materiálů k dějinám slovenských židů a za pomoc při doplňování obrazové přílohy.

Žádná práce tohoto druhu nemůže překročit hranici, kterou jí dává současný stav historického bádání. Protože historické bádání na Slovensku bylo zaměřeno převážně na dějiny politické a kulturní a na dějiny elit, tvoří tyto dějiny a jimi podmíněná metoda „převyprávění dějů" hlavní osu. Ostatně u tohoto žánru – u populárních dějin států a národů – je tomu tak všeobecně. Snažil jsem se však včlenit do děje i dosažené výsledky z méně tradičních oblastí zkoumání – ze sociálních dějin, dějin všedního dne i dějin tvořící se občanské společnosti. Pozornost jsem věnoval i dosud zanedbávaným etnickým skupinám: Židům a Romům, kteří nesporně patří do dějin Slovenska.

Pravdivost je při každé interpretaci historického procesu pojem relativní. Každý historik by se však měl na rozdíl od ideologa snažit o pravdivé poznání společnosti a historického procesu. Výsledkem historického bádání je stav poznání, k němuž historiografie dospěje. Za každého stavu poznání zůstávají jak bílá místa, tak sporné interpretace. Nemusí to však být právě ty interpretace, které se často považují za sporné ve veřejnosti. Mezi odbornou veřejností je například už ustálený pohled na období slovenského státu z let 1939–1945 i na Slovenské národní povstání a z větší části i na období první československé republiky. Kontroverzní diskuse o těchto otázkách neprobíhá jen na odborné úrovni, vstupují do ní publicisté a ľudáčtí i neoľudáčtí ideologové, oprašující a rozvíjející ľudácký mytologizující pohled na slovenské dějiny. Ten je však z odborného hlediska neudržitelný.

V této knize jsem se pokusil předložit veřejnosti takový ucelený pohled na slovenské dějiny, který určitě nebude vyčerpávající, ale který má na vymezeném prostoru a v nezbytné zkratce podat obraz toho, co slovenská i evropská historická věda v této oblasti dosud přinesla.

Autor, 4. dubna 1998

1 PŘED PŘÍCHODEM SLOVANŮ

Nejstarší osídlení Slovenska

Území Slovenska mělo vhodné přírodní podmínky pro osídlení a předchůdci člověka bylo osídlováno už před 250 000 lety. Z tohoto období pocházejí nejstarší nálezy kamenné industrie. Údolí řek chráněná od severu horským masivem Karpat vytvářela vhodné přírodní podmínky pro rozšíření četných druhů flóry i fauny, což zároveň přitahovalo lovce. Početné termální prameny poskytovaly vhodné životní podmínky i v době zalednění.

Na Slovensku byly nalezeny stopy po staropaleolitickém osídlení, kosterní zbytky jsou bezpečně doloženy a datovány z období středního paleolitu – z období poslední doby meziledové a poslední doby ledové. Pozůstatky člověka neandertálského typu byly na Slovensku nalezeny u termálních pramenů a v jeskynních prostorách. Nejvýznamnější nálezy pocházejí z Gánovců u Popradu (odlitek lebky neandertálce) a ze Šaly, kde nejnovější archeologický výzkum přinesl další nálezy. Významné středněpaleontologické nálezy máme zase z Čertovy pece u Radošiny a ze Spišského Podhradí.

V období mladšího paleolitu (asi 40 000–13 000 př. Kr.) se na Slovensku objevuje *homo sapiens sapiens.* Pravěcí lovci mamutů vytvořili na slovenském území několikero kultur, z nichž jsou nejznámější *gravettien* a *aurignacien.* Nalezišť je víc – rozsáhlá tábořiště, ale také jeskyně. Nejdůležitější jsou Deravá skala u Plaveckého Mikuláše, kde byla nalezena zajímavá rytina hlavy koně na zvířecí kosti, dále Tibava, Cejkov a Barca. Archeologické nálezy z tohoto období už dokazují existenci náboženských představ člověka a s tím spojených kultovních obřadů a umělecké tvorby. Nejznámějším nálezem tohoto typu je „Venuše" z Moravian nad Váhom, která patří k nejvýznamnějším mladopaleolitickým plastikám v Evropě. Její věk se odhaduje na 22 800 let.

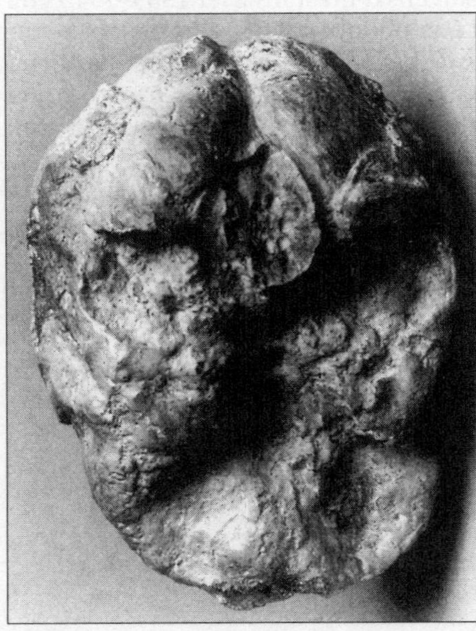

Odlitek neadrtálské lebky z Gánovců u Popradu

Po ústupu posledního zalednění se mění přírodní prostředí Karpatské kotliny, objevují se tu teplomilné rostliny a živočiši, což ovlivnilo i změny v lidské společnosti. Nálezy z této tzv. mezolitické doby dokumentují změny v charakteru sídlišť i tehdejšího způsobu lovu. Příznačné jsou osady na písečných dunách v blízkosti řek, známé především z jihozápadního Slovenska (Sereď, Šoporňa, Tomášikovo). Hlavním způsobem obživy byl rybolov.

„Neolitická revoluce", tj. přechod od lovu k zemědělství – pěstování obilí a chovu domácích zvířat – se na slovenském území odehrála v první polovině 5. tisíciletí př. Kr. Pěstování kulturních plodin a chov zvířat se tehdy rozšířil z Blízkého východu, přes Řecko a Balkán. Koncem 6. tisíciletí př. Kr. pronikla zemědělská kultura do jižních oblastí Karpatské kotliny a odtud se šířila do střední Evropy. Pro první rolníky na slovenském území je charakteristická keramika s lineárním ornamentem. Koncem 5. tisíciletí př. Kr. se na východním Slovensku rozšířila bukovohorská kultura, jejíž bohatě zdobená keramika patří k nejkrásnějším v evropském pravěku. Nejznámější nálezy pocházejí z jeskyně Domica.

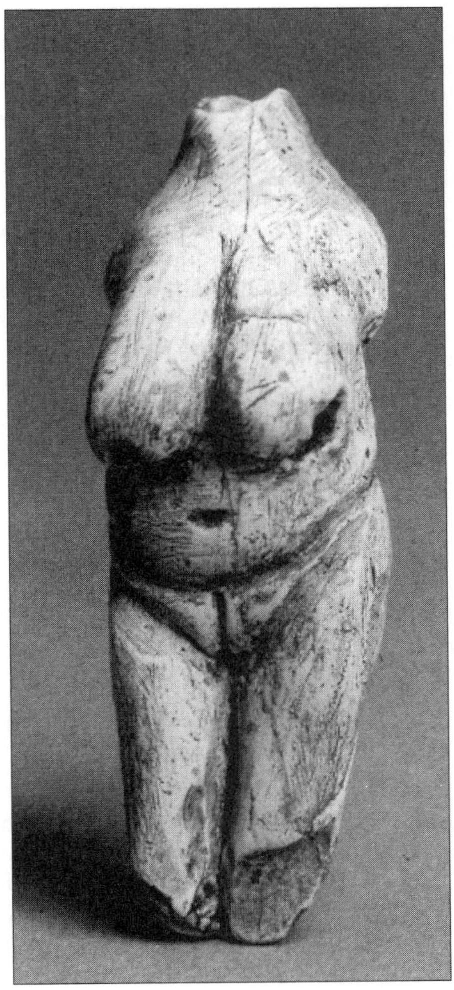

Venuše z Moravian vyřezaná z mamutí kosti

Přechod k zemědělství znamenal zásadní změnu ve způsobu života i ve výrobě, což dokumentují nalezené nástroje. Zemědělství si vynutilo jemněji hlazené kamenné nástroje; jako velmi důležité výrobní odvětví se objevuje výroba keramiky. Zemědělství zároveň vyžadovalo usedlejší způsob života a budování stálejších osad. Trvaleji byly osídlovány nejprve úrodné nížiny jihozápadního a jihovýchodního Slovenska, později také výše položené oblasti.

V období neolitu lze už archeologicky dokumentovat kontinuitu a relativní stabilitu osídlení Slovenska. Vývoj probíhal na základě vnitřních impulsů, přičemž však území Slovenska dostávalo impulsy také z oblasti Balkánu a Blízkého východu.

V neolitu se v oblasti Zadunají, západního Slovenska, Moravy a Rakouska vytvořila svérázná kultura, nazvaná podle svého prvního naleziště lengyelskou kulturou (začátek 4. tisíciletí př. Kr.). Lidé lengyelské kultury zakládali velká sídliště na místech předtím neobývaných a své mrtvé pochovávali v těsné blízkosti domů. Kultovní obřady jsou doloženy antropomorfními plastikami a nádobami. Lengyelská kultura je charakteristická archeologicky jedinečnými střediskovými ohrazeními se čtyřmi opevněnými, proti sobě stojícími branami, tzv. rondely (Bučany, Svodín, Ružindol-Borové). Tato kultura přetrvávala na Slovensku souvisle asi tisíc let a přežila i postupný přechod od neolitu k eneolitu, tj. pozdní době kamenné. V nalezištích se už objevily i velké měděné nástroje – sekeromlaty, dláta.

Výzkum osad dokládá, že společnost byla založena na monogamních rodinách, které se spojovaly do velkorodin a občin. Archeologické nálezy zároveň ukazují na malou diferenciaci společnosti. Poměrně velké množství nálezů keramické plastiky ukazuje, že již neolitický člověk zobrazoval kromě lovné zvěře i domácí zvířata a pochovával své nebožtíky ve skrčené poloze.

V posledním stadiu doby kamenné, v eneolitu, který na Slovensku doznníval do roku 2000 př. Kr., už lze pozorovat výraznější znaky společenské diferenciace. Vzrůst výroby umožňoval výměnu a shromažďování soukromého vlastnictví, hlavně v podobě dobytka. To již předznamenávalo pozvolný přechod k nové epoše, spojené s počátky metalurgie.

V středním eneolitu, v polovině 3. tisíciletí př. Kr., se v Karpatské kotlině vytvořila svérázná bádenská kultura a rozšířila se po celém slovenském území. Z tohoto období máme již doklady o využívání koní a vozů o čtyřech kolech. Velmi častá jsou opevněná sídliště ve vyšších polohách. V samém závěru kamenné doby byly pastýřským lidem osídleny i výšinné oblasti severovýchodního Slovenska.

V starší době bronzové (1900–1500 př. Kr.) se na území Slovenska (ve Špané Dolině a v Slovenském Rudohoří) povrchově těžila měď. Rozvinulo se užívání pluhu a chov dobytka. Na vyvýšených místech, ale také v nížinách existovala opevněná sídliště. Pro jihozápadní Slovensko je charakteristická nitranská kultura, která však trvala krátce a zanikla pravděpodobně pod tlakem únětické kultury, postupující z dnešní Moravy a Dolního Rakouska. V různých fázích a různých regionech Slovenska se v tomto období vyskytují nálezy kultury hatvanské, maďarovské a otomanské. Už na konci tohoto období se na Slovensku objevilo železo – v Gánovcích u Popradu se našla železná dýka, první nález železa v střední Evropě. Byl to exportovaný předmět, který naznačuje kontakty s říší Chetitů. Vzhledem k množství i bohatství dalších nálezů svědčí toto období o vyspělé kultuře a bohatých stycích s vyspělými civilizacemi (například s mykénskou oblastí). Archeologové mluví dokonce o zlaté době slovenského pravěku. V polovině 15. století př. Kr. však tato vyspělá civilizace zanikla a většina opevněných osad (tzv. akropole, oddělené od ostatních částí osady) byla zničena nebo aspoň opuštěna obyvateli. Příčiny nejsou zcela jasné, mohlo se jednat o přírodní katastrofy, ale také o vpády cizích etnik. Faktem však zůstává, že v následujícím období dochází k jistému civilizačnímu úpadku, který trval několik staletí.

V střední, mladší a pozdní době bronzové (1500–700 př. Kr.) se na území Slovenska vystřídaly v různých regionech různé kultury – karpatská mohylová kultura, pilinská, lužická, čačianská, velatická a některé další méně rozšířené. Území Slovenska bylo už poměrně hustě osídleno, a to nejen v nížinách, nýbrž i v horských oblastech. Existovala tu opevněná hradiště vojenského charakteru, což svědčí o ozbrojených střetech mezi různými kmeny a kulturami.

Podobně jako v celé Evropě i na Slovensku se vyskytují různé typy mohylových kultur, jež vznikly zejména v oblastech středního Podunají, ale téměř souběžně se tu zjevila i civilizace popelnicových polí, charakteristická spalováním mrtvých. Tato etnika vytvořila kulturní komplex středodunajských popelnicových polí s dominantními náčelnickými mohylami. V střední době bronzové, od poloviny 15. století př. Kr., se hlavně severní a střední Slovensko stalo součástí lužické kultury, která se rozšířila v střední Evropě a na Slovensko pronikla ze severu.

Na přelomu 13. a 12. století př. Kr. dochází v celé Evropě, ale i na Blízkém východě k rozsáhlým migračním pohybům, k velkému stěhování národů doby bronzové. Dosavadní archeologický výzkum naznačuje, že jedním z jeho iniciátorů mohlo být i obyvatelstvo jižního Slovenska, kde došlo k populační explozi a k hospodářskému rozmachu tamního lidu popelnicových polí. V důsledku migračních pohybů se tehdejší život stal nejistý, hrozily nájezdy jiných etnik, zejména nomádů z východu. Mezi nimi bylo už i etnikum známé z písemných pramenů – Kimmeriové. Nejistá doba vedla k tomu, že se na území Slovenska objevují opevněná hradiště, často i ve výškách přes 1000 metrů nad mořem.

Doba železná začala na území Slovenska v 7. století př. Kr. Železo sem pronikalo z černomořské a apeninské oblasti; bylo to setkání s vyspělými civilizacemi. Na Slovensku byly vhodné podmínky pro povrchovou těžbu železné rudy a výrobu železa. V sídlištích z této doby se již setkáváme s luxusními předměty a s bohatými hroby, což svědčí o postupující sociální diferenciaci. Z tohoto období pocházejí nálezy knížecích hradišť (Smolenice-Molpír) i honosné mohyly (Dunajská Lužná). Toto období uzavírá pravěk ve střední Evropě, na jeho konci se už setkáváme se stopami vpádů nomádských kmenů a později také keltské expanze.

První historické národy

KELTOVÉ

V mladší době železné, zvané laténská, která začala v polovině 5. století př. Kr., se vůdčím etnikem na evropském kontinentě stali Keltové, kteří kolonizovali také území Slovenska. V druhé polovině 4. století př. Kr., kdy výrazněji pronikli do Karpatské kotliny, obsadili též území jihozápadního Slovenska. Stali se tak prvním etnikem, známým podle jména a doloženým písemnými prameny, které žilo na území dnešního Slovenska, a tedy i prvním historickým národem na tomto území.

Keltská mince typu Biatec

Svou rozpínavostí ohrozili Keltové dokonce Makedonii a římskou říši, s nimiž vedli časté boje. Po porážkách a zmařených výbojích se Keltové vraceli do Karpatské kotliny. Stalo se tak po porážce od Makedonců roku 277 př. Kr. a rovněž po definitivní porážce keltských Bojů v severní Itálii roku 191 př. Kr. Tehdy Keltové odtáhli k břehům Dunaje a, jak dosvědčují archeologické nálezy, v průběhu 2. století př. Kr. vytvořili v severozápadní části Karpatské kotliny jedno ze svých mocných center s bohatým osídlením. Nejprve se usadili podél Dunaje a na dolních tocích Ipľu, Hronu, Žitavy a Nitry, odtud pronikali údolími řek k severu. Keltské osídlení Slovenska bylo nejintenzivnější v 2. století př. Kr. Svá městská sídla, *oppida*, si vybudovali například v Plaveckém Podhradí, v Bratislavě, Devíně, Nitře, s jejich osídlením se však setkáváme i na východním Slovensku.

Při postupu Keltů na sever docházelo zřejmě k jejich symbióze s původním obyvatelstvem, lidem lužické kultury. Takové soužití je charakteristické pro tzv. púchovskou kulturu.

S Kelty souvisí rozvoj výroby železa a výroba železných předmětů, hlavně zbraní. Rozvíjelo se také hrnčířství a tkaní látek z vlny a lnu. Ve svých oppidech razili Keltové mince, známé pod jménem Biatec, které se podle všeho razily i v keltském oppidu na území dnešní Bratislavy. Keltské osídlení zasáhlo prakticky celé území Slovenska. Od konce 2. století př. Kr. však začíná vliv Keltů slábnout; došlo k jejich střetu a zřejmě i k pozdější symbióze s Dáky. Ještě v prvních stoletích nového letopočtu se na středním Slovensku setkáváme s keltskými Kotiny.

GERMÁNI

Na rozhraní 2. a 1. století př. Kr. moc Keltů na slovenském území zeslábla a oblast se stala objektem invaze různých etnik. Od jihovýchodu pronikli do Karpatské kotliny Dákové. Také římské impérium posunovalo svou hranice až k střednímu Dunaji. Od severu se sem zase tlačili Germáni.

Na přelomu letopočtu pronikly, zřejmě pod římským tlakem, germánské kmeny na slovenské území a postupně se zde staly převládajícím etnikem. Usadily se zejména na jihozápadě. Se slovenským územím jsou spjaty hlavně germánské kmeny Markomanů a Kvádů. Jelikož po vítězství římského vojevůdce a pozdějšího císaře Tiberia nad obyvateli Panonie roku 9 př. Kr. se hranice římské říše posunuly k střednímu Dunaji, slovenské území se stalo dějištěm častých bojů mezi Římany a Germány.

Základy římské vily z vypálených cihel v Bratislavě-Dúbravce

První staletí nového letopočtu jsou obdobím velmi dynamického a komplikovaného vývoje. Kromě staršího osídlení keltsko-dáckého a germánsko-římského soupeření se na Slovensku setkáváme i s púchovskou kulturou jako pozůstatkem staršího osídlení; na slovenském území zůstali zřejmě i Keltové, přestože zde přestali hrát dominantní úlohu a postupně se asimilovali s novými obyvateli. Germáni pod vedením markomanského vůdce Marobuda vytvořili poměrně velký kmenový svaz, který měl centrum v českomoravském prostoru, ale jehož vliv zasahoval i na Slovensko. Pro Římany byl takový vývoj nebezpečný a rozhodli se Marobuda vojensky pokořit a zabránit tak další expanzi jeho říše. Roku 6 n. l. zorganizovali proti Marobudovi výpravu pod velením Tiberia, během níž římské legie poprvé vstoupily na slovenské území. Kvůli povstání v Panonii však tažení muselo být přerušeno a Římané raději uzavřeli s Marobudem mír.

V dalším období těžili Římané především z vnitřních mocenských bojů mezi germánskými náčelníky, když tyto roztržky podněcovali a podporovali. Tak roku 19 Marobuda sesadil Kvád Katvalda, ten však po dvou letech zase podlehl Vibiliovi. Římané oběma sesazeným náčelníkům i jejich družinám poskytli azyl. Tacitus tvrdí, že příslušníky obou družin usadili na levém břehu Dunaje a za krále jim ustanovili Kváda Vannia. Centrum tohoto království bylo tedy na jihozápadním Slovensku. Nacházelo se pod římským vlivem a zřejmě bylo jakýmsi římským předpolím, pomáhajícím bránit hranici impéria.

Detail sloupu Marca Aurelia v Římě, zobrazující scénu tzv. „zázračného deště“, v létě roku 173

ŘÍMSKÁ HRANICE – LIMES ROMANUS

Od začátku nového letopočtu, za císaře Augusta, Římané svou hranici na Dunaji a na Rýnu (*limes Romanus*) začali opevňovat. Hlavním důvodem byl tlak germánských kmenů ze severu a z východu. Ve středodunajském prostoru Římané opevňovali nejen jižní, ale také severní břehy této řeky. Na sever od Dunaje byl tak vybudován celý systém pohraničních vojenských pevností. Slovenské území se tak stalo součástí této opevněné hranice a za bojů s Germány se těžiště bojů přenášelo z Panonie na území jižního Slovenska. Na dnešním slovenském území na jih od Dunaje byla významná vojenská stanice *Gerulata* – Rusovce. Na levém břehu Dunaje se našly zbytky římských opevnění, ale také civilních staveb v Iži u Komárna, v Bratislavě a na Děvíně; vznikaly zejména za vlády císaře Traiana (98–117).

V letech 166–167 germánští Langobardi a Obiové vtrhli za Dunaj. Jejich útok byl odražen, ale jednalo se jen o předehru čtrnáctiletého vojenského konfliktu, tzv. markomanských válek. Roku 170 zaútočili Markomani a Kvádové na limes Romanus, vyplenili provincie Pannonii a Noricum a odtamtud pronikli až do severní Itálie. Tam byl útok Germánů odražen a Římané zahájili protiofenzivu. Roku 172 u Carnunta v dnešním Rakousku překročili Dunaj a začali trestní výpravu proti Markomanům a vzápětí i proti Kvádům. Během této výpravy se podle všeho na slovenském území odehrála epizoda známá z římských pramenů jako „zázračný déšť“. Roku 173 byli Římané obklíčeni početnou kvádskou přesilou a úplně odříznuti od vody. Sužovaní vedrem, žízní a vyčerpáním málem podlehli, před úplnou porážkou je však zachránil nečekaný déšť, který jim dodal nové síly a jako „boží znamení“ je psychicky posílil. Tato „zázračná“ epizoda z markomanských válek je zobrazena na sloupu císaře Marka Aurelia v Římě.

Roku 177 Markomani a Kvádové znovu ohrožovali panonskou hranici, což donutilo Marka Aurelia, aby proti nim podnikl další vojenskou výpravu. Po vítězných bojích roku 179 rozmístil Marcus Aurelius na sever od Dunaje, tedy i na slovenském území, vojenské posádky, které měly dohlížet na poražené Germány a zabránit jim znovu se vojensky organizovat. Krátce po vítězství však císař náhle zemřel a jeho syn a nástupce Commodus uzavřel roku 180 s Markomany a Kvády mír. Podle něho Římané obsadili bezpečnostní pás na levém břehu Dunaje a poražení Germáni se dostali do závislosti na římské říši.

Z poslední fáze markomanských válek existují významné písemné památky, které mají bezprostřední vztah k slovenskému území. Právě zde, na březích řeky Hronu, napsal císař Marcus Aurelius první část svého filosofického díla *Hovory k sobě*. Na trenčanské skále je pak do kamene vytesaný římský nápis z roku 179, který je nejzachovalejší historickou upomínkou na římsko-germánské války a na pobyt římské posádky v Trenčíně (*Laugaricium*). Germánsko-římské soupeření bylo vyplněno válkami, existovala však i období relativně „mírového" soužití. Kvádští náčelníci i bohatší jedinci měli možnost získávat římské výrobky a obeznamovat se s vyspělou římskou kulturou. Centra kvádského osídlení se nalézala ve středním Pováží, ale také v povodí Moravy. Zřejmé římské vlivy se zachovaly i v napodobování římské architektury Germány (Stupava, Cífer-Pác, zbytky lázní v Bratislavě-Dúbravce).

Příbuzní Kvádů Svébové, kteří tvořili součást germánského etnika obývajícího slovenské území, podnikli roku 212 znovu loupežnou výpravu za římskou hranici. Tyto lokální srážky mezi naddunajskými Germány a Římany trvaly s přestávkami pravděpodobně až do roku 285, kdy je energicky ukončil císař Diocletianus. V polovině 4. století však Kvádové začali znovu útočit na římskou hranici a dunajské provincie. Tyto útoky zřejmě podnítily císaře Valentiniana I. (364–375) k tomu, že zahájil obnovu a novou výstavbu opevnění na dunajské hranici, přičemž se obranná zařízení budovala i na levém břehu Dunaje. Ale to byl již poslední pokus Římanů trvale se udržet na Dunaji. Krátce nato, jako následek nájezdu Hunů do jižního Ruska, začaly velké migrační pohyby, tzv. stěhování národů. Vnitřně oslabená římská říše nestačila čelit útokům barbarských kmenů a její pozice postupně slábly. Přes vítězství vojevůdce Stilicha roku 380 se Římanům nepodařilo dunajskou hranici proti náporům germánských a nájezdům nomádských kmenů již udržet. Do Karpatské kotliny přecházela nová etnika převážně přes východní Slovensko, ale nálezy po nomádských kmenech se našly i severně od Dunaje v oblasti svébského osídlení, do té doby poměrně jednotného a souvislého.

STĚHOVÁNÍ NÁRODŮ

Od poloviny 4. století na území Slovenska vliv Říma a římských provincií, hlavně Panonie, slábl. Na konci římské doby, v souvislosti s velkou migrací ev-

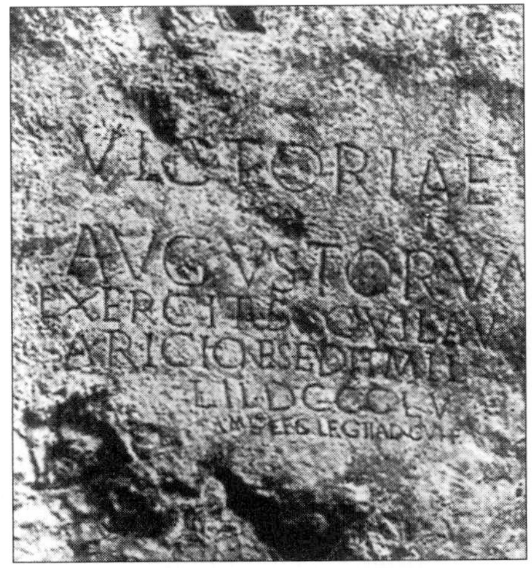

Nápis na trenčínské skále z roku 179

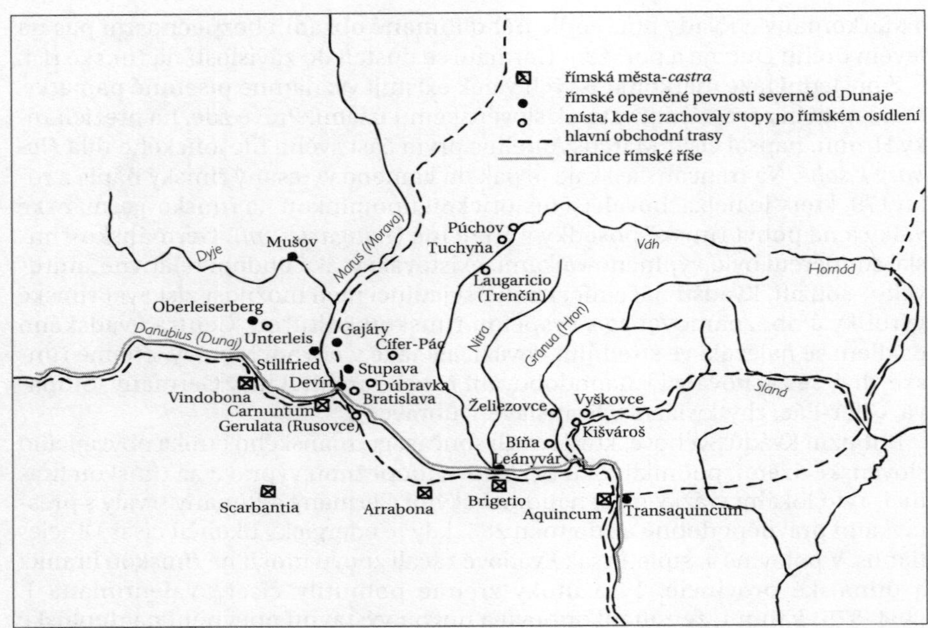
římská města-*castra*
římské opevněné pevnosti severně od Dunaje
místa, kde se zachovaly stopy po římském osídlení
hlavní obchodní trasy
hranice římské říše
Púchov
Tuchyňa
Váh
Hornád
Laugaricio
(Trenčín)
Mušov
Dyje
Marus (Morava)
Oberleiserberg
Unterleis
Gajáry
Cífer-Pác
Danubius (Dunaj)
Stillfried
Stupava
Devín
Dúbravka
Bratislava
Vindobona
Carnuntum
Gerulata (Rusovce)
Nitra
Granua (Hron)
Slaná
Želiezovce
Vyškovce
Kišvároš
Bíňa
Leányvár
Brigetio
Scarbantia
Arrabona
Aquincum
Transaquincum

Římská hranice – limes Romanus – na středním Dunaji (2.–4. stol.)

ropských etnik, známou jako stěhování národů, došlo i zde k výrazným etnickým změnám.

Část Svébů odtáhla až na západ Evropy a v severozápadní části Pyrenejského poloostrova založila království, které tam přetrvalo až do druhé poloviny 6. století, kdy bylo začleněno do visigótské říše (575). Svébské obyvatelstvo, které zůstalo na území Slovenska, se přesunulo z nížin do údolí středního Slovenska a často se stěhovalo i na přilehlé výšiny a kopce, kde zřejmě hledalo útočiště před častými nájezdy nomádů.

Skupiny nomádských Hunů se v Karpatské kotlině objevily již na konci 4. století, ale teprve začátkem 5. století si v Potisí vybudovaly středisko říše, která zasahovala i na dnešní území Slovenska. Až do poloviny 5. století se Hunové stali dominujícím etnikem v Podunají, respektovaným západořímskou i východořímskou říší. Teprve porážka roku 451 v bitvě na Katalaunských polích v Galii a následná smrt jejich vůdce Attily znamenala konec hunské nadvlády v Podunají.

V bývalé římské provincii Panonii se však na základě dohody se západořímskou říší usadili asi roku 467 východní Gótové – Ostrogóti. Původní svébské obyvatelstvo na sever od Dunaje se bránilo jejich expanzi, ale neúspěšně. Ostrogóti vtrhli roku 469 i na území Slovenska a zpustošili úrodné nížiny nad Dunajem a na dolních tocích dunajských přítoků. Brzy nato se však Ostrogóti přesunuli do Itálie a v Karpatské kotlině se objevily na východě východogermánské kmeny

Rekonstrukce brány na hradisku v Liptovskej Mare

Gepidů a na západě severogermánští Herulové. Na přelomu 5. a 6. století pronikli k Dunaji Langobardi, kteří ovládli území Dolního Rakouska, Moravy, západního Slovenska a západního Maďarska. Jejich král Vacho porazil a podrobil si zbytky Svébů, které se od té doby, od poloviny 6. století, v pramenech již neuvádějí. Brzy nato začali do Karpatské kotliny pronikat Avaři a slovanské kmeny. Roku 568 král Langobardů Alboin odtáhl se svým lidem do severní Itálie a vyprázdněná Karpatská kotlina se stala dějištěm nového osídlování. Na území Slovenska se od druhé poloviny 5. století stali postupně dominantním etnikem Slované.

2 STAŘÍ SLOVANÉ

Slované v Karpatské kotlině

OSÍDLOVÁNÍ ÚZEMÍ A ZPŮSOB ŽIVOTA

Staří Slované se objevili v Karpatské kotlině koncem 5. století, v době velkých migračních pohybů na euroasijském kontinentě, které jsou známy jako doba stěhování národů. Jejich pravlast byla na východě mezi řekami Dněpr a Bug, v dnešní Ukrajině a v Polsku, odkud se stěhovali na jih a na západ. Podle některých starších názorů opírajících se především o ruskou Nestorovu kroniku, v tomto ohledu ne zcela věrohodnou, byla však původní sídla Slovanů na středním Dunaji. Rozbor písemných pramenů ani archeologické nálezy však tuto teorii nepotvrdily, naopak, dokázaly s velkou pravděpodobností kolonizaci Karpatské kotliny Slovany z východu.

Od konce 5. století a v průběhu 6. století postupovali Slované do Karpatské kotliny dvěma hlavními směry – ze severu přes karpatské hřebeny a z jihu podél toku Dunaje. Na konci 5. století osídlení na slovenském území prořídlo. Postupně odtáhla na západ většina germánských Svébů. První slovanské kmeny se ještě na západním Slovensku a na Moravě setkaly pravděpodobně s odcházejícími Langobardy. Slované tedy přišli do řídce osídlené, nikoli však liduprázdné země, aby se v průběhu 6. století stali na dnešním slovenském území dominantním etnikem. Tím skončila pětisetletá éra převahy germánského obyvatelstva a začala éra slovanského osídlení, trvající dodnes.

Poměrně bohaté objevy slovanských osad v Pováží a Ponitří dokumentují postupně houstnoucí slovanské osídlení a dovolují aspoň v hlavních rysech rekonstruovat způsob života starých Slovanů.

Některé archeologické nálezy svědčí o tom, že Slované využívali opuštěná města a obydlí po svých předchůdcích. Slované pravděpodobně zužitkovali zbytky zdí a kameny po římských nebo germánských stavbách a používali také nástroje nalezené v opuštěných osadách.

Slované se zabývali extenzivním zemědělstvím, k čemuž potřebovali velké osevní plochy. Vzhledem k tomuto charakteru hospodářské činnosti bylo slovanské osídlení poměrně řídké a mělo podobu malých osad s velkými rozlohami využívané půdy. Pro své osady vyhledávali Slované hlavně údolí řek s úrodnou půdou, často v ramenech a meandrech, na mírně vyvýšených polohách. Na základě archeologických nálezů lze konstatovat, že žili v monogamních rodinách. Své mrtvé spalovali, ukládali do uren a pochovávali v mělkých jamách. Kulturní úroveň nejstarších Slovanů byla nižší než úroveň předcházejícího osídlení – Keltů, Germánů a hlavně ve srovnání s římskou civilizací. Retardační vlivy období stěhování národů se tehdy projevily ostatně v celé Evropě.

O životě Slovanů se už zachovaly i písemné prameny. Byzantský historik Prokopios ve svých *Historiích* píše o životě Slovanů dost podrobně: „Mají jednoho boha, tvůrce blesku, toho považují za jediného pána všech věcí, jako oběť mu přinášejí býky a vykonávají i jiné posvátné obřady. Uctívají řeky a víly a další božstva, přinášejí jim oběti a pomocí jich věští. Bydlí v ubohých chatrčích, navzájem rozptýleni, často mění obydlí. Do boje proti nepříteli jdou pěšky se štíty a kopími v rukou, brnění si nikdy neoblékají. Někteří nemají ani košile ani pláště, někteří mají jen kalhoty se širokým pasem na bedrech. Všichni mají jeden jazyk, neumělý, barbarský. Ani vzhledem se od sebe neliší. Vzrůstem a ohromnou silou se liší od ostatních, kůži a vlasy nemají ani příliš světlé, ani docela černé, spíš jsou kaštanoví. Způsob jejich života je drsný, bez pohodlí."

Už v 7. století však lze zaznamenat rychlý rozvoj zemědělské techniky a řemesel, jakož i čilou výměnu zboží dokonce s poměrně vzdálenými zeměmi – s Byzancí (poklad byzantského kovotepce ze Zemianského Vrbovka), s franskou říší Merovejců, ale i s oblastmi na severu Evropy.

FORMOVÁNÍ KMENOVÝCH A NADKMENOVÝCH SVAZŮ

Od první poloviny 6. století byli Slované v Karpatské kotlině v neustálém kontaktu s Avary, kteří pronikli do tohoto prostoru po roce 568, přičemž v první fázi (568–670) se nápor Avarů dotýkal oblastí na sever od Dunaje pouze okrajově. Později nájezdy kočovných Avarů, kteří si mezi Dunajem a Tisou vytvořili centrum své říše, stále víc sužovaly Slovany. V Nestorově kronice je o tom zmínka: „Tito Avaři bojovali se Slověny a sužovali jejich ženy. Když chtěl nějaký Avar cestovat, nedovolil zapřáhnout koně ani vola, ale dal zapřáhnout do taligy tři, čtyři nebo pět žen, a tak se dal vozit."

Archeologický průzkum velkomoravského hradiště v Pobedimi ve středním Pováží

Avarské přepady nakonec donutily Slovany, aby se sjednocovali a postavili na odpor. Tak vznikl první známý slovanský kmenový svaz, který pravděpodobně zasahoval i na území dnešního Slovenska – Sámova říše (623–658). Název dostala podle franského kupce Sáma, který se postavil do čela Slovanů. Fredegarova kronika o tom vydává toto svědectví: „Muž jménem Sámo, rodem Frank, přivedl s sebou mnohé kupce a vydal se za obchodem k Slovanům. Ti se už začali bouřit proti Avarům a proti jejich vládci kaganovi. Když Slované s vojskem zaútočili proti

Kníže Pribina zakládá v Nitře kostel; obraz z roku 1933, kdy proběhly oslavy 1100. výročí křesťanství na Slovensku

Avarům, kupec Sámo postupoval ve vojsku s nimi. A tu prokázal tak velkou schopnost, že to budilo obdiv, a nesmírný počet Avarů byl pobit meči Slovanů. Když Slované poznali Sámovu užitečnost, zvolili si ho za krále a šťastně panoval 35 let. Za jeho vlády vedli Slované četné boje proti Avarům. Sámo měl z kmene Slovanů 12 žen, s nimiž zplodil 22 synů a 15 dcer."

Sámova říše se rozprostírala pravděpodobně na území dnešní jižní Moravy, jihozápadního Slovenska, dolního Rakouska a severozápadního Maďarska. Přesná lokalizace říše ani Sámova hradiště Vogastisburgu není však na základě dosud dostupných písemných pramenů možná. Při její lokalizaci se lze částečně opřít pouze o archeologické nálezy. Je však jisté, že Sámova říše byla poměrně konsolidovaným a silným kmenovým svazem, který umožnil Slovanům vymanit se zpod avarské nadvlády a také úspěšně odrazit expanzivní pokusy franské říše, jejíž král Dagobert I. se pokoušel slovanské kmeny porazit a podrobit. Sámova říše trvala jen krátce, po smrti sjednotitele a vůdce Sáma v roce 658 se jeho kmenový svaz rozpadl.

Z druhé poloviny 7. a z 8. století se nezachovaly žádné zprávy o kmenovém nebo státním životě Slovanů na dnešním území Slovenska. Na základě archeologických výzkumů však lze předpokládat, že organizování naddunajských Slovanů pokračovalo. Tvořila se poměrně vyspělá sídelní centra, chráněná pevným fortifikačním systémem. Na některých místech Slované stavěli opevněná hradiště, která je měla chránit před nepřátelskými útoky. Hradiště opevňovali příkopy, valy a palisádovými hradbami. Na základě archeologických vykopávek lze dobře rekonstruovat některá hradiště, například poměrně velké hradiště u Pobedima v Pováží.

Společenský rozvoj pokročil nejvíc na jihozápadním Slovensku. Hlavně po porážkách Avarů způsobených franským králem Karlem Velikým koncem 8. století zaznamenávala tato oblast velké pokroky. V první třetině 9. století se už setkáváme se zprávami o nadkmenovém politickém útvaru v Nitře. Jeho vládcem byl kníže Pribina, takže tento útvar nazýváme nitranským nebo také Pribinovým knížectvím.

Jeho centrum bylo na dnešním jihozápadním Slovensku, ale sahalo až k Turci, na dolní Oravu, do Pováží a odtud po Spiš, Gemer a Zeplín na východním

Slovensku. Na celém území knížectví se utvářely hospodářskosprávní celky, jejichž středisky byla hradiště v Nitře, Pobedimu, Vyšném Kubíně, Spišských Tomášovcích a v Brekově.

Na Pribinově knížecím majetku byl v Nitře postaven a okolo roku 828 salcburským biskupem Adalramem vysvěcen první známý křesťanský kostel v západoslovanském prostředí. Svědčí to o pronikání křesťanství, které zde šířila christianizační mise z franské říše. V druhé polovině 8. století zintenzivnila misijní činnost irsko-skotských, franských a italských misionářů.

Velká Morava (833–907)

POLITICKÉ DĚJINY VELKÉ MORAVY

V sousedství Pribinova knížectví, na území dnešní Moravy, se paralelně vytvořilo moravské knížectví v čele s vládcem Mojmírem I. Kolem roku 833 Mojmír porazil Pribinu a spojil obě knížectví do jednoho celku, který je známý jako Velká Morava nebo velkomoravská říše. Pribina se svou družinou utekl na jih, aby pod patronátem franské říše získal úděl v Panonii a přijal křesťanství. Svědectví o tom zachoval spis *O obrácení Bavorů a Korutanců* z 9. století: „Jistý Pribina, vyhnaný Mojmírem, knížetem Moravanů nad Dunajem, přišel k Ratbodovi. Ten ho hned postavil před našeho krále Ludvíka a z jeho příkazu byl vyučen ve víře a pokřtěn v kostele svatého Martina na místě zvaném Treisma, a to na dvorci patřícím k salcburské stolici. Na prosbu věrných zmíněného krále udělil král Pribinovi do léna jakousi část dolní Panonie kolem řeky zvané Zala. On se tam potom usídlil, začal stavět pevnost v jakémsi háji a močálech řeky Zala, ze všech stran shromažďoval lidi a na tom území se vzmáhal."

Velkomoravská říše byla poměrně velkým státním útvarem. Jeho politickým dějinám dominuje ustavičný konflikt s franskou říší, která toto území považovala za svou zájmovou sféru. Velkomoravská knížata nadvládu franské (východofranské) říše střídavě uznávala, aby se pak znovu závislosti zbavovala a bojovala o nezávislost. Dochované prameny nedovolují s určitostí stanovit, kde stálo sídlo velkomoravských panovníků. S velkou pravděpodobností se jejich hlavní město nacházelo na území dnešní Moravy, podle bohatosti archeologických nálezů to mohly nejspíše být Mikulčice, kde se podařilo odkrýt zbytky honosného knížecího paláce a dvanáct kostelů. Nitra jako sídlo biskupa a následníka trůnu si uchovávala významné postavení jako druhé centrum říše a není vyloučeno, že měla i určitý stupeň autonomie.

Nejvýznamnějšími panovníky velkomoravské říše byli Rastislav (846–870) a Svatopluk I. (871–894). Oba usilovali o nezávislost svého státu, což se jim střídavě, vždycky na krátkou dobu, podařilo.

Rastislav se stal vévodou Velké Moravy dík Frankům. Roku 846 vznikly v zemi nepokoje, které podle všeho souvisely s nespokojeností s Mojmírovou vládou a s boji uvnitř dynastie. Východofranský král Ludvík Němec se svým vojskem nepokoje urovnal a ustanovil vévodou Mojmírova synovce Rastislava.

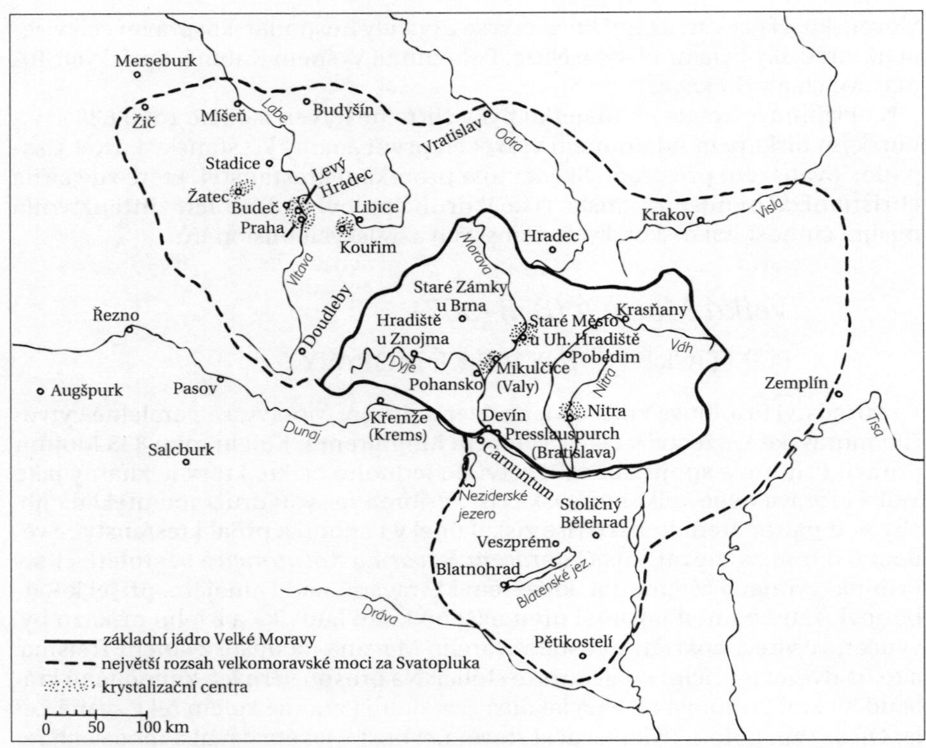
Merseburk
Žič
Míšeň
Labe
Budyšín
Vratislav
Odra
Stadice
Levý Hradec
Žatec
Budeč
Libice
Praha
Kouřim
Vltava
Krakov
Visla
Hradec
Morava
Staré Zámky u Brna
Doudleby
Řezno
Hradiště u Znojma
Staré Město u Uh. Hradiště
Krasňany
Váh
Pobedim
Dyje
Mikulčice (Valy)
Pohansko
Nitra
Augšpurk
Pasov
Zemplín
Křemže (Krems)
Devín
Presslauspurch (Bratislava)
Tisa
Dunaj
Salcburk
Carnuntum
Neziderské jezero
Stoličný Bělehrad
Veszprémo
Blatnohrad
Blatenské jez.
Drava
Pětikostelí
základní jádro Velké Moravy
největší rozsah velkomoravské moci za Svatopluka
krystalizační centra
0 50 100 km

Velkomoravská říše

O samotném konfliktu i o tom, co se stalo s Mojmírem, prameny mlčí. Frankové považovali Velkou Moravu za svou doménu a jejího panovníka za svého vazala. Rastislav těmto jejich představám v prvních letech své vlády neodporoval. Když se však v letech 853–854 markrabě východní marky Ratbod vzbouřil proti Ludvíku Němci, Rastislav se postavil na jeho stranu, čímž se dostal do konfliktu s králem. Ludvík Němec chtěl Rastislava potrestat, jeho vojenské tažení však neskončilo úspěchem, což posílilo Rastislavovy pozice. Rovněž Ludvíkům syn Karloman se jako správce Východní marky pokoušel vojensky pokořit Velkou Moravu, ale bez výraznějšího úspěchu. Konflikt skončil roku 859 mírem, podle něhož získal Rastislav nezávislejší postavení. To ovšem neznamenalo, že se východofranská říše vzdala svých hegemoniálních nároků vůči Velké Moravě. Využívala přitom rozbrojů uvnitř mojmírovské dynastie. Tak se zmocnil knížecího stolce pomocí Franků Rastislavův synovec Svatopluk, i když znovu jen za cenu věrolomnosti vůči strýci a později vůči samotnému Karlomanovi. Takovéto mocenské zápasy byly však v Evropě za raného středověku běžné.

Svatopluk se od roku 871 stal poměrně nezávislým panovníkem. Nejenže svou říši upevnil vnitřně, ale rozšířil až do Potisí, Malopolska, Čech, Slezska a do Lužice. Dík tomuto mocenskému rozmachu státu je Svatopluk I. nejpopulárnější postavou slovenské velkomoravské tradice. O starých Slovanech a o Svatoplukovi I. zaznamenal zajímavé svědectví arabský cestovatel Ibn Rusta: „Svého vládce nazývají subandžem, poslouchají ho. Sídlo vládce je uprostřed slovanského území. Nejvznešenější je ten, komu náleží titul kníže knížat, a říkají mu Swjatubulk. Má větší moc než subandž, který je jeho zástupcem. Tento panovník má i koně. Jeho jídlo se připravuje z mléka. Má dobré, silné a drahocenné brnění. Město, v němž sídlí, se jmenuje Džirwáb (Džarádust).“

Podle dochovaných pramenů probíhal boj o moc v samotné Velké Moravě se vší krutostí, lstí, boji a podvody obvyklými v té době po celé Evropě. O boji mezi Rastislavem a Svatoplukem I. píše analista Meginhart: „Svatopluk, synovec Rastislavův, maje na zřeteli vlastní zájmy, vzdal se Karlomanovi spolu s knížectvím, které spravoval. Kvůli tomu se Rastislav velmi rozzlobil a rozkázal ho při hostině, nic netušícího, zabít. Milostí boží však vyvázl z nebezpečí smrti. Protože dřív než vešli do paláce ti, kdo ho chtěli zabít, byl upozorněn někým, kdo byl zasvěcen do tohoto úskoku, vstal od hodokvasu, a jako by šel na lov se sokoly, unikl připraveným nástrahám. Rastislav však vida, že jeho lest je prozrazena, s družinou pronásledoval svého synovce, aby ho zajal. Spravedlivým řízením božím se však sám chytil do pasti, kterou nastrojil. Byl totiž tímto svým synovcem zajat, spoután a odevzdán Karlomanovi, který ho pod vojenským dozorem poslal do Bavor a tam dal v žaláři hlídat do té doby, než přišel král. Král Ludvík rozkázal přivést Rastislava, spoutaného v těžkých okovech, a podle rozhodnutí Franků, Bavorů, jakož i Slovanů, kteří přišli z různých provincií, přinášejíce dary králi, a dal ho, odsouzeného k smrti, připravit jen o světlo očí.“ Oslepení Rastislava bylo tedy projevem milosti vůči tomuto panovníkovi Velké Moravy. Svatopluk se za pomoci Franků a bavorského kléru ujal vlády, ani on však slibovanou poslušnost Frankům nezachovával.

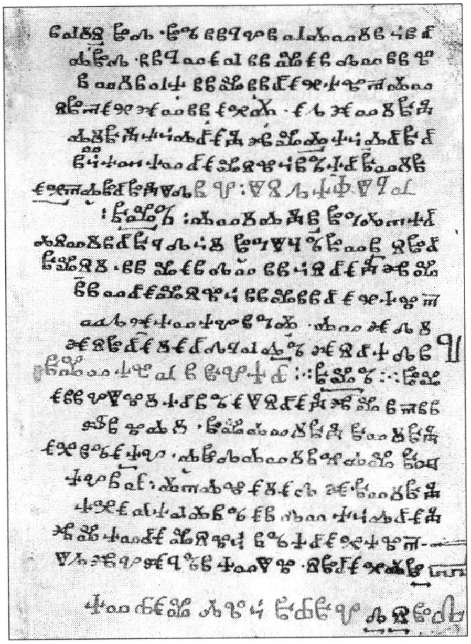

Ukázka hlaholice z velkomoravského misálu vzniklého koncem 9. století

Za jeho panování se Velká Morava stala významným státem. Roku 872 porazil Svatopluk vojska Duryňčanů a Sasů, poslaná Ludvíkem Němcem. Podle kronikáře slovanské ženy srážely prchající nepřátelské vojáky s koní kyji. Později Svatopluk porazil na Dunaji i bavorské loďstvo. Roku 874 konečně uzavřel s králem Ludvíkem mír. Slíbil králi věrnost a zavázal se platit každoročně poplatek, vymohl si však, že ho král nechá „klidně jednat a v pokoji žít". Pokoj ze strany krále využil Svatopluk k výbojům do okolních zemí, které si podmanil, a poplatky vymáhané od nich mu bohatě stačily nejen na zaplacení tributu králi, ale také na zvelebování dvora a vlastní země. Po celé zemi se stavěla nová hradiště – hospodářskosprávní centra, přestavovala a zdokonalovala se starší.

V období Velké Moravy se na dnešním území Slovenska začali usazovat Židé. Archeologické prameny podávají svědectví o jejich přítomnosti severně od Dunaje už v prvních stoletích po Kristu; tehdy zprostředkovávali obchodní styky mezi Římany a Germány. Není však prokázáno, že se zde usadili trvaleji, a pravděpodobně neexistuje kontinuita židovského osídlení od těchto dob po Velkou Moravu. Ve velkomoravském období však jejich přítomnost na jejím území dokazují písemné prameny, hlavně zmínky v cestopisech Ibrahima ibn Jakuba a Ibn Rusty.

Po Svatoplukově smrti začal stát postupně upadat. Pravděpodobně ještě před smrtí rozdělil Svatopluk říši mezi své syny – Mojmíra II., Svatopluka II. a snad i Predslava, který však není bezpečně doložen. Hlavním vladařem se měl stát Mojmír II. Došlo však k vnitřním sporům, především mezi Mojmírem II. a Svatoplukem II., kterých využíval východofranský král Arnulf. Velkou Moravu zároveň velmi oslabovaly nájezdy nomádských kmenů, Uhrů, z nichž jeden kmen tvořili Maďaři. Oslabení říše využila také česká knížata – podřídila se Arnulfovi, a tím se vymanila z krátké nadvlády Velké Moravy. Mojmír II. se snažil udržet říši pohromadě, obrátil se i na papeže Jana IX. se žádostí o obnovení moravské církevní provincie. Papež mu vyhověl a zřídil tři biskupství. Ve snaze ubránit se nájezdům Maďarů uzavřel Mojmír II. roku 901 mír s východofranskou říší, ale udržet celistvost a nezávislost říše se mu však nepodařilo. Kolem roku 907 se Velká Morava rozpadla. Téhož roku je totiž zaznamenána bitva u Brezalauspurku, v níž Maďaři za pomoci Slovanů porazili bavorská vojska a lze předpokládat, že tou dobou už Velká Morava neexistovala. Pod jménem Brezaluspurk je poprvé zmiňována dnešní Bratislava.

Samotný název státu Velká Morava pochází od byzantského císaře Konstantina VII. Porfyrogenneta (912–957), ačkoliv jeho řecké označení *megalé* lze překládat jako „velká", ale také jako „vzdálená", na rozdíl od jemu bližší Moravy, která se tou dobou (v polovině 10. století) rozkládala na srbské řece Moravě. Ne vždy exaktní lokalizace státu v historických pramenech se stala příčinou k diskusi o skutečné poloze Velké Moravy, přičemž některé práce vyslovují pochybnost, zda se stát rozkládal na území Moravy a Slovenska před Svatoplukem. Prameny však lokalizují a jmenují Nitru. Zmiňuje se o ní také anglický panovník Alfred Veliký ve svém díle *Historia mundi* (Dějiny světa, sedmdesátá léta 9. století). Písemné prameny i archeologické nálezy ukazují na kontinuitu politických dějin v tomto prostoru a na jejich identitu s ději, jež se odehrávaly ve Velké Moravě. Proto současná historická věda používá pro politický útvar pod vládou Mojmírovců tradiční pojmenování Velká Morava a lokalizuje ho do oblasti jižní Moravy a jihozápadního Slovenska.

Starší dějepisectví označovalo Velkou Moravu za první společný stát Čechů a Slováků, což není z historického hlediska správné. Velká Morava však patří do dějin českých i slovenských, protože se rozkládala jak na území Moravy a krátce i Čech, tak Slovenska. Nejužívanější označení pro obyvatele Velké Moravy je Slověni, což je vlastně synonymum pro tehdy ještě málo etnicky i jazykově diferencované staré Slovany. V písemných pramenech se rovněž používá pojmenování odvozené od názvu státu – Moravané.

KŘESŤANSTVÍ A KULTURA VELKÉ MORAVY

Velká Morava trvala sice jen krátce, tři čtvrtě století, pro další vývoj Slováků však měla velký význam. Bylo to období, kdy se na celém území Slovenska rozšířilo křesťanství. Jeho šíření mělo též své politické pozadí. Křesťanství přicházející ze západu, z východofranské říše, bylo součástí mocenské expanze tohoto státu do Podunají a celé střední Evropy. Rastislav se snažil o větší nezávislost na východofranské říši také tím, že chtěl dosáhnout šíření křesťanství a zřízení biskupství bez franského prostředkování. Proto se obrátil na byzantského císaře Michala III. (842–867), aby poslal do velkomoravské říše misionáře ovládající slovanský jazyk. Byzantský panovník jeho žádosti vyhověl a roku 863 přišli na Velkou Moravu bratři Konstantin a Metoděj, původem ze Soluně.

V *Životě Konstantina a Metoděje* se o této události zachovalo následující svědectví: „Rastislav, totiž moravské kníže, z vnuknutí Boha se poradil se svými knížaty a poslal k císaři poselství, které oznámilo: Třebaže se naši lidé odvrátili od pohanství a jednají podle zákona křesťanského, nemáme učitele, který by nám pravou křesťanskou víru v našem jazyku zvěstoval, aby se i jiné země, vidíce to, k nám připodobnily. Pošli nám tedy, vladaři, takového biskupa a učitele. Neboť od vás na všechny strany vždy dobrý zákon vychází. Shromáždiv radu, císař přizval Konstantina Filosofa a dal mu vyslechnout takovouto řeč. Řekl: Vím, Filosofe (tak totiž Konstantinovi říkali doma), že jsi znavený, ale musíš tam jít, protože takové věci nemůže udělat nikdo jiný než Ty. Dám Ti tedy dary mnohé, vezmi svého bratra Metoděje, neboť vy jste Soluňané a všichni Soluňané mluví slověnsky."

Působení mise bratří Konstantina a Metoděje bylo všestranné. Především to bylo působení misijní – christianizační. Jelikož však Rastislav požadoval šíření křesťanství v slovanském jazyce, Konstantin už před příchodem na Velkou Moravu sestavil slovanskou abecedu. Slovanské písmo – hlaholice – umožnilo překlad bible a jiných liturgických textů do slovanského jazyka. Tak vlastně Konstantin a Metoděj kodifikovali spisovný staroslověnský jazyk, který neměl toliko funkci bohoslužebnou, nýbrž působnost mnohem širší. Slovanské učiliště založené oběma věrozvěsty se stalo střediskem vzdělanosti, kultury a literární tvorby. V slovanském jazyku zde vznikla vedle překladů i původní díla. Mezi nejvýznamnější patří Konstantinova veršovaná předmluva k slověnské-

HVC A VATICANO FERTVR PP NICOLAO IMNISDIVINIS QDAROMATIB SEPELIVIT

Freska z kostela S. Clemente v Římě zobrazující Konstantina a Metoděje přinášející do Říma ostatky sv. Klimenta

mu překladu evangelia *Proglas, Život Konstantinův* a *Život Metodějův.* Životopisy obou věrozvěstů napsali jejich žáci a následovníci. Vznikla i čtení ze života svatých, kázání *Napomenutí vladařům* arcibiskupa Metoděje, velkomoravský zákoník (*Zákon sudnyj ljudem*) a *Nomokánon* – velkomoravský právní řád.

Konstantin, zvaný Filosof, patřil k nejvzdělanějším osobnostem své doby. Vynikal zkušenostmi z diplomaticko-christianizačních misí. Metoděj měl právnické vzdělání a byl dobrým organizátorem církevního a společenského života. Oba obhajovali své překlady i svou slovanskou liturgii u papeže Hadriana II., který roku 867 položil bohoslužebné knihy v slověnském jazyce na oltář baziliky sv. Petra v Římě, čímž se staroslověnský jazyk dostal symbolicky i fakticky na stejnou úroveň jako ostatní tehdejší kulturní jazyky hebrejština, řečtina a latina. Konstantin zůstal v Římě, vstoupil do kláštera, přijal jméno Cyril a brzy zemřel. Metoděj se rozhodl vrátit se na Moravu. Na cestě však byl zajat a několik let vězněn bavorským klérem; teprve po papežově zásahu se po roce 873 vrátil na Velkou Moravu, aby pokračoval v započatém díle. Nebylo to však jednoduché – zápas o slovanskou liturgii se stal součástí politického boje o ovládnutí Velké Moravy a nakonec celého Podunají.

Franští kněží, kteří považovali působení Konstantina a Metoděje za nepřípustné zasahování do své vlastní sféry, se snažili znemožnit jejich působení a zároveň odstranit slovanskou liturgii ve velkomoravské říši. Zápas mezi přívrženci latinské a slovanské liturgie probíhal se střídavými úspěchy podle politických poměrů, do nichž zasahovali i jednotliví papežové. Papež Jan VIII. bulou *Industriae tuae* z roku 880 opětovně povolil používání slovanského jazyka v liturgii, potvrdil Metoděje ve funkci arcibiskupa a navíc vzal Svatopluka I.

a jeho zemi pod svou ochranu, čímž se značně upevnilo postavení říše v tehdejší křesťanské Evropě. Po různých peripetiích a projevech nepřátelství franských kněží se Metoděj jako první velkomoravský arcibiskup stal horlivým organizátorem církevního života na Velké Moravě.

Nástupce Jana VIII. Štěpán V. však pod vlivem bavorského kléru vydal roku 885 zákaz používat slovanskou liturgii. Metoděj mezitím téhož roku zemřel a Svatopluk z podnětu papeže vyhnal Metodějovy žáky z říše. Tento akt měl dlouhodobé dějinné následky. Znamenal definitivní a dlouhodobé včlenění Slovanů na nynějším slovenském území, ale také v celém středoevropském prostoru do latinské kulturní sféry. Slovanské písemnictví se odtud postupně vytrácelo, rozvíjelo se však dál v Bulharsku a na Kyjevské Rusi. Hlaholice vytvořená Konstantinem-Cyrilem se stala základem pro vznik slovanského písma – cyrilice.

Existence slovanského písemnictví na Velké Moravě byla časově krátká. Přesto se Konstantinovi, Metodějovi a jejich žákům podařilo vytvořit hodnotné dílo, jež patří ke skvostům evropského raně středověkého písemnictví. K tomuto dílu se jako k odkazu svých předků a ke svému kulturnímu dědictví spolu s jinými slovanskými národy hlásí i Slováci.

Kromě bohaté duchovní kultury vznikla na Velké Moravě také pozoruhodná kultura materiální, bohatě dokumentovaná archeologickými nálezy. Meče, ostruhy, bohatě zdobené kování opasků i výzdoba koňských postrojů dokazují vyspělé umělecké řemeslo. Za vrcholný projev uměleckého kovářství lze považovat velkomoravské šperky – záušnice, prsteny, čelenky, gombíky vyráběné ze železa, bronzu i stříbra.

Zachovaly se pozůstatky pozoruhodných sakrálních i světských staveb. Kromě dřevěných staveb vznikly na Velké Moravě i mnohé kamenné stavby, hlavně sakrálního charakteru – bazilika na bratislavském hradě, kostely na Devíně, v Nitře, Nitrianské Blatnici. Ze světských staveb to byly zejména dvorce (například v Ducovém) a hradiště, roztroušená prakticky po celém nynějším území Slovenska a ovšem i na Moravě a ostatních územích patřících k Velké Moravě. V architektuře se uplatňovaly vlivy karolinské, dalmatské i byzantské. Staré stavby z velkomoravského období byly později přestavovány, archeologický výzkum však jejich existenci bezpečně prokázal.

V hlaholici, kterou sestavil Konstantin, a v staroslověnském jazyku v slovanském učilišti, založeném oběma věrozvěsty, vzniklo v krátké době několik překladů i původních děl. Kromě již zmíněného *Prologu*, *Života Konstantina* a *Života Metoděje* připomeňme hlavně úplný překlad bible, čtení o světcích, Metodějův překlad zákoníku, tzv. *Nomokanon*, a jeho kázání *Napomenutí vladařům*. Po Metodějově smrti se slovanské písemnictví šířilo dál, ale už mimo území Velké Moravy, protože slovanské učiliště vedené Gorazdem zde bylo zavřeno a Metodějovi žáci vyhnáni.

3 VE STŘEDOVĚKÝCH UHRÁCH

Formování uherského království

STÁTNÍ RÁMEC PRO VZNIK SLOVENSKÉHO ETNIKA

Vítězství nad vojsky východofranské říše roku 907 u Brezalauspurku (Bratislavy) využili staří Maďaři k neustálým nájezdům a ohrožování sousedních krajin směrem do Bavorska, do Saska, ale i na jihovýchod – do byzantské říše. Vojenská porážka na Lechu roku 955 je však donutila, aby se soustředili především na upevnění moci v hlavní oblasti svého osídlení v podunajské Panonii. Postupná změna spočívala v tom, že kočovní a výbojní Maďaři přešli na usedlý způsob života a začali se věnovat organizaci svého státu pod vedením dynastie Arpádovců.

Slovanské obyvatelstvo Karpatské kotliny a Podunají se postupně dostávalo do sféry vlivu utvářejícího se uherského státu, protože velkomoravská říše vzhledem k své vnitřní nejednotnosti a oslabení nedokázala čelit náporu starých Maďarů a na začátku 10. století zanikla. Rozdrobená území někdejší Velké Moravy na středním Dunaji a pod karpatským obloukem se postupně dostávala pod nadvládu vytvářejícího se uherského státu. K Uhrám byly nejprve přičleněny nejhustěji osídlené oblasti jihozápadního Slovenska, severnější regiony si poměrně dlouho uchovaly určitou nezávislost.

Proces zániku Velké Moravy a včleňování nynějšího slovenského území do uherského státu není vzhledem k nedostatku pramenů dostatečně prozkoumán. To umožnilo vznik různých mýtů. V slovensko-maďarských polemikách, které začaly už v 17. století, se objevovaly hlavně dvě teorie. Maďarská podávala věc tak, že slovanské obyvatelstvo bylo podmaněno Maďary. Podle některých pověstí tohoto druhu prodal Svatopluk svou zemi Maďarům za bílého koně. Na slovenské straně se v polemikách argumentovalo teorií, podle níž původní slovanské (slovenské) obyvatelstvo přijalo Maďary jako hosty a uzavřelo s nimi dohodu. Obě teorie mají ráz legendy se zřetelným ideologickým pozadím. Nejpravděpodobnější je, že proces včleňování slovenského území do Uher byl postupný a násilí se v něm kombinovalo s dohodami, jak bylo v raném středověku obvyklé. Svědčí o tom doložené postup-

Východní kočovník na koni se zajatcem

né včleňování slovenského území do nově organizovaného státu.

O násilném podmanění slovanského obyvatelstva by mohlo svědčit i maďarské pojmenování Slováků – Tót, což mohlo znamenat „podrobený". Zároveň však lze zaznamenat četné znaky slovensko-maďarského soužití. Slovanské obyvatelstvo živící se obděláváním půdy a mající poměrně vyspělou řemeslnou výrobu stálo na vyšším vývojovém stupni než kočovní Maďaři. Při přechodu k usedlému způsobu života, spojenému s obděláváním půdy, převzali Maďaři od nich vyspělejší zemědělské nástroje i techniku a postupně si osvojovali i slovanské názvy. Početné slovanské jazykové výpůjčky v maďarštině svědčí, že staří Maďaři přebírali od Slovanů i starší formy územní a správní organizace. Je zřejmé, že do služeb Arpádovců vstupovala také řada slovanských velmožů a podílela se aktivně na utváření uherského státu.

Boj bavorského vojska s maďarskými nájezdníky

Uherský stát tak vytvořil vnější podmínky pro formování Slováků jako samostatného národa, protože je od ostatních blízkých západních Slovanů oddělil státní hranicí. Listiny dokládají výraz „slovenský" teprve v 13. století, v odborné literatuře se však považuje za korektní používat výrazů Slovák, slovenský pro celé období uherského státu. Zásadní vliv uherského státu na formování etnické a národní identity je nesporným faktem. Zatímco příliš krátká existence Velké Moravy podle všeho nevytvořila u jejího obyvatelstva trvalejší společné etnické povědomí, včlenění „zbytků Svatoplukova lidu" do uherského království vytvořilo vnější rámec k tomu, aby se z naddunajských Slovanů, kteří kdysi žili na velkomoravském území a od 10. století patřili do Uher, postupně formovali etničtí Slováci.

NITRANSKÉ ÚDĚLNÉ VÉVODSTVÍ

Uherský stát se od svých počátků dělil na úděly, spravované členy vládnoucí arpádovské dynastie. Jeden z těchto údělů se rozkládal na území dnešního Slovenska a měl sídlo v Nitře. Nitra, významné politické centrum už před Velkou Moravou, si tuto úlohu podržela i v Uhrách. Úděly zůstaly zachovány i po centralizačních snahách knížete Gejzy (asi 940–997) a prvního uherského krále Štěpána I. (997–1038). Především v případě nitranského údělného vévodství je můžeme považovat za přežívající pozůstatek z velkomoravského období.

Král Štepán vynikl jako organizátor uherského státu. Byl vychován v křesťanském duchu a sám jej horlivě šířil. Své vladařské postavení musel bránit proti svému příbuznému Kopáňovi. Byl to boj křesťana Štěpána proti pohanským vojskům jeho soka. S podporou papeže a křesťanské Evropy se Štěpánovi po-

Svatoštěpánská koruna

dařilo svá nástupnická práva uhájit. Za své christianizační zásluhy byl koncem 11. století prohlášen za svatého a svatoštěpánská koruna se stala hlavním symbolem uherského státu.

Štěpán se musel bránit i před útokem polského krále Boleslava Chrabrého, který na čas ovládl téměř celé území Slovenska. Nakonec se však Štěpánovi podařilo své království udržet a vytvořit centralizovaný stát, jednotně organizovaný a spravovaný. Země se začala dělit na královské župy, které byly spravovány županem, jejž jmenoval král; župan zpravidla sídlil na komitátním hradě. Přesto se instituce údělů fungovala i nadále. Nitranský úděl zahrnoval celé západní a střední Slovensko s částí severního Maďarska. V druhé polovině 11. století za Ondřeje I. (1046–1060) už k tomuto údělu patřilo nejen Nitransko, ale pravděpodobně celé nynější slovenské území. Tento úděl měl v dočasné správě zpravidla nástupce trůnu. Po dobu existence nitranského údělu v Nitře vystřídalo se v něm 17 údělných knížat. Začátkem 12. století však instituce vévodského údělu byla zrušena králem Kolomanem (1095–1116). V lidových pohádkách a pověstech zůstala zachována jako „třetina království", která měla připadnout udatnému princi.

Proč údělná vévodství zanikla, není dost dobře známo. Existence údělů a údělných vévodů zřejmě ohrožovala jednotu země a centrální moc uherských králů. Předpokládá se též, že to souviselo s upevněním pozice uherského království vůči římsko-německé říši, protože jedním z hlavních úkolů údělného vévody bylo bránit severozápadní hranici království. Začátkem 12. století se pozornost uherských králů obrátila na jih. Tehdy totiž došlo k vytvoření personální unie s Chorvatskem (1102) a Arpádovci se v osobě krále Kolomana dostali na chorvatský trůn.

Uhry se od samých začátků formovaly jako multietnický stát, v němž měli Maďaři dík arpádovské dynastii a ústřednímu postavení ve státě nejvlivnější pozici, ale také ostatní národy, především Slováci a Chorvati, se na budování státu podíleli. Národnostní konflikty existovaly v Uhrách pouze na lokální úrovni. Stát jako celek byl vybudován jako evropský křesťanský stát s latinou jako úředním jazykem, jazykem vzdělanců i jazykem liturgickým. V Evropě tak představoval východní okraj latinsko-katolického civilizačního okruhu.

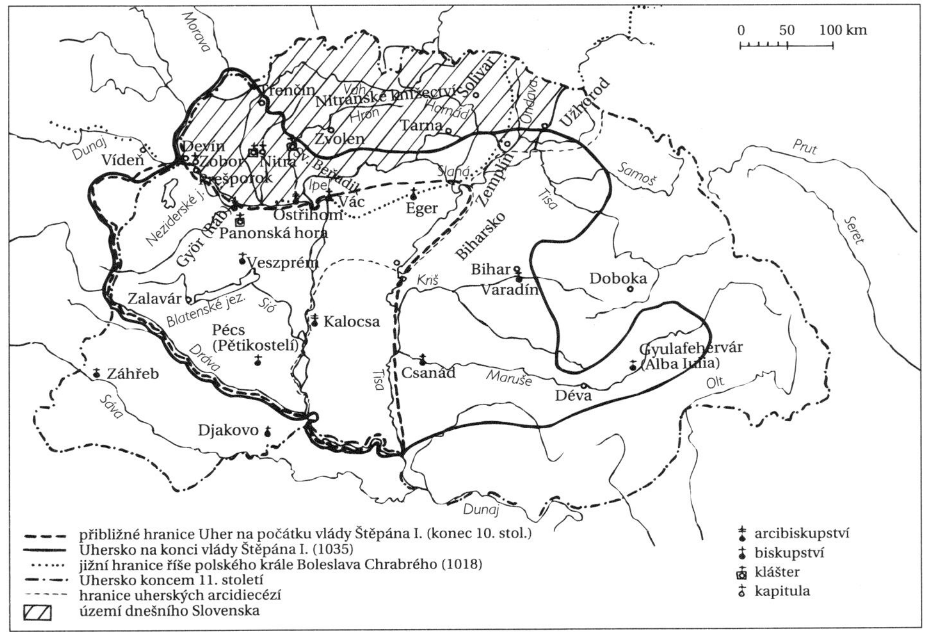
0 50 100 km
Morava
Trenčín
Nitranské knížectví
Solivar
Váh
Hron
Hornád
Tarna
Ondava
Užhorod
Zvolen
Devín
Zobor
Nitra
Dunaj
Vídeň
Prešporok
Ipeľ
Slaná
Zemplín
Prut
Samoš
Neziderské j.
Győr (Ráb)
Ostřihom
Vác
Eger
Tisa
Seret
Panonská hora
Biharsko
Veszprém
Bihar
Varadín
Doboka
Kriš
Zalavár
Blatenské jez.
Sió
Kalocsa
Pécs
(Pětikostelí)
Dráva
Gyulafehérvár
(Alba Iulia)
Záhřeb
Csanád
Maruše
Olt
Déva
Sáva
Djakovo
Dunaj
přibližné hranice Uher na počátku vlády Štěpána I. (konec 10. stol.)
Uhersko na konci vlády Štěpána I. (1035)
jižní hranice říše polského krále Boleslava Chrabrého (1018)
Uhersko koncem 11. století
hranice uherských arcidiecézí
území dnešního Slovenska
arcibiskupství
biskupství
klášter
kapitula

Začlenění Slovenska do uherského státu

MONGOLSKÝ VPÁD

Vážnou událostí, jež zasáhla do vývoje uherského státu, byl mongolský vpád roku 1241. Mongolové, nazývaní soudobými prameny jako Tataři, porazili slabé vojsko krále Bely IV. (1235–1270) a pronikli do středu Uher. Kronikář o tom píše: „Tataři vtrhli s pěti sty tisíci ozbrojenců do Uher. Král Bela se s nimi utkal v boji u řeky Slané, kde ho přemohli. V bitvě zahynulo skoro celé vojsko uherské země. Sám král Bela utekl k moři, kam ho Tataři nemilosrdně pronásledovali. Tataři zůstali v uherské zemi tři roky. A protože Uhři nemohli v té době sít, po jejich odchodu zahynulo mnohem víc lidí, než kolik bylo odvedeno do zajetí a zabitých mečem."

Mongolové vyplenili z větší části zalidněné jihozápadní Slovensko, oblast Pohroní a východoslovenské nížiny. Když odtáhli, bídu dovršil hladomor. Mongolům odolaly jenom silně opevněné hrady. Po této zkušenosti začal král Bela IV. a mnozí šlechtici stavět po celé zemi síť nových gotických hradů či přestavovat některá původní hradiště ze dřeva a zeminy do zděné podoby. Od doby mongolského vpádu je celé území Slovenska doslova poseto hrady na těžko přístupných kopcích; většina z nich pochází právě z období po mongolském vpádu. Dnes zbyly téměř ze všech jen zříceniny.

Mongolský vpád a následující války uherských králů vedly k dosti podstatným změnám ve složení obyvatelstva i ve vývoji celé společnosti.

Za mongolského vpádu se mnohé oblasti vylidnily, slovenské obyvatelstvo hornatých oblastí jím však neutrpělo tolik jako obyvatelé nížin. Slováci stále představovali většinu obyvatelstva tehdejších Horních Uher. Před tatarskou katastrofou žili na nynějším slovenském území pouze ojediněle na Spiši němečtí osadníci. Po mongolském vpádu německá kolonizace zesílila, protože ji podporovali panovníci udílející kolonistům nejrůznější výhody, což posílilo urbanizaci Uher. Bela IV. obnovil výsady měst, která je ztratila (Trnava, Zvolen, Banská Štiavnice, Krupina) a během své vlády udělil městská priviligia dalším lokalitám. Na konci 13. století bylo již na slovenském území okolo 30 privilegovaných měst, která se stávala centry řemeslné výroby a obchodu. Kromě trhů zprostředkovávala i dálkový obchod. Města dostávala od panovníků výsadní listiny, které jim zaručovaly zvláštní práva – právo volby rychtáře, vynětí měšťanů z pravomoci, zejména soudní, županů. Města měla rovněž právo volit faráře, právo honitby a těžby dřeva v městském chotári, trhová práva a další výsady.

Na slovenském území se poměrně rychle začalo rozvíjet nejprve rýžování, později dolování rud – zlata a stříbra. Většina obyvatel se však nadále živila zemědělstvím.

Po mongolském vpádu se Bela IV. pokusil zem konsolidovat, dostal se však do vážných sporů s českým králem Přemyslem Otakarem II. o dědictví po rakouském vévodském rodu Babenberků, především o Štýrsko. Nakonec byl Bela IV. donucen se Štýrska vzdát, v důsledku čehož se dostal do konfliktu s vlastním synem Štěpánem. Také v tomto konfliktu Bela IV. ustoupil a prakticky rozdělil zem na dvě poloviny, přičemž v druhé (území na východ od Dunaje, včetně Sedmihradska) se stal suverénním vládcem jeho syn. Po Belově smrti se jeho syn, teď už jako král Štěpán V. (1270–1272), znovu obrátil proti českému králi, porazit se mu ho však nepodařilo.

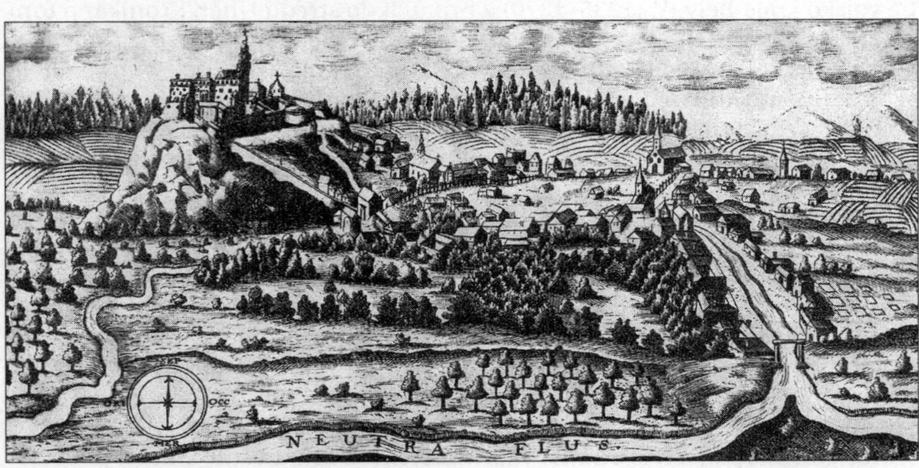
NEUTRA FLUS.

Jedno z nejstarších zobrazení Nitry ze 17. století

Vpád Mongolů, dřevoryt z kroniky Jána z Turce, 15. století

Když na trůn nastoupil po Štěpánově náhlé smrti jeho devítiletý syn Ladislav IV. Kumán (1272–1290), pojmenovaný tak podle své matky, původem Kumánky, začalo období vnitřní destabilizace země. Po neúspěšné válce s Přemyslem Otakarem ztratily Uhry Bratislavu. Ladislav IV. se snažil upevnit své pozice paktováním s Mongoly, od nichž očekával posilu své moci, ale než stačil své plány uskutečnit, byl roku 1290 v kumánském táboře zavražděn. Poslední panovník z rodu Arpádovců Ondřej III. sice získal zpět Bratislavu a udělil jí roku 1291 městská privilegia, jeho náhlá smrt roku 1301 (předpokládá se, že byl otráven) však rozpoutala v zemi novou vlnu anarchie.

Slabé panovnické vlády využili velmožové k posílení vlastní moci. Zároveň se začala organizovat také drobná šlechta a královské komitáty se na konci 13. a v první půli 14. století se přeměnily na šlechtické stolice. Král nadále jmenoval župany, jejich skutečná moc však byla malá. Stolice převzala do svých rukou šlechta svými volenými orgány (podžupan a slúžni). Na dnešním slovenském území se rozprostíralo výlučně nebo z velké většiny dvanáct žup: prešporská, gemerská, honťanská, liptovská, nitranská, oravská, spišská, šarišská, tekovská, trenčanská, turčanská a zvolenská. Dalších sedm žup se rozprostíralo na dnešním slovenském území zčásti: abovská, komárenská, novohradská, ostřihomská, turňanská, užská, zemplínská. Za celou další existenci Uherska pak došlo v tomto administrativním členění už jen k malým změnám a přesunům.

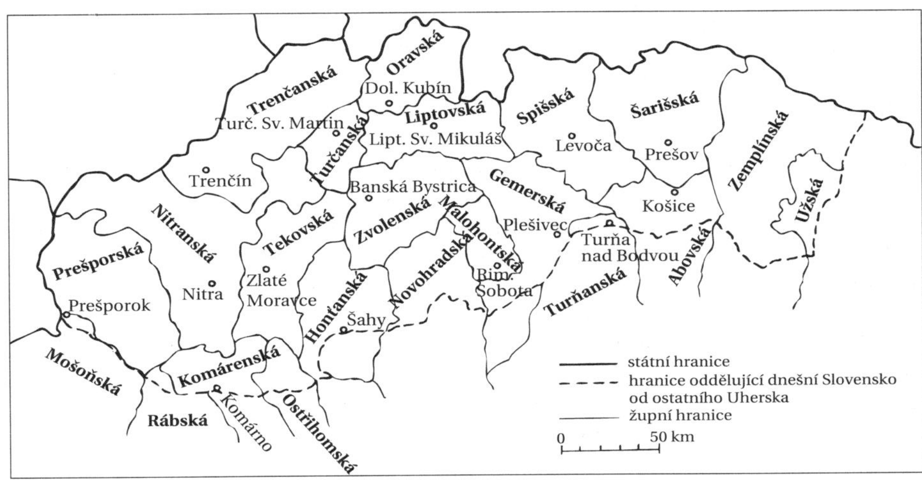

Oravská
Dol. Kubín
Trenčanská
Turč. Sv. Martin
Liptovská
Lipt. Sv. Mikuláš
Turčanská
Spišská
Levoča
Šarišská
Prešov
Zemplínská
Užská
Trenčín
Banská Bystrica
Gemerská
Košice
Nitranská
Tekovská
Zvolenská
Malohontská
Plešivec
Turňa nad Bodvou
Abovská
Prešporská
Nitra
Zlaté Moravce
Novohradská
Rim. Sobota
Turňanská
Honťanská
Prešporok
Šahy
Mošoňská
Komárenská
Komárno
Ostřihomská
Rábská
státní hranice
hranice oddělující dnešní Slovensko od ostatního Uherska
župní hranice
0
50 km

Župní zřízení na území Slovenska

MATEUS CSÁK

Matúš Čák Trenčanský v představě malíře z 19. století

MATÚŠ ČÁK

Nekontrolovaný růst pozemkového vlastnictví šlechty vedl už od druhé poloviny 13. století k zesílení vlivu větších šlechtických rodů a k pokusu některých velmožů o úplnou emancipaci od královské moci. Na území Slovenska se stali nejmocnějšími magnáty Matúš Čák Trenčanský a na východě rod Omodejovců.

V slovenských župách bylo dost šlechticů slovenského původu. Rod Čáků byl však maďarský a pocházel ze Zadunají; jeho společenský vzestup začal už za králů Štěpána V. a Ladislava IV. Za krále Ondřeje III. se začal vehementně prosazovat sám Matúš Čák, a to dost nevybíravými prostředky. Postupně se obohacoval přímým násilím i hrozbami a získával stále významnější pozice. Když Ondřejem III. vymřeli Arpádovci, nastaly Matúši Čákovi zlaté časy. Využil boje o královskou korunu mezi neapolskými princem Karlem Robertem z Anjou a českým kralevicem Václavem a sbíral úřady i statky od obou stran. Když se konečně šlechta roku 1308 sjednotila pod papežovým chráněncem Karlem Robertem, Matúš Čák se nakrátko přidal k němu také. Stal se za to taverníkem, tj. nejvyšším správcem královských statků. Svého postavení zneužil k bezmeznému obohacování a drancování. Plenil i bohaté kláštery, a nakonec ohrozil i samotného krále. Za to na něj kardinál Gentilisa uvalil klatbu, ale Matúš Čák na ni nedbal, naopak využil situace a zmocnil se nitranského biskupství i s jeho statky. Jako velmož ovládající dvanáct stolic a přes 50 hradů se stal skutečným vládcem dvou třetin dnešního slovenského území. Počínal si jako král. Na trenčanském hradě vydržoval dvůr s úředníky jako na královském dvoře, uzavíral mezinárodní smlouvy, nechával se titulovat „kníže". Vytvořil jakýsi stát ve státě, přičemž panovníkovu moc vůbec nebral v úvahu. Měl i své vlastní vazaly, jimž poskytoval „ochranu", zatímco nevěrné a neposlušné krutě trestal vězněním a tělesnými tresty jako například oslepení.

Zbylá východní část slovenského území se dostala pod vládu podobného oligarchy Omodeje z rodu Aba. Oba se zákonitě stali spojenci proti králi Karlu Robertovi, a tak se na nějakou dobu celé dnešní slovenské území vymklo z kontroly a pravomoci krále. Roku 1312 v bitvě u Rozhanovců sice Karel Robert Omodeje porazil, přičemž vojsko Matúše Čáka dorazilo na pomoc svému spojenci až po bitvě, znamenalo to však pouze konec vlády rodu Aba na východě, kdežto pozice Matúše Čáka příliš oslabeny nebyly. Nepomohla ani opětovná klatba, tentokrát od nitranského biskupa Jana, který v ní vypočetl všechny Matúšovy prohřešky a dodal: „Rozum nemůže pochopit, slovo vyjádřit, srdce procítit, pero popsat ty ohavné skutky, odhadnout škody, jež tento zlostný člověk, který nevěří v Boha na nebesích a nebojí se trestů pekelných, napáchal ve své nadutosti a tvrdošíjnosti."

Matúš Čák tedy vystupoval jako nezávislý pán svých držav a na začátku 14. století ovládal většinu Slovenska. Území pod jeho vládou se říkalo „Matúšova země" a jeho samého se sídlem v Trenčíně označovala tradice za „pána Váhu a Tater". Romantizující slovenské dějepisectví v souladu s ústní tradicí považovalo Matúše Čáka za „slovenského panovníka". Pravda, ovládal území obývané většinou slovenským obyvatelstvem, nebyl to však důsledek nějakého národního pohybu, nýbrž typický projev středověké feudální rozdrobenosti, vyplývající z růstu šlechtické moci. Podobné jevy lze pozorovat prakticky v celé tehdejší Evropě. Po smrti Matúše Čáka roku 1321 se jeho država rozpadla.

ZLATÝ STŘEDOVĚK

14. a 15. století znamenají v dějinách Uher zlatou dobu – ve skutečnosti i v přeneseném slova smyslu. Byla to doba, kdy se zlatá a stříbrná ruda staly základem bohatství a rozkvětu uherského státu. Roční produkce uherského zlata v druhé polovině 14. století představovala kolem 2500 kg. Většina zlata pocházela z bohatých nalezišť na území dnešního Slovenska, kde se ruda tehdy těžila ve všech jeho ložiscích; hlavním výrobním centrem byla Kremnica.

Těžba rud a rozvoj řemesel přispěly k rozvoji měst. Mnoho obcí získalo městský charakter, ne všechny však měly výsady potvrzené králem. Města s nejrozsáhlejšími výsadami a právy a s titulem svobodné královské město musela být podle královského dekretu opevněna hradbami. Nejvýznamnějšími městy na dnešním slovenském území byla Bratislava, Trnava, Košice, Prešov, Bardejov a svobodná královská báňská města Banská Štiavnica, Banská Bystrica a Kremnica.

14. století se dnes jeví obdobím poměrně klidného vývoje bez větších zahraničních válek, cizích vpádů, bez epidemií a hladomorů. To příznivě ovlivnilo stabilizaci a růst obyvatelstva, které ve své většině stále obdělávalo půdu. Od konce 14. století začalo na Slovensko z jihovýchodu pronikat valašské obyvatelstvo, které se zabýva-

Ludvík I. Veliký

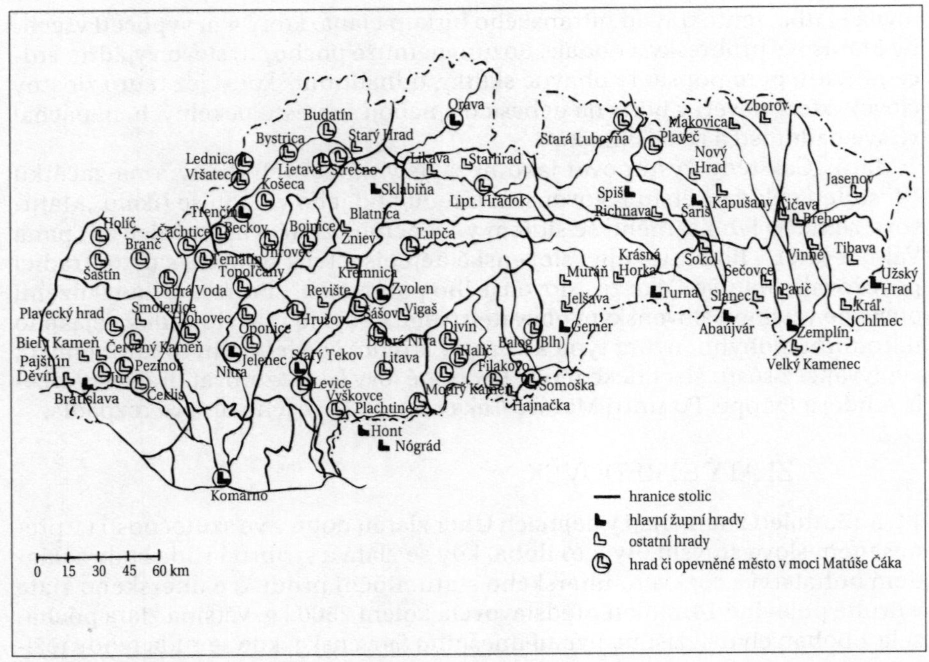

Orava
Budatín
Starý Hrad
Bystrica
Lednica
Vršatec
Lietava
Strečno
Košeca
Likava
Starhrad
Sklabiňa
Lipt. Hrádok
Stará Ľubovňa
Plaveč
Makovica
Zborov
Nový Hrad
Jasenov
Spiš
Richnava
Šariš
Kapušany
Čičava
Brehov
Trenčín
Blatnica
Holíč
Čachtice
Beckov
Bojnice
Zniev
Ľupča
Branč
Tematín
Uhrovec
Šaštín
Topoľčany
Kremnica
Krásná Horka
Muráň
Sokol
Sečovce
Vinné
Tibava
Užský Hrad
Dobrá Voda
Revište
Zvolen
Jelšava
Turňa
Slanec
Parič
Kráľ. Chlmec
Plavecký hrad
Smolenice
Hlohovec
Hrušov
Šášov
Vígaš
Abaújvár
Zemplín
Biely Kameň
Červený Kameň
Oponice
Dobrá Niva
Divín
Gemer
Balog (Blh)
Pajštún
Pezinok
Jelenec
Starý Tekov
Halič
Litava
Fiľakovo
Velký Kamenec
Děvín
Jur
Nitra
Levice
Modrý Kameň
Šomoška
Bratislava
Čeklís
Vyškovce
Plachtince
Hajnačka
Hont
Nógrád
Komárno
hranice stolic
hlavní župní hrady
ostatní hrady
hrad či opevněné město v moci Matúše Čáka
0 15 30 45 60 km

Středověké hrady na území Slovenska v 12.–15. století

lo chovem ovcí. Tak se začalo využívat i horských a vysokohorských pastvin nevhodných k obdělávání. Valašské obyvatelstvo rychle splynulo s domácím a v současné tradici se pastýřství a valašský způsob života považují za typický projev slovenského etnika.

Etnicky byli Valaši různorodí, převažovali však mezi nimi Rusíni. Právě v souvislosti s valašskou kolonizací se v oblasti do té doby málo zalidněného severovýchodního Slovenska vytvořilo souvislé rusínské osídlení.

Zlatá doba středověkých Uher v pravém i přeneseném slova smyslu je spjata s panováním Karla I. Roberta (1308–1342), zejména však s vládou jeho syna Ludvíka I. Velikého (1342–1382).

Karel Robert se přímému střetu s Matúšem Čákem vyhýbal, když však Matúš Čák zemřel, zmocnil se všech jeho držav a své království začal organizovat jako rozvážný a perspektivně uvažující panovník. Mezinárodními smlouvami si zajistil dobré sousedství. Známé je především jeho setkání s českým králem Janem Lucemburským a polským Kazimírem na hradě Visegrád v roce 1335, kde zprostředkoval ukončení jejich dlouholetého nepřátelství a uzavření důležitých politických a zejména hospodářských sousedských dohod. Právě Karel Robert podporoval těžbu zlata a stříbra velkorysým udílením svobod a výsad báňským městům. V Kremnici založil mincovnu, která už roku 1335 začala razit kremnické dukáty, známé a ceněné v celé tehdejší Evropě.

Krále Ludvíka nazývali už současníci za jeho nesporné vladařské a vojevůdcovské schopnosti Veliký. S úspěchem bojoval po celé Evropě, například v Neapolsku, kde se angažoval v tamních dynastických sporech, v roce 1370 získal po smrti bezdětného bratrance Kazimíra III. dokonce i polskou korunu a načas spojil obě východoevropská království. Kronikář ho charakterizoval slovy: „Byl to moudrý a štědrý král, šťastně vedl mnohé války a mnoho získal zpět pro svou zemi. Kromě vojenské slávy vynikal i ve vědách a s velkým zaujetím se zabýval astronomií. Svým zdokonalováním v ctnostech si získával oblibu mezi barbary a mnohé národy přispívaly k slávě jeho jména. Byl oddán katolické víře, dobročinný vůči chudým." Jeho smrt oplakávala podle kronikáře celá země: „Poslušen Božího volání odešel z tohoto světa jedenáctého dne měsíce září (1382). Krátce předtím zjevila se podivuhodná kometa. Když skonal, vypukl v zemi tak velký žal, že vskutku všichni oplakávali jeho smrt. Byl to muž přiměřené výšky, hrdého pohledu, kučeravých vlasů i vousu, jasné tváře, plných rtů, poněkud ohnutý v ramenou."

Na krále Ludvíka měli důvod v dobrém vzpomínat i slovenští měšťané Žiliny, jimž dal ve sporu s německými měšťany za pravdu a listinou z roku 1381 (*Privilegium pro Slavis*) rozhodl, že němečtí a slovenští měšťané mají mít na městské radě stejná práva a paritní zastoupení; do té doby mělo německé měšťanstvo výsadní postavení.

Lid v Uhrách měl dost důvodů, aby oplakával svého krále. Málokdo však tušil, že zemi čekají skutečně krušné časy.

Století úpadku a mocenských bojů

ZIKMUNDOVA ÉRA

Po rozkvětu za vlády králů z dynastie Anjou znovu nastala doba anarchie a zápasů o trůn, protože Ludvík nezanechal mužského potomka. O trůn usiloval jako manžel Ludvíkovy starší dcery Marie Zikmund Lucemburský, druhorozený syn českého krále a císaře Karla IV., uherská šlechta však Zikmundovy nároky neuznala. O trůn musel urputně zápasit s Ludvíkovým synovcem, neapolským princem Karlem Malým i s nároky polských Jagellonců. Čas znovu přál intrikám vysoké šlechty. Marii, už korunovanou za královnu, spiklenci uvěznili, takže Zikmund ji musel se svým vojskem osvobodit. Obsadil západní Slovensko s Bratislavou a Nitrou. Když takto demonstroval sílu a odvahu, byl korunován roku 1387 na uherského krále, trvalo však plných 20 let, než se na uherském trůně usadil pevněji.

Většina bojů o trůn se odehrávala na území Slovenska, které neurovnanými poměry v Uhrách trpělo nejvíc. Zikmund potřeboval peníze na domácí i zahraniční války, a protože jeho pokladna zela prázdnotou, měl ve zvyku dávat do zástavy za půjčky města, hrady i celá korunní panství. Tak dal svým bratrancům, moravským markrabím, do zástavy tzv. Matúšovu zem s městy Bratislavou a Nitrou. Polskému králi zas zastavil 13 spišských královských měst, což

Císař římský, král český a uherský Zikmund Lucemburský

znamenalo, že příjmy z těchto bohatých měst byly nadlouho ztraceny; tato zástava trvala pak až do roku 1770. Za takové situace se šlechta proti Zikmundovi bouřila, nitranská stolice proti němu povstala a povolala na trůn polského krále. Znovu vzrůstaly majetek i moc vysokých magnátů. Na slovenském území se tehdy stal nejmocnějším šlechticem Stibor ze Stibořic, jemuž patřilo 18 hradních panství s 300 vesnicemi; říkalo se mu proto „pán Pováží". Byl to však Zikmundův spojenec a podporoval ho.

Zikmundovu situaci dlouho komplikovala i skutečnost, že jeho zahraniční politika nebyla příliš úspěšná. Jako první uherský král byl nucen angažovat se v bojích proti tureckým Osmanům, ohrožujícím od konce 14. století jižní hranice Uher. V roce 1396 proti nim zorganizoval dokonce mezinárodní křížovou výpravu, ale po katastrofálně prohrané bitvě u Nikopole se musel vracet velkou oklikou přes Konstantinopol a Benátky. Když nakonec dorazil domů, byl nucen čelit spiknutí, při kterém málem ztratil život. Svědectví o tom zanechal kronikář Ján z Turce: „V roce vtělení Páně 1401, v ročním období, kdy vrcholící jaro pod vedením býka poskytovalo stejně teplé dny... vešli baroni podvodně pod záminkou rozhovoru do královského paláce s přáním setkat se s králem. Když se před nimi objevil, vmetli mu do očí všechny důvody svého zločinného postupu, který zosnovali, a obořili se na něj s velkým křikem. Kdyby se nebyli dali přemluvit těmi, kdo ho měli rádi, byl by král proboden mnoha ranami vylil krev a vypustil duši jako Julius Caesar." Nakonec Zikmunda jenom uvěznili. Z vězení se osvobodil, vrátil se do Uher, upevnil si pozici, dokonce byl roku 1410 zvolen za římského krále, ale ani to nepřineslo Zikmundovi ani Uhrám klid.

Po smrti svého bratra, českého krále Václava IV. v roce 1419 se Zikmund snažil získat český trůn. V Čechách však vypukla husitská revoluce. Husité neuznali Zikmunda za krále, považovali ho za úhlavního nepřítele a obviňovali ho kromě jiného také z toho, že zavinil upálení Jana Husa.

Zikmundův dlouholetý konflikt s husity se přenesl i do Uher. Jelikož při výpravách do Uher nikdy nepřekročili Dunaj, jejich působení zůstalo omezeno na území Slovenska. V letech 1428–1432 tak husitská vojska uskutečnila několik spanilých jízd na Slovensko a zmocnila se řady opevněných hradů a měst. Na bratislavském hradě vyjednával Zikmund s velitelem husitských vojsk Prokopem Holým. Bratislavský hrad si Zikmund oblíbil a zamýšlel z něj po získání českého trůnu udělat centrum své říše. Tento plán však nikdy neuskutečnil.

Husitské myšlenky vyvolaly odezvu i na Slovensku, zejména mezi měšťany, částí zchudlých zemanů a městskou chudinou. Mezi Slováky působili i husitští kazatelé, nejznámější byli Ján Vavrinec z Račic a Lukáš z Nového Mesta nad Váhom. Husitské učení však nezískalo mezi Slováky tak širokou a masovou základnu a nebyly tu pro ně takové společenské podmínky jako v Čechách. Husitské výpravy tak měly čistě vojenský ráz. Husité se snažili království svého úhlavního nepřítele co nejvíc hospodářsky poškodit, proto při jejich výpravách lehla řada vesnic i některá města popelem. Obyvatelstvo se proto husitských vojsk obávalo a utíkalo před nimi.

Po bitvě u Lipan roku 1434 se Zikmundovi konečně po dlouhých bojích podařilo dostat se na český trůn, ale krátce nato, roku 1437, zemřel. Pro Uhry a znovu zejména pro slovenské území to znamenalo nové nepokoje.

JAN JISKRA A BRATŘÍCI

Poměry na slovenském území se neuklidnily ani po odchodu husitských posádek. Po smrti krále Zikmunda propukl znovu zápas o uherskou korunu. Po krátké vládě jeho zetě Albrechta Habsburského (1437–1439) se rozpoutal boj o nástupnictví trůnu mezi polským králem Vladislavem III. a vdovou po Albrechtovi Alžbětou, která hájila zájmy svého syna Ladislava Pohrobka, narozeného až po otcově smrti. Alžběta na ochranu zájmů svého syna povolala do Uher českého hejtmana Jana Jiskru z Brandýsa, který přivedl na Slovensko početné žoldnéřské oddíly někdejších husitských bojovníků a ovládl velkou část Slovenska. Zde se opět odehrávala nejdůležitější dějství krvavého dramatu o uherský trůn.

Vladislav Jagellonský padl u Varny v bitvě proti Turkům roku 1444. Ladislav Pohrobek tak zůstal jediným králem, byl však dosud v dětském věku, a proto uherský sněm svěřil dočasně správu země sedmi kapitánům. Jedním z nich byl Jan Jiskra. Tak byl žoldnéř Jan Jiskra přijat do řad uherské šlechty a stal se jedním z nejvlivnějších mužů v zemi. Hlavním správcem království, gubernátorem, se však stal sedmihradský magnát Jan Hunyady. Jiskra nechtěl uznat Hunyadovo správcovství a zahájil proti němu otevřený boj, který se opět odehrával hlavně na Slovensku.

Jiskra byl důsledným obhájcem mladého krále Ladislava. Proto je paradoxní, že když se nakonec Ladislav Pohrobek roku 1452 skutečně ujal vlády, byl právě on, který nejvíc chránil jeho zájmy, zbaven všech statků a vykázán z Uher. Jan Jiskra se však pouze stáhl do oblasti středního a východního Slovenska. Mladý král ho brzy povolal zpátky a vrátil mu všechen majetek i hodnosti. Aby se stal skutečným vladařem v zemi, k tomu potřeboval Jiskrovu pevnou ruku.

Jiskrovi žoldnéři zůstávali rozptýleni po celém Slovensku. Říkali si bratříci a přidávaly se k nim i nespokojené domácí elementy. V polovině 15. století jich

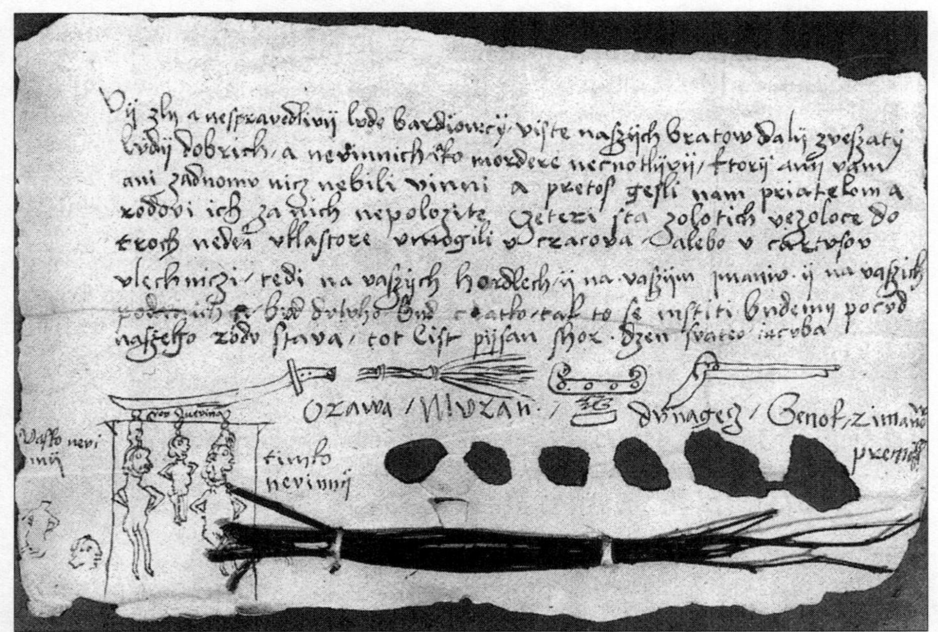

Opovědný list Fedora Hlavatého Bardejovským je kromě zajímavé grafické formy také důkazem pronikání češtiny v bratřickém období

bylo na Slovensku 15 000–20 000. Dávali se do služeb tam, kde je platili. Do jisté míry si někdejší husitští bojovníci uchovávali zbytky husitské víry a představy o sociální rovnosti, v uherských podmínkách se však mohli živit pouze jako námezdní vojáci, a pokud nedostávali žold, napadali města i kláštery. Proto se o nich uherští kronikáři vyjadřují jako o cizincích a nelíčí je v příliš lichotivém světle. To se koneckonců týká i samotného Jana Jiskry. Italský humanista a pozdější papež Eneas Silvius Piccolomini jako nestranný člověk však hodnotil Jana Jiskru vysoko a zařadil ho do svého díla *O slavných mužích*, kde o něm napsal: „Jiskra je muž střední postavy, opálený, vousatý, velký duch, vcelku není žádostiv peněz, má blíž k rozmarnosti než k lakomství... Strojilo se na něj nekonečně mnoho úkladů, ale ze všech vyvázl chytrostí nebo silou."

Když po smrti mladého krále Ladislava Pohrobka koncem roku 1457 nastoupil na uherský trůn syn někdejšího gubernátora Matyáš Hunyady, zvaný Korvín, Jan Jiskra se znovu dostal do konfliktu s králem. Nakonec došlo za zprostředkování českého krále Jiřího z Poděbrad ke kompromisu. Jiskra uznal Matyáše za krále a dal se do jeho služeb, jeho vliv však už zřetelně upadal. Opustil také území Slovenska a usadil se v okolí Tisy.

Jiskrovo více než dvacetileté působení na Slovensku (1440–1462) mělo vzdor chaotickým válečným časům na slovenské etnikum jistý pozitivní vliv, neboť Jiskrovy i bratřické posádky roztroušené po Slovensku se skládaly většinou z Čechů, kteří byli Slovákům etnicky i jazykově blízcí. Tou dobou se mezi Slováky začala šířit také spisovná čeština a objevily se první listiny napsané česky s četnými slovakismy.

MATYÁŠ KORVÍN

Po smrti Ladislava Pohrobka se přímo na Nový rok 1458 sešel v Budíně uherský sněm. V třeskuté zimě, během níž dokonce zamrzl Dunaj tak, že se po něm dalo přejít, zvolil sněm za uherského krále Matyáše Hunyada, zvaného Korvín, podle havrana ve znaku. Král Matyáš stál před důležitými úkoly: upevnit královskou moc, vyvést zemi z ustavičného chaosu a bránit ji před hrozícím tureckým nebezpečím.

Tak chápal poslání nového krále i kronikář Ján z Turce: „Příroda obdařila krále Matyáše schopnostmi vládnout, neboť on jediný mezi křesťanskými panovníky plní své královské poslání slavnými skutky... První období vlády tohoto krále narušovali obyvatelé, když však dospěl a vzrostla jeho moc a moudrost, jako by se vynořil z obrovské povodně a všechno urovnal tím nejlepším způsobem... Promyšleně utišil a potlačil bouře rozbrojů, které od dob krále Vladislava zmítaly zemí, a uvnitř hranic země zajistil na tolik let kýžený přešťastný mír.“ Kronikář vysoko vyzvedával i zahraniční úspěchy krále Matyáše a jeho vítězství v boji proti Turkům.

Poznamenejme, že Ján z Turce byl Matyášovým současníkem a jeho kronika vyšla za Matyášova panování, proto je nutno přijímat jeho vysoké hodnocení králových skutků kriticky. Pravdou ovšem je, že se Matyášovi podařilo urovnat poměry v zemi, zejména tím, že držel na uzdě vysokou šlechtu, které vládl tvrdou, železnou rukou. V druhé polovině svého panování vůbec nesvolával sněmy a usiloval o absolutistickou vládu. Podařilo se mu tak potlačit svévoli vysoké šlechty, zároveň však vyvolat i její nenávist.

Při svém panování se opíral o nižší šlechtu, jejíž věrnost si zajišťoval štědrostí a podporou správní a soudní šlechtické samosprávy. Podporoval také města a do historické paměti vešel jako spravedlivý král, starající se o blaho poddaných. Uskutečnil řadu administrativních a daňových reforem.

REX
MATHIAS HVNGARIA

Král Matyáš Korvín, vyobrazení z „Chronica Hungarorum“ Jána z Turce

Ve svých zahraničněpolitických aktivitách už tak úspěšný nebyl. Především ne ve své hlavní úloze: nepodařilo se mu zastavit turecký postup na Balkáně. Snad to bylo také proto, že se soustředil na boj proti českému králi Jiřímu z Poděbrad. Ovládl celou Moravu, a dal se dokonce korunovat za českého krále. Když Jiří z Poděbrad zemřel, Matyáš pokračoval v boji i proti jeho nástupci Vladislavu Jagellonskému. Snažil se rovněž získat císařskou korunu a svému konkurentovi, Habsburkovi Fridrichu III., odňal část Rakouska i s Vídní, kde sídlil. Nakonec však všechny jeho vojenské úspěchy zemi nic nepřinesly.

Za krále Matyáše se dařilo hlavně městům. Městské hradby poskytovaly určitou ochranu před žoldnéři i před svévolí šlechty. 15. století je dobou největšího rozkvětu cechovních řemesel. Největším městem na slovenském území byly Košice – měly 7000 obyvatel. Následovala Bratislava s 5000 a Trnava, Bardejov a Prešov s 3000 obyvatel. V Bratislavě tehdy vznikla dokonce univerzita – *Academia Istropolitana* (1465), která podnítila šíření humanistické vzdělanosti.

15. století je také obdobím první velké vlny valašské kolonizace. Po hřebenech Karpat migroval na území Slovenska pastýřský lid z Rumunska (Valašska), k němuž se připojovali etničtí Rusíni i Slováci. Na slovenském území tito pastýři zdomácněli a poslovenštili se. Souběžně došlo také k posilování slovenského etnika v městech. Řada měst byla už výlučně slovenská (Žilina, Ružomberok, Trenčín, Nové Mesto nad Váhom, Skalica, Topoľčany a další). Král Matyáš často korespondoval s městy i vrchnostmi na Slovensku česky, což rovněž svědčilo o vzestupu slovenského etnika.

JAGELLONCI

Uherská šlechta využila smrti krále Matyáše k tomu, aby na uherský trůn dosadila panovníka podle své vůle. Matyášova tvrdá ruka jí nevyhovovala, proto odmítla přijmout jeho nemanželského syna Jana. Nejlépe jí vyhovoval slabý a poddajný český král Vladislav Jagellonský. Toho povolala na uherský trůn a nezklamala se v něm. Vladislav II. Jagellonský (1490–1516) vešel do uherských dějin jako „král Dobře“, protože na všechno uherské šlechtě přikyvoval souhlasným *„bene“* (latinsky dobře).

Uherský trůn však byl lákadlem i pro další kandidáty. Vladislavovým nejvážnějším soupeřem byl rakouský vévoda Maxmilián, syn císaře Fridricha III. Vladislav s ním nakonec roku 1491 v Bratislavě uzavřel dohodu, podle níž v případě vymření rodu Jagellonců nebo Habsburků po meči budou dědit všechny jejich země příslušníci druhého rodu. Měla se tak vytvořit velká středoevropská říše.

Za Vladislavovy slabé vlády vypukl v zemi znovu chaos. Šlechta se snažila získat co nejvíc a drancovala poddané i města. Postupně, na přelomu 15. a 16. století, vzrůstala všeobecná nespokojenost a v zemi propukaly sociální nepokoje. Roku 1514 to bylo velké selské povstání Jiřího Dóži, které se dotklo Slovenska pouze okrajově, ale jeho následky – znevolnění a věkovité připoutání poddaných k půdě a vrchnosti – se dotkly rolníků v celých Uhrách. Po potlače-

Luft garten
aula marmorea

Budín – sídlo krále Matyáše Korvína a jagellonských králů

ní povstání se totiž sešel tzv. „divoký sněm“, který přijal nový zákoník, tzv. *Tripartitum* (soupis šlechtického zvykového práva) Istvána Verböczyho, což byla drastická pomsta za selské povstání.

Roku 1516 nastoupil na trůn Vladislavův desetiletý syn Ludvík II. Nepořádky v zemi pokračovaly, šlechta se nezastavovala ani před rabováním a vyloženým loupením. Nikdo si nebyl jistý životem ani majetkem. Nepořádky byly i v církvi a na Slovensku se začaly šířit Lutherovy reformní myšlenky. Vzrůstala nespokojenost v městech, hlavně báňských. V středoslovenských báňských městech došlo nejprve k havířským nepokojům (v Banské Bystrici roku 1525), potom, o rok později, i k ozbrojené vzpouře.

Zemi stále víc ohrožovala expanze osmanské říše. Mladičký, dvacetiletý král Ludvík se rozhodl čelit tureckému nebezpečí a postavit se na odpor vojsku sultána Sulejmána, které překročilo uherskou hranici. Výprava nebyla dostatečně připravená, králi se nepodařilo získat podporu a jednotu uherské šlechty. Každý si hleděl svých vlastních zájmů a osud země ho nezajímal. V Sperfolgově kronice se o tom píše: „Roku 1526 bylo našemu králi Ludvíkovi dvacet let. Napadli ho Turci, chtěli vtáhnout do jeho země. A tenkrát, říká se (ale nevěří se tomu), ho chtěli zajmout. Velmi se láteřilo na špatnou a nepořádnou vládu, na špatné rádce uherské země, kteří ustavičně (nechť je jim Bůh milostivý!) vedli bídný lid do záhuby, což je bohužel zřejmé. Dík takovéto špatné vládě došlo časem k tomu, že Turek se svým vojskem napadl uherskou zemi. Viděl totiž, že mezi Uhry není žádná ostražitost ani jednota... Král byl toho mínění, že se má celá země vzchopit, i když mu jen málo pánů projevovalo poslušnost. Někteří na královy příkazy nedbali.“

Kronikářův popis situace se shoduje s potvrzenou skutečností. Válka proti Turkům skončila katastrofální porážkou v bitvě u Moháče 29. srpna 1526, v níž zahy-

Bitva u Moháče. Detail tísněného uherského vojska podle soudobého vyobrazení

nul i mladý král Ludvík. Porážka od Turků měla pro celý historický vývoj ve střední Evropě dalekosáhlé důsledky. Znamenala počátek ovládnutí jádra uherského státu Turky a zároveň i hlavní impuls k vytvoření habsburské říše ve střední Evropě.

Sociální, etnické a kulturní poměry v 10.–15. století

FEUDÁLNÍ SYSTÉM

Nejrozšířenějším zaměstnáním a základním výrobním a ekonomickým odvětvím celého středověku bylo zemědělství. Půdu mohl v Uhrách vlastnit stát (koruna), panovník a jeho příbuzenstvo, šlechta (vrchnost) nebo církev a posléze i města. Od vlastnictví půdy se odvozoval celý feudální systém. Na státních (korunních) majetcích pracovali většinou svobodní nebo polosvobodní sedláci, půdu měli propůjčenu a za její užívání platili předepsané dávky; měli také vojenskou povinnost. Na královské půdě pracovali většinou nesvobodní rolníci (dvorníci) podléhající králi nebo členům jeho příbuzenstva. Nejtěžší postavení měli nesvobodní nevolníci na šlechtických a církevních statcích.

Rozdělení vlastnictví půdy se postupně měnilo. Už od 12. století lze pozorovat trend směřující k ubývání královských i státních (korunních) majetků, naopak vzrůstalo množství půdy ve vlastnictví šlechty a církve. Postupně se měnilo i právní postavení sedláků. Ubývalo úplných nevolníků a většinu půdy obdělávali polosvobodní sedláci s půdou propůjčenou a s předepsanými povinnostmi vůči vrchnosti. Už od 13. století se tak utvářela právně jednotná skupina poddaných sedláků, kteří se mohli svobodně stěhovat, pokud splnili své povinnosti vůči vrchnosti. Podstatně se snížil počet nevolníků. Poddaní měli povinnosti vůči státu, církvi i vrchnosti. Církvi se odevzdával desátek, čili desetina celkového výnosu obdělávané půdy. Poddaní na korunních a královských statcích odváděli v naturáliích dvacátek z výnosu a měli i pracovní povinnosti. Poddaní na šlechtické půdě odváděli naturálie, platili peněžní dávky a v malé míře také robotovali.

Zvláštní formou zemědělské výroby bylo pastýřství, které se na Slovensku začalo rozvíjet teprve od 14., ale hlavně až od 15.–16. století v souvislosti s tzv. valašskou kolonizací. Pastýřství využívalo vysokohorských luk a pastvin, do té doby hospodářsky nevyužívaných.

Důležitým výrobním odvětvím byla řemesla. Zprvu to byla hlavně výrobní odvětví pro zemědělskou výrobu – kovářství a hrnčířství. Organizace středověké řemeslné výroby se měnila: v první fázi, od 10. století, se soustřeďovala v tzv. služebnických osadách, a ty podle toho dostávaly jména: Kováče, Hrnčiarovce, Tesáre a podobně. Tento systém služebnických osad postupně dožíval a od 13. století se řemeslná výroba soustřeďovala v trhových centrech v podhradích, až se nakonec stala typickým výrobním odvětvím v městech. Od 15. století se už setkáváme s počátky organizované řemeslné výroby na základě ustálených pravidel – s cechovní organizací.

Fiktivní podoba bratislavského hradu, jak měl podle Obrázkové kroniky ze 14. století vypadat v době, kdy ho obléhal roku 1052 císař Jindřich III.

Od 13. století postupně vzrůstal význam těžby rud a obchodu, ať už domácího (trhy), nebo dálkového s jinými zeměmi. Touto činností se zabývali z velké části cizinci čili hosté (*hospites*), kteří do Uher houfně přicházeli hlavně po tatarském vpádu. Z velké části pocházeli z německých zemí. Usazovali se většinou v městech a na Slovensku představovali významnou urbanizační složku: právě Slovensko představovalo nejurbanizovanější část Uher. Panovník přiznával těmto hostům rozličné politické i hospodářské výsady, jako bylo právo volit rychtáře, právo trhů, vybírání mýta a podobně. Hosté s přiznanými právy se stali jakousi mezitřídou mezi šlechtou a poddanými. Podobně i města, zejména královská, byla poměrně svobodná. To podporovalo urbanizaci země, která se značně rozvinula zejména od 14. století. Začala se vytvářet obchodní centra a obchodní dynastie. Na Slovensku byli takovým významným obchodnickým rodem Thurzové na Spiši.

Nejvýš na společenském žebříčku stála šlechta. V Uhrách byla silně zakořeněna zásada šlechtických svobod a výsad – šlechta neplatila daně, šlechtický sněm rozhodoval o volbě krále. Celé dějiny středověku jsou vlastně z politického hlediska dějinami zápasu krále a šlechty. Tendence k panovnickému absolutismu narážely na organizovaný odpor šlechty. Už roku 1222 donutila šlechta panovníka Ondřeje II. (1205–1235) vydat Zlatou bulu, která upravovala vztah šlechty a církve k panovníkovi. Ani Ondřej II. ani další panovníci však nehodlali tato ustanovení dodržovat, což vedlo k ustavičným konfliktům.

Po formálně právní stránce tvořila šlechta jednotnou skupinu se stejnými právy. Postupně se však začala dělit podle majetku a z toho vyplývajícího společenského postavení. Vedoucí silou ve státě se stala vyšší šlechta. Střední šlechtu tvořili zpravidla hodnostáři na župní úrovni. Na nejnižším stupni se nacházela drobná šlechta – zemané, kteří vlastnili jen malé majetky.

JAZYK, VZDĚLANOST, KULTURA

Uherský stát, jejž začala na počátku 10. století organizovat maďarská dynastie Arpádovců, vznikal od začátku jako stát mnohonárodnostní. Budování a organizování tohoto státu se účastnili také předkové Slováků, žijící předtím ve velkomoravské říši. Obývali jeho severní oblasti, ale jejich osídlení zasahovalo hluboko do podunajských a potiských nížin.

Oficiálním jazykem v uherském státě zůstala až do 19. století latina; byla také jazykem literárním a vědeckým. Vymřením rodu Arpádovců Ondřejem III. roku 1301 se tento multietnický, křesťansko-latinský charakter feudálního uherského státu ještě potvrdil.

Existence uherského státu vytvořila základní podmínky pro formování slovenského národa. Slovanské etnikum se začalo již od 9. století diferencovat. Vznikly tři hlavní větve Slovanů: východní, jižní a západní. Západní Slované se dělili na Lužické Srby, Poláky, Čechy a Slováky, když hlavním rozlišovacím činitelem se stal zřejmě politický vývoj. Slováci jako zvláštní etnikum se vyvíjeli v rámci uherského státu, naproti tomu Poláci a Češi se formovali v samostatných národních státech. Mezi uherskými Slováky samotnými byly dost velké jazykové rozdíly, mnohé dialekty se navzájem lišily a rozdíly postupně ještě vzrůstaly. Sjednocujícím momentem však bylo souvislé osídlení na uzavřeném území. Slováky oddělovala od Maďarů a Němců poměrně zřetelná hranice jazyková i kulturní. Tam, kde tato etnická hranice nebyla patrná, existovala pevná hranice státní. Uherský stát odděloval Slováky od Poláků i od jim nejbližších Moravanů a Čechů.

V oficiálním jazyku uherského státu se pro Slováky a Slovany používalo stejné označení – *Slavus* nebo *Sclavus.* Protože se však pro ostatní slovanská etnika používalo speciálních jmen – *Bohemus, Polonus, Croatus* a podobně –, označení *Slavus* je v středověkých pramenech synonymem Slováka. Slováci sami užívali vedle označení Slovan velmi brzy i pojmenování Slovák, Slovenka, Slovensko. Pojmenování „slovenský“ se používalo hlavně tam, kde slovenské obyvatelstvo přicházelo do intenzivnějšího styku s etnikem německým nebo maďarským, často ho nacházíme v zeměpisných názvech, zejména obcí.

Románský kostelík v Dražovcích u Nitry

14. století je v Uhrách obdobím růstu všeobecné vzdělanosti. Tou dobou byly už ve všech významnějších městech školy, založené a udržované městskými obcemi nebo farami. Vedle kněžského dorostu vychovávaly i budoucí světské vzdělance. Přes několikeré pokusy se nepodařilo založit v Uhrách ve 14. století natrvalo univerzitu. Uherští studenti mohli navštěvovat středoevropské univerzity, studovali však také v Itálii a v Paříži. Studenti slovenského původu nejvíc navštěvovali univerzity v Praze, ve Víd-

ni a v Krakově. Kromě šlechticů se na zahraničních univerzitách vzdělávali také synové měšťanů a výjimečně i bohatých sedláků.

Teprve v druhé polovině 15. století vznikla univerzita i v Bratislavě – *Academia Istropolitana*. Jejím hlavním organizátorem byl ostřihomský arcibiskup Jan Vitez ze Sredny. Univerzita dostala roku 1465 zřizovací papežskou bulu, ale po smrti arcibiskupa a druhého hlavního protektora – vicekancléře univerzity, bratislavského proboštа Juraje Schomberga – však pro nedostatek materiálních prostředků po roce 1488 zanikla.

14.–15. století je v Uhrách vrcholným obdobím gotiky. V předešlém období se na Slovensku uplatňovala také románská architektura. Četné původně románské stavby byly později přestavěny, takže románských památek se na Slovensku zachovalo méně. Velká většina zachovaných gotických památek jsou sakrální stavby. Vedle cizích mistrů se uplatnila i řada významnějších domácích představitelů gotického stavebního slohu – mistr Štefan z Košic a mistr Ján z Prešova. V uměleckém sochařství a řezbářství vynikl v první polovině 15. století mistr Jakub z Košic, do jehož tvorby už pronikly některé italské renesanční prvky. Jedním z nesporných vrcholů středoevropského řezbářství na začátku 16. století je dílo mistra Pavla z Levoče. Mistr Pavel byl představitelem pozdní gotiky, v jeho díle však lze rozeznat jasnou tendenci zobrazovat živé postavy, výraz tváře i náznaky pohybu, jak tomu bylo v umění renesance. Jeho nejznámějším dílem je hlavní oltář v kostele sv. Jakuba v Levoči; je to největší zachovaný gotický oltář v Evropě.

V tomto období můžeme pozorovat i první projevy slovenského povědomí. Šlo o povědomí individuální, respektive místní, a projevovalo se tam, kde se slovenské etnikum dostávalo do intenzivnějšího kontaktu s jinými etnickými

Radnice v Levoči

Nejstarší listina z území Slovenska – privilegium zoborského kláštera z roku 1111

skupinami – Němci a Maďary. Zajímavým dokladem etnických konfliktů v městech je zmíněná listina, nazvaná *Privilegium pro Slavis* z roku 1381, jíž král Ludvík I. zaručil slovenským měšťanům v Žilině paritní zastoupení v městské radě. Podobných místních etnických konfliktů bylo v zemi víc, i když ne všechny jsou přesně doloženy v pramenech.

Působení husitů, Jana Jiskry a bratříků také do jisté míry posílilo slovenské etnikum. Mnozí Jiskrovi žoldnéři a bratříci na Slovensku zůstali a vzhledem k etnické příbuznosti splynuli s domácím obyvatelstvem. S husity a bratříky přišla na Slovensko i česky psaná literatura, hlavně náboženského obsahu, a protože byla psána srozumitelným jazykem, setkala se tu s odezvou. Pronikání česky psané literatury na Slovensko patří ovšem i do staršího období – přinášeli ji sem studenti pražské univerzity. V Jiskrově době některé šlechtické rodiny slovenského původu, které používaly slovenštiny jako dorozumívacího jazyka, začaly vést slovensky i svou korespondenci. Slovenština (v podobě dialektů) se tak stala vedle převažující latiny jazykem běžně používaným i v písemném styku. Výjimečně se slovenštiny používalo i v úřední agendě. To všechno lze v mnohonárodostních Uhrách považovat za přirozený projev této multietničnosti. Suverénní postavení latiny jako oficiálního i literárního jazyka ovšem zůstávalo nedotčeno.

CÍRKEVNÍ ORGANIZACE

Uherský stát byl státem křesťanským. Už první Arpádovci, a z nich zejména král Štěpán I., přispěli k christianizaci celého státu. Slovenské obyvatelstvo, už

Benediktinský klášter v Hronském Beňadiku u Zvolena

předtím z větší části křesťanské, přijímalo latinskou christianizaci poměrně snadno, i když ve velkomoravském období zde převládal ritus byzantsko-slovanský. Kontinuita křesťanství ve vědomí slovenského obyvatelstva sice trvala, organizačně však existoval mezi velkomoravským obdobím a raně uherskou christianizací zřetelný předěl. Kontinuita kostelů z velkomoravského a raně uherského období je architektonická, jejich kontinuitu ve smyslu církevně organizačním se prokázat nepodařilo.

Za krále Štěpána byla roku 1001 zřízena uherská církevní provincie tvořená ze dvou arcidiecézí. Většina slovenského území spadala pod pravomoc arcibiskupství se sídlem v Ostřihomi, která se v podstatě kryla s bývalou diecézí nitranskou. Východní Slovensko zas patřilo k diecézi se sídlem v Jágru. Počátkem 12. století byla obnovena diecéze nitranská. Církevní organizace se postupně zdokonalovala, vytvářela se arcijáhenství a houstnoucí síť far.

Významnými christianizačními, ale také kulturními a výchovnými centry byly křesťanské řeholní řády, které na slovenském území trvale působily již od 10. století. Nejstarším zdejším řádem byli benediktini. V druhé polovině 10. století se předpokládá existence benediktinského kláštera v Nitře a roku 1075 král Gejza I. (1047–1077) založil druhý benediktinský klášter v Hronském Sv. Beňadiku; postupně pak vznikaly další menší benediktinské kláštery. V druhé polovině 12. století byly založeny premonstrátské kláštery v Lelesu a Jasově a ve 13. století k nim přibyly další. Od poloviny 13. století začaly na slovenském území působit žebravé řády – dominikáni v Banské Štiavnici a v Košicích, františkáni v Trnavě, Bratislavě, Nitře a v Levoči. Rozšířily se i řády rytířské, dále cisterciáci, antonité a kartuziáni. Ženské kláštery byly v Bratislavě a v Trnavě.

Řády a kláštery nebyly jen institucemi náboženskými, měly také důležitou funkci při šíření vzdělanosti a kultury. Přičinily se o psaní a přepisování náboženských knih, zřizovaly knihovny a školy. Mnohé řády se věnovaly sociální péči.

V Uhrách se tak ve středověku vytvořila multietnická křesťansko-latinská komunita, jejíž součástí byli i etničtí Slováci. Natrvalo se prosadily principy křesťanské morálky a staly se normou pro všechny vrstvy obyvatelstva. Liturgie byla latinská, evangelium a kázání však byla šířena v slovenských dialektech. Vedle hlavních zásad zakotvených v evangeliu byla křesťanská morálka vykládána na příkladech životopisů světců, hlavně formou ústně šířených legend. Mezi slovenským etnikem byly rozšířeny legendy o nejstarších slovenských světcích – svatém Svoradovi-Anrejovi a svatém Benediktovi.

Už od 11. století jsou na území Slovenska bezpečně doloženy židovské obce. Nejstarší byly v Ostřihomi, Bratislavě a v Komárně. V Ostřihomi se již roku 1050 nacházela synagoga a jiné židovské instituce, což svědčí o organizovaném životě židovské obce. Existenci židovské obce v Bratislavě roku 1092 potvrzují kroniky. Židé se usazovali především v městech a v průběhu 11. století byli zřejmě i v řadě menších měst a obcí. Velký příliv židovského obyvatelstva nastal v druhé polovině 11. století z Čech a Moravy, kde byli Židé tvrdě pronásledováni králem Vratislavem II.

Formálně měli Židé v Uhrách postavení hostí a používali výhod, jež měli měšťští obyvatelé. Zabývali se hlavně obchodem a půjčováním peněz. Přesto byli vystaveni častému pronásledování ze strany křesťanského obyvatelstva, ve společenském styku znevýhodňováni a nuceni žít víceméně v izolaci. Mnoho záleželo na postoji panovníka. Například roku 1470 Matyáš Korvín vyhnal Židy z Prešova, ale byli vyháněni i z jiných měst, například z Trnavy. Přes tato lokální násilná vysídlení židovské obce přetrvávaly na slovenském území nepřetržitě od 11. století a staly se součástí středoevropské židovské diaspory. Židovské obce byly také středisky duchovního a kulturního života. Ve středověku byl nejvýznamnější osobností rabín Izák z Trnavy, známý svým dílem *Kniha předpisů.* V Trnavě založil jednu z prvních rabínských škol na slovenském území.

Ve 12. a 13. století začali do střední Evropy podél Dunaje pronikat Romové-Cikáni. První zpráva o jejich pobytu pochází z roku 1322 ze Spišské Nové Vsi. Z let 1377 a 1381 máme zprávy o Romech ze zemplínské župy. Větší skupina Romů procházela Slovenskem v 15. století. Putovala z Budína do Košic a pak jižním Slovenskem až do Bratislavy a dál na Moravu a do Čech. Zpočátku přijímalo domácí obyvatelstvo Romy pohostinně a také vrchnost jim vycházela vstříc. Z roku 1423 se zachoval glejt krále Zikmunda, jímž panovník vzal skupinu Romů vedenou vojvodou Ladislavem pod svou ochranu. Od 15. století se však začal vztah ke kočovným Romům měnit. Postoj k nim změnila církev – odmítla je považovat za křesťanské kajícníky, za něž se často sami vydávali. Po-

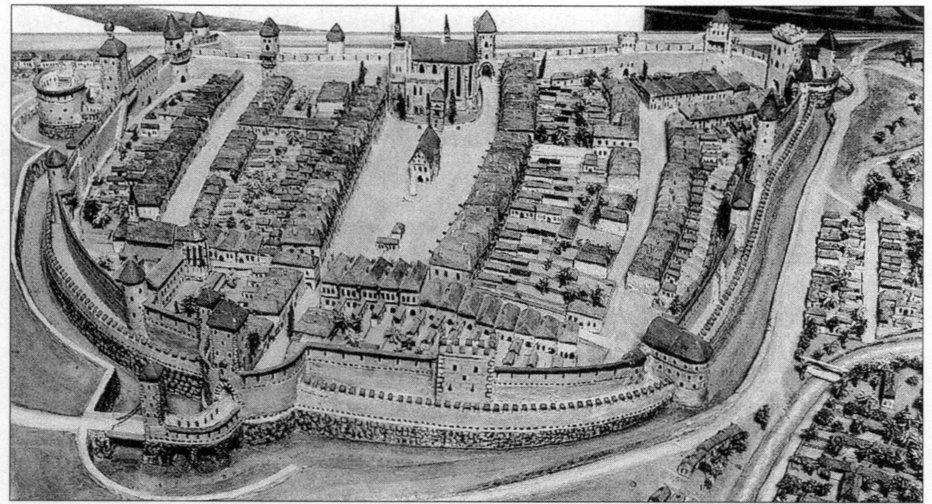

Model středověkého Bardejova

hostinnost se postupně měnila v nedůvěru a pak v otevřené nepřátelství spojené s krutým pronásledováním.

OSÍDLENÍ, OBYVATELSTVO, ZPŮSOB ŽIVOTA

Území Slovenska je na severu hornaté. Horské hřebeny se svažují do hlubokých údolí, ale směrem k jihu přecházejí údolí do úrodných nížin. Proto byla na Slovensku nerovnoměrná hustota osídlení a horské hřbety často tvořily komunikační i jazykovou bariéru. Nezřídka platí, že horské masivy jsou hranicí dialektů, ale také folklorních projevů a zvyků.

Nejhustěji byly osídleny nížiny a údolí řek. Horské oblasti se osídlovaly teprve postupně. Jejich dosídlení souvisí i se šířením již zmiňované tzv. valašské kolonizace. Koncem 12. století se odhaduje počet obyvatel na Slovensku kolem 200–250 000. Ničivé nájezdy, války, ve středověku časté epidemie decimovaly počet obyvatel. Přesto se jejich počet postupně zvyšoval. Koncem 13. století to bylo, navzdory mongolskému vpádu, už asi 300 000 a na konci středověku asi 500 000 obyvatel.

Slovensko představovalo důležitou oblast, přes kterou vedly významné evropské komunikace. Města a osady ležící v blízkosti těchto komunikací, jakými byl Dunaj, cesta z Budína na Moravu a do Čech, severojižní cesta, procházející východním Slovenskem, měly poměrně čilý kontakt s okolním světem. Přicházeli sem cizí kupci, přinášeli nové, hlavně exotické zboží, látky a luxusní předměty, které byly ovšem určeny pouze pro vyšší společenské vrstvy.

Většina slovenského obyvatelstva se zabývala zemědělstvím. To určovalo i jejich způsob života, úzce spjatý s přírodou a přírodními cykly. Z těch vycházela většina folklorních projevů a zvyklostí. Pouze malá část středověkého obyvatelstva byla gramotná, takže hlavním folklorním projevem byly ústně tradované pověsti, pohádky, zvyky, lidové písně a tance. S rozšířením křesťanství došlo postupně k symbióze lidové tradice s křesťanským kalendářem, s některými vrcholy jako Vánoce, masopust, Velikonoce, letnice. Uchovaly se však i starší pohanské tradice, spjaté s přírodními cykly – zvyky na Lucii, před zimním slunovratem, o Janu, v době letního slunovratu a podobně.

V důsledku valašské kolonizace a s rozšířením pastevectví se do slovenské lidové tradice dostalo jako pevná součást pastýřské zvykosloví. Pastýřské motivy někde přímo odpovídaly křesťanské tradici, například pastorální motivy ve vánočních zvycích. I když původní slovenské obyvatelstvo bylo selské, pastýřská tradice zapustila mezi Slováky hluboké kořeny, takže v současnosti se považuje za nejtypičtější projev slovenského etnika.

V raném středověku nebylo ještě velkých rozdílů ve způsobu života v městech (byla to vlastně jen malá městečka) a na vesnicích. Životní styl se začal výrazněji odlišovat teprve s postupující urbanizací. Udělování městských práv zvýhodňovalo měšťany, dávalo jim možnost volit si vlastního rychtáře, usnadňovalo svobodný pohyb. Souběžně s tím, jak se města měnila v střediska organizované řemeslné výroby, zvyklosti jednotlivých cechů zdomácňovaly v městském životním stylu. Pro města byly charakteristické pravidelné týdenní trhy, podle těchto tržních dní dostala některá města svá pojmenování (Streda, Štvrtok, Sobota). Významnějším městům udílel panovník právo pořádat výroční trhy – jarmarky. Trhy a jarmarky představovaly důležitou součásti života nejen města, ale celého okolí. Nebyly jen místem obchodu, nýbrž i jedním z nejvýznamnějších míst sociální komunikace.

Svérázný životní styl se utvářel v báňských městech, a to proto, že se tam snad nejvíc projevil vliv německých kolonistů s folklorem a zvyky, jež si přinesli ze svých původních domovů.

Měnila se i městská architektura. Dřevěné domy byly postupně nahrazovány kamennými honosnými stavbami, které byly i několikapatrové, s pavlačemi a dvory. Nejzachovalejší středověká městská jádra jsou v Bardejově a v Levoči.

4 POD HROZBOU PŮLMĚSÍCE

Slovensko jako „habsburské Uhry“

VZNIK HABSBURSKÉ MONARCHIE

Podle smlouvy, kterou uzavřel Vladislav Jagellonský s Maxmiliánem Habsburským, mělo přejít nástupnictví na český a uherský trůn v případě vymření Jagellonců po meči na Habsburky. V duchu této smlouvy se měl stát uherským králem po smrti Ludvíka II. u Moháče mladší Maxmiliánův vnuk Ferdinand. Nárok na trůn si však činil i sedmihradský vévoda Jan Zápolský, kterého podporovala část uherské šlechty. Uhry tak měly záhy krále dva a ti vedli urputný zápas o ovládnutí země. Žádný z nich však neměl dost sil, aby ho rozhodl ve svůj prospěch.

Nejurputnější boje se odehrávaly na slovenském území. Jan Zápolský zde vlastnil rozsáhlé statky, proto mu jeho současníci říkali „slovenský král“ a jeho vojákům „slovenští hajduci“. Roku 1538 uzavřeli oba soupeři mír, podle něhož se uznali za legitimní vládce a rozdělili si zemi – Ferdinand dostal západní část, Jan Zápolský Sedmihradsko a východní část Uher. Po smrti Jana Zápolského, který tehdy neměl mužské potomky, se Uhry měly stát dědičným habsbur-

Jan Zápolský

Ferdinand I. Habsburský

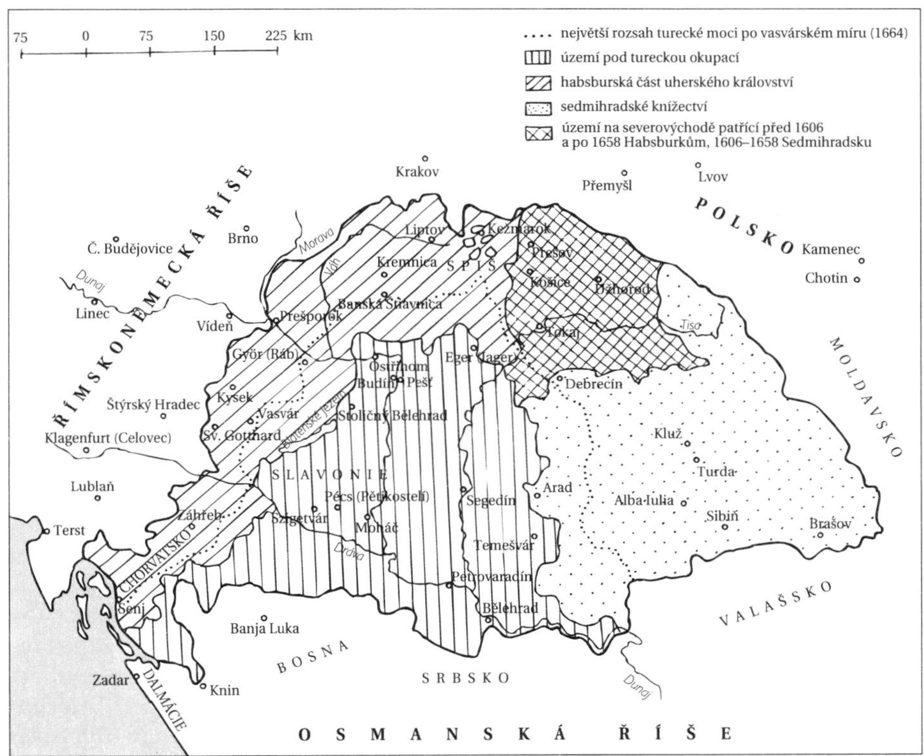
75 0 75 150 225 km
největší rozsah turecké moci po vasvárském míru (1664)
území pod tureckou okupací
habsburská část uherského království
sedmihradské knížectví
území na severovýchodě patřící před 1606 a po 1658 Habsburkům, 1606–1658 Sedmihradsku
Krakov
Přemyšl
Lvov
POLSKO
Kamenec
Chotin
ŘÍMSKONĚMECKÁ ŘÍŠE
Brno
Č. Budějovice
Dunaj
Linec
Vídeň
Morava
Váh
Liptov
Kežmarok
Prešov
Kremnica
SPIŠ
Košice
Užhorod
Banská Štiavnica
Prešporok
Tisa
Tokaj
Győr (Ráb)
Eger (Jager)
Ostřihom
Budín
Pešť
Debrecín
MOLDAVSKO
Štýrský Hradec
Kysek
Vasvár
Stoličný Bělehrad
Klagenfurt (Celovec)
Sv. Gotthard
Kluž
SLAVONIE
Turda
Lublaň
Arad
Alba-Iulia
Pécs (Pětikostelí)
Segedín
Záhřeb
Sibiň
Terst
Szigetvár
Moháč
Brašov
Drava
Temešvár
CHORVATSKO
Petrovaradín
Senj
Bělehrad
VALAŠSKO
Banja Luka
BOSNA
SRBSKO
Zadar
DALMÁCIE
Knin
OSMANSKÁ ŘÍŠE

Rozdělení Uherska v roce 1541

ským královstvím. Janu Zápolskému se však narodil syn Jan Zikmund a spor pokračoval.

Do konfliktu zasáhli opět Turci. Protože Ferdinand byl zaneprázdněn spory a boji v Čechách a v německých zemích, nemohl vzdorovat tlaku Turků a roku 1547 s nimi uzavřel ponižující mír. Uznal jejich právo ovládat území, které po smrti Jana Zápolského v roce 1541 vojensky dobyli, a zároveň se zavázal platit sultánovi každoročně daň. Důsledkem takového míru bylo vlastně rozdělení Uher na tři části. Většinu území – centrální Uhry s Budínem – kontrolovali Turci; toto území bylo pod jejich bezprostřední správou. Sedmihradské knížectví a několik stolic na východě Uher se osamostatnilo a bylo pod vládou sedmihradského vévody, jenž střídavě uznával vrchní panství osmanské Vysoké porty či Habsburků. Královské Uhry pod vládou Habsburků tvořilo prakticky dnešní území Slovenska a úzký pruh západních Uher, v podstatě dnešní Burgenland. Pro obyvatele to však nebylo nikterak výhodné, protože Ferdinand Habsburský „svou“ část Uher nešetřil. Spíš naopak, snažil se odtamtud vytěžit, co se dalo. Správu území svěřil žoldnéřům, v jejichž čele stál Jan Katzianer, kte-

Dóm sv. Martina v Bratislavě (na rytině z 18. století) se stal po roce 1526 místem korunovace uherských králů

rý dostal hodnost „kapitána horních Uher". Vojáci nemilosrdně drancovali slovenské území a v ničem se v tom ohledu nelišili od Turků.

Pod tlakem Turků se na slovenské území přistěhovalo mnoho šlechticů. Tím se zvětšilo břemeno slovenských poddaných – jejich pracovní povinnosti a naturální dávky. Nově přistěhovalí šlechtici se začali věnovat podnikání, získali právo na výsek masa, výčep piva, vína a kořalky. Zašlo to tak daleko, že vrchnost předpisovala, kolik mají poddaní vypít, a pokud se plán konzumace alkoholu neplnil, vyměřovali obcím daň „za suchou hospodu".

Roku 1526 vznikl ve střední Evropě velký stát – habsburská monarchie. Jenže právě vzhledem k poměrům v Uhrách byla tato monarchie zatím stále víc ideou než skutečným státem. Habsburkové chtěli budovat svou monarchii pokud možno centrálně a dostávali se do konfliktu se šlechtickými stavy nejen v Uhrách, ale také v českém království.

Scénář známý z bojů mezi Habsburky a Zápolským po roce 1526 se pak v určitých mutacích opakoval dalších 150 let. Do konfliktu vstoupil navíc zápas reformace s protireformací. Průběh konfliktu byl vždy velmi podobný: část uherské šlechty se spojila se sedmihradským knížetem proti Habsburkům. Vnějším důvodem byl často ostrý protireformační kurs Habsburků a neochota tolerovat náboženskou svobodu, tj. protestantismus. Sedmihradská knížata vystupovala proti habsburskému králi obyčejně s pomocí turecké Porty. Osmanská říše měla zájem ovládnout Uhry a mocensky i ekonomicky jich využívat. Do náboženských záležitostí nezasahovala, takže protestanti měli pod tureckou nadvládou paradoxně větší náboženskou svobodu než pod habsburským žezlem.

Slovensko (bez východní části) se tak stalo podstatnou částí habsburských Uher, Prešpork (Bratislava) jejich hlavním městem. Zde zasedal uherský sněm, v dómu sv. Martina se konaly korunovace uherských králů. Sídlila zde i Uherská komora, která spravovala všechny státní příjmy. V bratislavském hradě byly uloženy královské korunovační klenoty. Až do začátku 18. století se tak dnešní slovenské území politicky oddělilo od ostatních Uher a vyvíjelo se v úzké součinnosti s dalšími částmi habsburské říše – s rakouskými zeměmi a zeměmi koruny české.

PUSTOŠIVÉ NÁJEZDY TURKŮ

Naznačené konflikty, povstání a války vedly k tomu, že 16. a 17. století byly nejkrvavějšími v celých dějinách země. Mnohé oblasti Slovenska byly doslova zpustošeny a vypleněny a obyvatelstvo zdecimováno.

Protože se slovenské etnikum ocitlo v bezprostředním sousedství Turků, neustále mu hrozily jejich nájezdy. Hrůzy tureckého pustošení pocítilo slovenské obyvatelstvo na jihu země už krátce po Moháči, za turecké výpravy proti Vídni roku 1529. Údolími řek Váhu, Hronu a Nitry pronikli Turci hluboko do slovenského vnitrozemí, zpustošili kraj a mnoho lidí odvlekli do zajetí. Turecké plenění se stalo na dlouhá léta postrachem obyvatelstva, a to nejen přímo na hranici s Portou, protože občasné nájezdy hluboko na slovenské území se s jistou periodicitou vracely až do porážky Turků u Vídně roku 1683.

Osmanský jezdec

Roku 1541 padl do rukou Turků Budín, o dva roky později Ostřihom, pevnost na Dunaji a zároveň církevní centrum Uher. Ostřihom byl branou na slovenské území: Turci odtamtud bezprostředně ohrožovali slovenská města a vesnice, pořádali pustošivé nájezdy do *„tót vijáletu"*, čili do slovenského kraje.

Obyvatelstvo odkázané většinou samo na sebe začalo organizovat vlastní obranu. Města se opevňovala, stavěly se strážní věže, na blížící se Turky upozorňovaly ohně jako signalizační zařízení. Když Turci dobyli Ostřihom, vznikla na slovenském území nová pevnost – Nové Zámky, vybudovaná podle tehdy nejmodernějších zásad fortifikace. Ostřihomská kapitula přesídlila do Trnavy, arcibiskup do Bratislavy.

Král Ferdinand se nesmířil s potupným mírem, který byl nucen podepsat roku 1547, a pokusil se Sedmihradsko získat zpět. Došlo znovu k válce, v níž však špatně připravená habsburská vojska utrpěla v bitvě Plášťovců roku 1552 katastrofální porážku. Turci se zmocnili dalších oblastí na slovenském území. Roku 1554 získali velmi důležitou pevnost, hrad Fiľakovo, a vytvořili na slovenském území čtyři správní okresy, „sandžaky": ostřihomský, novohradský, sečanský a fiľakovský. Toto území s téměř 700 obcí se dostalo přímo pod tureckou správu; obyvatelé platili sultánovi daň z hlavy a jeho správcům různé daně, které si násilím vynucovali.

Městečka a vesnice na habsburské straně však na tom byly snad ještě hůř. Daně a poplatky platily císaři a jeho šlechticům, navíc je však neustále ohrožovaly turecké nájezdy. Od Turků přicházely výhrůžné dopisy, které je měly přimět k poplatnosti a poslušnosti. Tak například roku 1556 fiľakovský beg Hamza poslal báňským městům takovýto výhrůžný dopis: „Vyzýváme vás, abyste už konečně přišli k rozumu a poddali se nám. Neboť jinak vojsko Jeho

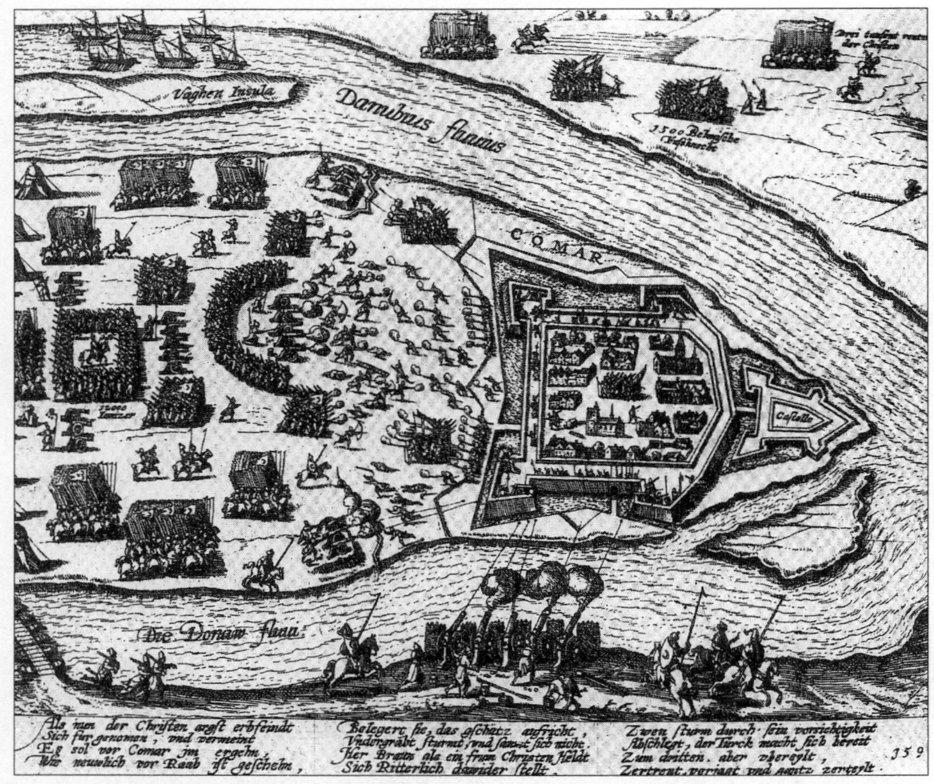
Vaghen Insula
Danubius fluvius
COMAR
Castello
Die Donaw fluss
Als man der Christen argst erbfeindt
Sich fürgenomen, vnd vermeint
Es sol vor Comar jm ergehn,
Wie neuwlich vor Raab ist geschehn,
Belegert sie, das gschütz aufricht,
Vndergräbt, sturmt, vnd saumt sich nicht.
Sich Ritterlich dawider stellt.
Zwen sturm durch · sein vorsichtigkeit
Abschlegt, der Turck macht sich bereit
Zum dritten. aber vbereylt,
Zertrent, veriagt vnd gantz zerteylt.
159

Pevnost Komárno na Dunaji patřila stejně jako Nové Zámky a Ráb k významným habsburským opěrným bodům bránícím tureckému postupu na západ

veličenstva sultána už je na cestě, aby obyvatele této země k poddanství donutilo. Co vám budou platné zátarasy ve vašich lesích, strážní věže a silné zdi vašich měst? Neboť Turek přistoupí k vašim zásekům, naši střelci rozpráší vaše jezdectvo a probijí se k vám jako jelen rovinou." Takových dopisů dostávali obyvatelé městeček na Slovensku pravidelně velké množství; dost se jich zachovalo v archivech.

Roku 1593 za vlády císaře Rudolfa II. se habsburská vojska pokusila zaútočit na Turky. Začala dlouhá, patnáctiletá válka. Zprvu byla císařská vojska úspěšná. Dobyla zpět pevnosti Fiľakovo, Sečany, Novohrad a Ostřihom, potom však začal urputný boj, v němž se úspěchy a válečné štěstí klonily tu na jednu, tu na druhou stranu. Za války vpadli na slovenské území spojenci Turků, Krymští Tataři a území středního Slovenska úplně vyplenili. Na začátku 17. století se války proti Turkům začínají proplétat s protihabsburskými stavovskými povstáními a s náboženským zápasem mezi postupující reformací a protireformačním tažením.

TYRNAVIA.

Trnava v pohledu ze 17. století

ETNICKÉ A SOCIÁLNÍ ZMĚNY NA SLOVENSKÉM ÚZEMÍ

Turecká expanze a okupace rozsáhlých částí Uher vyvolaly změny v národnostním složení obyvatel Slovenska. Pod tlakem Turků se část maďarské šlechty, ale také měšťanů usídlovala v městech pod habsburskou správou – v Prešporku (Bratislavě), Trnavě a Košicích. Před Turky odcházela i část selského obyvatelstva maďarské národnosti, a tak se etnická hranice mezi Slováky a Maďary posunula na sever.

Slovenské obyvatelstvo nížin a údolí se před Turky uchylovalo do hor, osídlovalo bezpečnější a méně přístupné hornaté oblasti na severu. Mýtilo lesy a zakládalo tam nové osady. Toto osídlování hornatějších oblastí bylo zároveň také důsledkem hospodářské expanze vrchnosti, která se tímto způsobem snažila získat novou půdu.

Před Turky utekly ze středních Uher na slovenské území četné šlechtické rodiny. Usazovaly se většinou za bezpečnějšími hradbami měst. Jelikož šlechtici požívali nadále všech výhod vyplývajících z jejich stavu – neplatili daně, měli právo čepovat víno a obchodovat, tato šlechtická kolonizace slovenských měst měla pro jejich rozvoj vážné hospodářské důsledky a ovlivňovala i jejich etnické složení. Většina měst na slovenském území byla dvojjazyčná – slovensko-německá. Etnické konflikty ve středověku zde pro-

Habánský dům ve Veľkých Levároch

CZICZVA

Romové pod hradem Čičva

bíhaly mezi měšťany slovenské a německé národnosti; byly ostré i během zápasu Ferdinanda se Zápolským. Ferdinand přitom podporoval německé měšťany a Zápolský se většinou zastával slovenských. Tak například Ferdinand nařízením z roku 1530 zakázal další stěhování Slováků a Poláků do Bardejova.

Poté, co se v městech začala usazovat šlechta i měšťanské rodiny maďarské, stávala se města trojjazyčnými. Přitom se z hospodářských důvodů často spojovali slovenští a němečtí měšťané a bránili se přílivu nového maďarského etnika. Ostrý spor mezi maďarskými přistěhovalci na jedné straně a Slováky a Němci na straně druhé povstal například v Trnavě. Maďarská šlechta vyhrožovala, že zde Slováky a Němce pozabíjí. Ferdinand I. byl nakonec nucen řešit konflikt královským dekretem, v němž nařídil: „Nechť je zvolen rychtář, který dostal nejvíc hlasů, a to tak, že jeden rok bude zvolen z maďarského, druhý z německého a třetí rok ze slovenského národa. A dále v roce, kdy byl zvolen rychtář z maďarského národa, kapitán má být volen z řad národa německého nebo slovenského, ale ostatní radní a úředníci ať se volí ve stejném počtu ze všech národů, a to maďarského, německého a slovenského.“ Je evidentní, že král tak vlastně podpořil maďarské požadavky a zrovnoprávnil přistěhovalce se starousedlíky. Podobné spory probíhaly i v dalších městech na Slovensku.

Po moháčské katastrofě nastaly těžké časy také pro židovské obyvatelstvo slovenských měst. Válkou a tureckými nájezdy znatelně prořídlo. V kritické situaci se i vnitřní konflikty a problémy uvnitř měst obracely proti Židům, a ti byli vystaveni pogromům jako například v Trnavě a Pezinku. Proto začalo židovské obyvatelstvo vyhledávat bezpečnější země.

Na jihozápadní Slovensko přesídlilo i několik tisíc chorvatských rodin, které uprchly před Turky. Chorvati se usazovali jednotlivě na panstvích i v osadách, ale mnohdy si založili i vlastní vesnice. Na západní Slovensko přešlo také z Moravy v důsledku náboženského pronásledování několik set rodin německých novokřtěnců – habánů.

Během 16. a 17. století se u slovenských měst a obcí začali trvale usazovat Romové. Mnozí z nich byli řemeslníci – kováři, korytáři, košíkáři. Kováři vyráběli také zbraně a jejich služeb využívaly obě bojující strany. Romové vykonávali i různé služby a uplatňovali se jako hudebníci, což je postupně přivedlo k tomu, že se začali usazovat na kraji některých měst a osad. Do střední Evropy se začalo stěhovat i romské obyvatelstvo ze západní Evropy, kde bylo pronásledované.

V důsledku zmíněných událostí se téměř na dvě století stalo dnešní Slovensko samostatnou územní jednotkou – tentokrát v podobě královských Uher pod habsburským žezlem. Pod Habsburky se tak ocitlo společně území dnešního Slovenska, Moravy i Čech.

Národnostní poměry a konflikty vedly také k upevnění slovenského etnického vědomí a k tomu, že Horní Uhry jsou i v cizích pramenech označovány jako „slovenská země".

Zintenzivnil styk s moravským a českým etnikem. Velmi úzké byly zejména kontakty mezi vzdělanci. V Praze vyšla roku 1571 kniha duchovní i reflexivní poezie nejvýznamnějšího slovenského básníka 16. století, hudebníka Jána Silvána, *Písně nové na sedm žalmů kajících i jiné žalmy.* V Čechách působili i nejznámější slovenský humanista Martin Rakovský a dramatici Pavol Kyrmezer a Jur Tesák Mošovský. Rektorem Karlovy univerzity se stal Slovák Ján Jesenius, jeden z nejlepších lékařů a anatomů své doby. Jako účastník českého stavovského povstání byl popraven spolu s českými pány na Staroměstském náměstí v Praze. Na Karlově univerzitě přednášel rovněž Slovák Vavrinec Benedikt z Nedožer, autor *České gramatiky.*

V důsledku toho všeho se mezi slovenskými vzdělanci vedle stále převažující latiny užívalo stále víc spisovné češtiny a objevily se i snahy češtinu poslovenšťovat, nebo uplatňovat v písemné formě slovenské dialekty. Autor *České gramatiky* Vavrinec Benedikt z Nedožer nabádal krajany, aby v literatuře užívali svého jazyka: „Obzvlášť musím pokárat své krajany Slováky, kteří o vzdělávání ve své vlastní řeči nedbají, takže někteří nejenže nečtou české knihy, ale chlubí se tím, že je ani nemají ve své knihovně. A tak se stává, že když se mluví o těch věcech domácím jazykem, oni musí mluvit latinsky. Ani já je nenutím, aby přijali českou řeč, ale napomínám je, aby pěstovali svou vlastní."

Reformace a protihabsburská povstání

REFORMACE A PROTIREFORMACE

V první polovině 16. století se i mezi Slováky začala šířit reformace. Reformní myšlenky sem přicházely z německé oblasti. Ve východoslovenských a báňských městech s početným německým obyvatelstvem působili v tomto ohledu jako zprostředkovatelé němečtí měšťané. Na západní Slovensko pronikala reformace z Čech a Moravy. Slovenští teologové odcházeli tradičně studovat na německé univerzity, hlavně do Wittenbergu. Proto bylo Lutherovo učení na Slovensku známo velmi brzy, téměř souběžně s tím, jak se šířilo v Německu. Roku 1581 vyšel v Bardejově *Katechismus Martina Luthera,* a to v češtině. Reformace se šířila v Horní zemi poměrně rychle, protože k tomu měla příznivé vnější podmínky v oslabení ústřední státní moci a v odboji šlechty. Svou úlohu sehrál i rozklad tradičních struktur katolické církve, vždyť jen u Moháče padli oba arcibiskupové a pět biskupů.

K reformaci přešla také část šlechty a jejím vlivem i poddaní. Šlechta k tomu měla důvody nejen duchovní, ale také světské – využívala reformace, aby zabírala majetek klášterů a far. Uherská šlechta se brzy stala hlavní oporou refor-

Arcibiskup a kardinál Peter Pázmány

mace, což znamenalo konflikt mezi ní a katolickými Habsburky.

Na Slovensku měla převahu umírněná reformace Lutherova směru, pouze malá část slovenského obyvatelstva na jihu a východě přijala reformaci kalvínskou. Objevily se i jiné protestantské církve – novokřtěnci, Čeští bratři, sakramentáři.

Přívrženci reformace v městech se museli často bránit výtkám z kacířství a z toho, že trpí a podporují radikální kazatele. Ve snaze obhájit svou konfesi začala města vypracovávat své obrany. Roku 1549 pět východoslovenských měst (Levoča, Prešov, Košice, Bardejov, Sabinov) vypracovalo *Confessio Pentapolitana*, tj. vyznání víry, v němž byly definovány přijaté konfesijní zásady. Podle augšpurského míru byly takto jasně vymezené konfese tolerovány. Po Confessio Pentapolitana následovala *Confessio Heptapolitana* – vyznání sedmi středoslovenských báňských měst – a *Confessio Scepusiana* – vyznání společnosti (bratrstva) spišských kněží.

Začátkem 17. století postoupila reformace natolik, že za nejvyššího státního úředníka – palatina – byl zvolen evangelík Juraj Thurzo. Tou dobou byla dobudována protestantská církevní organizace na Slovensku. Přitom je pozoruhodné, že protestantismus augšpurského vyznání zde měl dominantní postavení a teritoriálně se rozprostíral převážně na dnešním slovenském území, což mělo v pozdějším národotvorném vývoji slovenských protestantů svůj význam.

Od poloviny 16. století zahájila katolická církev své protireformační úsilí. Roku 1548 vydal uherský sněm zákon, podle něhož se měl v zemi obnovit opět starý náboženský řád a radikální sekta novokřtěnců měla být ze země vypuzena. Hlavním organizátorem protireformace se stal arcibiskup Mikuláš Oláh. Protireformace postupovala zprvu umírněně – přesvědčováním kněží, ústupky, například povolením přijímání „pod obojí". Do boje proti reformaci přicházeli na Slovensko ve velkém počtu jezuité. Protireformace však nedosáhla až do začátku 17. století významnějších úspěchů.

Účinnější postup protireformace je spojen až se jménem Petra Pázmánya, který se stal roku 1616 ostřihomským arcibiskupem. Téhož roku zemřel palatin Juraj Thurzo a palatinský úřad se opět dostal do rukou katolíků. Za protihabsburských stavovských povstání byly střídavě úspěšné reformační i protireformační snahy. Vídeňský dvůr se snažil využít účasti protestantů na protihabsburských povstáních k rekatolizačním opatřením, nikdy se však nepodařilo uskutečnit je důsledně. Například po potlačení povstání Imricha Thökölyho roku 1684 začal pracovat v Prešově tribunál, který roku 1687 odsoudil a popravil 24 měšťanů a šlechticů za účast v povstání (tzv. „prešovská jatka"), ale už následující sněm roku 1687 další exekuce zastavil. Přiznal sice jezuitům domovské právo v Uhrách, určitá práva však ponechal i protestantům. Konečně i po posledním stavovském povstání a po uzavření míru s Rákóczim a Turky v Satu Mare v dubnu 1711 bylo dosaženo určité rovnováhy mezi vídeňskými absolutistickými tendencemi, spojenými s rekatolizací, a uherským protestantismem.

Snaha o rekatolizaci byla částečně úspěšná také dík úsilí církve o všestranné působení na věřící. Nádherná barokní architektura, na Slovensku velmi bohatá, působila svou obrazností, kdežto evangelíci pracovali víc slovem, což bylo zejména v méně vzdělaných vrstvách méně účinné.

V souvislosti s protireformačním úsilím došlo roku 1648 na východním Slovensku k vytvoření unie, tj. k sjednocení pravoslavné církve s Římem. Vytvořila se tak řeckokatolická církev, která si ponechala liturgii ve „východním obřadu", ale organizačně se připojila k Římu. Mezi řeckými katolíky byli etničtí Rusíni i Slováci, což zkomplikovalo proces národního uvědomování obou skupin.

Pokud měli protestanti v Uhrách lepší postavení než v ostatních habsburských zemích, pak to vyplývalo hlavně z faktu, že pod tlakem osmanské říše a vnitřních nepokojů se Habsburkové snažili držet své pozice i určitými ústupky v náboženské oblasti, čímž se tehdejší Uhry staly střediskem emigrace z celé střední Evropy. Velmi početná byla zejména česká emigrace na Slovensku po bitvě na Bílé hoře. Mezi českými exulanty v Uhrách byl i proslulý učenec a pedagog Jan Amos Komenský. Řada českých exulantů přispěla k šíření české knihy a vzdělanosti na Slovensku, kde našli druhý domov.

Pro slovenské etnikum mělo šíření protestantismu význam v tom, že se blízká čeština stala jazykem bohoslužebným. To bylo důležité jak v oblasti náboženské, tak všeobecně – čeština mohla působit jako literární jazyk Slováků místo latiny, která byla pro většinu populace nesrozumitelná. Zároveň se šířilo vzdělání, přibývalo škol a v některých se na nižších stupních vyučovalo srozumitelným českým jazykem.

PROTIHABSBURSKÁ POVSTÁNÍ V PRVNÍ POLOVINĚ 17. STOLETÍ

Habsburkové se snažili v celé své říši vládnout absolutisticky, což naráželo na odpor šlechty. Uherská stavovská ústava dávala šlechtě mnoho pravomocí a výsad. Umožňovala jí podílet se na vládní moci a kontrolovat krále. Tato ustanovení ústavy Habsburkové nerespektovali a svou vůli prosazovali v Uhrách pomocí žoldnéřských vojsk, která byla cizího, převážně německého původu. Stávalo se, že žoldnéři odnímali šlechtě i její statky. Odpor se pokusili oslabovat inscenováním „vlastizrádných procesů". Takový proces byl například zosnován proti trenčanskému a liptovskému županovi Štěpánu Illesházymu.

GABRIEL BETHLEM D.G. PRINCEPS TRANSSYLVANIÆ, PART. REGNI HUNGA. DNS ET SICULORUM COMES

Gabriel Bethlen

Šlechta se s porušováním svých svobod nechtěla smířit. Uherská ústava jí povolovala i odpor vůči králi, pokud nevládne v souladu s ústavou.

Nespokojenost, ba nenávist vyvolávala i násilná rekatolizace, na níž se podíleli cizí žoldnéři, ale také jezuité, většinou rovněž cizího původu. Číše trpělivosti přetekla, když se roku 1604 císařské vojsko pokusilo odejmout statky sedmihradskému knížeti Štěpánu Bocskayovi. Ten se však rozhodl bránit se zbraní v ruce a zahájil proti císaři Rudolfovi II. otevřené povstání. Jeho vojsko tvořili vojáci, jimž se říkalo hajduci. Připojovali se k nim i ostatní šlechtici a měšťané. Ve stejné době probíhala mezi císařem a Turky tzv. patnáctiletá válka, a tak Bocskay neváhal a spojil se s Turky. V říjnu 1605 povstalecká vojska ovládla prakticky celé Slovensko a Rudolf II. byl donucen podepsat v červenci 1606 s Bocskayem a později i s Turky mír. Zavázal se v něm respektovat uherskou stavovskou ústavu, souhlasil, že vysokými státními funkcionáři budou jen uherští šlechtici, a uznal náboženskou svobodu. Mír s Turky, který ukončil patnáctiletou válku, nic nezměnil na skutečnosti, že Turci dál fakticky ovládali jádro Uher; Habsburkové se navíc zavázali zaplatit jim 200 000 zlatých.

Rudolf II. měl problémy nejen s Turky, ale také se svým bratrem arciknížetem Matyášem, který byl císařovým zástupcem v Uhrách. Když roku 1606 náhle zemřel Štěpán Bocskay, Matyáš se spojil s uherskými, moravskými a rakouskými stavy, čímž vznikla konfederace, v níž se načas ocitlo Slovensko spolu s Moravou. Matyáš stupňoval svůj odboj proti Rudolfovi II., až ho nakonec roku 1608 v Libni u Prahy donutil k tomu, že mu odstoupil uherskou korunu a dal mu do správy Moravu a rakouské země. Matyáš II. se stal sice uherským králem, ale to jeho ambice neuspokojilo. Využil duševní choroby bratra Rudolfa, ujal se vlády i v Čechách a nakonec získal roku 1612 i císařskou korunu. Za své plány, jež ho stály spoustu sil, musel ovšem zaplatit tím, že v Uhrách učinil mnohé ústupky šlechtě i protestantům.

Zápasu Matyáše II. s Rudolfem II. a náboženských svobod, které jí oba panovníci potvrdili, se uherská šlechta rozhodla okamžitě využít k ustavení protestantské církve. Palatin Juraj Thurzo svolal roku 1610 do Žiliny zástupce evangelíků z celé oblasti tzv. Podunají, což bylo fakticky západní a střední Slovensko, na církevní synod, na němž vznikla pevná protestantská církevní organizace. Celá oblast Předdunajska byla rozdělena na tři obvody, v jejichž čele stáli superintendenti. Na dalším synodu roku 1614 ve Spišském Podhradí se týmž způsobem zorganizovala také oblast východního Slovenska. Protože toto území bylo převážně slovenské, dostala se církevní organizace zde do slovenských rukou.

Habsburkové byli okolnostmi donuceni k dalekosáhlým ústupkům, ale nikdy se s nimi nesmířili a využili každé příležitosti k přitvrzení protireformačního úsilí. Nedodržování dohod z jejich strany vyvolávalo opětovnou nespokojenost uherské šlechty. Když roku 1618 vypuklo protihabsburské stavovské povstání v Praze, povstala znovu i uherská šlechta, vedená Gabrielem Bethlenem. Ten publikoval v Košicích manifest *Stížnosti Uherska*, v němž Habsburkům vypočetl všechny jejich nedodržené sliby a závazky.

Gabriel Bethlen obsadil se svým vojskem celé území Slovenska a v říjnu 1618 vtáhl do Bratislavy, kde se zmocnil klíčů od Hradu, a tím i korunovačních klenotů. Roku 1620 se dokonce nechal sněmem zvolit za uherského krále. Císař Ferdinand II., jehož síly byly vázány konfliktem s českými stavy, uzavřel s Bethlenem příměří a využil ho k porážce českých stavovských vojsk. Jeho vítězství v bitvě na Bílé hoře oslabilo však i Bethlenovu pozici.

Po bělohorské porážce českých stavů emigroval na Slovensko značný počet českých protestantských rodin. V jejich řadách bylo mnoho hlavně inteligence, která přispěla k rozvoji slovenské vzdělanosti a kultury. České rodiny, jež se tehdy usadily na Slovensku, s sebou přinesly bohatou česky psanou literaturu. Z tohoto prostředí pak vzešli literáti, kteří významně přispěli k rozvoji slovenské kultury – Juraj Tranovský, Jakub Jakobeus.

Další události na slovenském území byly již součástí velkého celoevropského konfliktu, známého jako třicetiletá válka. Během ní plenila slovenské území střídavě císařská i cizí vojska. Do konfliktu vydatně zasahovali i Turci, formálně sice mírovou smlouvou ze slovenského území vytlačení, jimž však nepokoje a stavovská povstání vždycky dávala novou příležitost k pustošivým nájezdům na Slovensko. Do konfliktu se znovu zapojil Gabriel Bethlen vystupující proti císaři. Průběh války donutil Ferdinanda II. opětovně k tomu, aby se zavázal respektovat uherskou ústavu, výsady šlechty a náboženskou svobodu.

Ze života na slovensko-tureckém pomezí

Pokud se však válečná karta jenom trochu obrátila ve prospěch Habsburků, okamžitě se to projevilo nerespektováním těchto slibů, což mělo za následek nový odboj šlechty. Roku 1643 sedmihradský vévoda Jiří I. Rákóczi jako spojenec Švédska prošel ze Sedmihradska v čele početné armády celým Slovenskem a donutil císaře k potvrzení všech svobod a výsad. Bylo stále zřejmější, že na výsledku třicetileté války bude záviset také osud Uher.

Vestfálský mír, který ukončil roku 1648 třicetiletou válku, znamenal globální oslabení Habsburků v celé Evropě a zastavení jejich další expanze a rekatolizačního úsilí. Ve vlastní državě Habsburků ve střední Evropě jim však mír uvolnil ruce, což znamenalo pro uherskou šlechtu i protestanty hrozbu.

IMRICH THÖKÖLY A FRANTIŠEK II. RÁKÓCZI

Vestfálský mír přinesl rozbouřené Evropě uklidnění. Ne však Uhrám. Habsburkové hodlali i zde prosadit absolutistický způsob vlády, spojený s tvrdou rekatolizací. Uherská šlechta se však necítila poražena. Navíc Uhry byly stále z větší části ovládány Turky. Horní Uhry, tj. dnešní Slovensko, se sice formálně nacházely pod habsburskou správou, ale byly neustále ohrožovány tureckými nájezdy. Obyvatelé na slovensko-tureckém pomezí žili v neustálém strachu před Turky. Svědectví o tom podal německý spisovatel E. G. Happelius: „Každý sedlák má ve svém domě nebo v místnosti, kde spí, obyčejně pod stolem jámu. Kde vyúsťuje, je prohloubena do výšky muže, a dál se táhne do strany tak, že se v ní dá pohybovat po kolenou. Takové chodby jsou dvacet, třicet i víc sáhů dlouhé a končí malými komůrkami, v nichž se mohou zdržovat lidé. Sotva jim z pohraničních pevností dají znamení, že se blíží Turci, vlezou se ženami do děr a zůstanou v nich, dokud nepřítel neodtáhne.“

EMERICI
HUNGARICI
VERA
TÖKÖLY
COMITIS
EFFIGIES

Kežmarocký rodák a „slovenský král“ Imrich Thököly

V březnu 1663 vypověděli Turci císaři Leopoldovi I. válku a táhli na sever, na Slovensko. Přešli přes Dunaj, u Parkánu (Štúrovo) porazili narychlo sebranou šlechtickou hotovost, dobyli pevnost Nové Zámky a zmocnili se Nitry a dalších měst. Císařské vojsko se jim postavilo na odpor a začalo Turky ze slovenského území vytlačovat. Císař Leopold však nečekaně uzavřel s Turky mír. Podle mírové smlouvy zůstala v tureckých rukou pevnost Nové Zámky s okolím.

Málo rozhodný postup císaře proti Turkům vyvolal v zemi nespokojenost poddaných, kteří tureckými nájezdy nejvíc trpěli; projevovala se hlavně v drobných místních povstáních, jež propukala po celé 17. století. Nespokojená však byla i šlechta, a to nejen málo rozhodným postojem Habsburků k Turkům, nýbrž i nedodržováním ústavy a zesílenou rekatolizací ze strany vlády.

František II. Rákóczi

Část šlechty pod vedením Františka Wesselényiho začala připravovat proti Habsburkům spiknutí. Bylo však odhaleno a hlavní organizátoři roku 1671 popraveni. Zemi udržovala v moci žoldnéřská vojska vedená generálem Šporkem. Nastala doba teroru. Uherská ústava byla zrušena, začala další vlna rekatolizace.

Vládní teror však vyvolával nový odpor. Ve východoslovenských stolicích se začaly organizovat vojenské skupiny, jejichž členové si sami říkali kuruci (křižáci). Jedna taková skupina, vedená Kašparem Pikou, dobyla roku 1672 Oravský hrad. Když se generálu Šporkovi podařilo dobýt hrad nazpět, krvavě se vypořádal s povstalci: Kašpara Piku a 25 vzbouřených rychtářů popravili tak, že je zaživa nabodli na kůly a nechali pomalu umírat.

Krutost císařských vojsk však neměla patřičný odstrašující účinek. Naopak, vyvolala v zemi novou nespokojenost. Roku 1678 zorganizoval nespokojence mladý kežmarocký šlechtic Imrich Thököly. Za krátkou dobu se mu podařilo obsadit celé východní a střední Slovensko. Tím donutil císaře Leopolda I. k jednání. Císař slíbil, že obnoví uherskou ústavu, znovu ustanoví funkci uherského palatina, a dal protestantům právo udržovat v každé stolici dva kostely. Thököly však tyto přísliby nepovažoval za dostatečné, postavil se i s vojskem na odpor a znovu vojensky opanoval východní a střední Slovensko. Císař byl ochoten ustoupit, ale v té chvíli se do sporu zamíchal turecký sultán: slíbil Thökölymu uherskou korunu, jestliže se mu podrobí. Zároveň sultán Kara Mustafa vypověděl císaři Leopoldovi válku. Thököly se tedy přidal k sultánovi, avšak ve válce roku 1683 utrpěli Turci porážku, napřed u Vídně, potom také v Uhrách. V srpnu 1685 byla osvobozena pevnost Nové Zámky, v dalších měsících i Budín. To znamenalo konec tureckého panství v Uhrách. Zároveň s tím skončilo i povstání Thökölyho, který musel utéci ze země s Turky. Do rukou císařských se dostávalo město za městem. Nejdéle drželi protestantští povstalci Prešov. Tam došlo k nejkrvavějšímu účtování s povstalci; jeho hlavním aktérem se stal generál Antonio Caraffa. Čtyřiadvacet povstalců bylo popraveno tak, že jim napřed uťali ruce, potom hlavu a rozčtvrcené je na hácích pro výstrahu rozvěšeli u silnic.

Vlna teroru a tažení proti protestantům, spojená s pokusem o nastolení absolutismu, však ani tentokrát nevedla k úplnému podrobení země císaři, který si na sněmu v Bratislavě dal odhlasovat dědičnost uherské koruny v habsburském rodu po meči. Nespokojeni byli šlechtici, měšťané i poddaní. Když roku 1703 vpadl z Polska na Slovensko František Rákóczi, houfně se k němu přidávali obyvatelé východoslovenských stolic všech společenských tříd. František II. Rákóczi využil příznivé situace, kdy Habsburkové válčili s Francií, a ovládl nejen celé území Slovenska, nýbrž i ty části Dolní země (dnešního Maďarska), které byly osvobozeny od Turků. Roku 1707 povstalci prohlásili Habsburky za zbavené trůnu. To donutilo nového císaře Josefa I. kráznému zásahu. Zorganizoval početnou armádu, která roku 1708 u Trenčína Františka Rákocziho porazila. Také Turci, kteří chtěli využít povstání a obnovit své panství v Uhrách, byli definitivně poraženi. V rumunském městečku Satu Mare byl 1. května 1711 podepsán mír, který definitivně ukončil turecké panování v Uhrách, právě tak jako protihabsburská stavovská povstání. Habsburkové uherskou korunu uhájili.

Všechna tato povstání a války 17. století probíhaly z větší části na slovenském území. Země zůstala zpustošená, půda často neobdělaná a města vypleněna vojsky.

KULTURA A VZDĚLANOST MEZI REFORMACÍ A PROTIREFORMACÍ

Kultura a školství stály přímo v centru zápasu reformace a protireformace. Konkurování a soutěžení katolicismu s protestantismem na tomto poli nemálo přispělo v tomto období k tomu, že se mezi Slováky rozvíjela kultura a vzdělanost.

Důležitou oblastí tohoto kulturního kvasu bylo školství. Od 16. století pronikaly na Slovensko prostřednictvím vzdělanců ideje humanismu a renesance. Tyto myšlenky nacházely živnou půdu zejména v městech, kde školy řídili odchovanci humanisticky orientovaných evropských univerzit. Humanistické ideje se začaly brzy prolínat s idejemi reformace. Některé školy na Slovensku, například v Levoči, Bardejově, Kremnici nebo Košicích, měly vynikající pověst a jejich profesoři si dopisovali s významnými humanistickými učenci. Na školách se vzdělávali studenti slovenského i německého původu. Pro slovenské i německé protestanty se stala vyhledávanou hlavně univerzita ve Wittenbergu, kam odcházely ročně desítky studentů ze slovenských měst. Došlo i k pokusu o založení evangelického lycea vysokoškolského typu v Prešově, tuto snahu však koncem 17. století zmařila protireformace.

Kvetoucí humanistická vzdělanost vedla v 16. a 17. století k početnímu růstu inteligence. Městští úředníci mívali úplné latinské vzdělání, kazatelé byli zpravidla absolventy univerzit. S rozvojem vzdělání souvisel rozmach literatury psané latinsky, česky i slovenskými dialekty. Reformace s sebou přinesla i zvýšený zájem o pěstování kultivovaného domácího jazyka. Slovenští protestanti

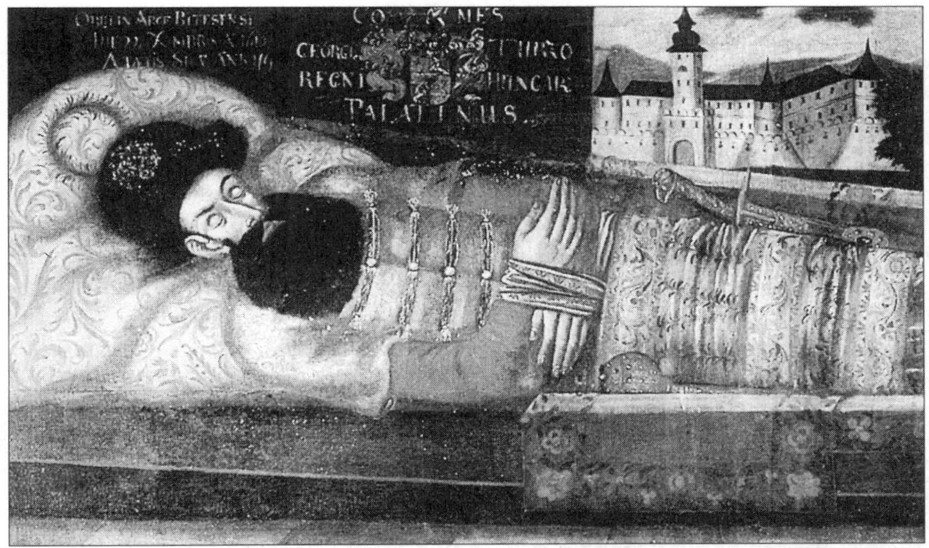

Uherský palatin Juraj Thurzo, šlechtic slovenského původu a ochránce evangelíků (v pozadí Oravský Podzámok)

sahali po češtině Kralické bible; tento jazyk ustálil především termíny bohoslužebné. Slovenští protestanti ho přijali za svůj, používali ho stále častěji ve svých knižních pracích, přičemž do českého pravopisného úzu vsouvali slovenské výrazy a slovní spojení.

Katolicko-protestantské soupeření se projevilo například i v tom, že vedle protestantského zpěvníku Juraje Tranovského *Cithara sanctorum* se objevil i katolický zpěvník *Cantus catholici*, jehož autorem byl Benedikt Szöllösi. Přestože 17. století bylo krvavé a plné válek, rozvinula se na Slovensku literární tvorba v latině, češtině i slovenštině. V západní slovenštině byla například napsána velká milostná báseň Štefana Seleckého *Obraz pani krásnej perem malovaný* a sbírka básní Petra Benického. Tvorba básníků Jána Filického, Jakuba Jakobea a Juraje Lániho je proniknuta barokním literárním manýrismem. Daniel Sinapius-Horčička sestavil sbírku přísloví, někteří autoři – například Tobiáš Masník a Ján Simonides – barvitě popsali, jak byli pronásledováni za svou víru.

Pro celé období je příznačné, že se kultura pěstovala i na dvorech bohatých feudálů. Takovým feudálem byl i palatin Juraj Thurzo a jeho dvůr v Bytči, kde se pravidelně konaly různé kulturní podniky a disputace, pobývali zde hudebníci z Vídně, ale také malíři a literáti.

Protože v Uhrách nebyla univerzita, významní učenci slovenského původu působili v zahraničí. Juraj Henisch, geograf z Bardejova, se stal rektorem v Augsburgu, kde vydal latinské dílo *Přehled staré a nové geografie.* Na pražské univerzitě působili kromě jiných již zmínění učenci Vavrinec Benedikt z Nedožer a Ján Jesenius z Jasenové.

Alegorie založení trnavské univerzity z roku 1635

Ve školství, vzdělanosti a kultuře zanechalo zřetelnou stopu i protireformační hnutí. Tažení proti evangelíkům bylo doprovázeno aktivitou právě na tomto poli. Významné místo měly vedle řady gymnázií hlavně univerzity v Trnavě a Košicích. Zakládací listinu trnavské univerzity vydal arcibiskup Petr Pázmány roku 1635. Vyučovat se začalo na teologické a filosofické fakultě, později k nim přibyla ještě fakulta právnická. Roku 1657 vznikla univerzita v Košicích. Obě univerzity byly jezuitské. Na poli školství a vzdělanosti vyvíjely aktivitu i další řehole – piaristé, benediktini, kapucíni, minorité a voršilky.

Trnavská a košická univerzita se staly centry vědeckého života. V Trnavě působil významný vědec Martin Szentiványi, autor mnohosvazkového díla *Curiosa et selectiora variarum scientiarum miscellanea,* v němž zachytil poznatky z různých vědních oborů. Zde vznikla i první topografická práce o uherských městech a městečkách, jejímž autorem byl Samuel Timon, a také první atlas Uher.

Vedle křesťanské kultury zažila v druhé polovině 17. století rozmach i kultura židovská. Od poloviny 17. století začaly židovské obce po desetiletích pronásledování a emigrace projevovat znovu známky života. Hlavně na západním Slovensku bylo možné pozorovat příliv židovského obyvatelstva z Moravy, kde byli Židé vystaveni zvýšenému pronásledování. Bratislava se stala duchovním centrem Židů z celých Uher a patřila mezi taková centra židovské kultury, jakými byly Jeruzalém, Praha, Worms a Mohuč. V letech 1680–1700 se v Bratislavě soustřeďovala židovská duchovní elita kolem známé rabínské školy založené rabínem Jom-Tov Lipmannem.

Reformace a protireformace rozdělily Slováky na dva konfesionální tábory. Na začátku 18. století byla už většina slovenského obyvatelstva katolického vyznání. Protestanti však stále tvořili významnou část – přibližně třetinu – slovenské populace. Toto konfesionální rozdělení vyvolávalo určitou nejednotu v pojímání národního programu právě v době, kdy se začal formovat novodobý slovenský národ.

5 OSVÍCENSKÝ ABSOLUTISMUS

Habsburská monarchie na rozcestí

KAREL VI. A PRAGMATICKÁ SANKCE

Osmnácté století začalo v Uhrách až satumarským mírem roku 1711. Porážka posledního stavovského povstání Františka II. Rákócziho a vytlačení Turků ze středoevropského prostoru vytvořily pro nového císaře a krále Karla VI. (jako uherský král Karel III.) prostor k organizování své říše. Po dlouhých válkách, které ničily zemi i její obyvatele, nastala doba naděje na mír. Zůstalo však pouze u nadějí. Habsburský panovník se angažoval v mnoha evropských sporech, a tak Evropa zůstávala stále kontinentem válečných konfliktů.

Přesto se Karel VI. všemožně snažil o vnitřní konsolidaci a upevnění svých pozic ve středoevropské monarchii. Usiloval rovněž o obnovu hospodářského života. K tomu ovšem potřeboval finanční prostředky, což znamenalo nové daně. Zdaňovalo se kde co. V některých stolicích byli například evidováni kuřáci, kteří museli platit kuřáckou daň. S velkými problémy se znovu rozběhla těžba v Banské Štiavnici, kde nový rozkvět zdejšího báňského podnikání byl spojen s novými technologiemi. Poprvé na evropském kontinentě zde bylo použito parního stroje k pohánění čerpadel. Byl vytvořen důmyslný systém umělých jezer, jejichž voda poháněla čerpadla. Prudce se začala rozvíjet domácí výroba, která překračovala omezující rámec cechovního řemesla. S tím souvisel i rozvoj obchodu s okolními i vzdálenými zeměmi.

Karel VI. se snažil zajistit celistvost říše i pro budoucnost. Chtěl rovněž zabránit tomu, aby pokračovaly mocenské zápasy o korunu. Rozhodl se pro rázné řešení a roku 1713 vydal tzv. pragmatickou sankci. Podle ní se upravoval nástupnický řád ustanovením, že na trůn může nastoupit i ženský potomek, pokud by habsburská dynastie vymřela po meči. Toto ustanovení se ukázalo jako velmi předvídavé, protože sám Karel VI. nezanechal mužského potomka. Nejdůležitější částí pragmatické sankce však bylo ustanovení o nedělitelnosti vlády nad všemi zeměmi říše, což znamenalo posílení panovnické moci a jasný signál snah o další centralizaci. Proto se pragmatická sankce stala sporným dokumentem a Karel VI. musel vynaložit velké úsilí, aby získal od zahraničí, ale také od domácí šlechty uznání její platnosti. Uherské stavy nakonec pragmatickou sankci přijaly, ale teprve na sněmu roku 1722–1723.

Díky reformám a prováděným soupisům obyvatelstva a statků mají historikové k dispozici poměrně spolehlivé demografické údaje. Vyplývá z nich, že na dnešním území Slovenska žily téměř dva miliony osob, z nichž většinu tvořili etničtí Slováci. Na slovenském území se nalézalo hodně měst, byla však většinou malá, válkami zpustošená a vylidněná. Největším městem byla Bratislava

CAROLVS VI Rom. Imp. et Tertius Hisp. et Ind. Rex
Poslední přímý Habsburk Karel VI.

(Prešpork) čítající 10 000 obyvatel. Téměř stejně velké bylo Komárno. Třetí v pořadí Banská Štiavnica měla 7000 obyvatel. Zajímavý a podrobný popis tehdejších slovenských měst zanechal ve svém encyklopedickém díle Matej (Matthias) Bel, jenž o tehdejším Prešporku napsal: „Vyznačuje se zdravým povětřím jednak dík mohutnému toku Dunaje, který přináší s vodou i vánek zbavený všech nečistot, jednak dík oblouku utěšeně se zvedajících Karpat, jímž je město objato jako v náručí... Dále je všude nevyčerpatelná zásoba pitné vody. Vodovody napojené na ni zásobují klášterní objekty i městské fontány tak velkým množstvím vody, jaké je zapotřebí na zkrášlení města, na pití i k ostatním účelům."

Na slovenském území žila více než polovina veškeré uherské šlechty. V městech, na jejich okrajích, ale i na venkově si stavěla honosná barokní a rokoková sídla. Tak vysoká koncentrace šlechty na slovenském území však měla i své stinné stránky. Znamenalo to především velkou zátěž pro poddaný lid. Konec tureckého nebezpečí neznamenal pro slovenského sedláka žádnou podstatnou úlevu. Dávky a pracovní povinnosti se ještě zvýšily. K tomu je nutno připočítat několik neúrodných a hladových let na začátku 18. století a dostaneme se k příčinám velké nespokojenosti a sociálních revolt slovenských poddaných.

Způsob života slovenských sedláků se nám dobře zachoval v díle Mateje Bela. Jejich obydlí byla buď roubená, nebo v nížinách z hlíny či z vepřovic, zřídka kamenná. Okýnka domů byla malá, aby neunikalo teplo. Ve světnicích byla buď ohniště nebo primitivní kamna s otevřeným komínem. V takových obydlích bylo málo světla a plno kouře. Střechy byly většinou slaměné.

Těžké životní podmínky vedly k tomu, že poddaní často opouštěli nesnesitelný způsob života a utíkali do lesů, aby zbojničili. Roku 1713 pověsili v Liptovském Sv. Mikuláši za žebro na hák vůdce jedné takové zbojnické skupiny Juraje Jánošíka. Zbojníků bylo víc, ale právě jméno Juraje Jánošíka si získalo v ústním podání mimořádnou oblibu. Poddaný lid si ho vykresloval jako junáka, který bohatým bral a chudým dával. Jánošíkovská tradice se ve slovenském prostředí uchovávala v písních a tradicích dlouhé generace.

Po satumarském míru došlo zároveň v rámci Uher k velkým migračním pohybům. Hlavním směrem bylo stěhování ze severních stolic na jih. Probíhalo

Zámek v Topolčiankách představuje typ venovského sídla uherské šlechty

postupně a podporovala ho i část šlechty. V střední a jižní části Slovenska, které byly osvobozeny od Turků, se nacházely celé vylidněné oblasti a úrodná půda tam ležela ladem. To obyvatele ze severních hornatých stolic přitahovalo nejvíc. Tak vzniklo poměrně rozsáhlé a souvislé slovenské osídlení v Zadunají – v pešťské stolici, ale také na jihu a v Zátisí, hlavně v békéšské stolici. Slováci postupně pronikali ještě dál, do Báčky, Banátu a Sriemu.

V severních stolicích žilo převážně slovenské obyvatelstvo s výjimkou měst, obydlených také Němci, a v některých, zejména jižnějších oblastech také Maďaři, kteří v nich hledali útočiště před Turky. Maďarské obyvatelstvo žilo také v jižních stolicích, respektive v jižních částech některých hornouherských stolic. Němci žili hlavně ve spišské, prešporské a nitranské stolici. Na východě, ve stolicích zemplínské a šarišské, žilo v severních částech obyvatelstvo rusínské. Už v 18. století představovalo poměrně těžký sociální problém romské obyvatelstvo. Kočovní Romové čítali roku 1770 na dnešním slovenském území až 20 000 osob. V průběhu 18. století přibylo na Slovensku i židovského obyvatelstva. V některých obcích jako Huncovce na Spiši tvořili Židé až 60 procent oby-

Marie Terezie se synáčkem Josefem na uherském sněmu v Prešporku

vatelstva, v Novém Mestě nad Váhom to bylo 57 procent, v Dunajské Stredě 50 procent, v Liptovském Sv. Mikuláši 47 procent, v Senici více než 40 procent. Další židovské obce vznikaly prakticky po celém Slovensku.

REFORMY MARIE TEREZIE

Pragmatickou sankcí se otevřela cesta na trůn nejstarší dceři Karla VI. Marii Terezii. Mladá panovnice musela od začátku řešit složité, zejména mezinárodní konflikty, protože pruský král Fridrich II. si dělal nároky na Slezsko. Královna sice dostala roku 1741 od deputátů uherského sněmu v Bratislavě spontánní podporu a pomoc, ale na vítěznou válku to nestačilo. Musela Prusku odstoupit Slezsko. Obratnou diplomacií dosáhla zvolení svého manžela Františka Lotrinského za římsko-německého císaře a prosadila určitou centralizaci západní části říše, plně si podřídit uherské stavy se jí však nepodařilo. Její zápas s nimi se vyhrocoval, až nakonec panovnice sněm roku 1765 rozpustila a do konce své vlády už ho nesvolala.

Za vlády Marie Terezie mělo Slovensko stále charakter hospodářského a kulturního centra Uher a Bratislava (Prešpork) byla místem, odkud panovnice řídila uherské záležitosti. Za pomoci početných poradců začala uskutečňovat reformu celé země s úmyslem stát centralizovat, ale zároveň i modernizovat a přiblížit vyspělejším západoevropským monarchiím. Marie Terezie měla nesporné panovnické nadání. Dokázala se hlavně obklopit schopnými a vzdělanými poradci. Mnohé její reformy tak byly v souladu s některými osvícenskými idejemi, které se šířily z Francie Evropou. Její reformní činnost byla široká, zasáhla do všech oblastí života monarchie a dotkla se života v městech i na venkově. Mimořádný význam měla její urbariální regulace, která stanovila jednotné poddanské povinnosti a upravila tak poddanské poměry v Uhrách. Rozsah povinností sice byl veliký, ale vrchnost je nesměla svévolně zvyšovat.

Velmi důležitou součástí reformního úsilí Marie Terezie i jejího syna Josefa II. se stala reforma školství. Vycházela z osvícenských myšlenek, že škola má vychovávat nejen dobré křesťany, ale také dobré občany a že přístup ke vzdělání je nutno umožnit každému bez ohledu na původ.

Už roku 1753 se uskutečnila reforma trnavské univerzity podle vzoru univerzity vídeňské. Začaly se přednášet přírodní vědy a roku 1774 byla ustavena samostatná katedra přírodních věd. Vznikla astronomická univerzitní observatoř, jejíž projekt i zařízení navrhl známý astronom Maximilián Hell z Banské Štiavnice. Činnost zahájila i lékařská fakulta a zreformováno bylo studium na fakultě právnické. Marie Terezie vzala univerzitu pod svou ochranu, což znamenalo postátnění do té doby jezuitské univerzity. Trnavská univerzita se stala centrem vědeckého života v Uhrách. Velká část jejích posluchačů byla slovenského původu, Když univerzita roku 1777 přesídlila do Budína, kulturní a vědecký život mezi Slováky se tím značně oslabil.

Další významnou školou na Slovensku byla báňská akademie v Banské Štiavnici. Tato škola pro důlní odborníky začala svou činnost už roku 1735. Vyučovala na ní řada významných profesorů, mezi nimiž vynikal hlavně matematik a kartograf Samuel Mikovíni. Dekretem z roku 1762 založila panovnice v Banské Štiavnici vysokou školu pro výchovu báňských odborníků; od roku 1770 nesla oficiální název Báňská akademie (*Bergakademie*), těšila se světové pověsti a stala se vzorem pro zakládání vysokých technických škol po celé Evropě. Z významných profesorů Báňské akademie uveďme alespoň Antona Rupprechta, proslulého chemika, jednoho z autorů metody tzv. evropské amalgamace. V jeho laboratoři pracovalo několik vědců, mezi nimi také později slavný italský fyzik Alessandro Volta.

Reformátorské úsilí Marie Terezie v oblasti školství vyvrcholilo návrhem na organizaci školství, známým jako *Ratio educationis* z roku 1777. Na této reformě se významně podílel Slovák Adam František Kollár. Na základě tohoto návrhu byla i v Uhrách vytvořena jednotná školská soustava od základních škol až po univerzitu. Byla přijata zásada, že na katolické školy mají mít přístup i nekatolíci. Rozhodující slovo v otázkách školství a vzdělávání mělo patřit státu. Protože stát byl stále reprezentován katolickými úředníky, na evangelické školy to mělo i nepříznivý účinek.

Reforma školství, prosazující moderní pedagogické metody, měla pro Slováky velký význam. Už od 18. století byla na Slovensku poměrně dobrá vzdělanostní úroveň ve městech, kde se školám věnovala tradičně značná pozornost. Skoro všichni zámožnější obyvatelé měst získali aspoň základní vzdělání, ovládali víc než jeden jazyk a bylo docela běžné, že se v městských domácnostech nacházely knihy různého, hlavně náboženského obsahu. Po reformě školství se vzdělanost začala pomalu a postupně šířit i mezi venkovským obyvatelstvem. O zvýšení všeobecné vzdělanosti se velmi zasloužil osvícenský pedagog a šiřitel osvěty v lidových vrstvách Samuel Tedešík, působící hlavně mezi Slováky na Dolní zemi.

Zatímco v Evropě, zejména ve Francii, lze o celém 18. století hovořit jako o osvícenském, v Uhrách se osvícenské myšlenky prosadily teprve v polovině 18. století. V jeho první polovině vrcholila v Uhrách barokní kultura. S jansenismem a pietismem se i k Slovákům dostaly modernější myšlenkové směry, představující jakousi předehru osvícenství. Předcházející zápas reformace

Adam František Kollár

a protireformace zvýšil ve svých důsledcích celkovou kulturní úroveň obyvatelstva, zejména v městech, rozšířil vzdělanost, a připravil tak půdu k přijetí osvícenských myšlenek.

Přesto byla původní základna osvícenské kultury mezi Slováky velmi úzká. K jejímu rozšíření a prohloubení přispěla významnou měrou teprve skutečnost, že se osvícenské myšlenky v umírněné formě začaly šířit z panovnického dvora. Jejich propagátory se tak stali kromě příslušníků inteligence, a to i katolické, hlavně nižší šlechtici a úředníci spjatí se státní správou.

Nejvýznamnějším slovenským stoupencem osvícenství a zároveň centralizace státní moci v rukou panovníka byl Adam František Kollár (1718–1783), rodák z Terchové. Studoval u jezuitů, ale vystoupil z řehole a stal se kustodem a ředitelem dvorní knihovny ve Vídni. Patřil mezi rádce Marie Terezie a podílel se na její školské reformě. Byl uvědomělým Slovákem a Slovanem, vyzýval Slováky, aby milovali svou řeč a byli na ni hrdi. Sám se věnoval hlavně filosofii a orientálním jazykům, jeho plány na oživení vědeckého života v Uhrách však byly dalekosáhlé. Měl v úmyslu založit vědeckou společnost a ve své době vynikal všestrannou vzdělaností. Proto si vysloužil přezdívku „slovenský Sokrates“, kterou mu jeho odpůrci z řad uherské šlechty zprvu udělili hanlivě, potom jí však jeho příznivci začali používat jako projev uznání. Největší rozruch způsobil A. F. Kollár svým dílem *De originibus et usu perpetuo potestatis legislatoriae* (O původu a stálém používání moci zákonodárné) z roku 1764. Dílo podporovalo a zdůvodňovalo zákonná práva uherského krále vůči církevní moci. Bylo namířeno také proti výsadám šlechty, když zdůrazňovalo neoprávněnost neplacení daní šlechtou, a podporovalo centralizační snahy panovnického dvora. Je pravděpodobné, že vzniklo s vědomím a podporou Marie Terezie. Vyvolalo velmi bouřlivou reakci uherské šlechty, která knihu konfiskovala a nechala spálit na prešporském náměstí.

Dalším slovenským propagátorem osvícenství byl Jozef Bencúr (1728–1784), rektor evangelického lycea v Prešporku a Kežmarku. Jeho hlavním dílem je spis *Ungaria semper libera* (Vždy svobodné Uhry) z roku 1764, v němž podobně jako A. F. Kollár odmítl privilegia šlechty a projevil se jako stoupenec centrální a neomezené moci panovníka. Ideje osvícenství se na Slovensku šířily také prostřednictvím lóží svobodných zednářů. Koncem 18. století jich už bylo v uherských městech několik a na jejich činnosti se podíleli příslušníci všech národů, které žily v městech na Slovensku.

V oblasti vědy byl nejvýznamnější postavou první poloviny 18. století Matej Bel (1684–1749) z Očové. Studoval v Uhrách i v zahraničí. Po absolvování univerzity v Halle se stal evangelickým farářem a rektorem lycea v Banské Bystrici a v Prešporku. Zavedl vyučování a studium domácího jazyka, jímž byla pro něho jako protestanta biblická čeština, a vyučování přírodovědných předmětů. Byl osvícenským polyhistorem – zabýval se dějinami, zeměpisem, národopisem, jazykovědou, literaturou i přírodními vědami. Jeho dílo *Hungariae antiquae et novae prodromus* (Úvod do dějin dávných i nových Uher) je plánem na systematické vědecké prozkoumání dějin Uher. Vrcholem jeho vědecké aktivity je čtyřsvazkové dílo *Notitia Hungariae novae historico-geographica* (Historické a zeměpisné vědomosti o souvěkých Uhrách) z let 1735–1742. Shromáždil v něm encyklopedické vědomosti o Uhrách své doby. Také Matej Bel byl uvědomělým Slovákem a obhájcem slovenského národa, jeho dějin a jazyka. Zároveň byl i horlivým uherským patriotem. Už za života se mu za jeho dílo dostalo uznání; byl nazýván *„magnus decus Hungariae“* – velkou ozdobou Uher.

Matej Bel na rytině Andreja a Jozefa Schmuzera

Vrchol a úpadek osvícenského absolutismu

JOSEF II.

Po smrti Marie Terezie nastoupil na trůn její syn Josef II., který byl už za jejího života spoluvladařem a německým císařem. Byl to rozvážný muž, vzdělaný v duchu osvícenství a empirismu, jenž po nástupu na trůn pokračoval v reformním úsilí své matky. Za nejvýznamnější reformy Josefa II. jsou považovány toleranční patent z roku 1781 a zrušení nevolnictví roku 1785 (v českých zemích bylo na rozdíl od Uher zrušeno již roku 1781).

Toleranční patent vyhlašoval občanskou rovnoprávnost pro všechny příslušníky křesťanských vyznání a umožňoval nekatolickým křesťanům (luteránům, kalvínům i křesťanům východního obřadu) veřejně vykonávat náboženské obřady. Ve zdůvodnění tolerančního patentu se uvádí, že jeho smyslem je „pře-

Císař a král Josef II. jako ochránce slabých a bídných

svědčovat o škodlivosti každého nátlaku na svědomí a na druhé straně o velkém užitku, který plyne z opravdové křesťanské snášenlivosti pro náboženství i stát". Nekatoličtí křesťané sice nezískali ve vztahu ke katolíkům úplně rovnoprávné postavení, měli však možnost stavět vlastní kostely bez věží a a v zásadě, byť s překážkami, svobodně vykonávat náboženské obřady. Důležité bylo rovněž, že nekatolíci se jako občané stali rovnoprávnými a mohli zastávat veřejné úřady a funkce. Josef II. vydal také nařízení zlepšující právní postavení židů.

Zrušení nevolnictví znamenalo odstranění osobní závislosti sedláka na vrchnosti. V preambuli patentu se uvádí, že ho císař vydává s cílem, aby se situace v zemi a situace všech jeho obyvatel bez rozdílu stavu zlepšila. Protože však je v nejhorším postavení stav selský, toto předsevzetí vyžaduje „zlepšení selského údělu a povzbuzení k práci a píli, což však není možné bez toho, aby byla zavedena osobní svoboda, která je vlastní každému člověku od narození a kterou je každý obecný úřad povinen zachovávat". Zdůvodnění tedy typicky osvícenské. Je tu však definován i cíl: povzbudit hospodářský rozmach země.

Reformy Josefa II. ještě zřetelněji než reformy jeho matky sledovaly centralizaci monarchie, což se ovšem setkávalo s odporem uherské šlechty. Jeho snaha o zavedení němčiny jako úředního jazyka v celé zemi a také jako univerzálního vyučovacího jazyka narazila na odpor formujícího se maďarského nacionalismu.

Josef II. se nedal korunovat uherským králem a za celé období své vlády ani jednou nesvolal uherský sněm. Z korunovační věže bratislavského hradu dal odvézt korunovační klenoty a umístil je v dvorním muzeu ve Vídni. Uskutečnil také jednoznačně centralizační reformu administrativní správy Uher. Zrušil šlechtickou samosprávu stolic a zemi rozdělil na deset krajů – distriktů, jimž stáli v čele komisaři jmenovaní císařem a podřízení přímo jemu. Na území Slovenska se nalézaly tři distrikty – nitranský, banskobystrický a košický.

Josefovy reformy zasáhly také hluboko do církevního života. Sám byl věřící katolík, snažil se však uvést církevní život a náboženskou víru do souladu s osvícenskými idejemi. Proto obnovil v zemi *placetum regium,* které uplatňovala už Marie Terezie, tj. ustanovení, že papežské buly se v zemi mohly číst jen se souhlasem panovníka. Rušil kláštery žebravých mnišských řeholí a majetek klášterů použil na školské a charitativní účely. Dostal se tak do konfliktu s církevní hierarchií, ale tím, že kladl důraz na pastorační činnost církve, si zároveň získával mnohé kněze, mezi nimiž měl hodně stoupenců. Ze Slováků byl typickým řadovým knězem-josefinistou například spisovatel Juraj Fándly, který podpořil Josefův zásah proti klášterům polemickým spisem proti morálce a zahálčivému životu mnichů *Dúverná zmlúva mezi mňíchom a diáblom.*

Součástí reformních snah Marie Terezie a Josefa II. byl také pokus o trvalé usazení Romů v zemi a jejich přeměna v rolníky. Nařízení, která byla někdy tvrdá (nesměli používat vlastní oděv a jazyk, nesměli mezi sebou uzavírat sňatky a podobně), byla zaměřena na jejich rychlou asimilaci a splynutí s domácím selským obyvatelstvem.

Na konci svého života se Josef II. dostal do obtížné situace. Francouzská revoluce, která vypukla roku 1789, vycházela z týchž osvícenských myšlenek, jimiž se řídil Josef II. Revoluce ve Francii však nabyla protimonarchistické a protináboženské zaměření, což už bylo pro Josefa II. přespříliš. K jeho vnitřnímu zmatku jistě přispěl i fakt, že revoluce ohrožovala postavení, ba dokonce život jeho vlastní sestry, francouzské královny Marie Antoinetty. Před svou smrtí roku 1790 Josef II. odvolal všechny své reformy kromě tolerančního patentu a zrušení nevolnictví. Zachovala se legenda, podle níž si umírající císař přál, aby měl na hrobě nápis: „Zde leží Josef, který mnoho chtěl a jemuž se nic nepodařilo."

ABSOLUTISMUS BEZ OSVÍCENSTVÍ

Události ve Francii poznamenaly i vládu Josefova bratra Leopolda II. Výchovu získal podobnou jako jeho bratr, byl vzdělaným a schopným panovníkem, ale za pouhá dvě léta vlády nemohl v bouřlivé době své nadání uplatnit. Teprve Leopoldův syn František II. (1792–1835) nastoupil zcela nový a otevřeně protirevoluční a protireformní kurs: zapojil se do intervenčních válek proti Francii a krutě se vypořádal s revolučním hnutím ve vlastních zemích.

Obětí vládního teroru se stali také tajní revolucionáři a reformátoři v Uhrách, vedení Ignácem Martinovicsem, známí jako uherští jakobíni. Ovlivněni osvícenskými myšlenkami a francouzskou revolucí usilovali o reformování Uher a připravovali se na revoluční vystoupení. Své názory shrnuli v tzv. katechismu, v němž běžnou formou otázek a odpovědí dávali jednoduché návody a pokyny k organizování občanského odporu proti absolutismu: „Co má dělat člověk, když zlí lidé ignorují jeho přirozená práva a ohrožují jeho svobodu a vlastnictví? – Aby si svá práva udržel, musí se proti takovému útlaku postavit. – Když člověk nemá dost sil, aby se postavil proti takovému útlaku, jakých prostředků se má chopit? – V takovém případě je třeba, aby se utlačovaní lidé spojili a vytvořili velký společenský svaz a občanskou společnost. – Jak se nazývají členové této společnosti? – Občané. Každý titul nebo privilegium jako král, hrabě, baron, šlechtic, kněz atd. je trestný a těžce uráží společenskou smlouvu.“ V těchto a podobných výrocích lze snadno shledat vliv Rousseauovy *Společenské smlouvy* a jiných děl francouzských osvícenců, která tímto způsobem ovlivnila i uherskou inteligenci.

Uherští jakobíni usilovali o reformy říše a je zajímavé, že jako první v dějinách přišli i s poměrně uceleným plánem národnostní federalizace Uher. V této federalizované říši mělo tvořit Slovensko jako provincie *Slavonica* samostatnou správní jednotku.

V hnutí uherských jakobínů byli aktivní i slovenští vzdělanci, především ideolog hnutí, vzdělaný právník původem z Modré Jozef Hajnóczy. Hnutí uherských jakobínů bylo roku 1794 odhaleno a sedm hlavních organizátorů, mezi nimi i Martinovicz a Hajnóczy, skončilo roku 1795 na popravišti. Byl to takřka symbolický konec osvíceného století v Uhrách.

RANÝ MAĎARSKÝ NACIONALISMUS A SLOVENSKÉ OBRANY

V multietnických Uhrách docházelo už od 17. století v souvislosti s rozšiřováním vzdělání a vědomostí, hlavně o dějinách, k sporům a vědeckým polemikám mezi vzdělanci různých národů. Tyto polemiky měly i politický charakter, když se někteří maďarští autoři snažili šířením tzv. podmanitelské teorie upírat nemaďarským národům právo podílet se na životě státu. Byly to polemiky, které se týkaly pouze šlechty a měšťanů, připravovaly však půdu pro tvorbu moderní národní ideologie. Vzdělanci slovenského původu ve svých obranách a chválách slovenského národa zdůrazňovali starobylost Slováků a jejich plnoprávnost jako uherských občanů. Tyto tzv. apologie, jež byly slovenskými reakcemi na raný, převážně šlechtický maďarský nacionalismus, jsou typickým literárním žánrem, který se udržel až do poloviny 19. století. Už v 17. století se chvály slovenštiny a Slováků objevovaly v dílech Daniela Sinapia-Horčičky, Tobiáše Masníka a Jána Simonida.

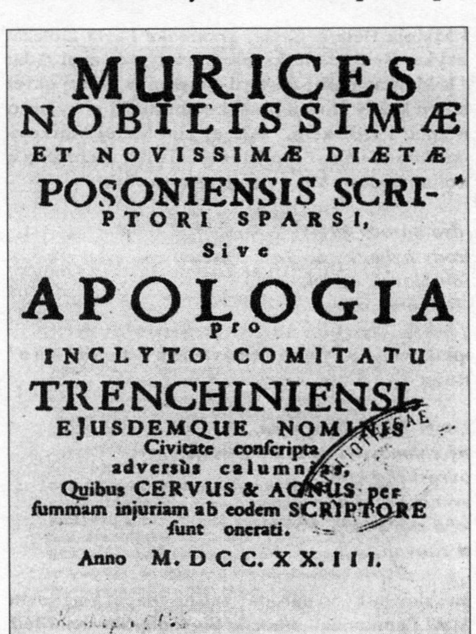

MURICES
NOBILISSIMÆ
ET NOVISSIMÆ DIÆTÆ
POSONIENSIS SCRIPTORI SPARSI,
Sive
APOLOGIA
pro
INCLYTO COMITATU
TRENCHINIENSI
EJUSDEMQUE NOMINIS
Civitate conſcripta
adversùs calumnias,
Quibus CERVUS & AGNUS per
ſummam injuriam ab eodem SCRIPTORE
ſunt onerati.
Anno M. D CC. XX. I I I.

Titulní list Maginovy Apologie

Roku 1723 vydal farář Ján Baltazár Magin polemický spis *Murices, sive Apologia* (Ostny aneb Obrana), který je pozoruhodnou historickou a politickou obranou Slováků. Je to reakce na spis profesora uherského práva na trnavské univerzitě Michala Bencsika, který znovu vyrukoval s podmanitelskou teorií a znevažováním obyvatel trenčanské stolice i Slováků všeobecně. Magin ve svém díle jednoznačně zdůrazňuje stejný etnický původ všech Slováků: „Připusťme, že město Trenčín a obyvatelé trenčanské župy jsou pozůstalí po Svatoplukovi. Co z toho plyne? Protivník musí nezbytně připustit, že pozůstalými po Svatoplukovi jsou nejen obyvatelé Trenčína, ale také Trnavy, Modré, Pezinku, Skalice, ba i obyvatelé celých Karpat, které se dlouhatánským hřebenem táhnou až do Sedmihradska."

COMPENDIATA
HISTORIA
GENTIS SLAVÆ
A. R. D.
GEORGII PAPÁNEK;
PAROCHI OLASZIENSIS, PRESBYTERI
QUINQUE-ECCLESIENSIS,
DE REGNO REGIBUSQUE
SLAVORUM.
QUAM COMPENDIAVIT
A. R. D.
GEORGIUS FÁNDLY
PAROCHUS NAHACZIRNSIS, PRESBYTER
ARCHIDIÆCESIS STRIGONIENSIS,
ADNEXIS DISPUTABILIBUS HISTORICIS QUAESTIONIBUS,
ADDITISQUE NOTIS, SIMILES MATERIAS INDICANTIBUS, IN VETUSTISSIMO MAGNAE MORAVIAE SITU,
A. R. AC CL. D.
GEORGII SZKLENAR
PRESBYTERI STRIGONIENSIS,
A. A. L. L. ET PHIL. DOC.,
OLIM IN REGIO POSONIENSI ARCHIGYMNASIO
HUMANIORUM PROFESSORIS PRIMI.

TYRNAVIÆ, TYPIS WENCESLAI JELINEK.
EXPENSIS D.D. PRAENUMERANTIUM, LITERATAE SLAVICAE SOCIETATIS SOCIORUM.

1793

Titulní list Papánkovy „Historia gentis Slavae"

Na sporu Bencsik – Magin je pozoruhodné, že byl veden o stát, o právo nazývat se *„natio hungarica"*. Kdežto Bencsik vnesl do tohoto sporu jednoznačně etnický prvek, Magin argumentoval občanským principem, čímž zdůrazňoval původní multietničtnost Uher. Magin jako znalec římského práva se ohradil proti tomu, že Slováci by neměli mít v Uhrách stejná občanská práva jako Maďaři, neboť i Římané dávali občanská práva barbarům a Slováci přece byli původními obyvateli země. Tímto způsobem zažila společnost fázi národnostního zápasu o stát ještě předtím, než se v Uhrách rozšířily myšlenky osvícenství a nacionalismu.

Apologie se staly častým žánrem slovenské literatury. Psali je Matej Bel, Adam František Kollár a ještě v 19. století také Ľudovít Štúr.

Spory a polemiky podnítily studium historie, i když v tomto období malá znalost pramenů sváděla ke konstruování různých legend, a to jak na maďarské, tak na slovenské straně. Nejznámějšími slovenskými autory tohoto období jsou Juraj Sklenár svým dílem o nejstarší poloze Velké Moravy, ale hlavně Juraj Papánek, autor díla *Historia gentis Slavae* (Dějiny slovenského národa) z roku 1780. Je to první souborný spis o starých dějinách Slovenska a zároveň dílo, které živilo a podnítilo cyrilometodějskou tradici mezi Slováky.

V 18. století prošla významným vývojem i kultivace slovenského jazyka. Už v předcházejícím století se užívalo kultivované slovenštiny ve školách a příležitostně i v literatuře. U katolické části obyvatelstva k tomu vedl příkaz římské kongregace pro šíření víry, instituce založené roku 1622; podle tohoto příkazu bylo potřebné šířit víru domácím, srozumitelným jazykem. Svou roli zde sehrálo i protireformační úsilí katolické církve.

Protestanti používali jako literární jazyk češtinu, ale ta se postupně slovakizovala. I když si ještě v průběhu celého 18. století v literatuře a vědě udržovala dominantní postavení latina, nacházíme stále víc literárních prací psaných kultivovanou slovenštinou nebo slovakizovanou češtinou. Svou úlohu přitom sehrálo i reformní úsilí Marie Terezie a Josefa II. Císař Josef II. sice ve snaze o centralizaci zaváděl v celé zemi němčinu, k šíření osvěty a vzdělanosti však podporoval i studium domácích jazyků, jimiž se mluvilo. Nešlo o nějakou etnickou germanizaci, nýbrž o centralizaci země. Proto i mezi těmi Slováky, kteří byli stoupenci josefinismu, začíná intenzivní studium slovenského jazyka.

V některých městech se dokonce už od poloviny 17. století setkáváme s dvojjazyčností v městské správě, když se úřední dokumenty vyhotovovaly v němčině i slovenštině. Především na západním Slovensku s centry v Prešporku a Trnavě dosáhla vysoké úrovně kulturní západoslovenština.

V silně slovakizované češtině začaly od roku 1783 vycházet *Prešporské noviny,* věnované slovenským obyvatelům Prešporku a okolí. Ve zdůvodnění, proč vycházejí, se uvádělo: „Snad ještě nikdy takového času nebylo, w němž by slavnému slovenskému národu našemu Noviny tak vděčné a příjemné býti měli, jako jest tento nynější. Anybrž snad jich ani nikdá tak velice potřeby nebylo jako nyni. Nynějšího zajisté času takové se věci dějí, které každého opatrného člověka k tomu pohybují, aby bedlivě pozoroval a podle své největší možnosti vyzvídal, co ještě budoucnost s sebou přinese... My jsme sy již pomocy v knihách nashromáždili a zpusobnosti w Slowenčině za tohoto pulroka nadobyli, za to majíce, že čím déle psáti budeme, tím se lépe wycvičíme, a tak našim milým Slowákum tím zpusobněji a příjemněji budeme mocy všelijaké zprávy, noviny a poselství v známost uvozovati."

Jazyk a pravopis těchto novin je jistě pozoruhodný. Je to jazyk, který autoři jednoznačně označili za slovenštinu. Ukazovalo se, že nové časy, spojené se zájmem o národ, lid, jeho jazyk a slovesnost, klepou i na dveře Uher.

6 VZNIK MODERNÍHO SLOVENSKÉHO NÁRODA

Od Bernoláka po Kollára

KATOLICKÉ NÁRODNÍ HNUTÍ NA ZÁPADNÍM SLOVENSKU

Osvícenské myšlenky a reformátorské úsilí měly ve společnosti mnohem delší trvání než na panovnickém dvoře. Setrvaly v ní navzdory reakčnímu kursu dvora a ovlivňovaly její vývoj. Vytvořily se podmínky pro rozvoj průmyslu a hospodářský růst. Osvícenské myšlenky zůstaly natrvalo dědictvím vzdělaných vrstev společnosti. Součástí nových myšlenkových proudů bylo i nové pojímání člověka jako jedinečné bytosti s nezadatelnými právy. Jedním z průvodních znaků nové doby se stalo také úsilí o vzdělání a o šíření osvěty mezi lidem. Tohoto úkolu se chopili i slovenští vzdělanci.

Ideály přirozené občanské rovnosti lidí se v širších souvislostech vysvětlovaly také jako přirozená rovnost jazyků a národů. Osvícenské myšlenky se plodně střetaly s myšlenkami herderovskými. Éra nacionalismu, která ovládla Evropu, našla mezi slovenskou inteligencí živnou půdu, dobře připravenou předcházejícími polemikami s raným maďarským nacionalismem. To byly kořeny, z nichž se začalo živit rozvíjející se slovenské národní hnutí.

Tomuto hnutí se dostalo od začátku pojmenování „národní obrození“, vzdělancům v jeho čele se říkalo „národní buditelé“. Národní pohyb Slováků byl ovšem součástí celoevropského myšlenkového a politického proudu – evropského nacionálního hnutí. Po důkladném poznání celého tohoto procesu a jeho souvislostí s celoevropským vývojem však přestala moderní slovenská historiografie používat pojmu „národní obrození“, respektive ho používá pouze jako dobového označení. Současné chápání tohoto procesu došlo k poznání, že nešlo o obrození nebo probuzení z dlouhodobého spánku, nýbrž o formování moderní-

Ve stínu svatoštěpánské koruny: Bratislava na konci 18. století

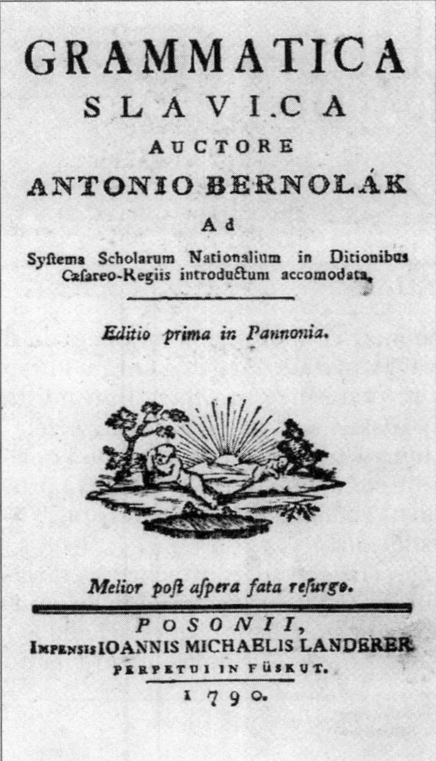
GRAMMATICA
SLAVICA
AUCTORE
ANTONIO BERNOLÁK
Ad
Syſtema Scholarum Nationalium in Ditionibus Cæſareo-Regiis introductum accomodata.

Editio prima in Pannonia.

Melior poſt aſpera fata reſurgo.

POSONII,
IMPENSIS IOANNIS MICHAELIS LANDERER
PERPETUI IN FÜSKUT.
1790.

Bernolákovo stěžejní dílo „Grammatica slavica"

ho slovenského národa a jeho ideologie.

Protože v souladu s tehdy převládajícím názorem, podporovaným i Herderem, byl národ především společenstvím jazyka a kultury, národní pohyb se v tomto prvním období projevoval nejaktivněji právě v oblasti jazyka, literatury a historie.

Už od poloviny 18. století můžeme pozorovat, že se hojněji a živěji uplatňoval zájem o užívání živých jazyků, jimiž se mluvilo, místo latiny, která byla do té doby v Uhrách úředním a vědeckým jazykem. Marie Terezie a Josef II. se v rámci centralizačních snah pokoušeli nahradit latinu němčinou, na nižších stupních správy se zas začalo používat jazyka příslušného etnika. Josef II. zároveň povzbuzoval kněze, aby se k věřícím přiblížili i tím, že se na ně budou obracet jejich vlastním jazykem. Tyto panovnické snahy vyvolávaly zájem o uplatnění národních jazyků nejen v literatuře, ale také v úředním styku. V Uhrách začala šlechta a maďarská inteligence prosazovat maďarský jazyk, na což reagovali i slovenští vzdělanci.

Slovenští evangelíci užívali jako bohoslužebný, ale zároveň i literární jazyk klasickou češtinu, které se říkalo kralická bibličtina. Proto se přikláněli k názoru, aby Slováci používali tohoto jazyka, který by byl v umělecké literatuře částečně poslovenštěn. Avšak většina slovenského obyvatelstva byla katolická. Katolické duchovenstvo zachovávalo liturgickou latinu, při kázáních však používalo místních dialektů. Bylo tedy zcela přirozené, že právě v prostředí katolického duchovenstva začaly krystalizovat snahy o zavedení vlastního slovenského literárního jazyka.

Centrem katolického národního hnutí se stalo jihozápadní Slovensko, zejména tehdy nejvýraznější kulturní metropole – Bratislava (Prešpork) a Trnava. Tam se soustředila katolická národní inteligence, která se intenzivně zabývala národní historií a zkoumáním slovenského jazyka jako projevu národní svébytnosti. Nejaktivnější institucí se stal seminář pro výchovu katolických kněží, který na bratislavském hradě zřídil roku 1784 Josef II., kde se nejvíc projevovaly panovníkem podporované osvícenské myšlenky. Kněží měli být podle osvícenských idejí nejen duchovními pastýři, ale také šiřiteli osvěty mezi lidem. V prešporském generálním semináři se tedy přímo programově věnovali studiu hovorové slovenštiny. Tou dobou se mezi slovenskými vzdělanci na západním Slovensku kultivoval na základě místního nářečí kulturní jazyk, používaný nejen pro přípravu kázání, ale také v umělecké literatuře. Jozef Ignác Bajza napsal v tomto jazyce první slovenský román *René mládenca príhody a skúsenosti*. Byl to jazyk dostatečně bohatý a pružný, vhodný pro odbornou i uměleckou literaturu, neměl však ještě ustálený pravopis a základní gramatická pravidla. Tohoto náročného úkolu se chopil Anton Bernolák.

Anton Bernolák (1762–1813), rodák z Oravy na severním Slovensku, přišel do prešporského semináře krátce po jeho otevření, roku 1784. Už za předcházejících studií v Trnavě a ve Vídni se věnoval jazykovědě a studoval slovenský jazyk, byl tedy dobře připravený na to, aby se stal kodifikátorem spisovné slovenštiny. Základní kodifikační dílo *Dissertatio philologico-critica de literis Slavorum* (Kritická filologická rozprava o slovenských písmenech) zpracoval s pomocí kolegů v prešporském semináři a vydal roku 1787. V krátké době napsal i další díla zásadního významu – slovenskou gramatiku, etymologii a připravil rozsáhlý slovensko-česko-latinsko-německo-maďarský slovník. Těmito díly se mu podařilo postavit slovenštinu na pevný jazykovědný základ a vytvořit předpoklady pro její všestranné používání.

Zásluhy o rozšíření Bernolákovy slovenštiny mělo především Slovenské učené tovarišstvo, založené roku 1792 v Trnavě. Spolek vznikl za situace, kdy se ve Vídni prosadil nejen protirevo-

Fiktivní portrét Antona Bernoláka

Juraj Fándly

Ján Hollý

luční, ale také protiosvícenský kurs. V Uhrách byla hlavním nositelem tohoto kursu maďarská šlechta, která začala současně prosazovat svůj hegemonismus a vydala první zákony dávající maďarštině přednost před ostatními jazyky. Slovenské učené tovarišstvo, jehož předsedou se stal Anton Bernolák, si vytyčilo za cíl šířit ve slovenské veřejnosti naučné knihy psané Bernolákem kodifikovanou slovenštinou.

Nejaktivnějším členem Tovarišstva se stal jeho tajemník, naháčský farář Juraj Fándly (1750–1811). Společenská situace nebyla snahám spolku příznivá. Atmosféra v zemi po popravě uherských jakobínů a celkový nástup reakce na konci století, jakož i oslabení vnitřní soudržnosti členů Tovarišstva vedly postupně k úpadku a pozvolnému zániku spolku. Bernolákovská slovenština měla stále své stoupence a šiřitele, hnutí však postupně ztrácelo svou předchozí průraznost a sílu. Zůstalo prakticky omezeno na dvě generace katolické inteligence a jen sporadicky našlo další pokračovatele. Přesto má ve slovenském vývoji mimořádný význam. Bernolák a jeho druhové nejen kodifikovali slovenštinu jako literární jazyk, ale vytvořili v něm pozoruhodná díla, jejichž vrcholem byla básnická tvorba a překlady Jána Hollého. Zároveň v souladu s tehdejším jazykovým pojetím národa zformulovali koncepci Slováků jako svébytného a samostatného slovanského kmene.

POČÁTKY NÁRODNÍHO HNUTÍ MEZI EVANGELÍKY

Vedle bernolákovské koncepce existovala v tomto období mezi Slováky i koncepce vycházející z myšlenky česko-slovenské kmenové a jazykové jednoty. Nositelem této koncepce byla hlavně slovenská evangelická inteligence. Katolíci sice tvořili většinu slovenského obyvatelstva, ale protestantská inteligence byla v národním životě mimořádně aktivní. Nesporně k tomu přispěl i toleranční patent, v jehož důsledku se v národním hnutí začali výrazněji prosazovat evangeličtí kněží. Oba národní konfesionální proudy, katolický i protestantský (luteránský), oživovaly národní pohyb, podněcovaly historické bádání a přispívaly k utváření národní tradice a národního povědomí. K otázce spisovného jazyka však přistupovaly rozdílně. Zatímco špičky katolické inteligence sdružené kolem Bernoláka podporovaly samostatný slovenský spi-

Evangelické lyceum v Prešporku

sovný jazyk, protestantská inteligence setrvávala na používání české bibličtiny. Protestanti sice rovněž uvažovali o možnosti zavést „uherskou slovenštinu", v *Prešporských novinách* o tom dokonce uspořádali anketu, nakonec se však nadále přidržovali spisovné češtiny.

Jazykové pojetí národa se projevilo i v dvojím chápání slovenského národa. Na jedné straně to byla bernolákovská koncepce slovenské svébytnosti, na druhé straně evangelická koncepce československé národní nebo kmenové jednoty. Musíme si však uvědomit, že v té době otázka svébytnosti národa nebyla chápána a formulována tak rigorózně jako v druhé polovině 19. století. Herderovské pojetí národa jako společenství jazyka a kultury zmírňovalo protiklady. Vedoucí osobnost protestantské inteligence Juraj Ribay prosazoval například češtinu jako literární jazyk pro Slováky, sám se však považoval za Slováka a přijetí češtiny pro něho neznamenalo, že by se Slováci měli počeštit.

Také evangelická inteligence měla své centrum v Prešporku (Bratislavě). Prešporok a západní Slovensko se tak staly v první fázi formování slovenského národa hlavním centrem národního hnutí obou směrů. Slovenští evangelíci se sdružovali ve spolku *Erudita societas slavica* (Učená slovanská společnost), který vznikl roku 1785 z iniciativy lidovýchovného spisovatele Ondreje Plachého (1755–1810). Společnost začala vydávat měsíčník *Staré noviny literního umění* a sdružovala řadu významných vzdělanců a spisovatelů (Juraj Ribay, Ján Hrdlička), kteří zůstali činní v národním hnutí i poté, co společnost Societas slavica po roce činnosti zanikla. Protestanti v Bratislavě vydávali P*rešporské noviny* a snažili se o založení různých učených společností; Juraj Ribay například vypracoval koncepci pro vytvoření „Společnosti české mezi Slováky v Uhrách".

Stoupenci biblické češtiny a československé kmenové (národní) jednoty bránili svou koncepci proti bernolákovcům i proti začínajícím maďarizačním tendencím. Své argumenty opírali hlavně o nutnost vytvořit širší základnu pro národní hnutí. Spolupracovali přitom velmi úzce s první generací českých národovců, hlavně s Josefem Dobrovským.

Evangelické národní hnutí se v slovenské společnosti důrazněji projevilo teprve začátkem 19. století, a to v souvislosti se založením Ústavu řeči a literatury československé při evangelickém lyceu v Prešporku (Bratislavě) roku 1803. Přitom úsilí o založení takového ústavu bylo již staršího data a spadalo do konce 18. století. V listopadu 1801 se u evangelického lycea objevila výzva, formulující potřebu ústavu, který by zkoumal česko-slovenský jazyk a literaturu: „Pozvedněme oči k obloze uherské literatury a spatříme, jak pěkná záře na ní zřetelně vychází. Pohlédněme na své bratry Čechy. Uvidíme, s jakou horlivostí se jejich učené sbory ujímají už pozapomenutého otcovského jazyka a volají k sobě zpátky múzy zaplašené zlým osudem. A což my máme jako hanbou ocejchovaní mezi svými sousedy chodit v hanebné malátnosti k potupě své i svého potomstva? Slováci, procitněme! Ujměme se sami sebe i dobrého našeho jména, které nám zanechali předkové naši, vytrhněme sebe i svůj jazyk z pohany, vytvořme si Společnost, spojme se s Čechy a přinesme svému libozvučnému jazyku... i slavnému a milému svému národu jako oběť aspoň nějakou malou část svého úsilí.“

Juraj Palkovič

Výraznou postavou v Ústavu se stal profesor Juraj Palkovič (1769–1850), aktivní spisovatel a zejména organizátor národního života. Po dlouholetém úsilí se mu konečně podařilo roku 1812 vydat první číslo novin, které nazval *Týdenník, aneb císařské královské národní noviny.* Druhou významnou osobností evangelického národního hnutí byl Bohuslav Tablic (1769–1823), iniciátor založení Učené společnosti banského okolia (1810), která působila v oblasti středoslovenských báňských měst. Bohuslav Tablic vypracoval jako program teze a nazval je *Vlastenecké žádosti.* S typicky osvícenskou horlivostí zdůvodňoval potřebu aktivního studia jazyka, literatury a dějin: „Čím víc bude horlivých a rozumem i srdcem vzdělaných vlastenců v zemi, tím spíš dosáhne vlast svého vytouženého cíle, tím horlivější budou vlastenci připravenější k obraně trůnu a vlasti a tím víc budou pod-

Primaciální palác, klasicistní dominanta Bratislavy, kde byl uzavřen bratislavský mír

porovat užitečná ustanovení, která směřují k obecnému dobru." Je zajímavé, že se Tablic neomezil pouze na požadavek studia jazyka a literatury, ale navrhoval i studium zeměpisu a přírodních věd.

Juraj Palkovič i Bohuslav Tablic patřili ke stoupencům československé národní jednoty a používání klasické biblické češtiny. Energicky ji bránili jak proti bernoláčtině, tak proti pronikání hovorových prvků do tohoto jazyka, čímž se postavili i proti modernizačním snahám mezi českými jazykovědci.

Přes protichůdné názory a polemiky se oba tábory neuzavíraly, ale snažily se navzájem komunikovat, čímž se v slovenském hnutí vytvořily předpoklady pro budoucí spolupráci a jednotu.

POLITICKÉ A SOCIÁLNÍ POMĚRY V UHRÁCH NA ZAČÁTKU 19. STOLETÍ

Po odhalení a zlikvidování spiknutí uherských jakobínů a také v souvislosti s tím, že Rakousko vstoupilo do války s revoluční Francií, zavládl v zemi teror a otevřené prosazování konzervativních, protiosvícenských myšlenek. Byl potlačován každý projev svobodomyslnosti, cenzura dozírala na zahraniční tisk a bránila svobodnému projevu v domácím tisku.

František II. byl ve válkách proti Napoleonovi neúspěšný. Stíhala ho porážka za porážkou. Rakouská vojska bojovala v letech 1799–1800 spolu s ruskými v severní Itálii, pro neshody mezi ruským carem a císařem Františkem II. však ruská vojska opustila bojiště. Roku 1805 se František v boji proti Napoleonovi spojil s Anglií a Ruskem. Ani toto tažení nebylo úspěšné; Napoleon dosahoval jednoho vítězství za druhým. Obsadil Vídeň a část západního Slovenska s Bratislavou a Trnavou. Dne 2. prosince 1805 v tzv. bitvě tří císařů u Slavkova na jižní Moravě porazil Napoleon své protivníky a 26. prosince podepsal fran-

Požár bratislavského hradu v roce 1811, založený nepozornými rakouskými vojáky

couzský ministr zahraničních věcí Charles Maurice Talleyrand v Bratislavě, v tehdy novém klasicistickém Primaciálním paláci, s Rakouskem mír.

Války s Napoleonem znamenaly i konec říše, která už existovala víceméně jen formálně – středověké Svaté římské říše národa německého. František II. se musel vzdát titulu římsko-německého císaře, zároveň však založil císařství rakouské. František II. se tím změnil ve Františka I.

Roku 1809 se František znovu pokusil zvrátit situaci a vstoupil do války proti Napoleonovi. I tentokrát byl poražen. Francouzské vojsko znovu obsadilo Vídeň, část západního Slovenska a obléhalo Bratislavu, kterou ostřelovalo z pravého břehu Dunaje. Měsíční obléhání a ostřelování mělo pro město těžké následky. Vyhořelo nebo bylo těžce poškozeno mnoho domů. Během obléhání města vyhodila francouzská vojska do povětří i nedaleký hrad Devín. O dva roky později těžce utrpěl i bratislavský hrad, když ho rakouští vojáci, kteří v něm byli ubytováni, z neopatrnosti zapálili. Hrad vyhořel a požáru padla za oběť i obec v podhradí. Až do šedesátých let 20. století pak zůstal bratislavský hrad ruinou.

Po prohraných válkách byl císař František nucen stát se Napoleonovým spojencem a dát mu za manželku svou dceru Marii Luisu. Situace se změnila teprve po Napoleonově neúspěšném tažení do Ruska roku 1812. Tehdy František využil situace a připojil se k protinapoleonské koalici.

Během napoleonských válek prošla územím Slovenska několikrát ruská armáda. Podle dochovaných zpráv slovenské obyvatelstvo vítalo tehdy spojeneckou ruskou armádu se sympatiemi.

Po Napoleonově definitivní porážce zasedal ve Vídni mírový kongres, na němž už hrálo Rakousko a jeho kancléř kníže Klemens Metternich vedoucí úlohu. Hlavní myšlenkou vídeňského kongresu (1815) se stalo zamezit revolucím, nepokojům a stabilizovat evropský kontinent. Nad jeho stabilitou měly bdít velmoci protinapoleonské koalice – Svatá aliance, k níž přistoupila porevoluční Francie znovu pod vládou Bourbonů. Šlechta se pokusila restaurovat staré pořádky a upevnit své postavení. Autorita Rakouska a jeho kancléře v Evropě vzrůstala. Metternich nastolil v Rakousku tuhý centralistický režim, kde se všechna moc v říši koncentrovala na vídeňském dvoře a hlavně v rukou všemocného kancléře. V politické sféře převládl v zemi konzervativismus. Liberalismus, vyrůstající z myšlenek osvícenství a francouzské revoluce, se dostal do útlumu, ale úplně ho udusit se Metternichovi a jeho vládní moci nepodařilo. Pod zdánlivou politickou nehybností pokračoval zvolna myšlenkový kvas.

Za osvíceného století nedošlo na slovenském území k hlubším sociálním a demografickým změnám. Počet obyvatelstva měst rostl pouze zvolna. Bratislava měla na začátku 19. století 30 000 obyvatel, druhým největším městem na Slovensku se stala dík dočasné konjunktuře těžby v tamních dolech Banská Štiavnica. Řada dalších měst však demograficky stagnovala.

Technický a ekonomický pokrok v tehdejší Evropě se nevyhnul ani Uhrám. Přímo symbolická byla v tomto ohledu událost roku 1818, kdy za velkého obdivu zvědavců vplul do bratislavského přístavu první parník na Dunaji. Začaly se stavět železnice: první koňská dráha v Uhrách, postavená v letech 1839–1846, vedla z Bratislavy do Trnavy. Celkově však Uhry za vyspělejšími zeměmi Evropy viditelně zaostávaly. Hlavní důvod spočíval vedle válek v tom, že zde zůstával stále v platnosti feudální systém, který brzdil vývoj v zemi, jelikož drtivou většinu obyvatel tvořili poddaní zabývající se zemědělstvím.

Zemědělská výroba stagnovala. Feudální dávky a robota na vrchnostenských statcích vedly k tomu, že sedlák ztratil zájem o práci. Pokud nic nevyrobil, nikdo mu aspoň nic nevzal. Sedlák se stal konzervativním, nedůvěřivým, a pokud se náhodou objevily technologické novinky, neměl o ně zá-

Rakouský kancléř kníže Klemens Lothar Metternich

První parník na Dunaji v roce 1818

jem. Osvícenci, i slovenští, se snažili situaci řešit vzděláváním, osvětou. Pilný kněz Juraj Fándly napsal několik knih, v nichž obeznamoval s novými poznatky v oblasti obdělávání půdy, chovu dobytka a včel. Zemědělce nedokázalo stimulovat ani zvyšování cen jejich produktů, způsobené válečnou konjunkturou. Poddanský systém se už nedal reformovat. I když urbariální systém formálně platil, často se nedodržoval a jeho reformu uherský sněm ustavičně odkládal. Vůči poddaným se stále ještě používalo tělesných trestů jako donucovacího prostředku k plnění feudálních povinností. Jediným možným řešením se jevilo zrušit poddanství a umožnit sedlákům pracovat na vlastní půdě. Uvědomovalo si to už mnoho osvícených hlav.

Vzdělaný národohospodář Georg Berzeviczy hodnotil stav zemědělství na začátku 19. století takto: „Situace sedláků v Uhrách se z různých důvodů velmi zhoršila a za posledních třicet let je jeho úpadek očividný a nesporný... Jelikož zemědělství bylo v poslední době velmi výnosné, nejenže se uskutečnilo přísné vyměřování selské půdy, ale pod různými záminkami se rozšířila robota... I když to, čím je sedlák povinen bezprostředně sloužit, není těžké, přece jen, když sečteme jeho povinnosti a vezmeme do úvahy to, že nemá osobní práva, a všechno to, co z toho vyplývá, jakož i to, v jaké chudobě a bídě živoří, když to všechno uvážíme, sluší se přiznat, že snášené břemeno není lehké a úděl sedláka není veselý." V jiném svém díle Berzeviczy přímo psal o nutnosti změnit vlastnické vztahy k půdě: „Každý člověk má právo na to, aby žil, a má nesporné právo na tu část země, která ho může uživit... Vlastnictví a rozdělení půdy je třeba postupně a moudře rozšiřovat tak, aby se ulehčila obživa každému."

Feudální závislost a politika dvora bránily i většímu rozvoji průmyslové výroby, třebaže na slovenském území pro to existovaly příznivé podmínky. Chyběl zájem zakládat nové podniky a chyběly i pracovní síly. Napoleonské války sice působily jako vzpruha na některá průmyslová odvětví, nebylo to však působení trvalé. Potřeba zbraní vedla k rozvoji železářství, zároveň však upadala těžba drahých kovů a mědi. Na Slovensku se rozvíjela tradiční domácká výroba, hlavně předení a tkaní plátna; to byl způsob výpomoci hlavně v chudších severních oblastech Slovenska. Zároveň vznikala převážně slovenská vrstva obchodníků, kteří domácky zhotovené výrobky prodávali po celé zemi i za hranicemi. V tomto období byli po celé Evropě známí hlavně olejkáři a šafraníci, tj. podomní obchodníci s vonnými oleji a kořením, pocházející většinou z turčanské stolice. To všechno ovšem bylo málo a nestačilo k dalšímu rozvoji průmyslové výroby, která by mohla konkurovat vyspělejším zemím. Uherský průmysl zaostával podstatně za průmyslem v západní části monarchie, hlavně v českých zemích.

Tento ekonomický vývoj vyvolal trvalou krizi v zemi, což se projevovalo i častými sociálními nepokoji. Stávky a nepokoje na šachtách v Banské Štiavnici a v železárnách v Pohroní byly však pouhou předehrou masových vzpour poddaných. Již roku 1820 se vzbouřili poddaní na Záhoří, roku 1831 vypuklo velké selské povstání na východním Slovensku.

Rok 1830 byl velice neúrodný a v mnoha oblastech nastal hlad. Mezi poddaným lidem se vzmáhal nepokoj. Drobný zeman Ján Tasnády z Malých Raškovců v Zemplíně začal organizovat sedláky, kteří si založili Hornouherskou selskou konfederaci a připravovali povstání. Bezprostřední podnět k němu dala cholerová epidemie, proto také toto povstání vešlo do dějin jako cholerové. Epidemie se přenesla z Ruska do Polska a přes opatření vlády pronikla na východní Slovensko, kde se šířila dál. V důsledku nedostatečné hygieny nejvíc umírali poddaní. Vrchnost začala dělat jistá hygienická opatření – dezinfikovaly se studny, lidem bylo přikázáno užívat léky, začaly se kopat hromadné hroby, aby se nákaza nešířila. Toto opatření si však nespokojení venkované vysvětlili po svém. Nedůvěra vůči vrchnosti a nenávist k feudálním pánům vedly k hroznému podezření, že páni chtějí chudý lid otrávit.

Povstání vypuklo koncem července 1831 v Zemplíně, v okolí Trebišova a Vranova nad Topľou. Odtamtud se rozšířilo na Spiš, kde se k němu přidali také havíři, zasáhlo i ostatní východoslovenské stolice a šířilo se dál na západ. Mělo velmi krutý průběh. Živelná nespokojenost a nenávist vyústily v drancování, vyhánění vrchností z jejich sídel, v týrání a vraždění. Když vojsko povstání potlačilo, pomsta vrchnosti byla neméně krutá. Mimořádné soudy odsoudily více než 4000 poddaných do žaláře a k výpraskům na dereši. Na šibenicích skončilo 119 povstalců. Dalším popravám zabránila pouze amnestie panovníka.

Selské povstání vrchnost potlačila, neodstranila však nespokojenost a napětí mezi poddanými a feudálními pány přetrvávalo. Sociální nepokoje podnítily některé vzdělané a osvícené šlechtice k úvahám o reformách systému. V jejich čele stál vzdělaný aristokrat István Széchényi. Zároveň vznikaly mezi uherskou šlechtou, v souvislosti s rozvojem nacionalního cítění, představy, podle nichž by se měly Uhry osamostatnit a v nich by měl vzniknout moderní uherský národ, do nějž by se měly vlít všechny etnické skupiny žijící v Uhrách. Společenská a politická situace postupně vedla zemi k sociální i národní revoluci.

VŠESLOVANSKÁ VZÁJEMNOST – JÁN KOLLÁR A PAVOL JOZEF ŠAFÁRIK

Slovenské národní hnutí bylo ovlivňováno aktuálními událostmi v tehdejší Evropě i v Uhrách. V centru jeho pozornosti nadále zůstávaly jazyk, literatura a dějiny. Převratné politické proměny však vybízely k úvahám, jaké má národní hnutí možnosti. Za klíčovou považovali slovenští národovci otázku jak prosadit národní program početně poměrně nevelkého etnického společenství, a to za okolností, kdy se na začátku století projevily zcela zjevné maďarizační tendence, související se snahami o vytvoření jednonárodních Uher. Proto Slo-

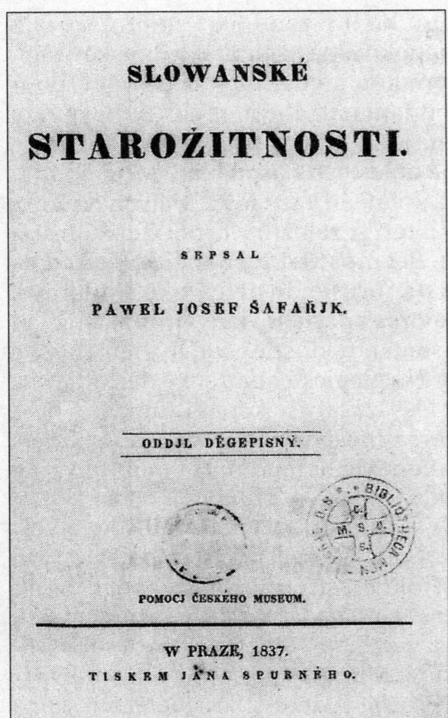

SLOWANSKÉ

STAROŽITNOSTI.

SEPSAL

PAWEL JOSEF ŠAFAŘJK.

ODDJL DĚGEPISNÝ.

POMOCJ ČESKÉHO MUSEUM.

W PRAZE, 1837.

TISKEM JANA SPURNÉHO.

„Slovanské starožitnosti" Pavla Jozefa Šafárika, titulní list prvního vydání z roku 1837

váci hledali oporu pro své snahy vně Uherska – u Čechů i v ostatním slovanském světě. Svou roli sehrálo i posílení ruských pozic na mezinárodní scéně v důsledku Napoleonovy porážky a vídeňského kongresu. Rostoucí úloha Ruska odpovídala také Herderovým ideám o poslání a budoucnosti jednotlivých národů. Pro formující se slovenský národ byla myšlenka Slovanstva a slovanské vzájemnosti oporou v národním zápase. Proto nebyla náhoda, že nejvýznamnější ideologové Slovanstva tohoto období vyrostli právě v slovenském národním hnutí.

V lyceích začalo postupně vyrůstat nové pokolení evangelické inteligence. V něm jako hvězdy první velikosti zazářily dvě osobnosti, které svým významem přerostly úzký rámec slovenského národního hnutí a dosáhly uznání nejen u ostatních slovanských národů, ale celé vzdělané Evropy – Pavol Jozef Šafárik a Ján Kollár.

Šafárikův i Kollárův přínos národnímu hnutí spočíval především ve zformulování teorie slovanské vzájemnosti. Oba viděli slovenské hnutí v úzkém svazku s hnutím ostatních slovanských národů. Šafárik a Kollár navázali velmi těsné kontakty s českým národním hnutím, zejména s jeho vedoucí osobností, Josefem Jungmannem. Právě v tomto období, v době předbřeznové, to znamená mezi vídeňským kongresem a výbuchem revoluce v březnu 1848, byly vztahy mezi slovenským a českým národním hnutím nejtěsnější. Slováci Šafárik a Kollár patří stejnou měrou slovenskému i českému národnímu hnutí.

Pavol Jozef Šafárik (1795–1861) byl od mládí horlivým stoupencem slovanské vzájemnosti. V tomto duchu působil literárně i jako profesor na pravoslavném gymnáziu v Novém Sadě a později v Praze, kde působil v Národním muzeu i v knihovně pražské univerzity. Jako přívrženec jazykové i literární jednoty Čechů a Slováků se v zájmu jejího upevnění začal věnovat historickému i jazykovědnému zkoumání. Vytvořil díla, jež se stala východiskem pro zkoumání slovanských jazyků, literatury a dějin. Nejvýznamnější Šafárikovou prací jsou *Slovanské starožitnosti* (1837). Výsledky jeho vědeckého bádání nepotvrdily zcela jeho výchozí teorii o jazykové a kmenové jednotě Čechů a Slováků, naopak, ukazovaly na svébytnost slovenštiny jako jazyka a Slováků jako národa. Šafárik

Mošovce, rodiště Jána Kollára

z toho vyvodil některé závěry. Snažil se slovakizovat češtinu, přiznal Slovákům prvky národní svébytnosti, v zásadě však od koncepce jazykové a literární jednoty Slováků a Čechů neupustil. Zřejmě byl přitom ovlivněn nejen pražským prostředím, kam se roku 1833 přestěhoval (podepisoval se počeštěnou formou příjmení Šafařík), ale také celkovou politickou situací v Evropě, slabostí a nepočetností Slováků a potřebou sjednocování národních sil v slovanském světě.

Ján Kollár (1793–1852) byl nesporně vedoucí osobností slovenského národního hnutí dvacátých a první půle třicátých let 19. století. I když jeho pozdější postoje vyvolávaly různé reakce, zůstal uznávanou autoritou i pro následující pokolení štúrovců, kteří programově vycházeli právě z Kollára a jeho idejí. Ján Kollár je především autorem ucelené koncepce slovanské vzájemnosti, kterou už lze označit za přechodné stadium od jazykového a kulturního pojetí národa k programu politickému. Kollár zvážil celoevropskou situaci, posílení ruské autority v Evropě, reagoval na evropský, hlavně německý a maďarský, nacionalismus a na ideje Herderovy. I když jeho pojetí a formulace národa zůstalo v oblasti jazykové a literární, nelze nevidět, že v pozadí této koncepce už hraje úlohu politická situace a představy o postavení Slovanstva obsahují zašifrované politické jádro.

Ján Kollár se za studií v Německu (Jena, 1817–1819) seznámil nejen s dílem Herderovým a jeho ideou o budoucnosti Slovanů, ale viděl, že v mnoha tehdy už čistě německých oblastech lze najít stopy předcházejícího života Slovanů. Z těchto podnětů i vzhledem k zesílení maďarizačních tendencí v Uhrách vznikla jeho teorie slovanské vzájemnosti. Už roku 1821 uveřejnil ve Švýcarsku článek *Etwas über die Magyarisierung der Slawen in Ungarn.* Po této obraně Slováků následovaly další. Jejich smyslem bylo upozornit mezinárodní veřejnost na nebezpečné tendence v maďarském politickém táboře.

Podle Kollárovy koncepce je národ společenstvím lidí, které spojuje společný jazyk, stejné mravy, obyčeje a kulturní projevy. Podle tohoto pojetí tvořili všichni Slované jeden veliký národ, který se dělil na kmeny. V celém slovanském národě viděl Kollár čtyři kmeny: ruský, polský, československý a ilyrský. Čechy a Slováky tedy považoval za jeden, československý kmen. Další drobení kmenů považoval za oslabování jednoty slovanského národa, proto pracoval s veškerou energií na upevnění československé jazykové i kmenové jednoty. Z dlouhodobé perspektivy mělo naopak docházet k postupnému sbližování slovanských národů a nakonec k opětovnému sjednocení jazykovému i národnímu. Momentální rozdrobenost Slovanů považoval Kollár za důsledek nepříznivého historického vývoje. Slované měli podle něho vědomě směřovat k sjednocení, aby se z rozštěpeného národa, jemuž on říkal „roznárod“, stal jednou opět jednotný a velký slovanský národ. Potřebu a výhodnost vytvoření velkého národa proti rozdrobenosti Kollár ovšem zdůvodňoval jazykově a kulturně – možností rychlého šíření kultury a literatury. Ve své romantické vizi viděl budoucnost Slovanů v jejich zesílení a rozšíření po Evropě. Předpovídal slovanskou „potopu“ Evropy, což však nechápal jako výsledek násilí a ozbrojeného boje, nýbrž jako důsledek přirozeného slovanského rozvoje.

S typicky romantickým patosem vykreslil Kollár i povahu Slovanů ve svém kázání Dobré vlastnosti národu slovanského z roku 1822: „Pěkná vlastnost, která zvlášť zdobí slovanský národ, je nevinná veselost. Lidé tohoto národa zdají se už od narození náchylní spíš k radosti než k smutku, jejich krev je natolik zdravá a čerstvá, jejich nervy a žíly natolik živé a citlivé, jejich údy natolik pružné a obratné, jejich oči natolik jasné a vděčné, jejich obličej natolik ochotný a přívětivý, ba i sám jejich jazyk natolik povídavý a sdílný, že kamkoli přijdou, všude kolem nich poletuje radost a veselí... Nepochybně nejutěšenější vlastnost, zdobící celý slovanský národ, je snášenlivost a tiché chování vůči všem sousedům a národům. Toto je nejskvostnější perla na kořeni jeho slávy, toto je jeho nejznamenitější povaha a ctnost, kterou by se měly od něho učit všechny ostatní národy.“

SLÁWY DCERA

WE TŘECH

ZPĚWJCH

od

Jana Kollára.

DRUHÉ WYDÁNÍ.

w Budjně 1824,

w Králowské universitské tiskárně.

Kollárova „Slávy dcera“, titulní list

Tuto svou představu vyjádřil Ján Kollár nejen v odborných pracích a článcích, ale v duchu tehdejšího romantismu i v uměleckých dílech, z nichž nejvýznamnější je jeho básnická skladba *Slávy dcera* (1824).

Ve svých literárních dílech se Ján Kollár programově snažil integrovat slovenštinu do českého jazyka. Podle jeho představ měl být československý jazyk skutečnou syntézou obou jazyků, nikoli jen pasivním přejímáním češtiny Slováky. Tato jeho tendence však narazila na mnohá úskalí, hlavně jazyková. Takovou „barbarizaci" českého jazyka slovenštinou odmítli nakonec i čeští jazykovědci, hlavně Josef Jungmann.

Martin Hamuljak

Koncepce slovanské vzájemnosti dala impuls k sjednocování slovenského národního hnutí a k spolupráci dvou rozdílných, především konfesionálně rozdělených táborů. Jestliže se cítila potřeba hledat opory v celém slovanském světě, tím víc bylo nutné úzce spolupracovat v rámci jednoho národa.

Tomuto sjednocování se přímo programově věnoval Martin Hamuljak (1789–1859). Sám nebyl vědcem ani tvůrcem takového formátu jako Šafárik nebo Kollár, vynikl však jako obětavý organizátor. Sám byl stoupencem bernoláčtiny a duší bernolákovského centra v Budíně. Jako osobnost programově tolerantní se přičinil o sjednocování slovenských obrozenců, sám tyto snahy inspiroval a uskutečňoval. Ve spolupráci s Kollárem a dalšími národovci založil roku 1826 v Pešti Slovenský čtenářský spolek, který se stal společnou organizací obou křídel slovenského národního hnutí. Spoluprací s Kollárem i Šafárikem a hledáním kompromisů Hamuljak vytvářel prostor pro sjednocování slovenského národního hnutí, které také jeho přičiněním intenzivně pokračovalo v třicátých letech.

Myšlenka slovanské vzájemnosti a utváření jednotného slovanského národa byla produktem své doby – evropské politiky po vídeňském kongresu a evropského romantismu v jeho slovanské podobě. Mezi Slováky, kteří cítili slabost své vlastní národní společnosti a absenci vedoucích vrstev společnosti, šlechty a silného měšťanstva, které se postupně odnárodňovaly a posilovaly maďarský tábor, našly tyto ideje živnou půdu. Tak jako mnoho jiných romantických ideálů ani myšlenka všeslovanství neodolala náporu tvrdé politické reality. Vážný úder jí zasadilo samo Rusko, pro Jána Kollára opora slovanského světa. Roku 1831 carská vojska tvrdě potlačila polské povstání. Utlačitelská tvář carismu, do té doby skrytá, nemohla bez problémů působit jako integrující slovanská síla, jako ono „mohutné slovanské dubisko" v Kollárově pojetí. Stále aktivnější maďarské hnutí, opírající se o jednotu šlechty, měšťanstva a inteligence, začalo otevřeně prosazovat ideu maďarského Uherska. Slováci, kteří v zemi žili, nemohli tuto skutečnost ignorovat. Za této situace idea národní jednoty s Čechy ztrácela na účinnosti, protože Slováci stáli před úkolem definovat svůj národní a politický program, vycházející z uherských poměrů a orientovaný na Uhry.

Formulování slovenského politického programu

DOBA KVASU NOVÝCH MYŠLENEK

Vývoj nacionalismu v celé Evropě směřoval od zájmu o jazyk a kulturu k národní agitaci a k postupnému formulování národních politických požadavků. Sílí zájem vzdělanců o stát. V evropském rámci je to výrazný posun od Herdera k Hegelovi. Také v Uhrách v etnicky maďarské společnosti lze pozorovat intenzivní zájem o záležitosti státu. Maďarský liberalismus postupně dospěl k definování maďarského národního cíle, jímž se mělo stát vytvoření silného, nezávislého jednonárodního uherského státu.

Hlavním nositelem liberálních tendencí v Uhrách byly drobná a střední šlechta, vznikající buržoazie a inteligence. Vysoká šlechta (magnáti) byla sice spokojena s konzervativním režimem vídeňského dvora, nikoli však vždy s centralizací. V odporu proti vídeňské centralizaci se tak postupně v Uhrách vytvářelo spojenectví magnátů a liberálního tábora, které se nakonec sjednotily ve snaze posílit postavení Uherska v rámci monarchie či dokonce vytvořit nezávislý uherský stát. Ten měl být maďarský a jeho jednotícím činitelem se měl stát maďarský jazyk. Sílící maďarský nacionalismus tak přišel s politickým programem, jehož součástí se stala maďarizace země. Tyto snahy se zřetelně projevovaly i navzdory metternichovskému absolutismu.

Objevující se maďarizační tendence přispěly ke sblížení obou slovenských konfesionálních táborů. V slovenském hnutí totiž nadále existovala dvě konfesionální křídla, katolické a evangelické, a s nimi spojené dvě koncepce jazyka a národa. Přes zásadní rozdíly se však na obou stranách projevovala zřetelná snaha o vzájemnou spolupráci.

Bernolákovské hnutí se na začátku století dostalo do útlumu, k čemuž přispělo kromě jiného i úmrtí jeho dvou nejaktivnějších představitelů, Juraje Fándlyho a Antona Bernoláka. V dvacátých letech se však podařilo hnutí oživit. Nejvíc se o to zasloužil kanovník Jur Palkovič (1763–1835). V polovině dvacátých let se mu podařilo vydat v Budíně v šesti svazcích Bernolákovo klíčové dílo *Slovár slovenskí česko-latinsko-německo-uherskí*, což působilo povzbudivě na uživatele bernolácké slovenštiny. Jejich dalším úspěchem byl slovenský překlad Bible. V pozadí těchto úspěchů byl ostřihomský primas katolické církve Alexander Rudnay, jenž podporoval rozvoj národních jazyků a vedle iniciování slovenského překladu Bible podpořil také vydání Bernolákova slovníku. Bibli přeložil do bernolácké slovenštiny právě Jur Palkovič, který své dílo uzavřel koncem dvacátých let. Bernolácká slovenština tak v literatuře žila a rozvíjela se, i když dosáhla uznání jen u části inteligence.

Vzestupnou aktivitu zaznamenala protestantská inteligence. Přirozenými středisky evangelického tábora byla lycea, zejména prešporské (bratislavské). V Bratislavě se národní život soustřeďoval kolem agilního organizátora, profesora Juraje Palkoviče, který však při veškeré své tolerantnosti zůstával tvrdošíjným zastáncem biblické češtiny.

Maďarské tendence byly zaměřeny proti jazykovým a kulturním právům Slováků. Slovenská inteligence, která stála v čele národního hnutí, se přitom nemohla opřít o šlechtu a pouze malou podporu dostávala od městských vrstev. Tuto slabou stránku ve vývoji slovenské společnosti si dobře uvědomovala inteligence, hlavně drobní kněží, lékaři, advokáti, učitelé a studenti, kteří se stali vedoucí silou národního hnutí.

Formující se opozice v Uhrách prosazovala teorii jednotného politického uherského národa v ještě větší míře než stará šlechta. Právě Kossuth a jeho stoupenci tuto teorii doformulovali, a vytvořili tak předpoklady pro zesílení maďarizačních tendencí. Jazykem takového v zásadě sice politického uherského národa měla být maďarština, jíž se mělo používat jako výhradního jazyka v úředním styku, soudnictví a na školách. Všichni, i nejnižší úředníci, ji museli ovládat. Postupně to nařizovaly i zákony uherského sněmu.

Slovenské národní hnutí na to reagovalo novou vlnou národních obran, uveřejněných většinou v zahraničí (jejich autory byli Pavol Senický, Michal Kuniš, Samuel Hojč, Ľudovít M. Šuhajda). Zesílily také snahy o sjednocení slovenského tábora, jež začaly už ve dvacátých letech. I nyní usiloval o dosažení jednoty zejména Martin Hamuljak, z jehož iniciativy vznikl roku 1834 v duchu tradic někdejšího Slovenského čtenářského spolku v Peštbudíně Spolek milovníků řeči a literatury slovenské. Spolek začal vydávat almanach *Zora.* Spolek i almanach programově hlásaly sjednocení slovenského hnutí a *Zora* publikovala příspěvky v češtině i bernoláčtině. Prvním předsedou spolku, třebaže jen nakrátko, se stal Ján Kollár, tou dobou největší osobnost v slovenském hnutí, uznávaná i bernolákovci.

Ani Kollárova autorita však nemohla zastřít příznaky krize, zpochybňující ideu slovanské vzájemnosti, kterou zosnoval a prosazoval. Vážné trhliny doznala jeho koncepce československé kmenové jednoty, a to především v oblasti jazykové. Kollárovo masivní poslovenšťování češtiny se projevilo ve vydání souborů lidových písní *Národnie zpievanky* a *Písně světské lidu slovenského v Uhřích* (ve spolupráci s P. J. Šafárikem) i v jeho dalších literárních pracích. Jeho slovakizující tendence byly v Čechách odmítnuty. Kollár se snažil opětovně zdůvodnit svou koncepci ve spise *O literárnej vzájemnosti mezi kmeny a nářečími slavskými* (1836), opakoval však pouze svou starou představu v době, kdy se slovanská vzájemnost dostala do krize. Kollár byl a zůstal autoritou, ovšem dozrávající problémy, jež stály před formujícím se národem, mohla řešit už jen nastupující generace, schopná rozeznat a určit hlavní problémy národního hnutí a zformulovat jeho nový program.

Ľudovít Štúr

Nová generace v slovenském hnutí se rozhodným způsobem přihlásila o slovo již v polovině třicátých let. Byla to generace odchovaná národní aktivitou na evangelických lyceích, zejména na lyceu v Bratislavě. Činorodé mládeži se dostalo pojmenování „hnutí mladého Slovenska", v literatuře je známější jako Štúrova družina, nebo také štúrovci, podle uznávaného vůdce a profilující osobnosti – Ľudovíta Štúra.

Hlavním střediskem činnosti mladých Slováků bylo prešporské lyceum, kde už roku 1829 vznikla Společnost česko-slovenská. Zprvu rozvíjela činnost pod vlivem myšlenek Kollárových, z nichž ostatně vycházeli všichni mladí Slováci. Od poloviny třicátých let, kdy se do čela Společnosti postavil Ľudovít Štúr, začala se v ní projevovat nebývalá aktivita a objevily se i nové ideje. V Prešporku i na dalších slovenských lyceích vyrostla velmi rychle celá plejáda vzdělaných a obětavých lidí, romanticky zapálených pro národní myšlenku. Tak početnou aktivní skupinu mladých vzdělanců Slovensko do té doby nemělo. Nejvýznamnějšími představiteli nové generace se stali vedle Ľudovíta Štúra Jozef Miloslav Hurban a Michal Miloslav Hodža.

Jozef Miloslav Hurban (1817–1888) byl nesporně nejvýraznějším literárním talentem nejstarších ročníků Štúrovy družiny. Proslavil se jako ohnivý řečník a agitátor. Michal Miloslav Hodža (1811–1870) působil jako farář na středním Slovensku, v Liptovském Sv. Mikuláši, trochu stranou od západoslovenských center národního hnutí. Dík určitému odstupu i tomu, že patřil v této generaci ke starším a zkušenějším národovcům, se stal jedním z nejuznávanějších ideologů hnutí.

Ľudovít Štúr (1815–1856) začal svou veřejnou práci oživením přednáškové a literární činnosti ve Společnosti česko-slovenské a na katedře řeči a literatury československé. Programově navazoval kontakty s uvědomělými Slováky v Uhrách. On i jeho přátelé podnikali pravidelné cesty po Slovensku s cílem získat spolupracovníky a přívržence ve všech regionech. Zároveň začal rozšiřovat kontakty s představiteli ostatních slovanských národů. V duchu romantických představ uskutečnil Ľudovít Štúr a jeho druhové roku 1836 památný výlet ke zříceninám hradu Devín, kde přítomní složili přísahu věrnosti národu. Tento rok lze považovat v jejich činnosti za přelomový, protože od tohoto data se objevují zřetelné známky, že Štúr a jeho přátelé se začali zamýšlet nad možnostmi a cestami národního osvobození i nad možnostmi jak zlepšit postavení slovenského selského lidu. Postupně se utvářely myšlenky vedoucí k začátkům intenzivní národní agitace a k zformulování prvního slovenského politického programu.

Roku 1836, po skončení dlouhého sněmu a po hlasitých projevech nespokojenosti s jeho výsledky, sáhla vídeňská vláda k tvrdým opatřením v Uhrách. Kromě zatýkání rozpustila všechny studentské spolky, což postihlo i Slováky. Roku 1837 byla zastavena činnost Společnosti česko-slovenské.

Tvrdá opatření však už nemohla zastavit pohyb v Uhrách, ani aktivitu Slováků. Ľudovít Štúr sice odešel na nějakou dobu studovat do Halle, ale v Ústavu řeči a literatury československé ho zastoupil Benjamín Pravoslav Červenák (1816–1842). Iniciativní Alexander Boleslavín Vrchovský zorganizoval tajný spolek Vzájemnosti (1837), který se věnoval nejen otázkám národním, ale i politickým. Vrchovský byl nejrevolučnější představitel tohoto pokolení a byl už uvědomělým republikánem. Prosadil, aby se v činnosti Společnosti i přes zákaz pokračovalo, a pro jeho členy vypracoval instrukce, v nichž se kromě jiného psalo: „Naše zásada – všechno pro národ – nechť je i vaší zásadou. Pracujte co nejvíc pro národní osvětu. Veďte náš lid, jemuž se ještě ani nesní o národním duchu, k poznání svého národa, k poznání povinností vůči svému národu, k poznání nepravostí svých utlačovatelů. Veďte náš lid ne k věčné trpělivosti, jak to dosud dělali naši kněží, nýbrž k odstraňování násilí a útlaku. Cožpak je náš lid stvořený k otroctví? Má věčně snášet šlehy karabáče jako dobytek? Sílu je třeba odstranit silou.“ Vrchovský však působil v Bratislavě pouze krátce, takže jeho vliv na další formování národního hnutí neměl delšího trvání.

Aktivizovalo se i maďarské národní hnutí, v němž se stále víc dostával k slovu radikální Lajos Kossuth. V národní otázce však byl právě Kossuth nejfanatičtějším přívržencem teorie o jednotném uherském národě, která měla v maďarském táboře nejen etatistický, ale i jednoznačně etnický význam. V tom byl radikální Kossuthův směr zajedno s umírněnými reformátory i s maďarskou šlechtou. Na sněmu roku 1830 bylo zákonem stanoveno, že v Uhrách může být k veřejným úřadům a později i advokátským zkouškám připuštěn pouze ten, kdo ovládá maďarský jazyk. Sněm v letech 1839–1840 vydal další maďarizační zákon, který zaváděl maďarštinu nejen

Jozef Miloslav Hurban

do státních úřadů, ale také do církve. Matriky se měly vést maďarsky a pro všechny kněze a kazatele se zavedlo povinné ovládání maďarštiny. Hrabě Károly Zay, který se stal generálním inspektorem evangelické církve, maďarizaci otevřeně propagoval.

Představitelé Slováků vystoupili proti hraběti Zayovi a proti maďarizačním tendencím novou vlnou ostrých národních obran, uveřejňovaných většinou v zahraničním tisku. Zároveň se mezi Slováky zrodila myšlenka předložit stížnosti na postupující maďarizaci panovníkovi. Dokument, na jehož vypracování se podílel i Ľudovít Štúr, dostal jméno *Slovenský prestolný prosbopis* a slovenská delegace ho odevzdala 4. června 1842 vídeňské vládě. Byl to skromný dokument, který nevyjadřoval skutečný stav národního hnutí, kladl pouze jazykové a školské požadavky. Slováci chtěli, aby císař vzal pod ochranu slovenský jazyk, aby byl ustanoven zvláštní cenzor pro slovenské knihy, protože uherská cenzura slovenský tisk schválně, ale i z neznalosti jazyka zdržovala. Dále se žádalo o zřízení katedry slovenského jazyka na univerzitě v Pešti, ochrana slovenských škol a také to, aby se církevní písemnosti nadále vedly latinsky, a nikoli maďarsky. Byly to tedy pouze minimální požadavky. Intervence Slováků ve Vídni však skončila bez úspěchu.

Velmi vehementně však na slovenské požadavky zareagoval maďarský tábor. Fakt, že ho pobouřily skromné jazykové požadavky, dokumentuje, že nacionalismus a maďarizační tendence byly zde už hluboko zakořeněny a staly se součástí národní ideologie. Protože Slovenský prestolný prosbopis byl záležitostí evangelickou (podepsaly ho dvě stovky slovenských evangelíků, představující asi půlmilionovou obec slovenských evangelíků), zabýval se jím generální konvent církve v létě 1842, na kterém byli autoři a organizátoři akce označeni za „zrádce vlasti“. Konvent ustavil vyšetřovací komisi, která měla celou záležitost vyšetřit.

Michal Miloslav Hodža

Slováci se proti nevybíravým útokům maďarských nacionalistů bránili. Ľudovít Štúr napsal obranný spis *Klagen und Beschwerden der Slowaken* (1843) a uveřejnil ho v Lipsku, protože v Uhrách ho nechtěl žádný časopis otisknout. Ve Vídni publikoval Štúr další obranný spis *Das 19. Jahrhundert und der Magyarismus.* Následovaly další spisy a obrany.

Zároveň si ovšem Štúr a jeho druhové uvědomovali, že psát obrany je málo. Bylo třeba podniknout kroky k sjednocení slovenských sil, což byl základní předpoklad k dalším možným krokům v Uhrách i mimo ně. Nebyl to snadný úkol; rozdílnost v jazykové otázce i v pojetí národa přetrvávala. Ukázalo se, že používání češtiny už národním potřebám nevyhovuje a ani bernolákovci nebyli ochotni vrátit se k češtině. Situace v Uhrách si žádala nové zformulování slovenských požadavků a zásadní přeorientování slovenského národního hnutí. Ľudovít Štúr a jeho druhové byli k tomuto úkolu připraveni.

Lajos Kossuth

Myšlenky a podněty evropského nacionalismu se nezastavily na uherských hranicích. Mnohonárodní Uhry byly naopak jednou ze zemí, kde se národní princip projevil nejvyhroceněji. Na území Slovenska to však byl především protiklad slovensko-maďarský. Ostatní národnosti se v tomto období výrazněji neprojevovaly. V jistém smyslu podobný osud jako Slováci měli v Uhrách Rusíni žijící v severovýchodních stolicích. Na národní požadavky však společnost Rusínů-Ukrajinců reagovala se značným zpožděním. Během Slovanského sjezdu v Praze za revoluce 1848 se dostala na program i otázka uherských Rusínů, třebaže jen okrajově v souvislosti s otázkou slovenskou. V dokumentu nazvaném *Žiadosti Slovákov a Rusínov uhorských*, jejž většinou koncipoval Jozef Miloslav Hurban, se vlastně požadavky Rusínů připojily k požadavkům slovenským, vyjádřeným v Žádostech slovenského národa.

Němci se v národním ohledu neprojevovali. Jejich sepětí s uherským státem i fakt, že mezi nimi, zejména mezi spišskými Němci, byla početná inteligence a hodně státních úředníků, vedly k tomu, že uherští Němci přijali bez odporu ideu jednotného uherského národa. Mnozí, hlavně z řad inteligence, se postupně asimilovali, a naopak se stávali horlivými maďarizátory. Národní pohyb mezi uherskými Němci lze zaznamenat teprve na přelomu 19. a 20. století. Ani pak se tohoto národního pohybu Němci ze Slovenska prakticky nezúčastňovali.

Židovské a romské obyvatelstvo národně emancipačním procesem zasaženo nebylo, každé z jiných důvodů. Hlavním důvodem však byl život v diaspoře a značná rozptýlenost. Romové, kteří v 19. století už žili v menších skupinách po celém území Slovenska, představovali v celé střední Evropě jinou civilizaci s jinými hodnotami a jiným způsobem života než původní obyvatelstvo. Židé na Slovensku patřili většinou k ortodoxně orientované části středoevropského židovstva. Svou kulturu pěstovali hlavně na náboženském základě. V širším židovském světě byla známá především prešporská židovská obec. Na začátku 19. století ji proslavil zejména rabín Chatam Sofér a jeho škola. Židé na Slovensku ovládali slovenský jazyk a s domácím obyvatelstvem komunikovali slovensky. Zákony života v diaspoře a náboženské přehrady však bránily, aby se podíleli na slovenském národním hnutí, respektive aby se vytvořilo samostatné židovské hnutí. Soužití s křesťanským obyvatelstvem nebylo bez problémů, i když dlouhodobě ho lze nazvat pokojným. V městech, kde žily větší židovské komunity, však byli Židé hlavně v dobách vnitřních nepokojů a krizí vystaveni permanentní hrozbě násilí. Bylo tomu tak za revoluce 1848 v Bratislavě i na Považí a koncem 19. století v řadě měst, kde došlo k protižidovským pogromům.

ŠTÚROVA KODIFIKACE SPISOVNÉ SLOVENŠTINY

Protestant Štúr dospěl rozborem situace k rozhodnutí, jaké už půl století před ním učinil katolík Anton Bernolák. Sjednocení Slováků bylo možné jen za předpokladu, že budou mít svůj vlastní, všemi uznávaný a používaný spisovný jazyk.

Pro kodifikaci a zavedení spisovné slovenštiny existovaly i další závažné argumenty. Proti zesílené maďarizaci se Slováci museli postavit jako svéprávný národ se všemi národními atributy a společný jazyk byl podle tehdejšího pojetí národa atributem základním. Byly tu i důvody vědecké, lingvistické. Slovaki-

Štúr, Hurban a Hodža u básníka Jána Hollého (sedící vlevo) s návrhem na kodifikaci spisovné slovenštiny (1843)

zovaná čeština byla jazykem umělým, v Čechách odmítaným, klasická česká bibličtina už nevyhovovala. Vážným důvodem pro zavedení spisovné slovenštiny bylo úsilí štúrovců přiblížit se pospolitému slovenskému lidu, hlavně slovenskému sedlákovi. Takové přiblížení předpokládalo používání nikoli umělého jazyka vzdělanců, ale jazyka živého.

Ľudovít Štúr se po zvážení situace rozhodl pro středoslovenské nářečí jako základ k ustanovení spisovné jazykové normy. Bylo to nesporně rozhodnutí správné, protože na rozdíl od bernoláčtiny, orientované poněkud excentricky na západní Slovensko a v mnohém blízké češtině, středoslovenské nářečí mělo v sobě potřebnou integrující sílu. Rozhodnutí o spisovné slovenštině padlo za setkání Štúra, Hurbana a Hodži na Hurbanově faře v Hlbokém v červenci 1843. Setkalo se s všeobecným souhlasem mladé protestantské inteligence a příznivou odezvu našlo i u bernolákovců. Tehdy také největší autorita v jejich táboře, básník Ján Hollý, Štúrovo rozhodnutí schválil.

V krátké době dovršil Ľudovít Štúr kodifikační dílo základním spisem *Nárečja slovenskuo alebo potreba písaňja v tomto nárečí* (1846) a vydáním gramatiky *Náuka reči slovenskej* téhož roku. Takto kodifikovaný spisovný jazyk prošel v následujícím období několika reformami, hlavně pravopisnými, ale principy stanovené Ľudovítem Štúrem zůstaly zachovány do současnosti.

Na základě nového spisovaného jazyka mohlo dojít k programovému sjednocení slovenských katolíků a evangelíků, tedy štúrovců a bernolákovců. Uskutečnilo se v létě 1847 na valném shromáždění spolku Tatrín, který byl založen v srpnu 1844. Tím se podařilo dosáhnout základního cíle – sjednotit slovenské hnutí na základě jednoty v otázce jazykové i základního národního směřování. Slováci všech směrů se cítili samostatným slovanským národem. Přijetí spisovné slovenštiny nebylo tedy pouze jazykovou, ale v dané historické chvíli i významnou politickou deklarací.

Přijetí štúrovské slovenštiny za spisovný jazyk však narazilo i na odpor. Jejím nejenergičtějším odpůrcem se stal Ján Kollár. Štúrův čin vyvolal nepříznivou odezvu i v části českého obrozeneckého tábora, který spolu s Jánem Kollárem viděl v uzákonění slovenštiny oslabení a tříštění národních sil. Roku 1846 Ján Kollár vydal za české podpory polemický sborník *Hlasové o potřebě jednoty spisovného jazyka pro Čechy, Moravany a Slováky*. Tento odpor, i když energický, postupně slábl a na slovenské straně se spisovná slovenština už v padesátých letech stala všeobecně užívaným literárním jazykem. Po almanachu *Nitra*, první knize v štúrovské slovenštině, následovala další díla, která až do dneška patří mezi skvosty slovenské literatury.

Ľudovít Štúr a jeho druhové odmítli výtky, že vytvoření spisovného slovenského jazyka je namířeno proti Čechům a že oslabuje spolupráci. Zároveň se zdůrazňováním nutnosti spisovné slovenštiny považovali štúrovci nadále za potřebné pěstovat česko-slovenskou vzájemnost i širší slovanskou spolupráci: „Budou si snad někteří myslet i to, že se od Čechů odtrhnout chceme, ale Bůh nás uchovej od odtržení. Kdo se teď od svých bratrů odtrhává, na toho padne největší odpovědnost před národem naším. My v tomto svazku s nimi,

ŇITRA.

DAR
DRAHÍM KRAJANOM SLOVENSKÍM
OBETUVANÍ,
VIDÁVANÁ
OD
MILOSLAVA JOZEFA HURBNA.

ROČŇÍK II.

V PREŠPORKU,
A LEBO V BRAŤISLAVE NAD DUNAJOM.
1844.
Písmom urodzenjeho Antona Šmida.

Druhý ročník almanachu Nitra z roku 1844, první kniha ve Štúrově spisovném jazyce

jak jsme dosud byli, i nadále zůstat chceme, cokoli znamenitého udělají, si osvojovat, s nimi v duchovním spojení nadále setrvat a kde si budeme moci co dobrého udělat, to vykonat chceme, což navzájem od nich jako svých bratrů očekáváme."

Kodifikace spisovné slovenštiny podnítila rozmach slovenské romantické literatury, zejména poezie. Zájem o lid a jeho jazyk, zájem o národ a zároveň o lidské individuum, to byly hlavní atributy slovenské literární tvorby tohoto období. Mnohá díla se stala klasickými a ovlivnila následující generace. Patos hrdinského romantismu má báseň Sama Chalupky (1812–1883) *Mor ho!* Niternou hloubkou vyniká lyrika Andreje Sládkoviče (1820–1872), jehož básnická skladba *Marína,* ale i *Detvan* vroucně oslavují lásku, mládí a také vlast zcela v duchu romantických ideálů poloviny 19. století. Samorostlým básníkem a revoltujícím buřičem byl Janko Kráľ (1822–1876). Baladický charakter má básnická tvorba Jána Botta (1829–1881), jejž proslavila zejména skladba *Smrť Jánošíkova.* V prozaické tvorbě vynikl vedle Jozefa Miloslava Hurbana hlavně Ján Kalinčiak (1822–1871), který v románu *Reštavrácia* zobrazil drobné slovenské zemany jako figurky zanikajícího světa. Rozsáhlá tvorba v novém spisovném jazyku, silně ovlivňující společnost, a zejména mládež, jasně potvrdila tvárnost, bohatství a životaschopnost jazyka kodifikovaného Ľudovítem Štúrem.

Kromě literární tvorby se národně romantické ideály projevily i v malířství, především u dvou výrazných osobností – u Petra Michala Bohúně, přívržence Štúrovy družiny, autora romantických maleb a litografií, a u malíře-portrétisty a polyhistora Jozefa Božetecha Klemense.

POLITICKÝ PROGRAM PRO SLOVÁKY

Nehybnost v Evropě kontrolované konzervativními velmocemi byla jen zdánlivá. Pod povrchem doutnala nespokojenost, která vyšlehla revolučními výbuchy ve Francii a v Polsku.

Nespokojenost a vůle po společenských změnách byly charakteristické i pro situaci v Uhrách. Ve třicátých letech 19. století tam dozrály hlavně tři klíčové problémy: 1. potřeba odstranit metternichovský byrokratický centralismus, 2. nutnost změnit existující feudální systém a 3. vyrovnat se s národnostní otázkou, která začala být v multietnických Uhrách aktuální.

Metternichovský politický systém, který soustřeďoval všechnu politickou moc na vídeňském dvoře, se v Uhrách pociťoval jako nepřijatelný nejen pro svou reakčnost, ale hlavně proto, že systematicky potlačoval a ignoroval atributy uherské státní samostatnosti. Feudální systém, založený na poddanské práci a poddanských povinnostech, byl už zcela zjevnou brzdou vývoje. Nezájem poddaných o práci a jejich rostoucí nespokojenost s těžkými povinnostmi vedly nejen k poklesu zemědělské výroby, ale také k trvalým a nebezpečným zdrojům sociálního napětí. Názorně to ukázal výbuch lidového hněvu, který vyústil roku 1831 v povstání na východním Slovensku. Vývoj národních hnutí v mnohonárodních Uhrách vyžadoval řešit i národnostní otázku. Formující se moderní národy kladly své jazykové, školské a kulturní požadavky a dozrávala i politická stránka národnostní otázky. Maďarský nacionalismus zformuloval myšlenku jednotného státu, který měl být svým charakterem maďarský. Tato maďarsko-nacionalistická koncepce uherského státu byla nepřijatelná pro ostatní národy Uher a rozhodně se proti ní postavili i Slováci. Byla to romantická a svým způsobem fantastická idea, vždyť maďarské etnikum netvořilo ve státě ani polovinu obyvatelstva.

Zvláštnost situace v Uhrách spočívala v tom, že se v táboře nespokojených ocitla i maďarská šlechta včetně magnátů. Lze říci, že v předbřeznovém období nebyl vlastně s poměry v zemi spokojen nikdo. Nespokojenost maďarské šlechty vyvěrala hlavně z jejího odporu vůči metternichovské centralizaci a potlačování jejích vlastních pozic. V odporu proti Vídni se spojila s měšťanstvem a inteligencí. Vzhledem k tomu, že většina šlechty v Uhrách byla pomaďarštěná, šlechta v zásadě akceptovala také ideu maďarského národního státu. Rozdílné názory byly na poddanskou otázku, ale také zde část šlechty uznávala potřebnost změn v této oblasti. Hlasatelem nutnosti reformovat stát se stal vzdělaný magnát István Széchényi, otevřeně poukazující na zaostávání Uher a na nutnost reformovat feudální systém. Koalice šlechty, revolučního

Nad Tatrou sa blýska, hromy divo bijú,
zostavme sa bratia! veď sa ony ztratia,
Slováci ožijú.
To Slovensko naše posial tvrdo spalo,
ale blesky hromu zbudzujú ho k tomu,
aby sa prebralo.
Už Slovensko vstáva, putá si strháva:
hej, rodinka milá! hodina odbila,
žije matka Sláva!
Ešte jedle rastú na Kriváňskej strane —
Kto jak Slovák cíti, nech sa šavle chytí
a medzi nás stane!

„Nad Tatrou sa blýska" – text slovenské hymny s kresbou Mikuláše Alše

měšťanstva a inteligence vytvořila v maďarském etniku revoluční potenciál, jehož ostří se soustřeďovalo na odstranění vídeňského centralismu a na vytvoření nezávislého uherského státu, který by měl maďarský národní charakter.

Opozice v čele s Mikulášem Wesselényim chtěla nastolit otázku radikálních reforem již na zasedání sněmu roku 1832. Sněm však nepřijal žádné zásadní reformy, pouze nepatrné úpravy, které neřešily postavení poddaného lidu.

Nutnost slovenského sjednocení se ukázala již brzy, když začal další připravený útok proti slovenskému hnutí. Již zmíněná vyšetřovací komise ustanovená generálním konventem evangelické církve v souvislosti se Slovenským prestolným prosbopisem zbavila Ľudovíta Štúra profesury na bratislavském lyceu. Šlo zcela záměrně o pokus eliminovat centrum slovenského hnutí. Přes protesty studentů i části pedagogického sboru církevní vrchnost toto rozhodnutí nezměnila. Nejhorlivější studenti z bratislavského lycea se na protest rozhodli opustit Prešpork a v březnu 1844 manifestačně odešli do Levoče. Při této příležitosti vznikla na nápěv slovenské lidové písně a na slova Janka Matušky píseň *Nad Tatrou sa blýska*, která se stala slovenskou národní hymnou.

Nastalo období téměř horečné činnosti. Už roku 1844 vznikl spolek Tatrín s podtitulem „jednota milovníků života a národa slovenského", který se postupně šířil po celém Slovensku. V následujícím roce vznikla Jednota mládeže slovenskej, která sdružovala evangelické studentské spolky. Vznikaly spolky mírnosti, ochotnická sdružení a pěvecké spolky. Vztah mezi násilnými vládními, župními a církevními maďarizátory na jedné straně a uvědomělými Slováky na straně druhé se vyhrocoval.

Ľudovít Štúr začal přesouvat těžiště své aktivity na politické pole. Po dlouhých tahanicích s úřady se mu nakonec podařilo vydávat od srpna 1845 *Slovenskje národňje noviny*, které vycházely dvakrát týdně. V nich začali štúrovci postupně formulovat nejen své jazykové a školské požadavky, ale také politický program. Bylo to vrcholné období Štúrovy činnosti. Za těžkých podmínek se mu podařilo vytvořit z novin tribunu slovenského hnutí a místo k šíření svých myšlenek.

V povětří už bylo cítit revoluční atmosféru. Mladý Janko Francisci-Rimavský povzbuzoval Štúra, aby se i prostřednictvím svých novin připravoval na velké, také sociální zvraty: „Nám na Slovensku je zapotřebí svobodné myšlenky a mysli a všemožným způsobem ho připravovat na velkou katastrofu, která nás nijak nemůže minout a jejíž chvályhodný nebo hanebný, osvobozující nebo zotročující výsledek bude závislý na tom, jak jsme využili nebo promeškali příležitost a prostředky k přípravě cesty Svobodě."

Plánovitě a s velkou energií se štúrovci pustili do drobné práce mezi slovenským lidem. Zakládali různé hospodářské spolky, domácí pokladny, šířili mezi lidem naučnou literaturu a osvětu. Zcela jasně si uvědomovali, že radikální zlepšení situace selského stavu je možné pouze zavedením reforem. Dokazuje to Štúrův článek *Kde leží naše bída* z roku 1847. Politická aktivita štúrovců strhla nejen inteligenci a střední vrstvy městského obyvatelstva, ale pronikla i mezi poddaný lid. Tak nabylo slovenské národní hnutí v tomto období výrazně politického charakteru.

Těsně před revolucí roku 1848 se tedy slovenská otázka stala otázkou politickou. Národní požadavky vyústily do požadavku zákonného uznání svébytnosti Slováků jako národa. Důsledné splnění tohoto požadavku by mělo za následek federalizaci mnohonárodnostních Uher, což maďarští představitelé nechtěli připustit. Štúrovi se zároveň podařilo dostat do slovenského programu požadavek řešení selské otázky zrušením poddanství. Tak se mu podařilo spojit národní a sociální program a získat pro národní věc slovenské rolníky.

Roku 1847 byl Ľudovít Štúr zvolený za poslance do uherského sněmu za město Zvolen a rozhodl se své požadavky přednést a prosazovat i na půdě sněmu. Upozorňoval přitom na fakt, že v pokročilé západní Evropě už feudální vztahy neexistují: „I svatá věc člověčenstva nás vyzývá k tomu, abychom už jednou vyslovili zásadu osvobození lidu. V západních státech už nejsou tyto feudální vztahy zvykem, ani se nesrovnávají s duchem století. Podle mého názoru stojíme na hraniční čáře dvou věků, a sice jednoho zapadajícího, v němž se práva dávala jen jednotlivým osobám a kastám, druhého svítajícího, v němž se ona práva povolí a přisoudí v pravém slova smyslu každému člověku, kdo si je zaslouží. Trvejme tedy na tom, abychom nezůstali pozadu za tím, co už jinde svítá a co je požadavkem našeho století."

Na konci první poloviny 19. století tedy udělali Slováci ve svém hnutí důležitý kvalitativní skok od požadavků jazykových, školských a kulturních k požadavkům politickým. Byl to vývoj, který podobným způsobem probíhal také u jiných evropských národů.

K prvním náznakům národního uvědomění došlo na začátku 19. století i mezi Rusíny na východním Slovensku. Toto národní uvědomění se však dotklo pouze řeckokatolického duchovenstva. Mezi obyvatelstvem sice existovalo lidové rusofilství, které se projevovalo i za polského povstání roku 1830, vzdělaní řeckokatoličtí duchovní však nedospěli k tomu, aby zahájili mezi lidem národní agitaci. Rusínští vzdělanci se v širším kontextu orientovali na Rusko, kam také mnozí z nich odešli působit. Literární činnost některých kněží tak zůstávala izolovaná a neměla širší dosah.

VÝBUCH REVOLUCE ROKU 1848

Roku 1848 proběhla celou Evropou vlna revolucí. Příčiny jejího vypuknutí i cíle revolucionářů byly v řadě zemí stejné. Byla to nespokojenost s reakčními vládními režimy, nastolenými po vídeňském kongresu. Řada evropských národů dospěla k svému „jaru" a jejich představitelé vystoupili s národními požadavky. Bezprostředním popudem se stala vleklá hospodářská krize v Evropě, a nakonec velká neúroda a hladomor roku 1847. Byly však i dost podstatné rozdíly v revolučních programech mezi jednotlivými zeměmi. V habsburské monarchii se všeobecná nespokojenost obrátila proti politickému systému metternichovského absolutismu, proti šlechtickým výsadám a proti poddanským povinnostem, které ujařmovaly poddané sedláky a bránily rozvoji průmyslu i zemědělství. Brzy zde však vystoupila do popředí také národnostní otázka,

Zasedání uherského sněmu v Prešporku, který v březnu 1848, přijal zákony ovlivňující vývoj země na celé století

která často odsunula sociální problémy do pozadí. Proti centralizačním snahám vídeňského dvora přitom stálo několik programů – federalizace říše, austroslavistická koncepce, založená na slovanské většině ve státě, maďarská koncepce samostatných a maďarských Uher i požadavky malých národů, usilujících o jazyková a politická práva – vlastní sněm, samosprávu na určitém území atd.

V Rakousku začala revoluce v březnu 1848. Dne 11. března se v pražských Svatováclavských lázních sešli představitelé českého národního hnutí a zformulovali národní i sociální požadavky pro panovníka Ferdinanda V. Už za dva dny, 13. března, vypukla revoluce v samotné Vídni. Vylekaný císař propustil nenáviděného Metternicha, který se stal přímo ztělesněním režimu, a slíbil ústavu.

Napjatá situace zavládla také v Uhrách. V Prešporku (Bratislavě) zasedal už od listopadu 1847 uherský sněm. Stoupenci reforem vystupovali s hlavním požadavkem – zrušit poddanství. V tomto radikálním křídle na sněmu aktivně vystupoval i Ľudovít Štúr, který už před jeho zahájením a pak během zasedání doformuloval slovenský národní a politický program. Tento program požadoval zrušení poddanství výkupem, uzákonění politických práv pro lid, hlavně aby všechen lid měl právo volit své zástupce do sněmu a do stoličních zastupitelstev, zrušení šlechtických výsad, rovnost před zákonem a zrovnoprávnění všech národů v Uhrách. Uherský stavovský sněm byl bouřlivý, většina poslanců však dlouho nejevila příliš velkou ochotu k radikálnějším reformám. Teprve když se do Prešporku dostaly zprávy o revoluci ve Vídni a o radikalizaci lidu v Pešti, vylekaný sněm přijal zákon o zrušení poddanství, navržený Lajosem Kossuthem, a také zákon o nezávislosti Uher, jež měly být spojeny s Rakouskem toliko osobou panovníka a třemi společnými ministerstvy. To byly nejdůležitější z komplexu tzv. březnových zákonů, které panovník podepsal 11. dubna.

S radostí přivítal tyto zákony ve svých novinách Ľudovít Štúr: „I v naší vlasti se uskutečnily nečekané převratné změny... Urbariální služebnost, která náš lid sžírala hůře než egyptské zajetí, v němž sténali Židé, je pryč! Náš lid nebude už muset čekat se svou skromnou úrodou, až se jeho milosti zlíbí vybrat si z úrody nejkrásnější snopy a mandele... Všechno to je zrušeno a zahozeno do věčné propasti. Náš lid je už svobodný, už se stane obyvatelem země a člověkem."

Zrušení poddanství se týkalo všech tzv. urbariálních sedláků, kteří pracovali na urbariální půdě a jejichž povinnosti byly vymezeny urbářem, od dob Marie Terezie prakticky jednotného pro celou zemi. Osvobození sedláci už nemuseli vykonávat poddanské povinnosti a služby šlechtě. Ta za to dostala od státu výkupné. Urbariální sedláci tvořili v Uhrách většinu, přece však bylo ještě dost sedláků, jejichž povinnosti byly založeny na jiných než urbariálních vztazích. Na jejich postavení se nic nezměnilo. Shodou okolností bylo právě na Slovensku v některých oblastech takových sedláků dost, a ti zůstali nespokojeni. Už koncem března se začali bouřit sedláci, kteří ani po přijetí březnových zákonů nepocítili změnu na svém postavení. V některých obcích hontské stolice se do čela nespokojených sedláků postavili slovenští radikální demokraté básník Janko Kráľ a učitel Ján Rotarides. Oba spolu s některými sedláky uherská vrchnost zatkla a uvěznila.

Vyhlášení suverenity Uher bylo provázeno posílením maďarizačních tendencí ve jménu ideje jednotného uherského národa. Nemaďarské národy žádné záruky národních práv nedostaly. Právě naopak, maďarská liberální šlechta v čele s Lajosem Kossuthem dala jasně najevo, že chce z Uher vybudovat nejen politicky, ale i etnicky jednotný stát. Po vyhlášení březnových zákonů maďarští šlechtičtí revolucionáři neměli další zájem o demokratické reformy a své úsilí soustředili na uskutečnění ideje jednotného uherského státu. Slovenský národní program se tak dostal do rozporu s maďarským programem jak v otázce národnostní, tak v otázce sociální a v otázce demokratizace politického systému.

Radikalismus Ľudovíta Štúra a celého slovenského politického tábora vyplýval ze sociálního složení slovenské společnosti. Většina slovenské šlechty byla odnárodněná a vedoucí vrstvu slovenské společnosti tvořila inteligence pocházející z nižších středních nebo lidových vrstev. Hlavní masou slovenského lidu byli rolníci. Proto bylo přirozené, že tato společnost stála v opozici nejen vůči maďarskému hegemoniálnímu nacionalismu, ale také vůči třídně a sociálně motivovanému hegemonismu maďarské šlechty. Tragický rozpor mezi maďarským a slovenským revolučním programem měl proto své hluboké kořeny v rozdílných národních programech i v odlišnosti programů sociálních a politických.

Jaro roku 1848 bylo v slovenských stolicích bouřlivé. Na řadě míst se konala lidová shromáždění, podpisovaly se petice a žádosti. Ukazovalo se, že několikaletá systematická práce štúrovců na slovenském venkově přinesla své ovoce. Slovenské požadavky byly shodné. Ukázalo se, že jde o akci dobře připravovanou a organizovanou. Slovenští představitelé organizovali nejen hnutí doma, ale snažili se je zapojit do mezinárodního kontextu, především v rámci slovanského světa. Slováci Ľudovít Štúr, Jozef Miloslav Hurban a Michal Miloslav Hodža patřili k iniciátorům setkání představitelů slovenských národů – Slovanského sjezdu, který byl svolán v červnu do Prahy.

Slovenská aktivita vyústila do zformulování a veřejného vyhlášení celoslovenského revolučního a národního programu, který byl přijat na shromáždění v Liptovském Sv. Mikuláši 11. května 1848 a je známý pod názvem *Žádosti slovenského národa*. Obsahovaly 14 bodů. Slováci v nich žádali uznání a zajištění slovenské svébytnosti. Uhry se měly přeměnit v zemi rovnoprávných národů s vlastními národními sněmy. V celouherském sněmu měly mít národy rovno-

„Slovenský lid shromážděný pod širým nebem poslouchá text Žiadosti slovenského národa", olej od P. M. Bohúně

měrné zastoupení. Slovenština se měla stát úředním jazykem v slovenských stolicích. Kromě těchto národních požadavků obsahovaly Žádosti požadavky reforem politického systému, všeobecné a rovné hlasovací právo, zrušení poddanství pro všechny sedláky bez rozdílu a vrácení půdy, kterou vrchnosti v předchozím období neoprávněně odňaly sedlákům. Rovněž se požadovalo propustit z vězení Janka Krále a Jána Rotaridesa.

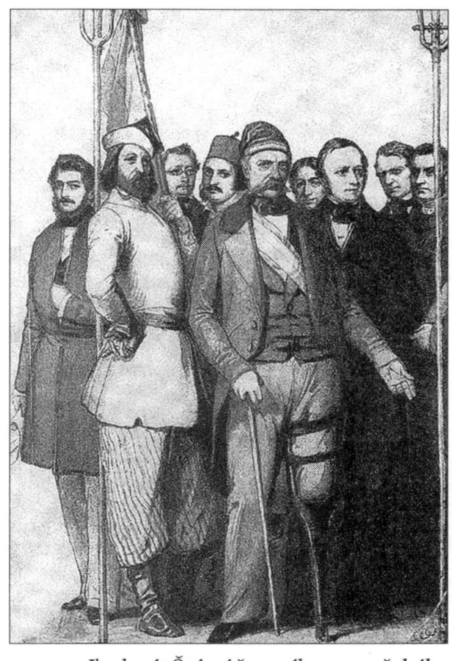

Ľudovít Štúr účastníkem pražského Slovanského sjezdu (první zleva, vedle něho kníže Lubomirský, Zap, Daničić, Karadžić, Presl, Palacký, Dvořáček, Šafárik), detail obrazu J.V. Hellicha

Žádosti slovenského národa jsou jedním z nejdůležitějších dokumentů v dějinách Slováků. Je to program národní, zároveň však i program politický s výrazně demokratickými rysy, který svým pojetím sociálních a politických reforem šel daleko za březnové zákony přijaté sněmem. Zároveň je to první ucelený slovenský státoprávní program, který obsahoval prakticky požadavek slovenské autonomie a v konečném důsledku národnostní decentralizaci Uher.

Uherská revoluční vláda, jíž slovenští představitelé své žádosti zaslali, nehodlala tento program akceptovat. Na slovenský revoluční pohyb odpověděla vyhlášením stanného práva v hornouherských stolicích a vydáním zatykače na Ľudovíta Štúra, Jozefa Miloslava Hurbana a Michala Miloslava Hodžu. Rozpor mezi Slováky a Maďary se prohloubil a názorně se projevila rozdílnost jejich revolučních cílů.

Štúr, Hurban a Hodža se před maďarským zatykačem zachránili útěkem do Čech. I tak měli původně namířeno do revoluční Prahy, kde se připravoval Slovanský sjezd. Na něm patřili Slováci k nejaktivnějším a nejradikálnějším. Ľudovít Štúr se vyslovil, že slovanské národy se musí snažit, aby svých požadavků dosáhly bez ohledu na Rakousko. Slovenský nacionalismus tak dozrál k formulování priority národního principu nad principem státním. S uherským státem se však Slováci ještě úplně nerozešli. Když při rokování československé sekce vyšly z české strany návrhy k politickému spojení českých zemí se Slovenskem, Slováci tyto návrhy nepřijali. Jozef Miloslav Hurban se vyjádřil v tom smyslu, že „pokud nám Maďaři dají, co nám patří, nemůžeme proti nim tasit meč. Pokud ale nedají, pak ovšem boj!" Už tehdy bylo Hurbanovi jasné, že Maďaři nehodlají Slovákům dát ani ta minimální jazyková práva a že boj je nevyhnutelný. Jeho výrok proto lze chápat jako zdvořilé odmítnutí českých návrhů.

Na Slovanském sjezdu se poprvé dostala do souvislosti se slovenskou otázkou záležitost rusínská. Stalo se tak proto, že uherští Rusíni nebyli na sjezdu přítomni a Jozef Miloslav Hurban byl pověřen vypracovat program i jejich jménem. Učinil tak na základě slovenských Žádostí. Ve skutečnosti však rusínská společnost k takovému programu nedospěla. Na začátku evoluce rusínští sedláci s nadšením přivítali březnové zákony a připojovali se k revolučním maďarským gardám, což bylo vzhledem k stavu národního povědomí přirozené. Rusínská inteligence vedená Adolfem Dobrianským pod vlivem revolučních událostí vypracovala politický program, jehož podstatou byla spolupráce s haličskými Rusíny s perspektivou sjednocení haličských a uherských Rusínů. Tento program však neměl širší podporu a když ho nechtěli přijmout ani ve Vídni, přestal ho prosazovat i sám Adolf Dobrianský.

Slovanský sjezd nakonec přijal v slovenské i rusínské otázce rezoluci, která vycházela ze slovenských Žádostí a z předpokladu zachování celistvých Uher. Slováci a Rusíni měli být Maďary uznáni za rovnoprávný národ. Měli mít své národní sněmy a stálý výbor s funkcí kontroly nad tím, zda se ustanovení sněmu plní. Požadovaly se školy se slovenským vyučovacím jazykem od základních až po univerzitu. Národy Uher měly být rovnoprávné a žádný z nich se neměl prohlašovat za národ panující. Požadovaly se i další demokratické svobody.

Během jednání Slovanského sjezdu vypuklo v Praze povstání, vyprovokované vládním vojskem v čele s generálem Windischgrätzem. Bojů na pražských barikádách se zúčastnili i někteří slovenští účastníci Slovanského sjezdu. Povstalci však po několika dnech podlehli přesile regulérního vojska. Porážka pražského povstání a Windischgrätzova děla namířená na Prahu představovaly první vážný neúspěch revolučních sil v habsburské monarchii. Vídeňská vláda náležitě využila národní roztříštěnosti a vzájemné izolovanosti revolučních sil. Jelikož na pražské povstání v ostatních revolučních centrech monarchie nereagovali, mohla vláda soustředit vojenské síly pouze na jedno místo a touto taktikou se jí postupně podařilo potlačit povstání i v ostatních částech monarchie.

SLOVENSKÉ POVSTÁNÍ V LETECH 1848–1849

Po porážce pražského povstání přesunuli Slováci těžiště své činnosti do Vídně a začali se připravovat na vystoupení ve prospěch svých požadavků v Uhrách. Jelikož zaslepený nacionální hegemonismus maďarských revolucionářů byl namířen nejen proti Slovákům, ale proti všem nemaďarským národnostem v Uhrách, slovenští vůdcové navázali úzké styky s Chorvaty a vojvodinskými Srby s cílem zorganizovat společný ozbrojený odboj, a donutit tak uherskou vládu respektovat jejich oprávněné národní požadavky. Koncem srpna a začátkem září se začal ve Vídni z iniciativy slovenských vůdců a pod vedením českých důstojníků Františka Zacha a Antonína Bloudka organizovat slovenský dobrovolnický sbor.

Dne 16. září 1848 vznikla ve Vídni Slovenská národní rada jako nejvyšší slovenský politický a vojenský orgán. V jejím čele stanuli Štúr, Hurban a Hodža. Politické a vojenské vedení Slovenské národní rady rozhodlo v souvislosti s tažením chorvatského bána Jelačiče proti Kossuthovi provést ozbrojenou výpravu slovenských dobrovolníků na Slovensko.

J. M. Bohúň, Ján Francisci jako důstojník slovenských dobrovolníků cvičících v pozadí, olej

Během výpravy se k nim přidávali dobrovolníci z Čech a Moravy a po překročení uherských hranic také sedláci z okolí Myjavy a jiných krajů západního Slovenska, kde národní a politická agitace slovenských vůdců slavila největší úspěchy. Tam, kde do té doby národní agitace hlouběji nezasáhla, jako například na východním Slovensku, slovenští sedláci vítající zrušení poddanství bojovali i na straně maďarských ozbrojených sil.

Dne 19. září 1848 vyhlásila Slovenská národní rada v Myjavě odtržení Slovenska od Uherska a vyzvala slovenský lid k celonárodnímu povstání. Po místy urputných bojích však maďarské ozbrojené gardy vytlačily do konce října slovenské dobrovolníky na Moravu. Uherská vláda nastolila na Slovensku teror. Štúr, Hurban a Hodža byli prohlášeni za vlastizrádce a zbaveni státního občanství. Následovalo hromadné pronásledování a zatýkání slovenských vlastenců. Koncem října byli u Hlohovce popraveni dva povstalci – slovenští studenti Karol Holuby a Vilko Šulek.

Na podzim 1848 byla maďarská revoluce na postupu. Nejen v centru revoluce, v Pešti, ale i v ostatních maďarských městech měli moc v rukou revolucionáři a jejich gardy. Vídeňská vláda se rozhodla vystoupit ozbrojenou mocí proti maďarskému odboji a omezit císařem potvrzenou nezávislost Uher. Když se však po Vídni rozneslo, že vláda vyslala proti Maďarům vojsko, vypuklo 6. října 1848 povstání i ve Vídni. Císař a sněm uprchli na Moravu. V té chvíli se pro vládu stala hlavním protivníkem Vídeň. Osvědčený generál Windischgrätz proti ní soustředil své vojenské síly a koncem října se mu podařilo vídeňské povstání potlačit. Po upevnění vládní moci slabý a ne zcela svéprávný císař Ferdinand V. odstoupil a na trůn nastoupil 2. prosince 1848 jeho mladý, tehdy osmnáctiletý synovec František Josef I.

Mladičký František Josef I. v době nástupu na rakouský trůn

Už za vídeňského povstání začala Slovenská národní rada organizovat druhou ozbrojenou výpravu na Slovensko. Když bylo potlačeno povstání ve Vídni, zbývalo v habsburské monarchii už jen jedno pro vládní moc nebezpečné ohnisko odboje – maďarská revoluce. K jejímu potlačení soustřeďovala Vídeň všechny své síly. Součástí tohoto tažení se stala i slovenská ozbrojená akce.

Tato tzv. zimní výprava postupovala dvěma směry. První skupina dobrovolníků pronikla v prosinci 1848 na Slovensko směrem od Těšína k Žilině. Ovládla severní a postupně i část středního a východního Slovenska. V obsazených oblastech přebírali správu Slováci. Druhá skupina působila v jihozápadní části země. V těch oblastech, jež měla pod kontrolou císařská vojska, přebírali moc vládní komisaři, a ti se o národní zájmy Slováků nezajímali. Přes určité vojenské úspěchy podstata slovenské otázky tak, jak byla vyjádřena v Žádostech slovenského národa a ve vyhlášeních Slovenské národní rady, měla stále daleko k uskutečnění.

Za revoluce říšský sněm zasedal v moravské Kroměříži, v bezpečné vzdálenosti od vzbouřeneckých center. Český historik a politik František Palacký předložil sněmu návrh na federalizaci říše, podle kterého se měly spojit české země se Slovenskem do jednoho celku a vytvořit korunní zemi. Palacký tedy zopakoval v podstatě návrh, který čeští zástupci předložili na Slovanském sjezdu.

Mezitím Windischgrätz dosáhl koncem února 1849 vojenského vítězství nad maďarskými revolučními silami a obsadil Uhry. Ukázalo se však, že to nebylo vítězství definitivní, mladý panovník se nicméně už cítil vítězem a kroměřížský sněm rozpustil. Dne 7. března vydal novou ústavu, která byla silně centralistická, soustřeďovala moc do rukou panovníka a ústřední vlády a značně oslabovala pozici sněmu, který však nebyl ani svolán.

Za této situace se v březnu 1849 obrátili představitelé Slovenské národní rady se slovenskými návrhy a žádostmi na císaře v Olomouci. V petici, kterou slovenská delegace předložila Františkovi Josefovi I., se žádalo zřízení samostatného slovenského území v rámci habsburské říše, tedy vyčlenění Slovenska z Uher. Slovensko mělo mít vlastní sněm, vlastní státní správu, podléhající

Slavnostní rozpuštění slovenského dobrovolnického sboru na bratislavském „firšnáli" (Aleji knížat a primase) 21. listopadu 1849

přímo Vídni. Na tomto autonomním slovenském území měla být úředním jazykem slovenština. V argumentaci císaři se uvádělo: „Tím žádáme pouze tu zem, kterou od pradávných dob obýváme, kde je domovem naše vlastní řeč a výhradně se užívá v běžném životě, tu zemi, jež byla kdysi kolébkou našeho dějinného vystoupení a která odnepaměti, třebaže byla s jinými zeměmi v politický celek spojena, přece se nikdy nepřestala nazývat slovenskou zemí, Slovenskem."

Císař ještě stále bojoval s maďarskými povstalci, proto byl nakloněn určitým ústupkům. Jmenoval slovenské vládní důvěrníky, kteří měli u vlády zastupovat slovenské zájmy. Na zásadní slovenské požadavky odpověděl panovník pouze neurčitými sliby. Bylo zřejmé, že taková decentralizace říše, jež by brala v úvahu slovenské požadavky, v záměrech vídeňského dvora není.

Dne 14. dubna 1849 vyhlásil uherský sněm vedený Kossuthem a zasedající v Debrecíně detronizaci Habsburků v Uhrách a vytvoření samostatného státu. Při této příležitosti vyhlásil jednonárodní maďarské Uhersko bez nejmenších politických práv pro ostatní národy. Boj mezi maďarskými povstalci a Vídní se vyhrotil a vstoupil do konečného stadia, v němž už kompromis mezi panovníkem a Lajosem Kossuthem nebyl možný. Kossuth přitom nevyužil poslední příležitosti získat nemaďarské národy na svou stranu. Zůstal osamocen a vyhlášením detronizace Habsburků proti sobě popudil evropskou reakci, která se vzpamatovávala z revolučního šoku. Nakonec poslal ruský car Františku Josefovi na pomoc ruská vojska, s jejichž pomocí porazil rakouský císař v srpnu 1849 u Világoše maďarský odboj. Revoluce v habsburské říši skončila porážkou.

Vídeňská vláda využila porážky revoluce k upevnění své moci a k centralizaci státu. Nastala doba neoabsolutismu, která je nejvíc spjata s osobou bývalého liberála, ministra vnitra Alexandra Bacha. Požadavek federalizace státu, nebo požadavek národní autonomie, jak je prosazovali Slováci, nebyly už po porážce revoluce aktuální, a nedaly se proto uskutečnit. V slovenském národním hnutí však navzdory zklamání zůstaly přítomné jako základní politický cíl Slováků.

7 POSTUPNÉ ODCIZOVÁNÍ SE UHERSKÉMU STÁTU

Od revoluce k Memorandu

NEOABSOLUTISMUS

Pro krátkou éru neoabsolutismu (1849–1859) je charakteristické především úsilí panovníka a vídeňské vlády o centralizaci státu a zamezení společenských pohybů, které by mohly vést k obnovení revolučního vření. Konzervativní politický režim a policejní teror však nemohly společnost úplně umrtvit a vrátit ji do období před rokem 1848. V platnosti zůstalo zrušení poddanství, což vytvořilo předpoklady pro rozvoj průmyslu. Pozice panovníka a vlády nebyly tak pevné, jak to na první pohled vypadalo. František Josef I. a jeho vláda se pokoušeli vytvořit ve státě jistou rovnováhu a stabilitu, v jejich úsilí však bylo vždycky dost improvizace.

V Uhrách byla po porážce maďarského povstání v srpnu 1849 zavedena vojenská diktatura. Zemi spravovalo královské místodržitelství, řízené dvorem a vídeňskou vládou. Centralizace ve státě se projevovala i v tom, že se němčina stala úředním jazykem v celé monarchii. V župních úřadech a v lidových školách se však mohlo užívat národních jazyků.

Lajos Kossuth a jeho druhové emigrovali, maďarský odpor byl vojensky zlomen, ale panovník musel nadále počítat s opozicí prakticky celé maďarské společnosti. Uhry byly rozděleny do pěti distriktů, z nichž dva, prešporský a košický, byly na slovenském území. Tyto distrikty do jisté míry respektovaly etnický princip.

V souvislosti s centralizací státu nastoupila i jeho byrokratizace, což však nelze chápat vždycky jen v negativním smyslu, protože státní správa zavedla do řízení státu systém. Projevilo se to i v oblasti soudnictví, kde se vláda pokusila zavést princip právní jistoty, který do té doby neexistoval. Od roku 1850 byli v celé zemi zavedeni četníci (*žandarstvo*), kteří sehrávali roli někdy represivní, ale měli také za úkol chránit občany.

Slovákům panovník splnil některé jazykové požadavky. Ve slovenských stolicích se v úředním styku mohla používat i slovenština; ta byla rovněž zavedena jako vyučovací jazyk do lidových a některých středních škol. Ján Kollár, který se v té době stal profesorem na vídeňské univerzitě, dostal povolení vydávat *Slovenské noviny* a zároveň se stal konzultantem dvora pro slovenské záležitosti. Také vlivem Jána Kollára, který zůstal stoupencem společného spisovného jazyka pro Čechy i Slováky, byla pod titulem slovenštiny zaváděna do jisté míry slovakizovaná čeština. Byl to však jazyk všem Slovákům srozumitelný, čímž se zároveň vytvořila hráz před maďarizací uherského školství. Ve srovnání se slovenskými požadavky z revoluce to nebyly velké vymoženosti, vyrostlo z nich však úsilí o zřízení slovenských středních škol a slovenských kulturních institucí. Při delším klidném vývoji mohly i tyto drobné výdobytky přinést určité plody. Habsburské monarchii však takový vývoj nebyl dopřán. Dokonce lze říci, že jazyková a školská práva, jichž dosáhli Slováci za neoabsolutismu a za následujícího období tzv. provizoria, byly největší za celé další období až do roku 1918.

Ministr vnitra Alexander Bach se stal, byť trochu nezaslouženě, symbolem epochy neoabsolutismu v Rakousku

V slovenském politickém táboře, především u aktivních účastníků povstání z okruhu Ľudovíta Štúra a Jozefa Miloslava Hurbana, však po revoluci převládal pocit zklamání a deprese. Vyplývalo to z faktu, že Slováci už před revolucí dozráli k politickému chápání vlastní svébytnosti. V revoluci bojovali i za jazyková práva, podstata slovenského programu však spočívala v uznání Slováků za samostatný národ s příslušnými politickými právy – vlastním sněmem a samosprávou na vlastním etnickém území. Z tohoto hlediska připadaly slovenským představitelům drobné jazykové ústupky jako nicotné paběrky, které je nemohly uspokojit. Politikou Vídně byli hluboce zklamáni. Jedním z projevů deprese v táboře slovenské inteligence byly také pokusy o návrat k češtině, často v její biblické, klasické podobě. Tento trend podporovalo postavení Jána Kollára, které zaujal po revoluci ve Vídni. I když se mu nepodařilo získat významnější stoupence, jeho autorita vnesla do slovenského života znovu starý jazykový spor. Kollárovy snahy našly podporu i na české straně. Kromě toho na Kollárovu iniciativu reagovali bývalí stoupenci bernoláčtiny obnovením jejího užívání; těžce dosažená předrevoluční jednota se začala rozpadat.

Vážná situace však znovu dokázala zmobilizovat deprimovaný tábor stoupenců štúrovské spisovné slovenštiny. V říjnu 1851 se v Bratislavě sešli na poradě katoličtí i protestantští stoupenci slovenštiny. Zúčastnili se jí Ľudovít Štúr, Jozef Miloslav Hurban, Michal Miloslav Hodža, ale i katolíci Andrej Radlinský a Ján Palárik, přišel jazykovědec Martin Hattala. Dohodli se na ustálení spisovné slovenštiny a na zavedení nového pravopisu, bližšího češtině. Iniciátorem této reformy byl hlavně Michal Miloslav Hodža. Vypracováním nové slovenské gramatiky a nového pravopisu byl pověřen Martin Hattala, jenž dovršil svou práci roku 1852 publikováním *Krátké mluvnice slovenské*. Byl to úspěšný krok,

Reformu slovenského pravopisu inicioval roku 1851 Michal Miloslav Hodža...

protože takto zreformovaná spisovná slovenština znovu sjednotila drtivou většinu slovenské inteligence.

Úspěch v jazykové oblasti však nedokázal zahladit pocit trpkosti a zklamání z politického neúspěchu. Ještě v srpnu 1849 se slovenští představitelé snažili dosáhnout u panovníka uznání národních politických práv. Vídeň však o takové možnosti ani neuvažovala. Koneckonců to bylo v naprostém rozporu s uskutečňovanou porevoluční centralizací. Panovník chtěl uspokojit Štúra, Hurbana i další slovenské povstalce nabídkou úřednických míst ve státní správě, což většina z nich odmítla. Štúr i Hurban se brzy dostali do rozporu s vládnoucím režimem, který je postavil pod policejní dozor. Konflikt slovenských představitelů s vídeňskou vládou však nevyplýval jen z nesplněných národních požadavků. Požadavky slovenského politického programu byly pro Vídeň nepřijatelné nejen proto, že předpokládaly federalizaci, tedy decentralizaci státu, ale také proto, že vyžadovaly zásadní reformy politického systému. Vídeňská vláda přitom odvolala všechny revoluční zákony, které vydala za revoluce uherská vláda a které byly součástí slovenského politického programu. Panovník sice císařským patentem z roku 1853 zrušil definitivně poddanství, patent se však zároveň snažil zachovat co nejvíc šlechtických privilegií. Základní směřování politického systému neoabsolutismu bylo v rozporu s požadavky slovenského národního programu.

Proto se Ľudovít Štúr i Jozef Miloslav Hurban stáhli z veřejného života. Štúr se vrátil napřed do rodného Uhrovce, později přesídlil k rodině svého bratra Karola do Modré. Hurban se uchýlil na svou faru do Hlbokého. Jeden ani druhý neměli možnost v porevolučním období veřejně vystupovat.

Neúspěch a zklamání z postoje Vídně vedly v slovenském politickém táboře k rezignaci na federalizaci habsburské monarchie. Politické kruhy kolem *Slovenských novin* ve Vídni, které zůstaly napojeny na vídeňský dvůr, rezignovaly na tuto myšlenku, protože pochopily, že kdyby se měla uskutečnit, pak by to nebylo na etnickém, ale jen na historickém principu. Z toho pak vyplývalo poznání, že „jediná cesta, po níž může vstoupit do života rovnoprávnost mezi rakouskými národy, je centralizace" a konečně, že „čím víc federalismu, tím víc historického práva, a čím víc toho, tím víc slovenského otroctví".

Toto stanovisko vyjadřovalo v plné míře politiku panovníka a vídeňské vlády k národnostní otázce. Na federalismus však rezignoval i Ľudovít Štúr, ale z docela jiných důvodů. Dospěl k poznání, že malé národy habsburské monarchie, které by objektivně mohly mít zájem na federalizaci říše, jsou slabé, nejednotné a nemají dostatek sil prosadit federaci. „Vnější poměry těchto kmenů zcela znemožňují praktickou realizaci federace," napsal Štúr. Východiskem byla orientace těchto národů na „vnější poměry", u Štúra to byl v tomto období hlavně příklon k Rusku.

Všeobecně to znamenalo větší zaměření na mezinárodní vztahy a zahraniční politiku. V této „vnější" sféře politiky hledali Slováci po revoluci ve stále větší míře i řešení svého národně politického problému. S nadějemi sledovali slovenští politici hlavně krymskou válku v letech 1853–1856. Netajili se zklamáním z postoje Vídně a jejího nevděku vůči Rusku, bez jehož zásahu by si nebyla tak snadno poradila s maďarskou revolucí.

Výrazem zklamání a deprese je Štúrovo dílo *Slovanstvo a svět budoucnosti,* které napsal v padesátých letech. Protože je to poslední Štúrovo dílo, považovalo se občas za jeho politickou závěť. Ve skutečnosti to byla Štúrova reakce na porevoluční situaci v habsburské monarchii, a snad také proto se jedná o dílo s množstvím vnitřních rozporů. Jeho hlavní tón je hledání východiska ve velké slovanské říši, jež měla vzniknout na troskách říše osmanské a habsburské. Místy nacházíme v díle pozůstatky Štúrova demokratismu, zároveň je však zřejmá idealizace ruského carismu, což bylo také v dalším období typické pro slovenský mesianismus obracející se k Rusku. Ve spisu se mísí utopické vize s reálnými politickými úvahami. Štúr napsal toto dílo německy a uveřejnit se ho podařilo teprve roku 1867 v ruštině; dlouho bylo neznámé i Slovákům. Celý slovenský překlad *Slovanstva a sveta budúcnosti* vyšel teprve roku 1933. Ľudovít Štúr se vydání svého posledního díla nedožil. V mladém věku, teprve čtyřicetiletý, podlehl roku 1856 náhodnému zranění, které utrpěl při honu. Ukončení jeho životní dráhy přímo symbolicky vyjadřovalo pochmurnou atmosféru v táboře slovenské inteligence oněch let.

...a realizoval jazykovědec Martin Hattala

Na rozdíl od Slováků uherští Rusíni, kteří za revoluce neprosazovali jednoznačně svůj politický program, rozvinuli aktivitu právě po porážce revoluce. Dne 9. října 1849 delegace Rusínů vedená Adolfem Dobrianským předložila ve Vídni panovníkovi *Memorandum – Pamjatnyk Rusynov Uhorskych*, které obsahovalo umírněné národně kulturní požadavky. Vlídné přijetí panovníkem a následující opatření ve prospěch Rusínů podnítily do té doby nebývalou aktivitu inteligence, ale i části lidových vrstev. Vídeňská vláda zřídila užhorodský rusínský okruh v čele s Adolfem Dobrianským, bylo umožněno úřadování v „ruském" jazyce a tímto modifikovaným „ruským" jazykem se začalo vyučovat na prešovském gymnáziu a na košické právnické akademii, do státní správy byli jmenováni úředníci rusínského původu. Pohyb, který nastal mezi inteligencí, se zpravidla označoval za začátek „národního obrození" uherských Rusínů – zakládaly se literární společnosti, vydávaly se knihy a časopisy. Těžiště této kulturně osvětové činnosti bylo v Prešově, kde působil kanovník Alexander Duchnovič. Politické aktivity však byly pozorně sledovány úředníky mocnářství a neměly úspěch. Pokusy o vytvoření samostatného spisovného „ruského" nebo rusínského jazyka svědčí o tom, že v hnutí mezi inteligencí převládala představa samostatného rusínského národa. Když panovník koncem roku 1851 zrušil oktrojovanou ústavu, přešlo rusínské hnutí jednoznačně od politických požadavků k jazykově kulturním. Objevily se také náznaky představ o kulturně literární jednotě s Rusy. Slovensko-rusínská spolupráce se uskutečňovala na základě boje proti maďarským aspiracím a probíhala hlavně mezi slovenskými memorandisty na jedné straně a Adolfem Dobrianským, který i jako poslanec uherského sněmu hájil zájmy Slováků, na straně druhé.

MEMORANDUM NÁRODA SLOVENSKÉHO

Další vývoj jako by potvrzoval názor Slováků, že určitý pohyb do vnitřní politiky habsburské monarchie může vnést jedině změněná mezinárodní situace. Rakouská politika těžce hledala rovnováhu a stabilitu uvnitř státu. Policejní teror nebyl všelékem. Nestabilní mezinárodní situace nutila Františka Josefa I. a jeho ministry, aby vyvažovali vnější komplikace jistými ústupky uvnitř státu. Zahraniční politiku habsburské monarchie za neoabsolutismu však nelze označit za příliš úspěšnou.

Roku 1859 utrpěla monarchie porážku ve válce se sardinským královstvím a s ním spojené Francie, bojujících za sjednocení Itálie a odtržení italských oblastí zpod rakouské nadvlády. Tato porážka vyvolala v celém Rakousku hlubokou vnitropolitickou krizi. František Josef I. se rozhodl obětovat všeobecně nenáviděného ministra vnitra Alexandra Bacha a propustil ho. Skončila éra neoabsolutismu. Vídeňská vláda projevila ochotu i k dalším ústupkům. Sotva skončil policejní teror a uvolnily se společenské poměry, představitelé národů začali znovu formulovat a předkládat požadavky z revolučních let.

Válečný konflikt sledovali Slováci velmi pozorně. Jozef Miloslav Hurban se netajil tím, že se může rozrůst v celoevropskou válku, v níž by mohli i Slováci znovu vystoupit se svými požadavky. Po uzavření míru a po pádu Bacha časo-

Turčiansky Sv. Martin byl v 19. století centrem slovenského národního hnutí

pis *Priateľ ľudu* veřejně přiznal, že si za války přál porážku Rakouska: „Právě tehdy jsme cítili nejupřímnější radost v srdcích našich, když se k nám donesla zvěst o porážce bratří, synů, spoluvlastenců našich a vítězství Italů."

Ukázalo se, že Slováci hledají v evropské politice velmi systematicky postup a vítězství „národnostního principu". Proto jejich hodnocení evropské situace nebylo vždycky realistické. Negativní postoj vůči francouzskému císaři Napoleonovi III. byl všeobecný, ale i v jeho politice se Slováci snažili vidět prosazování „národního principu". Proto navzdory postoji Napoleona III. za krymské války spatřovaly *Peštbudínske vedomosti* v jeho politice něco, co bylo blízké i jejich myšlení: „Znaje proud času i historie, ideu, kterou světový duch v nejnovější době nastolil k řešení politických osudů, tj. ideu rodové ná-

Štefan Marko Daxner

Ján Francisci

rodnosti, povýšil (Napoleon III.) na otázku a diplomatický princip." Pro válku s Itálií roku 1859 se taková charakteristika ještě mohla zdát možná, další vývoj však domněnku o postupu národnostního principu nepotvrdil tak jednoznačně, jak by si Slováci přáli.

Se svými požadavky se přihlásili i Slováci. Andrej Radlinský sebral podpisy pod petici požadující zavedení slovenštiny jako úředního a vyučovacího jazyka v slovenských stolicích. Jozef Miloslav Hurban vypracoval memorandum, které obsahovalo kromě jazykových a školských požadavků i nesplněné slovenské politické požadavky z revoluce 1848 – státoprávní vyčlenění Slovenska z Uher a zajištění jeho zvláštních práv v rámci monarchie.

Na vídeňské říšské radě, jež měla za úkol vypracovat ústavu pro celou monarchii, přednesl slovenské požadavky záhřebský biskup Josip Juraj Strossmayer. Císař byl zprvu ochoten přijmout slovenské jazykové požadavky a nařízením z července 1860 povolil v 23 uherských stolicích používat slovenštinu vedle němčiny a maďarštiny. Ještě než se toto nařízení mohlo dostat do praxe, císař ustoupil maďarskému tlaku a udělal zásadní reformy ve prospěch Maďarů.

Říjnovým diplomem z roku 1860 a únorovým patentem z roku 1861 obnovil panovník v Uhrách činnost sněmu, čímž prakticky zrušil centralizaci a do rukou uherského sněmu vložil všechny vnitřní záležitosti. Pro uherskou vládu to byl signál k opětovnému oživení ideje jednotného uherského národa se všemi důsledky, včetně maďarizace nemaďarských národů.

Během přípravy voleb do uherského sněmu vystupňovali Slováci svou politickou aktivitu. Věděli, že v uherském sněmu těžko budou moci prosadit své požadavky, nechtěli však promeškat příležitost veřejně je nastolit. Jeden z iniciátorů a autorů Žádostí slovenského národa z roku 1848 Štefan Marko Daxner vydal před volbami brožuru *Hlas zo Slovenska* a poslal ji všem významným slovenským představitelům.

Podstatou spisu bylo odmítnutí maďarské teorie jednotného uherského politického národa a požadavek uznat Slováky za svébytný politický národ. Proto se pro ně požadovala národní svrchovanost na území, které souvisle obývají. Bylo to období vrcholné fáze slovenského politického nacionalismu. Její hlavní tezi lapidárně vyjádřil autor brožury slovy: „My tento stát (Uhersko) uznáváme pouze natolik, nakolik v něm sami nacházíme uznání.“ Akceptování uherského státu tedy nebylo projevem přirozené loajality, bylo podmíněno ochotou tohoto státu akceptovat slovenské požadavky. Bylo to jednoznačné nadřazení národního principu nad princip státní. Nerespektování slovenských národních požadavků mělo tedy logický důsledek, že se Slováci tomuto státu odcizili. To byl vývoj, který proběhl v následujících letech. Začátkem šedesátých let však v slovenském táboře ještě žila myšlenka možné dohody s Maďary.

V polovině března 1861 začaly vycházet v Budapešti *Pešťbudínské vedomosti,* slovenské politické noviny, vycházející dvakrát týdně. Jejich vydavatelem a hlavním redaktorem byl Ján Francisci (1822–1905), bývalý slovenský dobrovolnický kapitán z povstání v letech 1848–1849. Noviny se původně chtěly zapojit do předvolebního boje ve prospěch slovenských kandidátů a slovenského programu. Maďarské úřady však pozdržely jejich vydání, takže do volebního zápasu už zasáhnout nemohly. Následné volební machinace úřadů, typické pro tyto i další uherské volby, měly za následek, že se do uherského sněmu nedostal ani jeden Slovák. Naděje na přednesení slovenských požadavků na uherském sněmu se rozplynuly.

Slovenští představitelé se však nevzdávali. Rozhodli se uskutečnit velké slovenské manifestační shromáždění a na něm přednést a schválit slovenské požadavky. *Pešťbudínske vedomosti* uveřejnily oznámení o tom, že se shromáždění bude konat, a zapojily se do agitace za slovenské požadavky.

Národní shromáždění se uskutečnilo v Turčianském Sv. Martině ve dnech 6.–7. června 1861. Sešli se tu všichni čelní představitelé Slováků, aby projednali a vyhlásili slovenský politický program. Tento program byl oznámen pětitisícovému shromáždění, které ho s nadšením přijalo. Program dostal jméno *Memorandum národa slovenského.*

Memorandum obsahovalo požadavky, které se už předtím objevovaly v diskusích a které autoři Memoranda zformulovali ve svém spise *Hlas zo Slovenska.* Požadovalo se uznání Slováků za svébytný politický národ a tato svébytnost měla být vyjádřena i teritoriálním zřízením slovenského území, kde by se zavedlo úřadování v slovenštině, která by se také stala vyučovacím jazykem ve

Čislo 1. Utorok dňa 19. marca 1861. Ročník I.

PEŠŤBUDÍNSKE VEDOMOSTI.

NOVINY PRE POLITIKU A LITERATÚRU.

Redakcia a vydavatelstvo nachádza sa v Budíne (pevnosti, panská ulica pod č. 30.) Nefrankované listy sa neprijímajú, reklamácie ale nefrankované na poštu dať volno.

Vychádzajú každý utorok a piatok. Predplatná cena obnáša: od 19. marca do konca junia 1861 . 3 zl. „ „ „ „ decembra . . 8 zl. na pol roka . . . . 5 zl. 10 kr.

Za oznamy sa platí: od riadku drobnej tlače za každé uverejnenie 6 kr. kolok mimo toho obnáša 30 kr. Za preklad z reči cudzej sa od riadku počitujú 2 kr.

Pešťbudínske vedomosti, záhlaví prvního ročníku novin

Účastníci memorandového shromáždění v červnu 1861

školách. Z této myšlenky vycházely všechny další jazykové a kulturní požadavky. Memorandum se stalo zásadním slovenským státoprávním programem, i když v této podobě obsahovalo jen základní principy a nebylo rozpracováno do detailů.

Slovenská delegace předložila Memorandum uherskému sněmu. Maďarská vláda začala místo odpovědi ve spolupráci se stoličnými úřady organizovat na Slovensku protimemorandové akce. Byl to jasný signál, že se v maďarské politice nic nezměnilo a že z této strany přijetí slovenských požadavků očekávat nelze.

V druhé polovině srpna 1861 se znovu vyhrotily spory mezi Vídní a Maďary. František Josef I. rozpustil uherský sněm a znovu byl přístupnější uvažovat o jazykových právech národů Uher. Slovenští představitelé se rozhodli využít situace a předložit požadavky Memoranda přímo panovníkovi. V tomto druhém memorandu už byl požadavek slovenské autonomie dopracován do konkrétní podoby – pro slovenské území, tzv. Okolie, se požadoval vlastní sněm a vlastní zákonodárné a výkonné orgány. Vídeň reagovala zcela v duchu své dosavadní politiky: navenek dávala neurčité sliby všem národům Uher, ve skutečnosti to však byl jen prostředek nátlaku na maďarské politiky. Hlavní zásady slovenského Memoranda František Josef I. nehodlal uznat.

I přes neúspěch program slovenské autonomie tak, jak ho vyjadřovalo *Memorandum slovenského národa,* zůstal slovenským politickým programem až do první světové války.

Zatímco v kulturní oblasti byla situace poměrně příznivá, v politice se slovenští představitelé dostali v šedesátých letech znovu do krize, jež podobně jako krize po revoluci vyplývala z nerealizovatelnosti slovenských politických ambicí v podmínkách habsburské monarchie. Neúspěch memorandové akce znamenal, že slovenské snahy získat územní a kulturní autonomii padly a nebyla perspektiva je uskutečnit. To vedlo znovu k názorovému rozštěpení slovenského hnutí. Nespokojeni a zklamáni byli i ti, kdo očekávali porozumění u vídeňské vlády a panovníka, tedy stoupenci Memoranda v čele se Štefanem Markem Daxnerem. Přes neúspěch však i nadále trvali na memorandovém programu.

Do opozice vůči memorandistům a kriticky vůči přílišné důvěře ve Vídeň a císaře se postavila skupina kolem Jána Palárika. Žádala, aby Slováci dělali politiku na půdě Uher, především v dorozumění s Maďary. Projevující se nejednotnost vyplývala z nemožnosti řešit slovenské požadavky. Po nějaké době se totiž ukázalo, že ani snaha o dohodu s Maďary nevede k cíli, dokonce nepřináší ani drobné jazykové a školské úspěchy.

V době, kdy po odvolání Alexandra Bacha jiné národy předkládaly panovníkovi své požadavky, uherští Rusíni projevovali jen malou aktivitu. Bylo to v důsledku rozštěpení rusínské politické a kulturní elity. Část vedená Adolfem Dobrianským prosazovala protimaďarský a zároveň prohabsburský kurs a snažila se o dosažení rusínské samosprávy. Proti těmto snahám vystoupili příznivci dohody s Maďary, většinou řeckokatoličtí duchovní, kteří chtěli rusínské požadavky prosadit v dohodě s Maďary na půdě uherského sněmu.

MATICA SLOVENSKÁ

Memorandové shromáždění v Turčianském Sv. Martině pověřilo přípravný výbor, aby zahájil akci k založení Matice slovenské. Měla být stejně jako podobné instituce u jiných slovanských národů hlavním kulturním centrem Slováků. Měla vydávat knihy, organizovat kulturní život, podporovat vědecké bádání a literární tvorbu.

Přípravný výbor využil příznivé politické situace v polovině roku 1861, v poměrně krátké době vypracoval stanovy Matice a 1. srpna 1861 je předložil uherskému místodržitelství. Zároveň se na Slovensku rozběhla celonárodní sbírka na Matici slovenskou. Byla to velkolepá akce – dokumentovala stupeň národního uvědomění Slováků a ukazovala, že lidové vrstvy jsou už přinejmenším v některých regionech integrovány do národního hnutí. Mezi národně uvědomělými Slováky nebylo mnoho bohatých lidí. Proto se sbírka shromažďovala doslova po groších. Ukázalo se však, že mnoho Slováků i mezi drobným selským lidem je ochotno přispět i z bídného majetku na národní věc. Za dva roky se nasbíralo víc než 50 000 zlatých. Na Matici slovenskou přispěl i císař František Josef I. Vytvořil se tak dostatečný základ, aby Matica slovenská mohla zahájit činnost.

Zakládající valné shromáždění se uskutečnilo v roce 1863, kdy probíhaly na Slovensku oslavy tisíciletého výročí příchodu věrozvěstů Cyrila (Konstantina)

První budova Matice slovenské odkoupená od obce Turčianský Sv. Martin z výnosu grošové sbírky mezi lidem

a Metoděje na Velkou Moravu; oslavy se staly manifestací slovenského národního vědomí a sebevědomí. Vyvrcholením celých oslav se stalo právě založení Matice slovenské, uskutečněné 4. srpna 1863.

Vznik Matice se dnes jeví jedním z nesporných vrcholů slovenského hnutí 19. století. Matica jako instituce vytvořená a organizovaná Slováky měla zásadní význam při dalším upevňování slovenského národního povědomí. Jejím předsedou se stal katolický biskup Štefan Moyses (1797–1869), prvním místopředsedou evangelický kněz Karol Kuzmány (1806–1866). V osobách těchto dvou nejvyšších činitelů Matice se fakticky, ale také symbolicky sjednotily obě největší slovenské konfese.

Matiční období se stalo v dějinách slovenské kultury neobyčejně plodným. Matica okamžitě nastartovala svou činnost: začala vydávat *Letopis Matice slovenskej*, který inspiroval bádání ve vlastivědných oborech – jazykovědě, historii a národopise; začaly i výzkumy v oblasti přírodních věd. Na počest svého založení pořádala Matica každoročně v Martině národní slavnosti, které se staly přehlídkou slovenských kulturních aktivit; v pravidelných srpnových slavnostech se pokračovalo i poté, co byla Matica zrušena.

Biskup a první předseda Matice slovenské Štefan Moyses

Karol Kuzmány, bašník, evangelický kněz a výkonný místopředseda Matice

Období uvolnění využili Slováci také k tomu, aby se pokusili zavést slovenštinu jako vyučovací jazyk na některé střední školy. V praxi se však toto panovníkovo nařízení pro odpor maďarských úřadů a jejich nejrůznější obstrukce prosazovalo těžko. Slovákům se však podařilo z vlastních prostředků založit v Revúci slovenské evangelické gymnázium, na němž se začalo vyučovat už v září 1862. Gymnázium pod vedením Augusta Horislava Škultétyho (1853–1948), příslušníka štúrovského hnutí, patřilo za svého trvání k významným střediskům výchovy slovenské inteligence. V následujícím období se podařilo založit ještě dvě další slovenská gymnázia – evangelické v Turčianském Sv. Martině a katolické v Kláštere pod Znievom.

August Horislav Škultéty

Ustálení spisovné slovenštiny a založení Matice slovenské podnítily rozvoj slovenské literatury, který předtím neměl obdobu. Své práce publikovala celá plejáda básníků i prozaiků. Po doznění literárního romantismu se v porevolučním a matičním období prosadila nová generace prozaiků a dramatiků, kteří reagovali na krizi romantického období a přibližovali se svou literární tvorbou k realismu. Po stránce žánrové to znamenalo větší důraz na prozaickou tvorbu a na dramatická díla. Poezie dočasně ustoupila do pozadí, třebaže už v tomto období se začal prosazovat nejpozoruhodnější básnický zjev období realismu, Pavol Országh Hviezdoslav. V prozaické tvorbě si získali jméno Ľudovít Kubáni a Gustáv Kazimír Zechenter-Laskomerský. Z dramatiků byli nejúspěšnější Ján Palárik a Jonáš Záborský, jejichž díla zůstávají dodnes v repertoáru slovenských divadel.

V dualistické monarchii

DŮSLEDKY RAKOUSKO-UHERSKÉHO VYROVNÁNÍ

Vnitřní poměry v habsburské monarchii ovlivňovala stále víc její zahraniční politika, kráčející od neúspěchu k neúspěchu. Po porážce od Itálie a ztrátě italských území vyvstalo Rakousku jako vážný konkurent Prusko, soupeřící s ním o vedoucí postavení mezi německými státy. Nepřátelství obou států vyvrcholilo v prusko-rakouské válce roku 1866, v níž Rakousko utrpělo katastrofální porážku. Vítězné Prusko ukončilo proces sjednocování Německa pod svou egidou vyhlášením Německého císařství roku 1871. Rakousko přestalo hrát v německých záležitostech jakoukoli úlohu. Tím víc se před ním otevřely vlastní vnitřní problémy.

Porážka roku 1866 vyvolala další vážnou vnitřní krizi a v této situaci se Vídeň rozhodla ustoupit maďarskému tlaku a vyrovnat se s Maďary. Byl to typický projev rakouské politiky za Františka Josefa I., jež pouze reagovala na vzniklou situaci, místo aby hledala perspektivní řešení. Vyčlenění Uher z do té doby jednotné říše nebylo řešení perspektivní; navíc neuspokojilo nikoho, ani maďarskou politiku, a stalo se zdrojem dalších konfliktů.

Rakousko-uherské vyrovnání rozdělilo říši na dvě samostatné části – na Uhersko (Zalitavsko) a ostatní země, jimž se říkalo Rakousko (Předlitavsko), nebo také země zastoupené na říšské radě. Úřední název státu se změnil na Rakousko-Uhersko. Oba státy měly společného panovníka a tři společná ministerstva: zahraničních věcí, války a financí. Všechny ostatní záležitosti si řídily oba státy samostatně prostřednictvím vlastního sněmu a vlastní vlády. Už před rozdělením existovaly i v jednotně řízené říši jisté rozdíly v politickém režimu Uher a ostatních zemí. Po vyrovnání se tyto rozdíly začaly výrazně prohlubovat. Politický systém v Rakousku byl liberálnější a vůči národům vstřícnější. V Uhrách si maďarská šlechta udržela mnoho politických i hospodářských výsad, zatímco většina obyvatelstva byla z politického života vyloučena. Ale i ti, kdo mohli volit, volili pouze polovinu sněmu – poslaneckou sněmovnu a polovinu župního nebo městského zastupitelstva. Druhou polovinu obsazovali bez voleb nejbohatší statkáři a později také příslušníci průmyslového a bankovního kapitálu. V Uhrách vládl centralistický politický systém, který tvrdě potlačoval všechny nemaďarské národní projevy.

Rakousko-uherské vyrovnání bylo završeno korunovací Františka Josefa I. a císařovny Alžběty v Budíně

Slováci se po rakousko-uherském vyrovnání ocitli ve velmi složité situaci. Od uherské vlády a sněmu, které byly v maďarských rukou, splnění svých národních požadavků očekávat nemohli. Politický systém v Uhrách dovoloval maďarské vládě a stoličním úředníkům uskutečňovat bezohlednou maďarizaci a nebrat přitom ohled na mínění obyvatel, kteří se ještě nestali občany v politickém slova smyslu. Idea jednotného uherského politického národa se stala oficiální státní ideologií. Problematické na ní bylo, že se ve zvláštních uherských podmínkách chápala etnicky. Politický národ neměl být uherský, nýbrž maďarský. Je charakteristické, že v maďarštině nelze odlišit oba pojmy – uherský a maďarský. Za nejrychlejší prostředek k uskutečnění této myšlenky se považovalo etnické odnárodňování nemaďarských národů. Uherská politická elita neuznávala v zemi jiné národy kromě národa maďarského. Navíc národní hnutí slovanských národů bylo demagogicky cejchováno jako panslavismus a vlastizrada. Pod heslem boje proti panslavismu se systematicky potlačovaly všechny slovenské národní požadavky. Ještě tragičtější důsledky měl dualismus pro začínající hnutí Rusínů-Ukrajinců, které upadlo na dlouhá desetiletí do hlubokého útlumu.

Vládní maďarizační politika se uskutečňovala po etapách a časem se výrazně stupňovala. V prvním období po vyrovnání se tlak vůči Slovákům výrazněji neprojevoval. Jako doznívání předchozího vývoje vznikly ještě v letech 1867 až 1869 dvě slovenská gymnázia. Roku 1869 se podařilo dosáhnout schválení stanov dvou významných slovenských spolků – Spolku svatého Vojtěcha a spolku slovenských žen Živena.

Spolok svätého Vojtecha byl katolickou církevně kulturní organizací, který kromě náboženské literatury šířil mezi slovenským lidem hlavně prostřednictvím svých kalendářů také vzdělanost a osvětu ve slovenském jazyce. Spolek se ujal vydávání *Katolických novin*, jež přispívaly k šíření slovenského slova mezi slovenskými katolíky. Také Živena přerostla rámec úzce zaměřeného ženského spolku a stala se šiřitelkou a podporovatelkou slovenské literatury a umění, zejména lidového. Význam obou spolků pro národní život Slováků spočíval v tom, že se podařilo udržet je až do roku 1918 v době, kdy činnost ostatních slovenských institucí byla zastavena nebo ochromena. Byly to poslední úspěchy a zisky slovenského národního hnutí. Stanovy slovenského mládežnického spolku už uherská vláda neschválila a po upevnění dualistického systému začala stále více omezovat všechny projevy národního života Slováků.

Složitá situace, do níž se Slováci dostali po rakousko-uherském vyrovnání, prohloubila diferenciaci a názorový konflikt, který se v táboře slovenské inteligence začal projevovat už po neúspěchu Memoranda.

Opoziční skupinu kritizující politiku Memoranda vedl Ján Palárik (1822–1870). Skupina kolem něho v zásadě správně kritizovala provídeňskou politiku memorandistů. Podle Palárika se od Vídně nedalo očekávat nic dobrého. Slováci, kteří žili v uherském státě, měli svou politiku orientovat prouhersky. Z tohoto hlediska Palárik a jeho stoupenci považovali některé požadavky Memoranda – především hlavní požadavek na slovenskou teritoriální autonomii – za příliš radikální a nevhodné k dalšímu jednání s uherskou vládou. Vývoj po vyrovnání považovala tato skupina za potvrzení své orientace a začala se rychle aktivizovat.

Vedle Jána Palárika se do čela skupiny dostali profesor vídeňského Pázmánea Ján Mallý-Dusarov a ambiciózní Ján Nepomuk Bobula, představitel slovenských budapešťských podnikatelů. Skupina dostala jméno Nová škola, na rozdíl od stoupenců memorandového programu, nazývaných Stará škola. Ján Bobula začal od ledna 1868 vydávat politický časopis *Slovenské noviny* a snažil se kolem nich seskupit své stoupence, hlavně slovenskou mládež v Budapešti i tamní slovenské dělníky. Domníval se, že se mu prouherskou orientací podaří získat od vlády některé jazykové a kulturní ústupky pro Slováky. V maďarském politickém táboře hledali představitelé Nové školy spojence hlavně v opozici. Ta však byla krajně nacionalistická, odmítala vyrovnání a v národnostní otázce byla ještě méně tolerantní než stoupenci vyrovnání.

Ján Palárik

Stoupenci Nové školy vystoupili s kritikou slovenského Memoranda. Za nepřijatelný považovali především požadavek Okolí, tj. slovenské autonomie, protože porušoval princip integrity Uher. Vyčítali memorandistům jejich orientaci na Vídeň, na Rusko i spolupráci při Palackého federalizačních plánech. Pro Slováky požadovali především práva jazyková. Na rozdíl od memorandistů nemělo jejich pojetí národa politický, nýbrž jen jazykový a kulturní rozměr. Argumentace Nové školy však nebyla zcela jednoznačná. Na jedné straně by se mohlo zdát, že její představitelé chtějí vrátit národnostní otázku zpátky do mezí jazyka a kultury, tedy před Štúra, na druhé straně nacházíme v jejich argumentaci i důkazy o tom, že pouze taktizovali

Lublin
Drážďany
Vratislav
Opole
Czestochowa
Liberec
PRAHA
Cheb
Hradec Králové
Krakov
Lvov
Opava
Č. Těšín
Przemyśl
Plzeň
Tábor
Jihlava
Olomouc
Brno
Martin
Poprad
Prešov
Řezno
České Budějovice
Znojmo
Banská Bystrica
Košice
Užhorod
Pasov
Trenčín
Prešporok (Bratislava)
Banská Štiavnica
Mukačevo
Černovce
Linec
Nitra
Miskolc
Chust
Mnichov
VÍDEŇ
Komárno
Salzburg
Neziderské j.
Parkan
Eger
Sopron
Györ
Debrecín (Debrecen)
Innsbruck
BUDAPEŠŤ
Graz (Štýrský Hradec)
Kluž (Cluj)
Bressanone (Brixen)
Szolnok
Oradea Mare
Tirgu Mureš
KLagenfurt (Celovec)
Blatenské jez.
Dunaj
Kaposvár
Szeged
Ljubljana
Varaždin
UHERSKÉ KRÁLOVSTVÍ
Arad
Brašov (Brašov)
Sibiň (Sibiu)
Benátky
Pécs
Temešvár (Timišoara)
Terst
Záhřeb
Fiume
Osijek
Verona
Dunaj
Banja Luka
Bělehrad
BOSNA-HERCEGOVINA
Sarajevo
Zadar
DALMÁCIE
Mostar
0 50 100 km
hraniční čára vydělující území dnešní Slovenské republiky od ostatního území Uherského království (Zalitavska)

Rakousko-Uhersko v letech 1866–1918

a vycházeli z principu reálnosti politiky. Především Ján Palárik dovozoval, že je třeba politikou drobné práce a upevňování národního povědomí posilovat národ a jeho pozice ve státě a teprve potom klást politické požadavky tak, aby měly reálnou naději na splnění. Problém byl ovšem v tom, že v Uhrách, kde všechny vlády prosazovaly jednoznačně ideu jednonárodního státu, nebyly reálné nebo uskutečnitelné ani ty nejelementárnější jazykové a školské požadavky.

Mnoho z kritiky na adresu Staré školy, hlavně pokud šlo o iluzornost její orientace na Vídeň, mělo reálný základ. Nová škola však byla od začátku poznamenána neřešitelným vnitřním rozporem. Její prouherská orientace nemohla přinést úspěch, protože maďarská politika byla posedlá uskutečněním ideje jednotného uherského (maďarského) národa a centralizací uherského státu. Ve jménu této myšlenky maďarská vláda i opozice podporovaly jazykovou a kulturní maďarizaci. Ukázalo se, že vláda ani opozice nemíní učinit v tomto ohledu nemaďarským národům ani ty nejmenší jazykové a kulturní ústupky. Politika Nové školy ve skutečnosti nepřinesla Slovákům vůbec nic. Vyvolala pouze rozkol národního hnutí a ulehčila uherské vládě provedení řady maďarizačních opatření. Přes zjevný neúspěch své politiky usilovali před-

Uherská sněmovna při přijímání národnostního zákona roku 1868

stavitelé Nové školy o spolupráci s vládní stranou Ference Deáka a v říjnu 1872 se přejmenovali na Slovenskou stranu vyrovnání. Když ani tento pokus nepřinesl žádný pozitivní výsledek, aktivita Nové školy postupně slábla a skupina nakonec zanikla.

Skutečné záměry a cíle maďarské politiky v národnostní otázce se projevily už během přípravy a přijetí národnostního zákona roku 1868. V září tohoto roku se uskutečnilo tzv. vyrovnání s Chorvaty, jimž bylo na základě historického práva přiznáno zvláštní postavení v Uhersku. Zároveň začala maďarská vláda připravovat národnostní zákon, jehož hlavním cílem bylo odmítnutí národně politických práv všem ostatním národům a národnostem v zemi.

Uherskému sněmu byly předloženy dva návrhy národnostního zákona. První byl vládní, druhý vypracovali rumunští a srbští poslanci. Slováci neměli ve sněmu žádné zastoupení, stoupenci Staré školy však veřejně podporovali srbský a rumunský návrh, který požadoval zákonné zajištění svébytnosti a rovnoprávnosti všech národů v Uhrách. Maďarská většina ve sněmu přijala návrh vládní, neuznávající národy jako politické jednotky a nerespektující princip národní svébytnosti uherských národů. František Josef I. tento národnostní zákon podepsal 6. prosince 1868.

Viliam Paulíny-Tóth

Národnostní zákon kodifikoval ideu jednotného uherského národa, který byl zároveň národem maďarským. Maďarština se stala jediným státním jazykem ve všech úřadech a institucích. Slovenský národ podobně jako jiné národy v Uhrách byl degradován na pouhou etnickou skupinu. Formálně zákon umožňoval používání slovenštiny v nižších úřadech a v lidových školách. Národnosti si podle zákona mohly zřizovat vlastní kulturní a hospodářské spolky. To však bylo vše, co zákon nemaďarským národům dovoloval. Je třeba dodat, že i tyto formální ústupky ve jménu liberalismu zůstaly po celou dobu trvání Uherska pouze na papíře. Pro Uhersko období dualismu, jak se nazývá půlstoletí po rakousko-uherském vyrovnání, se stalo typické, že mnohé zákony zůstávaly toliko na papíře a byly stejně fiktivní jako uherský liberalismus. V praxi se uplatňovala zásada tvrdého národnostního útlaku.

Přijetí národnostního zákona se setkalo s odporem většiny poslanců nemaďarských národností, kteří na protest opustili zasedání sněmu. Protestovali příslušníci Staré školy, z nichž velmi ostře vystoupil v tisku zejména Jozef Miloslav Hurban, za což byl úřady potrestán půlročním vězením a pokutou. Protesty proti zákonu se ozvaly i ze strany Nové školy, přestože zákon v principu vycházel z jazykového pojetí národnostní otázky.

Slovenští politici vyvinuli mimořádné úsilí, aby se prosadili ve volbách do sněmu, které se konaly na jaře 1869. Bezohledné volební machinace maďarských úřadů však nedovolily korunovat toto úsilí významnějším úspěchem. Do sněmovny se dostali pouze tři Slováci – dva za Novou školu, jeden za Starou. Bylo to víc než nic, ale příliš málo na to, aby Slováci mohli ve sněmu dělat víc než vznášet formální protesty.

Maďarská politika zatlačila Slováky znovu do obranných pozic. Obrana národa, jeho pouhé existence a nejelementárnějších práv se stala na dlouhou dobu hlavním obsahem slovenského národního hnutí. A znovu se objevily snahy hledat oporu v slovanském světě. Většina slovenských politických a kulturních představitelů setrvávala na požadavcích Memoranda, i když si byla vědoma, že za situace po vyrovnání se nic z těchto požadavků nedá uskutečnit. Selhání koncepce Nové školy posílilo autoritu memorandistů, kteří se stali hlavními, a po čase jedinými představiteli slovenské politiky.

Slovenské aktivity se zprvu soustřeďovaly kolem Matice slovenské. Ústřední postavou slovenského politického a kulturního života se stal Viliam Pauliny-

-Tóth (1826–1877), slovenský poslanec uherské sněmovny a úřadující místopředseda Matice slovenské. Sídlo Matice, Turčianský Sv. Martin, se také stalo centrem slovenského hnutí, kam se přestěhovala i redakce *Pešťbudínských vedomostí.* Noviny zároveň změnily název a vycházely pod novým jménem *Národné noviny.* Postupně se začala formovat politická strana Slováků, která dostala název Slovenská národná strana a jejímž hlavním programovým bodem bylo Memorandum z roku 1861. Zůstala hlavní politickou stranou Slováků až do vzniku Československa roku 1918.

Úsilí Slovenské národní strany vytvářet na základě národnostního zákona další spolky a zřizovat nové slovenské školy naráželo na soustředěný odpor maďarské vlády a stoličních i místních úřadů. Maďarizační snahy postupně sílily. Maďarské úřady se odnárodňovací politikou netajily, dokonce ji propagovaly veřejně. Jeden z hlavních exponentů maďarizace na Slovensku, zvolenský podžupan Béla Grünwald, systematicky útočil proti slovenským kulturním institucím a školám. Propagoval školu jako hlavní prostředek maďarizace. Úřady nejenže nepovolovaly zřizování dalších slovenských škol, ale zahájily systematickou činnost směřující k likvidaci těch existujících. V letech 1874–1875 vláda postupně zrušila všechna tři slovenská gymnázia. Dne 6. dubna 1875 uherské ministerstvo vnitra zrušilo i nejvýznamnější slovenskou kulturní instituci – Matici slovenskou. Veškerý majetek pocházející z národní sbírky vláda zabavila. Vrcholem cynismu bylo, že tento majetek byl použit pro činnost maďarizačních spolků na Slovensku. Ministerský předseda Kálmán Tisza na zasedání uherského sněmu veřejně prohlásil, že žádný slovenský národ v Uhrách nezná. Byla to předzvěst těžkých následujících let.

PROCES MODERNIZACE A SOCIÁLNÍ POMĚRY

Poslední čtvrtina 19. století je obdobím největší stagnace ve vývoji slovenské národní společnosti. Předchozí vývoj, i když probíhal v těžkých podmínkách, vytvořil předpoklady pro rozvoj národní společnosti. Slováci si vytvořili politický program, položili základy vlastní kulturní infrastruktury a národního školství. Dozrála doba k vytvoření vlastní hospodářské struktury se silnou podnikatelskou a finančnickou vrstvou. Vlastní hospodářská základna byla důležitým předpokladem pro další vývoj národního společenství. Politické poměry po rakousko-uherském vyrovnání, v nichž dominovala snaha po co nejrychlejší maďarizaci celého státu, však znemožnily slovenské společnosti tyto kroky učinit.

V poslední čtvrtině 19. století nastal zároveň v celé Evropě proces modernizace, vyvolaný především nebývalým rozvojem průmyslové výroby. Proces modernizace se nevyhnul ani Uhersku. I když zde modernizace společnosti probíhala pomaleji než v Předlitavsku, určité dynamické prvky lze pozorovat i v jejím vývoji. Uhersko se zapojilo do celoevropského trhu, převážně jako vývozce agrárních produktů, je však možno mluvit i o rozvoji průmyslové výroby, bankovnictví a obchodu.

Podbrezovské železiarně, založené v roce 1853, patřily k největším a nejmodernějším podnikům svého druhu v celém Uhersku

S rozvojem průmyslu souviselo budování železniční sítě. Koncem 19. století už byly všechny vlaky taženy parními lokomotivami. Právě tou dobou byla postavena většina hlavních železničních tratí na Slovensku. Významnou tratí se stala především podtatranská magistrála ze Žiliny do Košic; ze Žiliny byla napojena na Bohumín a z Košic na Budapešť. Důležitá byla rovněž trať spojující Bratislavu s Žilinou. S rozvojem železnic souviselo vybudování železničních dílen ve Vrútkách; v té době to byl největší strojírenský podnik na celém Slovensku.

Slovensko představovalo vedle Budapešti nejprůmyslovější oblast Uherska. Existovaly zde staré manufaktury, které se postupně měnily v továrny s parním pohonem strojů. Vznikaly četné nové továrny. Jen v samotné Bratislavě jich bylo několik, například velká rafinérie nafty Apollo či továrna na výrobu dynamitu, založená firmou Nobel. Čokoládu vyráběla nová továrna Stollwerck, dále zde nacházíme továrny na výrobu nití, kabelů, gumových výrobků (Matador) i zbraní a nábojů (Patronka).

Na Slovensku se rozvíjela tradiční průmyslová odvětví – železářství, dřevařský a textilní průmysl, sklářství a papírnictví. Na založení nové papírny v Ružomberku se už podílel i slovenský kapitál. Významný byl také průmysl spojený se zemědělstvím: na začátku století zde pracovalo několik větších a množství menších mlýnů. Největší mlýn byl ve Velkém Šariši; zaměstnával kolem 200 dělníků. Největší cukrovary se nalézaly zas na jihozápadním Slovensku. Charakteristické pro Slovensko bylo koželužství, jehož střediskem byl Liptovský Sv. Mikuláš. Zdejší koželužny se nacházely v rukou slovenských podnikatelů, kteří představovali nejbohatší vrstvu, jež se aktivně zapojovala do národního života.

Výmlat obilí na malé mlátičce

Uherská vláda rozvoj průmyslu podporovala. Charakteristické však bylo, že i její hospodářské politice dominovala politická idea – snaha vytvořit centralizovaný, národnostně jednotný maďarský stát. Jelikož maďarské etnikum netvořilo ani polovinu obyvatelstva, komplikovala tato idea vývoj celé společnosti. Maďarské vlády proto vynakládaly velké úsilí, aby se podpora průmyslu nestala nástrojem rozvoje národních společností. Pomocí různých pák a intervencí se dařilo zabránit tomu, aby si nemaďarské národy vytvořily vlastní hospodářskou základnu, což ale zpětně brzdilo rozvoj celé země. Také v Uhersku vznikaly velké průmyslové závody a síť bank s velkým kapitálem, ale nemaďarská národní společenství se na průmyslové výrobě i na kapitálovém trhu podílela pouze velmi nepatrným podílem.

Slovenský kapitál se projevoval hlavně v drobných úvěrových družstvech a spořitelnách. Roku 1884 vznikla první slovenská banka – Tatra, která však patřila mezi drobné peněžní ústavy. Slovenský kapitál se pouze sporadicky podílel na větších průmyslových podnicích.

I přes odstranění poddanství se v poslední třetině 19. století dostalo do krize také zemědělství, což se opět výrazněji projevilo v hornatějších krajinách, obydlených slovenským obyvatelstvem. Na neurbariální půdě vládly stále polofeudální poměry a soudní procesy, jimiž se sedláci osvobozovali od feudálních povinností, zde trvaly až do konce století. Nedostatek půdy se zvyšoval poměrně vysokým přirozeným přírůstkem slovenského obyvatelstva. Masová bída a v neúrodných letech přímo hlad vyháněly obyvatele z jejich domovů. Typické bylo sezónní stěhování slovenských rodin na jih, do úrodnějších oblastí o žních, kdy pracovali na velkostatcích za bídnou mzdu, často vyplácenou v naturáliích. V některých slovenských oblastech, kde půda nedokázala rolníky uživit, chodili dočasně za prací po celé zemi, ba po celé Evropě. Pracovali jako zedníci a pomocní dělníci. Častým jevem byli podomní obchodníci a dráteníci slovenského původu. Některé rodiny se natrvalo usadily v jižních oblastech Uher, jiné v Předlitavsku, ale také na Balkáně a v Rusku. Jen v hlavním městě Budapešti žilo začátkem 20. století téměř 100 000 Slováků. Kolem 70 000 jich žilo v rakouské části monarchie.

Koncem století se masovým jevem hlavně v severních a východních oblastech Slovenska stalo vystěhovalectví do zámoří – do Spojených států a Kanady. V mnoha případech odcházeli za prací pouze muži a po letech se vraceli s našetřeným kapitálem. Mnozí odešli takto za moře i několikrát.

Bezvýchodnost živoření na bídných políčkách donutila mnohé, aby se i s rodinami vystěhovali do Spojených států a Kanady natrvalo. Nejvíc lidí putovalo za moře z východoslovenských stolic – Zemplína, Šariše a Spiše, a ze severního Slovenska – z Oravy a Kysuce. Tímto způsobem se do konce 19. století vystěhovalo téměř 300 000 Slováků. Jejich cesty směřovaly většinou do dolů a oceláren v Pensylvánii, kde se hlavním střediskem amerických Slováků stal Pittsburgh a blízké okolí. Mnozí zamířili do hlubokých kanadských lesů, někteří pracovali na farmách. Ti, kdo měli víc štěstí nebo byli podnikavější, se uplatnili jako samostatní farmáři. Postupně se za mořem vytvořily slovenské komunity, jež si uchovávaly své zvyklosti i národní povědomí. Slovenští vystěhovalci se živili těžkou prací, zároveň však využívali možností, které jim poskytoval svobodnější a demokratičtější společenský systém. Ve Spojených státech se organizovali zprvu jen místně a prvními společenskými středisky byly fary. Postupně si začali stavět své školy, kulturní domy, sdružovali se v kulturních a tělocvičných spolcích, zakládali svépomocné organizace. Prvním známým slovenským spolkem tohoto druhu byl Prvý uhorsko-slovenský v nemoci podporujúci spolok, založený roku 1883 v New Yorku. Síť spolků se postupně rozrůstala, vznikaly zárodky celokrajanských organizací. Organizování a společenskému životu Slováků ve Spojených státech velmi pomohl slovenský tisk, který tam vycházel už od roku 1885.

Vystěhovalectví značně oslabovalo substanci slovenské společnosti v Uhrách. Na druhé straně organizovanost a vzestup Slováků ve Spojených státech znamenaly podporu slovenské společnosti doma v jejích národních snahách. Často to byla i velmi konkrétní podpora – sbírky ve prospěch národního hnutí ve staré vlasti.

Organizační činnost Slováků ve Spojených státech vyvrcholila před první světovou válkou roku 1907 založením Slovenské ligy v Clevelandu. Jejím úkolem bylo stmelit Slováky v Americe, zároveň však také podporovat slovenské národní hnutí v Uhrách.

Nelehký život na pastýřské salaši

Slovenští vystěhovalci na lodi Slavonie

Sociální struktura slovenského obyvatelstva se na konci 19. století začala výrazněji měnit. Většina Slováků se nadále zabývala zemědělstvím, procentuální podíl obyvatel zaměstnaných v zemědělství se však znatelně snížil a zvýšil se počet zaměstnaných v dopravě, obchodu a průmyslu. Vytvořila se početná vrstva průmyslového dělnictva, i když část dělníků žila stále na venkově, kde si ponechala malá hospodářství. Počet slovenského obyvatelstva v městech stoupal.

Dělníci průmyslových závodů na Slovensku žili v těžkých podmínkách. Pracovní doba ve většině továren trvala 16 hodin denně, dělníci tedy pracovali od časného rána do noci. Teprve na konci století se podařilo dosáhnout snížení pracovní doby na dvanáct hodin. Dělníci přitom neměli žádné sociální zajištění; sociální zákonodárství vznikalo v Uhrách teprve na sklonku 19. století. Dělníci hledali východisko ve svépomocných organizacích. Postupně začaly v Uhrách vznikat odbory a dělnické politické strany – od Všeobecného robotníckého spolku (1868) přes Všeobecnou robotnickou stranu Uhorska (1880) až po Sociálnodemokratickou stranu Uhorska (1890). Dělnické organizace byly celouherské a podíleli se na nich i slovenští dělníci. Ti však nestáli mimo národní hnutí – už sbírka na Matici slovenskou ukázala, že na ni svými krejcary přispěli i oni. Postupně, se šířením osvěty a dělnického tisku, si slovenské dělnictvo uvědomovalo nejen své těžké postavení ve společnosti, ale také svůj národnostní útlak.

Vedoucí vrstvou slovenské společnosti zůstávala inteligence a městské střední vrstvy – drobní podnikatelé, řemeslníci a obchodníci. Zatímco šlechta na Slovensku byla pomaďarštěná a naděje, vkládané některými slovenskými představiteli do drobné a střední šlechty ještě v druhé polovině 19. století, se ukázaly jako nereálné, všechna odpovědnost za organizování národní společnosti spočívala na těchto vrstvách. Maďarská vláda a maďarské, nebo spíš pomaďarštěné, stoliční a místní úřady soustředily své odnárodňovací úsilí právě na tyto vrstvy. Bez nich by se Slováci stali němou a bezbrannou masou – pouhou etnickou skupinou odsouzenou k postupnému zániku. Soustředěný útok maďarizátorů na tyto vrstvy byl úspěšný pouze částečně. Odnárodňování se dařilo hlavně mezi státními úředníky, zaměstnanci a učiteli; u nich byla maďarizace spojena s možností osobní kariéry.

Střediskы odnárodňování se měly stát hlavně školy a její obětí hlavně mládež. Vláda proto vydala další zákony k pomaďarštění škol. Šíření maďarizace na Slovensku měly napomáhat různé spolky. Nejpověstnější z nich byl FEMKE (Hornouherský maďarský vzdělávací spolek) se sídlem v Nitře, založený roku 1883. Zaměřoval se na mládež, pracoval metodicky promyšleně a cílevědomě. Nezastavil se ani před vývozem slovenských dětí do maďarských oblastí, z čehož vznikl mezinárodní skandál.

SPOLUPRÁCE NEMAĎARSKÝCH NÁRODŮ V UHRÁCH

Bezohledné odnárodňování praktikované uherskou vládou ohrožovalo samy kořeny národní existence. Po likvidaci Matice slovenské a slovenských středních škol museli Slováci a jejich představitelé bojovat o holou národní existenci. Z velkorysých plánů první poloviny šedesátých let zbyla jen vzpomínka.

Centrum slovenského hnutí bylo v Turčianském Sv. Martině kolem Slovenské národní strany, jediné politické představitelky Slováků. Po smrti Viliama Paulinyho-Tótha roku 1877 se jejím předsedou stal advokát Pavol Mudroň (1835–1914). V Turčianském Sv. Martině vycházely *Národné noviny* a z vlastních prostředků a ze sbírky zde byl postaven Národní dům. Podařilo se vydobýt jakýs takýs prostor pro kulturní život, ale v politické oblasti Slováci neuspěli. V zmanipulovaných volbách se jim nepodařilo prosadit do uherského sněmu ani jednoho svého zástupce. Na protest proti volebním machinacím a maďarskému teroru vyhlásila Slovenská národní strana roku 1884 politickou pasivitu, což znamenalo především neúčast při dalších volbách. V této volební pasivitě setrvala Slovenská národní strana až do konce století. Jenže takový protest byl vlastně výrazem bezradnosti: maďarské politice to neuškodilo, ani jí to nezabránilo v dalších maďarizačních krocích. Protože však na druhé straně energie i finanční zdroje vložené do volebního boje vycházely stejně nazmar, neviděla většina slovenských představitelů ve volební pasivitě nic jiného než přerušení nesmyslného boje.

Bezvýchodnost, v níž se ocitla slovenská politika v poslední čtvrtině 19. století, obrátila zájem slovenské veřejnosti v mnohem větší míře k zahraničním událostem. Mezi slovenskými představiteli vzrůstalo přesvědčení, že Slováci musí hledat oporu pro svou politiku mimo Uhersko. Změnu mohl přinést toliko obrat v mezinárodní situaci. Nepříznivá situace vytvořená dualismem se ještě zhoršila po podpisu dvojspolkové smlouvy mezi Německem a Rakousko-Uherskem roku 1879. Pod pláštíkem Dvojspolku zasahovalo Německo stále víc do vnitřních

Evangelická fara v Hlbokém, v níž se narodil syn M. Hurbana, Svetozár Hurban Vajanský

Svetozár Hurban Vajanský

Svetozár Hurban Vajanský

poměrů podunajské monarchie, a protože chtělo mít silného spojence v budoucí připravované válce, podporovalo uherské centralizační snahy, v nichž jak kancléř Otto von Bismarck, tak později i císař Vilém II. viděli spolehlivou záruku spojenectví Rakouska-Uherska a jeho podřízenosti německým plánům. Maďarské vládnoucí kruhy s německou podporou v zádech pak mohly stupňovat své centralizační a maďarizační snahy. Mezinárodní vývoj ukazoval, že jisté naděje mohou Slováci spojovat s Ruskem. Tento směr v zahraničněpolitické orientaci slovenského hnutí posílily události na Balkáně a ruská účast v nich. Již z krymské války v letech 1853–1856 sledovali Slováci velmi pozorně národně osvobozovací hnutí jižních Slovanů, s nímž spojovali i své vlastní naděje na národní emancipaci. Přímo symbolicky to vyjádřil v básnické sbírce *Tatry a more* (1880) Vajanský.

Svetozár Hurban Vajanský (1847–1916), syn Jozefa Miloslava Hurbana, začal jako publicista v Národných novinách a v Slovenské národní straně se prosadil v úloze vůdčího ideologa národního hnutí. Současně byl jedním z nejplodnějších slovenských básníků a spisovatelů. Jako politik propagoval orientaci na Rusko a stal se hlavním tvůrcem slovenského mesianismu, založeného na tradičním slovenském rusofilství, sahajícímu až k napoleonským válkám, ke Kollárovi a Štúrovi. Očekávání změny slovenského osudu v souvislosti s pohybem v Evropě a hlavně v důsledku ruské pomoci bylo pak součástí slovenského politického myšlení až do první světové války.

Roku 1890 padla v Uhrách vláda Kálmána Tiszy, ale pro Slováky se tím nic nezměnilo. Nadále zůstávala u moci liberální strana usilující vytvořit z Uher jednonárodní stát. Následující vlády Gyuly Szápáryho, Sándora Wekerleho a Dezsö Bánffyho pokračovaly v odnárodňovací politice; vláda posledního dokonce rozpoutala proti nemaďarským národům vlnu teroru, jíž se stala světově pověstnou. Liberalismus maďarských politiků se vyčerpal ve vcelku nepodstatných reformách, jako bylo například zavedení civilních sňatků a matrik, ale hlavní zásady liberalismu – svoboda člověka a jeho práva na svobodný národní vývoj, jakož i svoboda projevu, zůstaly ve stínu nacionalismu.

Do stejné situace jako Slováci se dostaly v Uhrách také ostatní nemaďarské národy. Z toho vyplynulo úsilí o jejich vzájemnou spolupráci, která se na konci století dařila hlavně mezi Slováky, Rumuny a Srby a jejímž výsledkem byl Národnostní kongres konaný v srpnu 1895 v Budapešti. Ze slovenské strany se ho zúčastnila reprezentativní delegace v čele s předsedou Slovenské národní strany Pavlem Mudroněm. Kongres požadoval zásadní demokratizaci Uherska, všeobecné volební právo, národnostní autonomii v stolicích a další národní a demokratické požadavky. Bánffyho vláda reagovala na kongres represemi proti představitelům nemaďarských národů. Násilím a různými obstrukcemi se vládě podařilo, že výsledky kongresu nakonec očekávání jednotlivých národů nesplnily, a další národnostní kongres se už do první světové války neuskutečnil, třebaže se s ním původně počítalo.

Jinou formou spolupráce byla vzájemná podpora při volbách a prosazování společného kandidáta proti kandidátům maďarským. Taková spolupráce se v některých národnostně smíšených regionech dařila až do války a připojili se k ní také uherští Němci, kteří jinak na nabídky politické spolupráce ostatních nemaďarských národů nereagovali.

K zesílení národnostního útlaku využil Bánffy i oslav „milénia", čili tisíciletého výročí příchodu Maďarů do Karpatské kotliny. Vláda tehdy vydala další zákony pomaďaršťující školství, zostřila se cenzura nemaďarského tisku. Bánffyho teror nebyl namířen jen proti nemaďarským národům, ale také proti svým politickým oponentům mezi samotnými Maďary. Ministerský předseda Bánffy se tak stal v zemi nepopulárním a musel odstoupit. Ve funkci ministerského předsedy ho vystřídal roku 1899 Kálmán Széll; ten sice vůči Slovákům nasadil smířlivější tón, zůstalo však pouze u řečí a gest, ve skutečnosti ke zmírnění národnostního útlaku nedošlo.

SLOVENSKO-ČESKÁ SPOLUPRÁCE

Jisté naděje vkládala slovenská reprezentace do spolupráce s českým národem, který žil v Předlitavsku v nesrovnatelně lepších podmínkách. V českých zemích neušla pozornosti zejména kulturních kruhů tíživá situace, v níž se nacházeli Slováci a o jejich postavení začal psát ve stále větší míře český tisk. Prvním signálem pro českou veřejnost byla básnická sbírka Adolfa Heyduka *Cimbál a husle* (1876), v níž autor upozorňoval na těžké postavení Slováků. Následovaly další literární a publicistické práce o Slovensku. V řadách české inteligence se vytvořilo poměrně činorodé slovakofilské hnutí, které upozorňovalo na odnárodňování Slováků a zároveň organizovalo pomoc Slovensku.

Roku 1882 vznikl v Praze slovenský spolek Detvan. Kladl si za úkol nejen vzdělávat své členy ve slovenské kultuře a dějinách, ale také seznamovat českou veřejnost se slovenským životem a kulturou. Spolek původně založili slovenští studenti, kteří od rozdělení pražské univerzity na německou a českou, tedy vlastně od vzniku samostatné české univerzity v Praze, stále ve větším počtu přicházeli studovat do Prahy. Nebyl to však spolek vysloveně studentský, ale také kulturní a sebevzdělávací, do jehož práce se zapojovali i další Slováci žijící v Praze.

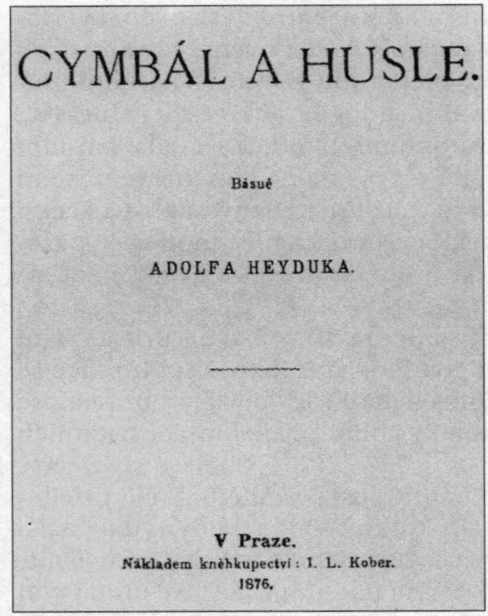
CYMBÁL A HUSLE.

Básně

ADOLFA HEYDUKA.

V Praze.
Nákladem kněhkupectví: I. L. Kober.
1876.

Básnická sbírka Adolfa Heyduka „Cymbál a husle“

Na konci století, v souvislosti s Národopisnou výstavou československou v Praze roku 1895, se aktivizovala skupina slovakofilů a založila roku 1896 Československou jednotu, která se stala hlavní organizátorkou česko-slovenské spolupráce a české pomoci Slovensku. Tato spolupráce nebyla bez problémů, protože mezi českými slovakofily zůstávaly staré, už přežité snahy o „návrat“ k literární a jazykové jednotě a někdy jim chybělo hlubší pochopení slovenské otázky. Bez ohledu na tyto dílčí problémy byla Československá jednota velmi aktivní. Starala se o umísťování slovenských studentů a žáků v Čechách a na Moravě a podle možnosti je podporovala poskytováním nejrůznějších stipendií. Jednota posílala na Slovensko sbírky knih a pomáhala budovat knihovny, jež měly přispět ke kulturnímu povznesení slovenského lidu. Pomáhala také uveřejňovat v českém tisku slovenská literární a výtvarná díla. Právě Československá jednota se od roku 1908 ujala organizování každoročních česko-slovenských setkání, tzv. československých sněmů v moravských lázních Luhačovicích. Česká kulturní veřejnost fungovala zároveň jako důležité médium, jímž se informace o postavení Slováků v Uhrách šířily do evropských zemí.

KULTURNÍ AKTIVITY SLOVÁKŮ

Přelom století byl ve všech evropských zemích a v nejvyspělejších státech zámořských epochou hlubokých proměn v hospodářské struktuře, ve způsobu života, ve vědě i v kultuře. Tyto proměny se nevyhnuly ani Uhersku. Také tam se rozrůstala města a jejich architektura směřovala od historismu přes secesi k moderní účelnosti. Významné památku na tuto přelomovou dobu lze najít ve všech slovenských městech. Moderní městský životní styl se v nich začal utvářet v souvislosti s elektrifikací, zaváděním telefonu a jiných vynálezů. Součástí každodenního života se staly noviny a časopisy, objevil se film, zprvu jen jako pouťová atrakce, později již jako nový druh umění. Jednotlivé vrstvy městského obyvatelstva ovšem nevyužívaly všech těchto vymožeností stejně. Přesto i dělníci měli svůj tisk, účastnili se spolkového a sportovního života i představení lidového divadla – kabaretu. Postupně se utvářel nový životní styl, který však v prvních letech 20. století zůstával omezen na městské obyvatelstvo. Tyto nové impulsy existovaly v kulturním životě spolu s tradičními formami.

V slovenské společnosti se stále pociťoval tlak národně osvobozovacího zápasu. Kultura se tradičně považovala za prostředek boje o udržení národní existence, dokonce přímo za symbol národního života. Omezené možnosti politické i ekonomické aktivity zároveň učinily právě z kultury oblast, v níž se nejvíc projevoval odpor vůči vládní maďarizaci. To je patrné například z faktu, že každoročním vyvrcholením národní aktivity zůstávaly srpnové slavnosti v Turčianském Sv. Martině, konané na počest založení Matice slovenské, přestože ta byla již roku 1875 maďarskou vládou zlikvidována. V Turčianském Sv. Martině se při nich scházela téměř celá slovenská nejen politická, ale také kulturní reprezentace, přijížděli sem pravidelně i hosté z jiných slovanských národů, hlavně Češi. Byly to vlastně každoroční demonstrativní projevy existence národa a přehlídky slovenských kulturních aktivit.

Slovenská kultura se nechtěla uzavírat do sebe. Naopak, jejím cílem byla otevřenost, hledala možnosti uplatnit se i mimo Slovensko. Pravda, přílišné sepětí s národně politickým programem nedovolovalo vnímat všechny evropské kulturní proudy. Avantgardní evropské umění se slovenské společnosti na začátku 20. století dotklo jen zlehka a nezanechalo trvalejší stopy.

U mladé generace, především u tzv. „hlasistů", se velké oblibě těšil Lev Nikolajevič Tolstoj. Právě mezi Slováky našel Tolstoj nejoddanější žáky, zejména v Albertu Škarvanovi, který se významně přičinil o šíření Tolstého učení i v jiných zemích, a také ve svém osobním lékaři Dušanovi Makovickém.

V těch kruzích slovenské inteligence, jež přicházely s programem drobné práce mezi lidem, se ujala myšlenka zintenzivnit osvětovou činnost a šířit osvětovou a naučnou literaturu. Velký kus práce na tomto poli vykonal spolek slovenských žen Živena, který zásluhou agilní Eleny Maróthy-Šoltésové vydával časopis stejného názvu. Na Slovensku vycházely edice, jež se cílevědomě věnovaly vzdělávání lidových vrstev. Byly to levné brožované publikace na různá témata – hospodářská, náboženská, morální, objevovaly se však také informace o Darwinově evoluční teorii či životopis Karla Marxe.

Rozvoj zaznamenal regionální tisk, který byl v Uhrách na začátku 20. století velmi rozšířený. Vláda ho podporo-

ŽIVENA
ILLUSTROVANÝ ČASOPIS.
ORGÁN „ŽIVENY", SPOLKU SLOVENSKÝCH ŽIEN
Vychádza mesačne v Turčianskom Sv. Martine
Ročník I. Január 1910. Číslo 1.
Redaktori: Elena Maróthy-Šoltésová a Pavel Socháň.
OBSAH:

Časopis Živena

vala, ale právě proto vycházel jen v maďarštině. Bylo tedy velmi důležité, že se do tohoto okruhu podařilo prosadit i slovensky psané regionální noviny. Jako první takové noviny ve slovenštině vyšly *Považské noviny* a postupně k nim přibyly *Liptovsko-oravské noviny, Zvolenské noviny, Pokrok,* který vycházel ve Skalici, a *Orava.*

Těžiště slovenského vědeckého bádání před první světovou válkou spočívalo ve vlastivědných disciplínách. Také tady měly věda a vědecké zkoumání napomáhat národnímu zápasu. V ostatních oblastech se vědecké talenty na Slovensku nebo v Uhrách mohly uplatnit jen zřídka. Nejnadanější slovenští vědci v technických a přírodních vědách našli uplatnění v zahraničí: průkopník v oblasti tepelných turbín Aurel Stodola ve Švýcarsku, výzkumník v oblasti bezdrátové telegrafie Jozef Murgaš a vynálezce principu padáku Štefan Banič ve Spojených státech, astronom Milan Rastislav Štefánik ve Francii.

Koncem století se Slovákům podařilo probojovat schválení stanov Muzeálné slovenské spoločnosti (1895), která se ujala organizace a podpory vědeckého, zejména vlastivědného bádání a šíření osvěty. Hlavní zásluhu o vznik společnosti měl její první předseda Andrej Kmeť (1841–1908). Sborník a časopis, jež vydávala, byly sice co do vzhledu skromným, obsahově však bohatým zrcadlem slovenské vědy. Významnou událostí se stalo vybudování a otevření domu Slovenské muzeální společnosti v Turčianském Sv. Martině roku 1908, čímž se dostalo pevných základů slovenskému muzejnictví.

Tradičně silná byla v slovenském životě historiografie, třebaže stále spočívala na amatérském základě; mezi její dominantní témata patřilo velkomoravské období, role Matúše Čáka a Jana Jiskry na Slovensku, jakož i otázka slovenského národního povědomí. Díla Františka Víťazoslava Sasinka, Pavla Križka, Júlia Botta i dalších slovenských historiků se vyznačovala odpovědným přístupem k pramenům, přestože opravdu profesionální historiografie v tomto období ještě nevznikla.

Andrej Kmeť

Úspěchy zaznamenala i slovenská literární věda. Jaroslav Vlček vydal v letech 1889–1890 *Dejiny literatúry slovenskej,* první ucelenou syntézu o vývoji slovenského písemnictví. V oblasti literární historie a kritiky aktivně působili Jozef Škultéty, Pavol Bujnák a František Votruba. V jazykovědě vynikl Samuel Czambel, v etnografii Pavel Socháň.

V oblasti přírodních věd se vyznačovali činorodostí zejména Andrej Kmeť a Jozef Ľudovít Holuby. První souhrnnou bibliografii slovenského písemnictví do roku 1900 připravil Ľudovít Vladimír Rizner; vycházet začala teprve po jeho smrti.

Ľudovít Vladimír Rizner

V umělecké sféře byla tradičně nejrozvinutější literatura; kromě jiného také proto, že vydání literárního díla nevyžadovalo mimořádně vysokých finančních nákladů a i za skromných podmínek se mohla šířit mezi značně širokým okruhem zájemců. Pověst jedinečného periodika si získaly *Slovenské pohľady*, vycházející nepřetržitě od roku 1881; přinášely beletristické práce, úvahy i kritiky.

V slovenské literatuře lze sledovat zřetelné směřování od tradičního realismu, který se prosadil po doznění romantismu v druhé polovině 19. století, k modernějším literárním směrům. Z velkých slovenských realistů publikoval ještě na začátku 20. století svůj román *Dom v stráni* Martin Kukučín, Svetozár Hurban Vajanský se věnoval víc politické publicistice, odmlčela se Elena Maróthy Šoltésová. Pouze neumdlévající básník Pavol Országh Hviezdoslav si uchovával žánrově bohatý tvůrčí fond. Na konci století tradiční realismus vyústil v tvorbě Ladislava Nádašiho-Jégého do naturalismu. V novelistice Janka Jesenského se poprvé výrazněji setkáváme se zobrazením a kritikou slovenského maloměsta. Tradičním námětem slovenské literatury zůstávala vesnice a venkovský člověk. Na tomto poli se nejvíc prosadil krátkými povídkami sociálního obsahu Jozef Gregor Tajovský; až bolestnou nesmlouvavost projevovala v novelistice Božena Slančíková Timrava. Ojedinělým zjevem slovenské literatury tohoto období je básník-symbolista Ivan Krasko, jehož nostalgická lyra nejvíc vyjádřila pocitový svět člověka na začátku 20. století.

Kultura působila na slovenského člověka nejbezprostředněji prostřednictvím divadla. Rozšířené ochotnické divadelnictví mělo slušnou úroveň a v Slovenském spevokolu, který vznikl v Turčianském Sv. Martině už roku 1872, mělo i špičkové amatérské těleso, schopné reprodukovat nejen jednodušší inscenace slovenských autorů, ale také významná díla dramatiky světové. Ze slovenské tvorby se hrála díla Jána Chalupky, Jána Palárika, Gustava Zechentera Laskomerského, ze světové August Kotzbue, Johann Napomuk Nestroy, ale také Jean-Baptiste Molière, William Shakespeare a dokonce Ibsenova *Nora*. Nejhranějším autorem byl slovenský dramatik Ferko Urbánek, jehož líbivé

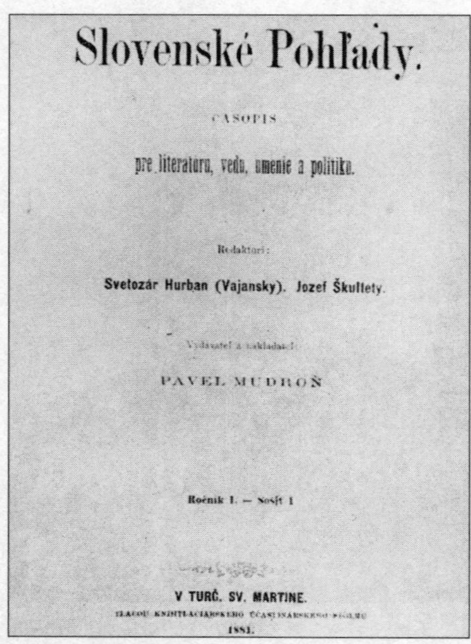
Slovenské Pohľady.

ČASOPIS

pre literatúru, vedu, umenie a politiku.

Redaktori:

Svetozár Hurban (Vajansky). Jozef Škultety.

Vydavateľ a nakladateľ:

PAVEL MUDROŇ

Ročník I. — Sošit 1

V TURČ. SV. MARTINE.

1881.

Slovenské pohľady

idylky z venkovského života sice nevynikaly uměleckými kvalitami, ale svou sváteční atmosférou, idealizací venkovského života a nenáročnou inscenací lákaly amatérské soubory.

Slovenská města žila čilým hudebním životem. Pravidelnými a významnými koncerty a inscenacemi operních děl vynikaly zejména Prešpork (Bratislava) a Košice. Slovenská společnost se však těchto koncertů a představení účastnila jen okrajově. Slovenský hudební život koncem 19. století byl ve znamení pěveckých spolků a kroužků (spevokolů), sbíraly a upravovaly se hudební projevy lidového umění. Objevovali se už i první profesionálně vzdělaní hudebníci, kteří se dovedli prosadit svou vlastní tvorbou. Ze starší generace byl takovým mimořádným zjevem Ján Levoslav Bella. Přicházela však i mladší generace hudebních skladatelů a interpretů – Mikuláš Schneider Trnavský, Viliam Figuš Bystrý, Mikuláš Moyzes a Frico Kafenda. V jejich dílech dosáhla hudební tvorba vysoké umělecké úrovně přesto, že v domácím slovenském prostředí měli jen minimální podmínky k uplatnění původních hudebních děl. Mnohé jejich skladby zazněly na Slovensku teprve po roce 1918.

Ve výtvarném umění a v architektuře byl přelom 19. a 20. století ve znamení secese, která vyjadřovala životní pocit přechodnosti a pomíjivosti a tvořila přechod k novým uměleckým směrům a k moderní architektuře 20. století. Secesní styl výrazně poznamenal jak slovenskou architekturu, tak malířství. Nejvýznamnějším domácím představitelem secese byl architekt Dušan Jurkovič, který ve svých návrzích uplatňoval prvky lidové architektury. Pro tehdejší poměry v Uhrách bylo příznačné, že Jurkovič většinu svých děl do roku 1918 realizoval na Moravě a v Čechách. Kromě Jurkoviče se jako architekt v tomto období nejvíc uplatnil Michal Milan Harminc.

Na Slovensku se probouzel k životu také výtvarný život, sporadicky byly v jednotlivých městech pořádány výstavy. Vžilo se malování v plenéru – roku 1901 vznikla malířská kolonie na Detvě. Výtvarný život národně uvědomělých malířů získal organizační základnu, když roku 1903 vznikla první slovenská organizace výtvarných umělců – Grupa uhorsko-slovenských maliarov (Jaroslav Augusta, Emil Pacovský, Gustáv Mallý). Gustáv Mallý založil roku 1911 v Bratislavě malířskou školu.

CIRKUS

Východoslovenská metropole Košice na počátku 20. století

Všechny projevy kulturní aktivity si museli Slováci v Uhrách přímo vyvzdorovat za krajně nepříznivých podmínek intenzivní a sílící maďarizace. Na druhé straně ovšem projevy národního života v kultuře nepřímo podněcovaly a často i suplovaly politickou činnost. Zvýšená kulturní činorodost na začátku století dosvědčovala, že Slováci začali hledat východiska z těžké situace v Uhrách.

POLITICKÝ ZÁPAS PŘED PRVNÍ SVĚTOVOU VÁLKOU

Koncem století proběhla názorová diferenciace, odrážející i sociální a generační rozvrstvení slovenského politického tábora. Podobná diferenciace probíhala i u jiných středoevropských národů. U Slováků vzhledem k hluboké defenzivě slovenské politiky měla oslabenou podobu, projevovala se spíš polemikami v tisku, k zásadnímu programovému rozdělení slovenské politiky ještě nedošlo.

Centrum slovenské politiky v Turčianském Sv. Martině, seskupené kolem Slovenské národní strany a *Národných novin*, se dostalo do palby kritiky hlavně mladší generace, která se stavěla negativně vůči martinské orientaci na Rusko a obviňovala vedení strany z toho, že „politikaří", dělá tzv. vysokou politiku, čímž byly míněny hlavně zahraničněpolitické kombinace Národných novin. Mladí žádali více aktivity a „drobné práce" mezi slovenským lidem. Nastupující generaci také nevyhovovala manifestační pasivní rezistence Slovenské národní strany při volbách do uherského sněmu.

Kritika směřující na oficiální představitele Slovenské národní strany se ozývala ze dvou odlišných ideových pozic: ze strany mladé katolické inteligence

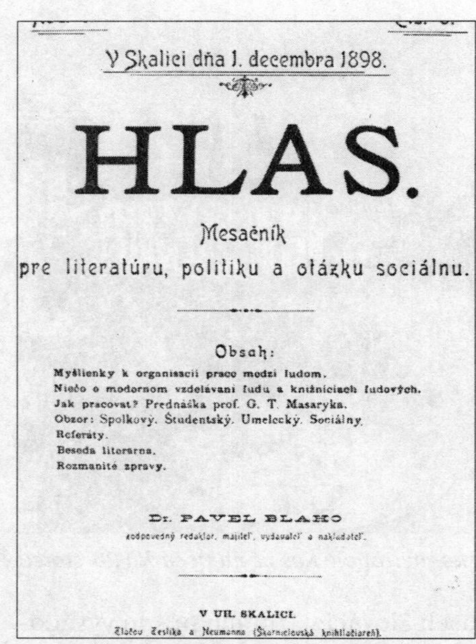

V Skalici dňa 1. decembra 1898.

HLAS.

Mesačník pre literatúru, politiku a otázku sociálnu.

Obsah:

Myšlienky k organisacii prace medzi ľudom.
Niečo o modernom vzdelávaní ľudu a knižniciach ľudových.
Jak pracovat? Prednáška prof. G. T. Masaryka.
Obzor: Spolkový. Študentský. Umelecký. Sociálny.
Referáty.
Beseda literarna.
Rozmanité zpravy.

Dr. PAVEL BLAHO
zodpovedný redaktor, majiteľ, vydavateľ a nakladateľ.

V UH. SKALICI.
Tlačou Teslika a Neumanna (Škarniclovská kníhtlačiareň).

První číslo měsíčníku Hlas (vycházel do roku 1905)

a ze strany liberálně orientované inteligence. Hnutí mladých katolíků souviselo s papežskou bulou *Rerum novarum* a s aktivitami zahájené v Uhrách tamní Zichyho Lidovou stranou. Katoličtí intelektuálové, hlavně mladí kněží, pak skutečně zahájili praktickou drobnou práci mezi slovenským lidem. Zakládali hospodářské spolky, šířili osvětu, bojovali proti alkoholismu, snažili se hospodářsky a mravně povznést slovenského člověka, především venkovského. Tyto aktivity se soustřeďovaly kolem *Ľudových novin*, vydávaných Antonem Bielkem a Andrejem Hlinkou.

Podobnou orientaci měla také skupina mládeže sdružená kolem pražského spolku Detvan. Její zdroj inspirace však vycházel spíš z českého liberálního tábora, zejména z myšlenek a politické praxe vůdčího představitele českého realismu, profesora pražské univerzity Tomáše Garrigue Masaryka. Vycházejíce z jeho myšlenek o drobné práci a mravní obrodě lidu pracovali mladí slovenští liberálové v podobném duchu jako katolická inteligence, často v úzké spolupráci s ní. Nejaktivnějšími z nich byli Vavro Šrobár (1867–1950) a Pavol Blaho (1867–1927), vydavatelé měsíčníku *Hlas*; podle časopisu dostala celá skupina jméno hlasisté. Hlasisté se zároveň orientovali na velmi intenzivní česko-slovenskou spolupráci a vzájemnost.

Organizovali se rovněž slovenští dělníci, hlásící se k myšlenkám Sociálnědemokratické strany Uherska, kteří zároveň usilovali národně uvědomovat své dělnické druhy, v čemž úzce spolupracovali s dělnickým hnutím českým.

Rostoucí aktivita mladé generace signalizovala její nespokojenost se stavem slovenské politiky, s její stagnací a pasivitou. Byla předzvěstí pohybů odehrávajících se na začátku 20. století, do konce 19. století však kromě osobních polemik ještě zásadnější obrat nepřinesly.

Za sílícího maďarizačního tlaku byl přibrždĕn i rozvoj slovenské kultury a vědy, třebaže na rozdíl od politiky si umělci a vědci mohli vyvzdorovat aspoň minimální prostor pro svou činnost; pro politický život však byly podmínky mimořádně nepříznivé. Uherská vládní politika, podporovaná vilémovským Německem, se soustředila na stupňování vládní centralizace a na brzké dosažení vytčeného cíle – vytvoření jednonárodního Uherska. Národnostní politika uherských vlád se po pádu Kálmána Tisza nezměnila. Nový premiér Kálmán

Széll udělal sice několik smířlivých gest vůči Slovákům, na druhé straně však právě za jeho premiérství se uskutečnil roku 1901 politický monstrproces vedený proti 23 představitelům slovenského národního hnutí.

Vedení Slovenské národní strany pochopilo, že volební pasivita k ničemu nevede a přináší národnímu hnutí jen další ztráty. Pod tlakem mladé generace a jejích kulturních aktivit došlo nakonec i k rozhodnutí zúčastnit se voleb do uherského sněmu roku 1901. Volební program Slovenské národní strany požadoval všeobecné volební právo a jiné demokratické svobody. V národnostní otázce se program soustředil na jazykové požadavky. V souvislosti s těmito volbami se Slovenská národní strana dotvořila jako moderní politická strana se stanovami a pevnou organizační strukturou. Ve volbách se jí podařilo prosadit do sněmovny čtyři kandidáty.

Další oživení politického života na Slovensku přinesla ruská revoluce roku 1905. Největší vzestup v tomto období zaznamenalo dělnické, sociálnědemokratické hnutí. Slovenští dělníci byli organizovaní v celouherské sociální demokracii. Protože tato strana projevovala malý zájem o národní požadavky slovenských dělníků, hledali tito možnost organizovat se autonomně. Roku 1904 začaly vycházet za pomoci českých sociálních demokratů *Slovenské robotnícke noviny*. Kolem nich a jejich redaktora Emanuela Lehockého se začala sdružovat skupina národně uvědomělých slovenských dělníků. V červnu 1905 vytvořili samostatnou Slovenskou sociálnědemokratickou stranu, která se sice po roce organizačně opět připojila k straně celouherské, v národních otázkách si však zachovala jistou míru autonomie a vydávala jako svůj orgán *Robotnícke noviny* (v letech 1904–1909 *Slovenské robotnícke noviny*).

Emanuel Lehocký

Nejaktuálnějším politickým konfliktem počátku 20. století v Uhrách se stal boj za všeobecné volební právo. Roku 1907 se podařilo prosadit tento požadavek v Předlitavsku, nikoli však v Uhrách. Maďarské politické strany se všeobecnému volebnímu právu a demokratizaci politického života všemi možnými způsoby bránily. Maďaři totiž nepředstavovali v Uhrách ani polovinu obyvatelstva a po zavedení všeobecného volebního práva by ztratili své dominantní postavení.

Do boje za všeobecné volební právo a za demokratizaci Uher se zapojili i Slováci. Nejmarkantnější postavou slovenské politiky se již na začátku

20. století stal Milan Hodža (1878–1944), politik i novinář, jenž se zapojil do boje za všeobecné volební právo. Na začátku století napsal, že „potřeby naše ženou nás do demokracie", čímž vyjádřil osudové sepětí slovenské politiky s demokracií.

Volbami roku 1905 skončila dlouholetá hegemonie maďarských liberálů. Vítězství zaznamenala opozice vedená Stranou nezávislosti, což způsobilo vládní krizi nejen v Uhersku, ale také hlubokou krizi dualistického systému. Krátce vládla v Uhrách úřednická vláda a na květen 1906 byly vypsány nové volby. Navzdory korupci, podvodům a násilí získali Slováci v těchto volbách sedm poslanců, nejvíc za celé období existence uherského sněmu.

Úspěšní ve volbách byli také také Rumuni a Srbové. Maďarská vláda byla vysokým počtem nemaďarských poslanců ve sněmu a vzestupem národních hnutí znepokojena, a proto koaliční vláda Sándora Wekerleho, vedená Stranou nezávislosti, zahájila novou vlnu perzekucí proti národnostním politikům. Koncem roku 1906 se konal proces s Andrejem Hlinkou a Vavrem Šrobárem, kteří byli souzeni za účast na protestních demonstracích. Před soudy a pak do vězení se dostali další Slováci.

Současně začala nová vlna maďarizace, která měla na základě tzv. Apponyiho zákonů z roku 1907 v plné míře postihnout i nejnižší školství a vytlačit slovenštinu jako vyučovací jazyk i z lidových (základních) škol. Podle přijatých nových zákonů převzal stát dozor nad školami. Učitelům bylo nařizováno, aby mládež vychovávali ve „vlasteneckém", čímž se myslelo jednoznačně v maďarském duchu. Nový zákony ustanovovaly, že se všechny děti do konce školní docházky, tj. do čtvrté třídy, musí naučit ovládat slovem i písmem maďarštinu. Pro slovenské děti, které před školní docházkou maďarsky neuměly, to byl těžko zvládnutelný úkol a pokud chtěl učitel tento požadavek splnit, a školní inspektoři sledovali právě výuku maďarštiny velmi důsledně, musel zanedbat ostatní předměty. Výsledkem pak byla zvýšená negramotnost. Podle nařízení z roku 1909 se mělo maďarsky učit i náboženství; slovenským dětem se tedy nedostávalo ani náboženské výchovy, protože jí nerozuměly a maďarsky se naučily jen modlitby. Slovenští kněží se proti tomuto ustanovení bouřili, nenašli však podporu ve vyšších církevních kruzích, které se na maďarizaci v Uhrách významně spolupodílely. Učitelům zákon přímo přikazoval podílet se na maďarizaci a podle toho, jak byli jednotliví učitelé v tomto směru úspěšní, se řídil i jejich služební postup a výška platu. Maďarizace školství dosáhla tehdy největší intenzity.

Vrcholem maďarizační brutality úřadů se staly krvavé události roku 1907 v Černové u Ružomberka. Katoličtí věřící v Černové si z iniciativy svého rodáka Andreje Hlinky (1864–1938) postavili z vlastních prostředků nový kostel a chtěli, aby kostel vysvětil sám Hlinka, jenž byl tehdy již předním slovenským politikem, řečníkem a organizátorem národního hnutí. Jako jednoho z nejagilnějších představitelů katolického, tzv. „ľudového" křídla Slovenské národní strany a kvůli agitaci při volbách roku 1906 ho biskup Sándor Párvy, horlivý maďarizátor, suspendoval a zakázal mu vykonávat obřady. Zásluhou morav-

Mladý Andrej Hlinka a jeho moravský přítel, kněz Alois Kolísek

ských katolíků, hlavně Aloise Kolíska, se Hlinkův případ dostal do Říma k rozhodnutí papeži. Ten později rozhodl v Hlinkův prospěch, ale v době, kdy se mělo konat svěcení, Hlinka obřad vykonat nemohl. Obyvatelé Černové proto žádali, aby se vysvěcení odložilo, maďarské úřady, církevní i světské, však nařídily vykonat obřad i proti vůli obyvateli. Když se věřící postavili na odpor, četníci napadli bezbranný dav střelbou, jíž padlo za oběť 15 životů. Zásluhou českých novinářů se o události dozvěděla mimouherská veřejnost a brutalita maďarských úřadů tehdy pobouřila celou Evropu. Slováků se nejvíce zastávali norský humanista a spisovatel Björnstjerne Björnson (1832–1910) a mladý britský publicista Robert W. Seton-Watson.

Slováci se v tíživé situaci snažili vyburcovat světové veřejné mínění. Události v Černové tomu napomohly, byla to však jen malá kapka. Pomoc Slovákům poskytli čeští politici a novináři, kteří předkládali Evropě spolu s českou otázkou také otázku slovenskou. Jistých úspěchů se podařilo dosáhnout v užším kruhu francouzských slavistů. Rovněž Slováci ve Spojených státech se prostřednictvím Slovenské ligy a tisku snažili upozornit na útlak Slováků v Uhrách. Zahra-

Robert Wiliam Seton-Watson

Björnstjerne Björnson

niční podpora měla sice pro Slováky velký morální význam, skutečný národní útlak však nezmírnila.

Liberální strana se po porážce ve volbách roku 1905 rychle vzpamatovala. Pod vedením Istvána Tisza se liberálové reorganizovali pod novým názvem Národní strana práce, která již v dalších volbách, konaných roku 1910, opět zvítězila; v červnu 1913 se István Tisza stal předsedou vlády. V maďarském politickém spektru existovaly i demokraticky orientované síly, reprezentované především inteligencí sdruženou okolo časopisů *Huszadik Század* a *Nyugat*. Demokratické myšlenky byly také součástí programu nové politické strany, kterou roku 1913 založil hrabě Mihály Károlyi, avšak celkově se demokracie v maďarském politickém životě neprosadila a zůstala na okraji dění. Hlavní linie maďarské politiky stále usilovala o co největší centralizaci státu a v národnostní otázce k úplné maďarizaci, tj. k násilné, všemi prostředky státu podporované asimilaci nemaďarských národů.

Slováci nacházeli v těžké situaci podporu u české inteligence a v části českého politického tábora. Z iniciativy Československé jednoty se po událostech v Černové od roku 1908 až do první světové války konaly každoročně v moravském lázeňském městě Luhačovicích česko-slovenské porady. Setkávali se na nich čeští a slovenští politici, kulturní a hospodářští činitelé, aby hledali možnosti jak prohloubit vzájemnou spolupráci a nové cesty k vzájemnému sblížení obou národů. Nejproduktivnější byla spolupráce v oblasti kultury, která v tomto období nejednou zastupovala politiku. V Luhačovicích se mluvilo rovněž o politických perspektivách a hospodářské spolupráci; pro tu však nebyly příznivé podmínky, protože uherská vláda všemožně bránila, aby se český kapitál uplatňoval na Slovensku. Politické perspektivy byly v dané mezinárodní situaci velmi nejasné a nedávaly zatím důvody k optimismu.

Pavel Blaho, poslanec uherského sněmu a spoluvydavatel Hlasu (vlevo), Hana Gregorová a Vavro Šrobár v Luhačovicích

Politická situace v letech před první světovou válkou způsobovala, že slovenská politika neustále oscilovala mezi potřebou jednoty a přirozenou diferenciací různých společenských a sociálních skupin. Ta odrážela postupující rozrůznění slovenské společnosti. Vedle národně konzervativní intelektuální elity soustředěné kolem Národných novin se vytvořilo zvláštní katolické, tzv. ľudové křídlo, které roku 1913 založilo vlastní Slovenskou ľudovou stranu. V určité názorové opozici vůči centru Slovenské národní strany v Turčianském Sv. Martině stála nadále mladá liberálně demokratická inteligence. Samostatně vystupovali slovenští sociální demokraté a mladý novinář Milan Hodža vytvářel ideové základy slovenského agrárního hnutí.

Rozdílně vnímali slovenští politici také mezinárodní situaci, což se projevilo v různých zahraničněpolitických koncepcích jednotlivých směrů. Zatímco vedení Slovenské národní strany spoléhalo stále na pomoc Ruska a změnu mezinárodněpolitické situace očekávalo od jeho většího vlivu ve střední Evropě, liberálové se víc orientovali na spolupráci s Čechy a na společné česko-slovenské kontakty se západními zeměmi Dohody. Koncepce Milana Hodži spočívala v plánu federalizace Rakousko-Uherska, a proto se objevil mezi spolupracovníky následníka trůnu Františka Ferdinanda d'Este. V rámci této tzv. belvederské politiky se s ním počítalo jako s představitelem Slováků ve federalizované monarchii, a tak není divu, že Hodža až do začátku války setrvával v zásadě na prohabsburských pozicích.

Tato přirozená diferenciace se však nemohla plně rozvinout, protože v obtížných podmínkách národnostního útlaku převládala tendence netříštit slabé síly a soustředit se na nejzákladnější národní požadavky. Všechny směry a proudy si uvědomovaly, že polemiky v tisku a vzájemné spory by slovenské pozice v rámci Uherska jen oslabily. To se ostatně prokázalo i ve volbách roku 1910, kdy se do sněmovny dostali pouze tři slovenští poslanci, což byl proti roku 1906 jasný neúspěch. Jako neopodstatněná se ukázala naděje vklá-

Matúš Dula

daná do úřednické vlády Károlyho Khuena-Hederváryho. Memorandum, jež odevzdala předsedovi vlády slovenská delegace v červnu 1911 a které obsahovalo pouze skromné požadavky na základě platného národnostního zákona z roku 1868, opět nenalezlo v Budapešti ani náznak vstřícnosti. Proto začal těsně před válkou působit objektivní tlak na sjednocení slovenského hnutí na základě hlavních národních požadavků.

Vnějším podnětem k jeho sjednocení se stala v březnu 1914 smrt předsedy Slovenské národní strany Pavla Mudroně. Na jeho pohřbu se sešli stoupenci všech směrů a proudů slovenské politické a kulturní scény. Nový předseda Slovenské národní strany Matúš Dula (1846–1926) vyzval po svém nástupu do funkce, aby Slováci společně vytvořili celonárodní reprezentační orgány. S cílem dohodnout se na programové jednotě se v Budapešti 26. května 1914 sešla porada, jíž se zúčastnili představitelé všech směrů, včetně sociálních demokratů. Na ní bylo dohodnuto, že v srpnu 1914 při tradičních národních slavnostech, konaných každoročně na počest vzniku Matice slovenské, bude založena Slovenská národní rada jako nejvyšší a reprezentativní orgán Slováků. Uskutečnit tento plán však znemožnilo vypuknutí války.

Politické plány a programy byly především záležitostí politické reprezentace národa, jeho elity. Už od konce 19. století však můžeme pozorovat, že se národní aktivita šíří i v nejnižších společenských vrstvách, mezi dělníky a rolnickým lidem. Důležitá úloha při tom připadla vzmáhajícímu se tisku a spolkovému životu. Rozšířené byly sebevzdělávací spolky, zejména čtenářské. Velké oblibě se těšily spolky pěvecké (tzv. spevokoly) a ochotnické kroužky. V některých městech měli už ochotníci stálé divadelní místnosti, divadlo se hrálo prakticky ve všech větších obcích. Vznikaly i spolky svépomocné, spolky střídmosti, zaměřené na boj proti velkému ekonomickému i morálnímu zlu slovenského venkova, alkoholismu. V každé vesnici existoval v neposlední řadě i hasičský spolek. Spolkový život se rozvíjel i mezi dělníky. I když se ve všech případech jednalo o spolky nepolitické, zárodky občanské aktivity se projevily i v rozšíření národní uvědomělosti v nejširších vrstvách obyvatelstva. Postup národního uvědomění neustále brzdila snaha vlád i úřadů tento proces zastavit. Na nejvyšších vládních místech se intenzivně věnovali plánu rozdělit Slováky na dvě etnické skupiny – na Slováky východní, tzv. Slovjaky, a západní. Uherské vlády vynakládaly na tento účel velké prostředky a snažily se pro tento cíl využít i východoslovenské emigrace ve Spojených státech. Pokud toto úsilí přes vynaložené prostředky nebylo korunováno úspěchem, svědčí to o postupujícím národním uvědomování Slováků i v oblastech, kam předtím národní agitace nepronikla.

8 PRVNÍ SVĚTOVÁ VÁLKA

Začátky československého odboje

SLOVENSKÉ REAKCE NA VYPUKNUTÍ VÁLKY

Vypuknutí války vyvolalo v Uhrách vlnu šovinismu a pseudovlasteneckého nadšení. Slovenské obyvatelstvo a slovenští vojáci, kteří museli narukovat, se však jen zřídka dávali strhnout k podobnému hurávlastenectví. Právě naopak, oběťmi rozvášněného davu se stávali známí slovenští činitelé, z nichž někteří skončili hned první den ve vězení, jiným dav aspoň vytloukl okna. Některé slovenské noviny byly zastaveny, jiné oklestěny cenzurou. Válka proti slovanskému Srbsku a Rusku prostě nemohla být mezi Slováky populární. Cítění slovenského lidu dobře znal jeho básník Pavol Országh Hviezdoslav; už v srpnu 1914 začal psát vášnivou obžalobu války, básnickou skladbu *Krvavé sonety*, která mohla vyjít teprve po válce.

Slovenští politici si od počátku uvědomovali, že tato válka bude rozhodovat o dalších osudech světa a tedy také o osudu Slováků. Na jejím začátku, kdy bylo vyhlášeno stanné právo, zpřísněn vojenský režim a zavedena cenzura, se

Vojáci Trenčínského 71. pěšího pluku před odjezdem na haličskou frontu

rozhodli vyhlásit po dobu jejího trvání politickou pasivitu. Hned po vypuknutí války se ve slovenských novinách objevila neslaná nemastná prohlášení, která bylo možno interpretovat i ve „vlasteneckém" smyslu. Největší odvahu prokázaly sociálnědemokratické *Robotnícke noviny*, které nevyjádřily veřejně podporu válce. K vlastenectví vybízel jak Hodžův *Slovenský týždenník*, tak *Národné noviny*. Nejloajálněji reagovaly ľudácké *Slovenské ľudové noviny*, které vyzývaly Slováky k poslušnosti a k boji za dynastii a monarchii. To byla první reakce na šok z války, později, po vyhlášení politické pasivity, byl slovenský tisk skutečně pasivní a neutrální, slovenská politická a kulturní reprezentace opatrná a zdrženlivá. Vyhlášená politická pasivita měla uchránit slovenské představitele před zásahy vládní moci, ale také zabránit tomu, aby od nich vláda vyžadovala veřejné projevy loajality.

Tisíce obyvatel východního Slovenska bylo evakuováno před blížící se frontou

Rozbombardovaný šarišský Zborov

To, co nemohli projevit Slováci doma, projevili otevřeně v zahraničí, a to už v prvních dnech války. Slovenská liga ve Spojených státech uveřejnila 10. září 1914 memorandum, v němž požadovala pro slovenský národ právo na sebeurčení a důslednou samosprávu. Byl to první otevřený signál rozchodu s Uherskem. Vypuknutí války zastihlo totiž Slovenskou ligu v čilé aktivitě. Začátkem léta se vypravil do Spojených států na přednáškové turné maďarský opoziční politik Mihály Károlyi. Třebaže byl vůči uherské vládě kritický, při svých přednáškách tvrdil, že v Uhrách žádný národnostní útlak neexistuje a že všechny národy a národnosti tam mají svá práva zajištěna. To vyprovokovalo Slovenskou ligu k akci: na nepravdivá tvrzení Károlyiho odpověděla v tisku a zároveň se rozhodla vypracovat a uveřejnit dokument o postavení Slováků v Uhersku a o slovenských požadavcích.

Funkci tajemníka Slovenské ligy vykonával tehdy shodou okolností syn autora prvního slovenského Memoranda z roku 1861 Ivan Daxner. Ten vypracoval návrh *Memoranda Slovenské ligy*, které v zásadě vycházelo z původního dokumentu. Mezitím vypukla válka a za nové situace už nebyl text v této podobě aktuální. Slovenská liga vypracovala proto nové *Memorandum o postavení Slováků v Uhersku*; publikovala ho v září 1914 a žádala v něm pro Slováky v Uhersku právo na sebeurčení; to bylo deklarováno, jeho konkrétní podoba však zůstala

Tomáš G. Masaryk

otevřená. Představitelé Slovenské ligy uvažovali o různých možnostech a vedli jednání s jinými národními komunitami ve Spojených státech.

Vypuknutí války potenciálně změnilo mezinárodní situaci. V případě, že by centrální mocnosti válku prohrály, Slovákům by se otevřela možnost předložit slovenskou otázku mezinárodnímu fóru a dožadovat se jejího řešení. Slováci uvažovali o různých možnostech. Mohli trvat na požadavku slovenské autonomie v rámci Uherska, jak to žádalo Memorandum z roku 1861. Dále byla možnost vytvořit konfederaci polsko-česko-slovenskou, nebo jenom polsko-slovenskou, a uvažovalo se rovněž o eventualitě spojit Slovensko nějakým způsobem s Ruskem. Prosadilo se však nejperspektivnější řešení – spojení s Čechy ve společném československém státě. Toto řešení postupně získalo souhlas Slováků doma i v zahraničí. Znamenalo ovšem rozchod s uherským státem, v němž Slováci žili tisíc let.

Myšlenka vytvořit československý stát se mezi Slováky objevila velmi brzy a vyplynula z průběhu války. Vnější impuls dala ofenziva ruské armády v Karpatech. V polovině listopadu 1914 překročila ruská vojska karpatské hřebeny a pronikla na území východního Slovenska.

Boje první světové války se tak přenesly přímo na slovenské území. Osmá ruská armáda pod velením Alexeje Alexejeviče Brusilova se Lupkovským průsmykem dostala za karpatské hřebeny, pronikla hluboko do údolí řeky Cirochy a Laborce a 23. listopadu obsadila dokonce město Humenné. Po pěti dnech je sice odtamtud rakousko-uherská vojska vytlačila, Rusové však zároveň pronikli na slovenské území západněji, v prostoru Dukelského průsmyku, kde obsadili Bardejov. Také odtamtud byli začátkem prosince vypuzeni, boje v Karpatech však pokračovaly přes celou dlouhou zimu. Impulsem k nové ruské ofenzivě se stala skutečnost, že 22. března 1915 se po dlouhém obléhání vzdala pevnost Przemysl a uvolněné ruské síly mohly posílit karpatskou frontu. Ruská vojska znovu pronikla poměrně hluboko do údolí řek Ondavy a Toply a znovu obsadila Bardejov i Stropkov. K obratu došlo až v květnu 1915, když se německé armádě podařil průlom na severu v prostoru Gorlice. Rusové už nedokázali držet frontu v Karpatech a byli zatlačeni hluboko na Ukrajinu a do

Běloruska. Tato válečná epizoda však měla i svůj politický rozměr. Kromě průniku v Karpatech, který hrozil možným rychlým postupem do uherských nížin až k Budapešti, se jako reálná ukazovala i možnost, že by ruská vojska mohla proniknout Moravskou branou na Moravu a do Čech.

Mnozí slovenští politici počítali s tím, že ruská vojska brzy obsadí celé Slovensko a kuli plány na vytvoření československého státu. V tomto smylu nejaktivněji vystupoval zejména čelný představitel hlasistů Vavro Šrobár. Nová situace vybízela k úvahám nejen čelné politiky; uherské úřady odhalily například „spiknutí", za něž odsoudily na dlouhá léta do vězení donovalského faráře Jozefa Kačku a notáře Jozefa Messerschmidta. Ukázalo se, že oba pod dojmem úspěchů ruských vojsk agitovali, aby je Slováci vítali a byl vytvořen česko-slovensko-polský stát. Aktivizovala se i Československá jednota, z jejíž iniciativy byl vypracován projekt československého státu a vyhotovena jeho mapa.

Souběžně s tím se začal rozvíjet československý odboj v zahraničí. Za své zahraniční cesty v říjnu 1914 profesor Karlovy univerzity a poslanec realistické strany Tomáš Garrigue Masaryk zformuloval první memorandum o československém státě a prostřednictvím britského historika a novináře Roberta W. Setona-Watsona ho zaslal britské vládě. Koncem dubna 1915 Masaryk, který me-

SLOV. LÍGA v AMERIKE
NA PAMIATKU
OBETOVAL
NA
OSLOBODENIE SLOVENSKA
tajomník
predseda
ČESKO
MORAVA
AUSTRIA

Sbírka Slovenské ligy na podporu zahraniční akce za osvobození Slovenska zitím emigroval a žil v Londýně, vypracoval další rozsáhlý dokument, nazvaný *Independent Bohemia*. Tento program na vytvoření československého státu reagoval bezprostředně na úspěchy ruských vojsk v Karpatech, jak o tom svědčí i řada formulací. Masaryk byl známý už z předválečného období jako tvrdý kritik carského samoděržaví, a tak ve chvílích, kdy se zdálo, že ruská vojska mohou podstatně přispět k realizaci jeho plánu na vytvoření československého státu, musel počítat s tím, že Rusko bude mít na jeho formulování nemalý vliv. Proto, i když byl republikán a demokrat, počítal v memorandu i s možností, že se československý stát stane monarchií, dokonce s dynastií Romanovců v čele. Britské a francouzské politiky se zase pokoušel přesvědčit, že vytvořením Československa, Jugoslávie a obnovením Polska se vytvoří slovanská bariéra proti německému pronikání ve směru Konstantinopol a Bagdad: „Vytvořením srbsko-českého koridoru (spojení Československa s Jugoslávií koridorem přes etnicky maďarsko–rakouské území) spojenci mohou Německu zabránit v kolonizaci Balkánu a Malé Asie a Maďarům zabránit v tom, aby mohli být poslušnou vysunutou baštou Berlína.“

Projektu československého státu se v roce 1915 dostalo významné podpory ze strany českých a slovenských krajanů ve Spojených státech. Slovenská liga spolu s Českým národním sdružením v USA se dohodly na společném boji a na podpoře projektu československého státu. *Clevelandská dohoda*, podepsaná v říjnu 1915, předpokládala vytvoření státu, tvořeného Čechami, Moravou, českým Slezskem a Slovenskem. Plán společného státu získal plnou podporu většiny Čechů a Slováků žijících ve Spojených státech. Podpořila jej postupně i krajanská sdružení v Rusku, Francii, Švýcarsku a v dalších evropských či zámořských zemích.

Za této podpory začal kolem sebe Masaryk soustřeďovat všechny zahraniční odbojové síly. Cílem zahraničního odboje bylo jednak aktivně, to znamená vlastní armádou vstoupit do války proti centrálním mocnostem, ale také agitací a přesvědčováním naklonit dohodové politiky myšlence rozbít Rakousko-Uhersko a vytvořit samostatný československý stát. Nebyl to úkol lehký, protože přední politikové Dohody nebyli této myšlence zpočátku příliš nakloněni.

ČESKOSLOVENSKÁ NÁRODNÍ RADA V PAŘÍŽI

Úspěšnost československého odboje závisela na jeho dobré organizovanosti. Právě o ni se velmi zasloužil Slovák Milan Rastislav Štefánik (1880–1919). Rodák z Košariské v okolí Senice ukončil roku 1904 studium astronomie na Karlově univerzitě a protože nenašel uplatnění doma, odešel do Paříže. Pracoval zde ve známé Meudonské hvězdárně a záhy byl uznáván jako vědec i schopný diplomat ve francouzských službách. Získal si přátele v nejvyšších francouzských kulturních i politických kruzích a po vypuknutí války se stal vojenským letcem. I zde jeho kariéra stoupala téměř závratnou rychlostí: během války se stal z desátníka generálem. Po zranění na srbské frontě a po rekonvalescenci se koncem roku 1915 vrátil do Paříže, kam přišel již s hotovým plánem organizace boje za československý stát. Štefánikova koncepce se v zásadě shodovala s koncepcí Masarykovou, kterou už tou dobou prosazoval v Paříži Edvard Beneš. Štefánik proto pozval Masaryka, svého profesora z doby pražských studií, do Paříže, docílil jeho přijetí u ministerského předsedy Aristida Brianda a zařídil Masarykovo setkání s vlivnými francouzskými novináři.

Milan Rastislav Štefánik

Během Masarykova pobytu v Paříži v únoru 1916 se Masaryk, Štefánik a Beneš rozhodli vytvořit Československou národní radu (*Conseil National des pays Tchèques*), která se stala organizačním jádrem československého odboje. Jejím předsedou byl Masaryk, místopředsedy Štefánik a poslanec agrární strany Josef Dürich, generálním tajemníkem Beneš.

Za jeden z nejdůležitějších cílů si Rada vytyčila zorganizovat v zahraničí vojsko – legie. Nejlepší možnosti k tomu se ukazovaly ve Spojených státech a hlavně v Rusku, kde kromě krajanů bylo mnoho českých a slovenských válečných zajatců. Organizací odboje v Rusku byl pověřen Dürich, ten se však dostal do osidel carských kruhů, naladěných proti Masarykovi a jeho demokratismu. Dürich se proto s Radou i jejím programem záhy rozešel.

Krátce po Dürichovi odjel do Ruska Štefánik s hlavním úkolem zorganizovat zde vojsko. Prvním předpokladem k tomu ovšem bylo, aby se krajané v Rusku, Češi i Slováci, sjednotili a zahraniční odboj vedený Masarykem podpořili. Nejednalo se vůbec o lehký úkol, vždyť v Rusku existovalo již několik exilových skupin, jejichž názory na řešení slovenské otázky se velmi lišily. Významným představitelem Slováků na Rusi byl profesor Ján Kvačala, významný komeniolog působící na univerzitě v estonském Jurjevě (Tartu) a stoupenec připojení Slovenska k Rusku, který měl již v tomto duchu vypracované memorandum. Kvačala byl Štefánikovým profesorem ještě z dob jeho studia na prešporském (bratislavském) lyceu, a tak jejich setkání v Rusku nepostrádalo dramatický náboj. Štefánik nedokázal Kvačalu přesvědčit a oba se nakonec rozešli ve zlém. Podobně jako Kvačala propagoval spojení s Ruskem také slovenský Spolok pamäti Ľudovíta Štúra. Avšak díky enormnímu úsilí a houževnatosti Štefánik posléze překonal rozpory v krajanském táboře a získal ho pro podporu Československé národní rady v Paříži. Ruští krajané tento akt dovršili tzv. *Kyjevskou dohodou* z 29. srpna 1916.

Nemenší problémy měl Štefánik v navazování kontaktů s představiteli carské vlády, hlavně na ministerstvu zahraničních věcí. Velkou podporu mu poskytl francouzský vojenský přidělenec u ruského generálního štábu generál Maurice Janin. Nakonec se Štefánikovi podařilo získat náklonnost cara i vojenských kruhů. To však bylo málo, protože nedostal souhlas, aby do československého vojska mohli vstupovat nejen Češi a Slováci žijící v Rusku, ale především váleční zajatci. Velkou překážku v Štefánikově činnosti představovala Dürichova snaha vytvořit v Rusku vlastní radu, zaměřenou proti Masarykovi, v čemž se mu od některých carských politiků a diplomatů dostávalo značné podpory. Štefánik nakonec, se souhlasem Masaryka i Beneše, Düricha z Československé národní rady vyloučil, k obratu však došlo až výbuchem ruské revoluce a po svržení cara. Od března 1917 ztratil Dürich v Rusku pro svou separátní akci jakoukoli podporu. Teprve tehdy se vytvořily příznivé podmínky i pro organizování československého vojska na Rusi.

Štefánik tak připravil půdu pro Masarykův příjezd do Ruska. Za pomoci nové ruské vlády Masaryk rychle dosáhl toho, že se do samostatného československého vojska mohli hlásit nejen krajané, ale také váleční zajatci. Výsledkem byl vznik početných a dobře vyzbrojených legií čítajících až 70 000 mužů.

Československé národní radě se tedy dařilo zorganizovat armádu, dostavily se i významné úspěchy na bojišti – legie se vyznamenaly v bojích u ukrajinského Zborova v červenci 1917 –, nedařilo se však prolomit bariéru nedůvěry dohodových politiků, kteří se na projekt československého státu stále dívali skepticky.

Ján Kvačala, profesor univerzity v estonském Jurjevu, komeniolog a stoupenec připojení Slovenska k Rusku

Velkou překážkou československých aspirací byl zejména postoj Itálie. Ta byla vlastně jedinou dohodovou zemí, jež měla přímé územní požadavky vůči Rakousko-Uhersku. Navzdory tomu se dlouho nedařilo získat italskou politiku pro záměr monarchii rozbít a vytvořit z ní nové státy. Bylo tomu tak zejména proto, že se československá otázka v dohodových kruzích úzce spojovala s otázkou jihoslovanskou a právě Itálie se stavěla proti konstituování jihoslovanského státu, v němž spatřovala posílení konkurenčního Srbska, nového nebezpečného protivníka v oblasti Jaderského moře. A byl

SILOU!
KDE DOMOV MUJ

Českoslovenští legionáři

to znovu Štefánik, který musel využít veškerého svého diplomatického talentu, aby se mu nakonec podařilo italský postoj změnit. Dalším problémem bylo vytvoření samostatných československých legií v Itálii, kde se nacházelo mnoho zajatých Čechů a Slováků. Italské vládní a vojenské kruhy však nechtěly dát souhlas k tomu, aby se váleční zajatci mohli organizovat v samostatných československých jednotkách. Změnu přivodily teprve porážky italských vojsk koncem roku 1917 u Caporetta. V březnu 1918 došlo k italsko-jihoslovanskému sblížení a příznivé situace Štefánik okamžitě využil. Dne 21. dubna 1918 podepsal s italským ministerským předsedou Orlandem dvojstrannou smlouvu o vytvoření samostatné československé armády v Itálii.

Tento úspěch byl potřebný, protože po brestlitevském míru nastala pro Masarykovu akci kritická chvíle. Dohodové mocnosti byly nakloněny myšlence separátně jednat s Rakousko-Uherskem. Ukázalo se však, že habsburská monarchie už není schopna jednat samostatně, bez Německa. Po propuknutí Sixtovy aféry bylo jasné, že musí být poražena vojensky, což však pro Dohodu stále ještě neznamenalo likvidaci a rozdělení Rakousko-Uherska.

Změna v postoji dohodových zemí se začala rýsovat teprve od léta 1918. Významnou měrou k tomu přispěly úspěchy československých legií na Sibiři. I po bolševickém převratu v listopadu 1917 pokračovaly československé jednotky v boji proti Německu a Rakousko-Uhersku. Podepsání brestlitevského míru však znamenalo zásadní změnu v jejich postavení. Československé vojsko ztratilo v Rusku nepřítele. Mělo být přesunuto na západní frontu a tam spolu s dohodovými vojsky čelit německé ofenzivě. Německo však nechtělo dopustit, aby se přesun uskutečnil. Na základě ustanovení brestlitevské mírové smlouvy trvali Němci na tom, aby sovětská vláda všechna dohodová vojska na svém území odzbrojila, tedy také vojsko československé. Proto vydala sovětská vláda rozkaz k odzbrojení československých legií. Legionáři byli ochotni se tomuto rozkazu podrobit, žádali však zajištění nerušeného odchodu z Ruska, což však sovětská vláda v chaosu, který v zemi vládl, nemohla zaručit. Po konfliktu vyprovokovaném bolševiky se proto československé legie rozhodly bránit. V krátké době ovládly celou sibiřskou železniční magistrálu a kontrolovaly tak významné spojení asijského Ruska s jeho evropskou částí. Zvěsti o bojové morálce a úspěších československého vojska obletěly v krátké době celý svět.

Za těchto okolností byli dohodoví politici přístupnější naslouchat diplomatickým argumentům Masaryka, Štefánika a Beneše. Formálně sice vyjadřovali zahraničnímu protirakouskému odboji morální podporu a v dubnu 1918 došlo v Římě k zorganizování Kongresu utlačovaných národů Rakousko-Uherska, k závazným diplomatickým krokům však dohodové velmoci stále ještě rozhodnuty nebyly. Ke zlomu došlo teprve v létě 1918. Jako první uznala Československou národní radu za československou vládu de facto a československé vojsko za vojsko spojenecké vláda Francie – 29. června 1918. Dne 9. srpna tak učinila vláda britská, 3. září vláda americká a 3. října také vláda italská.

DOMÁCÍ ČESKOSLOVENSKÝ ODBOJ

Zatímco se v zahraničí boj za samostatné Československo úspěšně rozvíjel, doma nebyl patrný žádný pohyb. Život Slováků se podřídil válečným podmínkám. Stále víc mužů odcházelo na frontu a pole pustla, stále častěji přicházely oznámení o padlých. I kulturní život ustrnul.

Slovenští vojáci šli do války odevzdaně, ale s nechutí; pokud se jí mohli vyhnout, využili všech možných prostředků. U Slováků nelze mluvit o nějakém vlasteneckém zápalu. Přesto se zprávy z fronty zmiňovaly o vysoké bojové morálce a statečnosti slovenského vojáka, zejména v prvních letech války. Slovenský voják tedy bojoval za svého krále a za Rakousko-Uhersko. Bojové nasazení Slováků se ve vojenských hlášeních, ale také v tisku stalo nakonec až jakýmsi klišé. „I když malá část Čechů zaslepená slovanským šílenstvím projevuje sklony k vlastizradě, Slovinci a Chorvati, Dalmatinci a Rusíni, ale především Slováci zachovávají své vlasti neochvějnou věrnost," psalo se například v článku o Slovácích v německém časopis *Osteuropäische Zukunft.* Jako každé klišé, i tohle bylo pravdivé pouze částečně. Mezi Slováky nebylo tak okázalých dezercí, jakou byl například přechod 28. pražského pluku na ruskou stranu na východním Slovensku za ruské karpatské ofenzivy, zběhnutí však byla – a v nezanedbatelném množství. Poznamenejme, že postoj slovenských vojáků se v průběhu doby měnil: z původně poslušných se koncem války právě oni proměnili v snad největší rebelanty, což ostatně ukázala i vzpoura v srbském Kragujevci v červnu 1918. V každém případě však je třeba konstatovat, že existoval jistý rozdíl v postojích širokých vrstev slovenské společnosti a slovenské politické a kulturní elity.

Když političtí představitelé vyhlásili na začátku války pasivitu, zaujali vyčkávací stanovisko, ovšem s tím, že jsou připraveni připojit se ve vhodné chvíli k odboji. Řešení slovenské otázky už nespojovali s existencí Uherska a velmi brzy u politiků všech směrů převládl záměr směřující k vytvoření československého státu. Soustavně a bedlivě proto sledovali vývoj válečných událostí.

Protože Slovensko nemělo své přirozené městské centrum, působili slovenští politici na různých místech. V Turčianském Sv. Martině bylo sídlo Slovenské národní strany, v Ružomberku na Liptově působil Vavro Šrobár, v Budapešti právník a národohospodář Emil Stodola. Do Budapešti dojížděl v té době jediný aktivní slovenský poslanec uherské sněmovny Ferdiš Juriga. V Bratislavě měli centrum slovenští sociální demokraté v čele s Emanuelem Lehockým. Nejdůležitější středisko Slováků však vzniklo mimo okruh dozoru uherských úřadů – ve Vídni. Slovák Kornel Stodola se stal vedoucím cenzurního oddělení, které za války zřídilo velitelství c. a k. armády za účelem sledování a vyhodnocování válečné korespondence, a přes zednářskou lóži měl dobré kontakty na nejvyšší místa v armádě. Do slovenského oddělení cenzurního úřadu ve Vídni se mu podařilo umístit aktivní předválečné politiky Ivana Dérera, Jána Cablka a nakonec i Milana Hodžu, kterého zařadil do srbského oddělení. Hodža se pak osvědčil jako *spiritus movens* celé skupiny. Vídeňské centrum bylo důležité proto, že udržovalo kontakt i s českými poslanci na říšské radě a zprostředkovávalo styk s tajnou zpravodajskou organizací Maffií, jež byla podřízena Československé národní radě. Tak se dařilo koordinovat zahraniční odboj s domácí politikou. Milan Hodža i Kornel Stodola byli před válkou stoupenci prohabsburské a federalistické politiky, ale smrtí následníka trůnu Františka Ferdinanda a vypuknutím války ztratila tato politika své opodstatnění. I federalizace monarchie byla již možná pouze v případě porážky, respektive vážného oslabení centrálních mocností. Stoupenci středoevropské federace se tak v nové situaci přeorientovali na vítězství Dohody a stali se z nich nejaktivnější přívrženci zahraničního odboje vedeného Masarykem.

Emil Stodola

Ještě koncem roku 1916 nevypadala situace na frontách pro centrální moc-

Vavro Šrobár

nosti nijak špatně. V Rakousko-Uhersku se však už začaly projevovat příznaky únavy. Po smrti Františka Josefa I. v listopadu 1916 nastoupil na trůn jeho prasynovec císař Karel I., jako uherský král Karel IV. Ministrem zahraničních věcí jmenoval Otokara Czernina, bývalého blízkého spolupracovníka Františka Ferdinanda z tzv. belvederského klubu, jehož prvním krokem byla důkladná analýza politické, ekonomické i vojenské situace. Závěr byl jednoznačný: Rakousko-Uhersko potřebuje mír. Došlo i k pokusům o separátní jednání s Dohodou, ty však nepřinesly pozitivní výsledek. Ruská revoluce oslabila už tak značně podlomenou vojenskou sílu Ruska. Navíc ruští bolševici, kteří se chopili moci v listopadu 1917, zahájili separátní mírová jednání s centrálními mocnostmi, což nakonec vedlo k mírovému diktátu v Brestu Litevském a k uzavření východní fronty. Toto oslabení Dohody bylo vyváženo vstupem Spojených států do války a hospodářskou stabilitou dohodového tábora.

Za změněné situace se aktivizovalo i česká a slovenska politická domácí scéna. Český politický tábor využil svolání říšské rady a na jejím zasedání v květnu 1917 připravil zásadní politické prohlášení. Slovenští poslanci, hlavně Vavro Šrobár a skupina ve Vídni, využili situace a prosadili do tohoto prohlášení požadavek spojení českých zemí a Slovenska do jednoho celku: „Opírajíce se v této dějinné chvíli o přirozené právo národů na sebeurčení a svobodný vývoj, posílené nadto u nás nezadatelnými právy historickými, státními akty plně uznanými, budeme se v čele svého lidu domáhat sloučení všech větví československého národa do demokratického českého státu, zahrnujícího i slovenskou větev národa, který žije v souvislém celku s českou historickou vlastí.“

Tato slova ještě neznamenala rozchod s Habsburky, požadavek spojení českých zemí a Slovenska však předpokládal důslednou federalizaci říše, tedy i její uherské části. Uherská vláda okamžitě ostře protestovala, ale prohlášení se už prostřednictvím tiskových agentur dostalo do světa a významně podpořilo Masarykovu zahraniční akci.

Podobně jako v prohlášeních Československé národní rady i v prohlášeních domácích politiků se objevila podobná argumentace o československém národě, respektive o jeho různých větvích. Svým způsobem šlo o deklarace taktické. Složitá otázka vytvoření československého státu, k níž se politici Dohody stavěli skepticky, se těmto politikům měla prezentovat co nejjednodušeji a pokud možno srozumitelně. Je tu jeden národ, který chce svůj stát. Argumentovalo se přitom také historicky – někdejší Velká Morava z 9. století se prohlásila za stát Čechů a Slováků, tedy za stát „československý", k němuž se nyní v nové historické chvíli československý národ znovu vrací. Je třeba říci, že politikové Dohody byli ochotni akceptovat jedině takovouto argumentaci. Zároveň si však řada politiků, Masaryka a Štefánika nevyjímaje, nepochybně představovala, že vytvoření politického národa československého je dosud možné. Jazyková stránka přitom nehrála důležitou úlohu. Podstatné bylo akceptování společného státu, a tím vytvoření politické jednoty, tedy jednotného politického národa. Tyto kalkulace vycházely z ne zcela realistické analýzy skutečného stavu slovenské společnosti a míry jejího národního uvědomění.

Rozhodně však tato otázka nepředstavovala za války nijak vážný problém. Složitost a náročnost programu vytvoření československého státu byla taková, že všechny ostatní otázky ustupovaly do pozadí. Uvědomovali si to i politici doma. Už od začátku odboje existovalo velmi dobré spojení mezi zahraničním a domácím odbojem, organizované Maffií. Dík její činnosti domácí politikové, kteří zaznamenávali postupné úspěchy Masarykovy akce v zahraničí, mohli přizpůsobovat své aktivity, svůj program a nakonec i způsob argumentace požadavkům zahraničního odboje. To se ukázalo pro úspěch celé akce velmi důležité.

Vznik Československa

OŽIVENÍ SLOVENSKÉ POLITIKY V ROCE 1918

Nedůvěru dohodových politiků pomohla odstranit i aktivizace domácí politiky, která se stávala stále radikálnější. Rakousko-uherská monarchie se pod tlakem národních a revolučních hnutí otřásala od základu. V lednu postihla celou monarchii, ale zejména její rakouskou část, mohutná stávka, která ochromila už i tak válkou zruinované hospodářství. V únoru propukla vzpoura námořníků v Kotoru. Představitelé nespokojených národů předkládali vídeňskému dvoru stále radikálněji a důrazněji své požadavky, které už mířily k vytvoření samostatných států. V lednu 1918 se čeští poslanci v tříkrálové deklaraci přihlásili k myšlence vytvoření samostatného československého státu. V témže duchu se nesla i národní přísaha Čechů v dubnu 1918.

Činorodost začali projevovat, třebaže stále ve stínu maďarských bodáků, také Slováci. Na prvomájové manifestaci roku 1918 v Liptovském Sv. Mikuláši byl do rezoluce zásluhou Vavra Šrobára včleněn požadavek společného státu s Čechy. V druhém bodě rezoluce se říkalo: „Jako přirozený následek nutné svobody žádáme bezpodmínečné uznání práva na sebeurčení všech národů, nejen za hranicemi naší monarchie, ale i národů Rakousko-Uherska, tedy i uherské větve československého kmene." I když formulace byla opatrná a stále v zastřené formě, byl to dohodnutý signál pro zahraničí, že Masarykovu akci

Liptovský Svätý Mikuláš v době první světové války

podporují také Slováci. Znovu zaúčinkovalo spojení zahraničního a domácího odboje prostřednictvím Maffie. Jistý problém Masarykovy akce před dohodovými politiky představovala legitimita jeho Československé národní rady. Masaryk byl sice poslancem říšské rady, ale za malou politickou stranu; ostatní členové Československé národní rady nebyli ani to. Rakousko-uherská propaganda se snažila líčit Masarykovu akci jako podnik malé skupiny dobrodruhů, které doma nikdo nepodporuje. Ještě spornější se jevila legitimita Rady pokud se týče Slovenska. M. R. Štefánik jako představitel Slováků v Radě byl vlastně francouzský státní občan, a tak bylo nadmíru důležité, aby se konečně projevili domácí politici a vyslali do zahraničí signál, že myšlenku československého státu podporují. V tom vlastně spočíval pravý smysl Šrobárovy akce, když do rezoluce dělnického shromáždění, obsahující jinak sociální požadavky, požadavek ukončení války a demokratických práv, vsunul rovněž požadavek práva na sebeurčení právě pro „uherskou větev československého kmene". Tak to také pochopila uherská vláda a vzápětí nechala Šrobára uvěznit.

Definitivně a programově se slovenští politici rozešli s Uherskem a přihlásili se k československému státu na důvěrné poradě Slovenské národní strany 24. května 1918. Programovou orientaci tehdy lapidárně zformuloval Andrej Hlinka, když řekl: „Neobcházejme otázku, řekněme otevřeně, že jsme pro orientaci československou. Tisícileté manželství s Maďary se nevydařilo. Musíme se rozejít." Byl to program, za nímž stáli všichni významní slovenští představitelé, od předáků Slovenské národní strany v Turčianském Sv. Martině přes liberální a katolické křídlo až po slovenské sociální demokraty.

Jako demonstrace česko-slovenské vzájemnosti vyzněly oslavy 50. výročí Národního divadla v Praze v květnu 1918, jichž se zúčastnila také slovenská delegace na čele s básníkem Pavlem Országhem Hviezdoslavem.

Dne 13. července 1918 byl v Praze vytvořen Národní výbor československý, který se stal vrcholným orgánem domácího odboje. Jeho ustavení bylo ohlášeno deklarací spíš patetickou než věcnou. Už s úplnou samozřejmostí se v ní hovořilo o samostatném československém státě i o tom, že tento stát má podporu celého „československého" národa: „My víme, že za Národním výborem československým stojí celý národ náš jako jednolitá ocelová hradba. A prodchnuti radostí nad velkým politickým činem, jímž byl Národní výbor vyvolán k životu a práci, plni důvěry ve vítězství věci naší společné, obracíme se dnes k celému národu československému s vroucí výzvou, aby podepřel práci naši všemi svými silami, aby poslušen byl všech příkazů společné kázně a pevně i odhodlaně šel za tím, co jest cílem naším společným."

Čeští politici se rozhodli, že program samostatného československého státu podpoří veřejným prohlášením. Stalo se tak na zasedání říšské rady začátkem října, kdy jménem českých poslanců František Staněk prohlásil, že Češi se už s Rakouskem rozešli a česká otázka se bude řešit na mezinárodním fóru. V podobném duchu vystoupil v uherském sněmu poslanec Ferdiš Juriga 19. října. Prohlásil, že právo zastupovat zájmy Slováků nemá uherský sněm, ale výlučně Slovenská národní rada. Zároveň oznámil, že Slováci mají přirozené právo sami rozhodnout o své státní příslušnosti: „Jsme národem s osobitou řečí, a my se nedáme, požadujeme své právo na základě přirozeného a historického práva..., abychom volně a bez jakéhokoli cizího vlivu, sami mohli určit své státní určení a své přičlenění mezi svobodné národy. Slovenský národ neuznává oprávněnost tohoto parlamentu a jeho vlády považovat se za zástupce slovenského národa, neboť slovenský národ zde má jen dva poslance, a přece i v zaostalých poměrech minulosti měl by mít právo podle svého početního stavu na poslanců čtyřicet... Slovenský národ neuznává právo cizích institucí zastupovat na všeobecném mírovém kongrese zájmy slovenského národa, neboť zastupování těchto zájmů může svěřit pouze institucím určeným Slovenskou národní radou, nebo zmíněným dvěma poslancům. Kromě národního shromáždění slovenského nebo orgánů jím pověřených nemůže mít nikdo právo, aby jednal o politickém postavení slovenského národa a o něm a bez něho, případně proti němu rozhodoval."

Jurigova řeč byla dlouhá, mluvil o mnohém, maďarští poslanci ho neustále přerušovali výkřiky. Smysl jeho řeči spočíval v deklaraci rozchodu Slováků s Uherskem a jejich rozhodnutí samostatně rozhodnout o svém osudu. V tom smyslu byla i tato řeč součástí společné taktiky směřující k definitivnímu uznání československého státu Dohodou.

VYHLÁŠENÍ ČESKOSLOVENSKÉHO STÁTU

Z Jurigova projevu se svět dověděl o existenci Slovenské národní rady, která do té doby pracovala tajně a na veřejnosti nevystupovala. Starý záměr ustavit Slovenskou národní radu, který se kvůli vypuknutí války nemohl uskutečnit, ožil tak na jejím konci znovu. Na naléhání mnoha slovenských politiků svolal předseda Slovenské národní strany Matúš Dula na 12. září 1918 poradu slovenských

Česko-Slovenská Dohoda,
uzavrená v Pittsburghu, Pa., dňa 30. mája, 1918.
"Predstavitelia slovenských a českých organisácií vo Spoj. Štátoch.
Slovenskej Lígy, Českého Národného Sdruženia a Sväzu Českých Katolíkov,

porokovali za prítomnosti predsedu Česko-Slovenskej Nár. Rady, prof. Masaryka, o česko-slovenskej otázke a o našich posavádnych programových prejavoch a usniesli sa nasledovne:

"Schvalujeme politický program usilujúci sa o Spojenie Čechov a Slovákov v samostatnom štáte z Českých Zemí a Slovenska.

"Slovensko bude mať svoju vlastnú administratívu, svoj snem a svoje súdy.

"Slovenčina bude úradným jazykom v škole, v úrade a vo verejnom živote vôbec.

"Česko-slovenský štát bude republikou, jeho Konštitúcia bude demokratická.

"Organisácia spolupráce Čechov a Slovákov vo Spoj. Štátoch bude podľa potreby a meniacej sa situácie, pri spoločnom dorozumení, prehlbená a upravená.

"Podrobné ustanovenia o zariadení česko-slovenského štátu ponechávajú sa osvobodeným Čechom a Slovákom a ich právoplatným predstavitelom."

Pittsburská dohoda

politiků do Budapešti. Tam se ustavila Slovenská národní rada a bylo rozhodnuto, že se Slovenská národní strana pokusí svolat oficiální a veřejné shromáždění, na němž by byla vyhlášena existence této Rady. Předpokládalo se však, že uherská vláda takové shromáždění nepovolí, v takovém případě měla Slovenská národní rada pracovat až do vhodného okamžiku neveřejně. Tento stav opravdu trval až do 30. října 1918, kdy uherská vláda shromáždění oficiálně dovolila.

Pod tlakem vnějších okolností a vzhledem k stále vyhrocenější situaci doma se rozhodl císař Karel vyjít vstříc národním požadavkům a předložil 16. října návrh na federalizaci Předlitavska. Tak jako většina politických kroků jeho předchůdce ani tento nebyl ničím jiným než opožděnou reakcí na vzniklou situaci. Návrh na federalizaci rakouské části monarchie mohl být zajímavý ještě roku 1917, nikoli však v říjnu 1918. To už se národy Rakousko-Uherska rozhodly, že se s monarchií rozejdou a vytvoří si samostatné státy. Návrh tedy přišel pozdě. Čeští politici ho ihned striktně odmítli a jednoznačně se orientovali na státní samostatnost.

Karlův návrh měl ještě jednu zásadní slabinu, kvůli níž ho čeští ani slovenští politici nemohli přijmout. Federalizace by se totiž týkala pouze rakouské části monarchie – Předlitavska, kdežto Uhersko mělo nadále zůstat centralizovaným státem. Maďarští politici se k takovému kroku nechtěli odhodlat – dosud se kojili nereálnou nadějí, že se jim podaří udržet Uhersko pohromadě. Císařův plán byl tedy v zásadním rozporu s požadavky českých i slovenských politiků, kteří požadovali spojení českých zemí a Slovenska, tedy porušení integrity historických Uher. Podobně se ke Karlovu návrhu postavili také představitelé ostatních národů, a tak jeho snaha zachránit říši minutu před dvanáctou neměla úspěch.

Tou dobou už probíhaly intenzivní porady mezi českými a slovenskými politiky. V létě 1918 navštívil Slovensko předseda Československé jednoty Josef Rotnágl a v říjnu přijel Matúš Dula do Prahy. Rozhovory s českými poslanci vedla pravidelně slovenská vídeňská skupina. Všeobecná dohoda stanovila, že vystoupení domácího odboje se uskuteční v den kapitulace Rakousko-Uherska; nepředpokládalo se však, že ten den je už tak blízko.

Uznání Československé národní rady jako vlády de facto a československého vojska jako vojska belligerentního se stalo významným přelomem v politice Dohody vůči Rakousko-Uhersku. Umožnilo to Národní radě přeměnit se v dočasnou vládu, k čemuž došlo 14. října. Byla to pouze dočasná, tříčlenná vláda, jejímž předsedou byl Masaryk, ministrem zahraničí Beneš a ministrem obrany Štefánik. Stále však existovalo nebezpečí, že se Dohoda může rozhodnout jinak. Hlavně prezident Spojených států Woodrow Wilson tvrdošíjně setrvával na svém programu z ledna 1918, podle něhož se měly národy Rakousko-Uherska spokojit pouze s autonomií. Tomáš G. Masaryk proto přijel koncem dubna do Spojených států, aby se pokusil americkou politiku ovlivnit bezprostředně. Aby měl úspěch, potřeboval především jasné a veřejně deklarované stanovisko slovenských a českých krajanů ve Spojených státech, že program samostatnosti obou národů podporují. Proto inicioval Masaryk novou dohodu mezi americkými Čechy a Slováky, kterou obě strany podepsaly dne 30. května 1918 v Pittsburghu. Dokument požadoval zřízení společného demokratického československého státu, v němž mělo Slovensko získat autonomii. *Pittsburská dohoda* dala nový impuls krajanskému hnutí ve Spojených státech a Masarykovi závažný argument pro americkou vládu, aby se definitivně rozhodla ve prospěch československé samostatnosti.

Vrcholem Masarykovy aktivity bylo vyhlášení československé nezávislosti, které vypracoval a publikoval v americkém tisku 18. října 1918 a je známé jako *Washingtonská deklarace*. Obsahovala kromě deklarace nezávislosti i hlavní zásady nového státu, který se měl stát demokratickou republikou. Textem i dikcí připomíná americké Vyhlášení nezávislosti, což mělo ovlivnit americké veřejné mínění ve prospěch československé věci. O spojení českých zemí a Slovenska se v deklaraci říkalo: „Požadujeme pro Čechy právo, aby byli spojeni se svými slovanskými bratry ze Slovenska, kdysi součástí našeho národního státu, odtrženými později od našeho národního těla a před padesáti lety vtělenými do uherského státu Maďarů, kteří nepopsatelným násilím a krutým útlakem porobených plemen ztratili jakékoliv mravní a lidské právo vládnout komukoliv kromě jich samých.“ Byla to argumentace, jaké používala Národní rada československá systematicky; historicky nekorektní, ale politikům Dohody v této

Olejomalba J. Alexyho Napred vyjadřovala ideu nové cesty slovenského národa v československém státu

době srozumitelná. Ve vyhlášení nezávislosti byly naznačeny hlavní zásady vnitřního uspořádání státu, z nichž se pak ne všechny realizovaly: „Československý stát bude republikou. V stálém úsilí o pokrok zajistí plnou svobodu svědomí, náboženství a vědy, literatury a umění, slova, tisku a práva shromažďovacího a petičního. Církev bude odloučena od státu. Naše demokracie bude založena na všeobecném hlasovacím právu. Ženy budou postaveny politicky, sociálně a kulturně na roveň mužům. Práva menšiny budou chráněna poměrným zastoupením, národní menšiny budou mít stejná práva. Vláda bude mít formu parlamentární a bude uznávat zásady iniciativy a referenda. Stálé vojsko bude nahrazeno milicí."

Vyhlášení nezávislosti se u americké veřejnosti setkalo s velkým ohlasem a stalo se posledním impulsem, který přispěl k tomu, že prezident Woodrow Wilson se rozhodl na mírovou nabídku Rakousko-Uherska odpovědět v tom smyslu, že o osudech monarchie mají rozhodnout její národy. Bylo to definitivní rozhodnutí o zániku Rakousko-Uherska.

Koncem října byla už vídeňská vláda natolik povolná, že dala souhlas reprezentantům Národního výboru, aby odjeli do Ženevy na setkání s představiteli zahraničního odboje. Cestou do Ženevy se delegace zastavila ve Vídni, kde jednala s Milanem Hodžou. Při setkání v Ženevě delegace Národního výboru uznala v plném rozsahu všechno, co Národní rada vedená Masarykem vykonala, a vyslovila jí absolutorium: „Plně schvalujeme politiku a veškerou činnost vojenskou i politickou Národní rady československé, která se přeměnila v dočasnou vládu zemí československých se sídlem v Paříži. Schvalujeme také závazky, které ve jménu československého národa se Spojenci a spřátelenými mocnostmi učinila. Současně jí vyslovujeme vděčnost za velké služby, které prokázala našemu národu."

Karol A. Medvecký

Hlavním jednacím bodem obou delegací pak bylo sestavení československé vlády. Obě delegace se dohodly, že se Tomáš Garrigue Masaryk stane prezidentem Československa. Předsedou vlády se stal Karel Kramář, ministrem zahraničí Edvard Beneš, ministrem války Milan Rastislav Štefánik, který tou dobou dlel u československých legií na Sibiři. Zároveň s funkcí ministra války byla vytvořena funkce ministra obrany, kterou obsadil národní socialista Václav Klofáč.

V době ženevských rokování obou delegací přinesly světové agentury zprávu, že Rakousko-Uhersko přijalo podmínky bezpodmínečné kapitulace. To hned vyvolalo v Praze spontánní akce, během nichž převzal moc Národní výbor a 28. října 1918 přijal první zákon, jímž byla vyhlášena Československá republika.

Také uherská vláda změnila taktiku vůči Slovákům. Viděla, že válka je prohraná, ostatně sám István Tisza to přiznal veřejně. Dalo se tedy předpokládat, že dosavadní hrozby a nátlak ztratí svůj účinek. Ve snaze si Slováky naklonit a získat je pro setrvání v Uhersku se vláda rozhodla, že povolí veřejné politické shromáždění, které svolá Slovenská národní strana.

Deklarácia Slovenského Národa!

Zastupitelia všetkých slovenských politických strán,

shromaždení dňa 30. oktobra 1918 v Turčianskom Sv. Martine a organizovaní v Národnú Radu slovenskej vetvy jednotného česko-slovenského národa, trvajú na zásade samourčovacieho práva národov prijatej celým svetom. Národná Rada vyhlasuje, že v mene česko-slovenského národa, bývajúceho v hraniciach Uhorska, je jedine ona oprávnená hovoriť a konať.

Nie je na to oprávnená uhorská vláda, ktorá za celé desaťročia nepoznala vážnejšej úlohy, ako potlačovať všetko, čo je slovenské, nepostavila a nedovolila nášmu národu ani jedinej školy, nedovolila, aby sa slovenskí ľudia dostali do verejnej správy a úradov, náš ľud majetkove ničila a vykorisťovala svojou stredovekou feudálnou sústavou a politikou.

Nie sú oprávnené na to, aby v mene slovenského ľudu hovorily, ani tie tak zvané zastupiteľské sbory, ktoré sú sostavené na základe úzkeho volebného práva, nedopúšťajúceho prejaviť vôľu národa, a pozostávajúce z ľudí, ktorí vzdor nariadeniu zákona nedopustili na výboroch čisto slovenských stolíc ani len slovenského slova.

Nie sú na to oprávnené ani také ľudové shromaždenia, ktoré vynášajú uzavretia pod tlakom cudzieho násilia.

V mene slovenského národa na Slovensku **oprávnená je teda hovoriť jedine Slovenská Národná Rada.**

Národná Rada česko-slovenského národa v Uhorsku obydleného osvedčuje:

1. Slovenský národ je čiastka i rečove i kultúrno-historicky jednotného česko-slovenského národa. Na všetkých kultúrnych bojoch, ktoré viedol český národ a ktoré ho urobily známym na celom svete, mala účasť i slovenská vetev.

2. Pre tento česko-slovenský národ žiadame i my neobmedzené samourčovacie právo na základe úplnej neodvislosti. Na základe tejto zásady prejavujeme svoj súhlas s tým novoutvoreným medzinárodným právnym položením, ktoré dňa 18. oktobra 1918 formuloval predseda WILSON a ktoré dňa 27. oktobra uznal rakúsko-uhorský minister zahraničia.

3. Žiadame okamžité uzavretie pokoja a síce na všeľudských kresťanských zásadách, aby pokoj bol taký, že by medzinárodno-právnymi zárukami znemožňoval ďalšiu vojnu a ďalšie zbrojenie.

[illegible]

Zo zasadnutia Slovenskej Národnej Rady

V Turčianskom Sv. Martine, 30. oktobra 1918.

Karol A. Medvecký v. r. — Matúš Dula v. r.

Bratia! Rodáci! V tomto ohlase slovenský národ vyslovil svoje žiadosti.

Toho sa držte všetci! A zachovajte sa, ako to veľké udalosti terajšie vyžadujú, dôstojne, aby nijaké výtržnosti ďalší pokojný vývin veci neprekazily. **Oprávnené sťažnosti a žiadosti oznámte našmu výboru, ktorý nakoľko len bude možno, postará sa, aby sa im odpomohlo.**

Vrchnosti idú nám po ruke a preto vyzývame Vás, aby Ste i vo všeobecnom i vo vlastnom záujme vrchnostenským nariadeniam zadosť urobili.

V Liptovskom Sv. Mikuláši, 1. nov. 1918.

Liptovský výbor Slovenskej Národnej Rady.

Martinská deklarace

Dne 30. října 1918 se sešli slovenští představitelé v Turčianském Sv. Martině. Původním cílem shromáždění bylo oficiálně založit Slovenskou národní radu jako reprezentativní orgán Slováků a jejím jménem se přihlásit k myšlence práva na sebeurčení a k vytvoření společného státu s Čechy. Mělo to tedy být ono požadované veřejné osvědčení politické reprezentace Slováků ve smyslu československé státní samostatnosti. Když se delegáti sjížděli do Martina, nevěděli ještě, že v Praze už byl československý stát vyhlášen. Noviny v Uhersku sice přinesly zprávy o nepokojích v Praze, to nejpodstatnější, jaký měly výsledek, však zamlčely. Delegáti tedy jednali podle původního plánu. Zvolili Slovenskou národní radu a přijali *Martinskou deklaraci,* v níž se říkalo: „Ve jménu slovenského národa oprávněna je tedy mluvit pouze Slovenská národní rada. Národní rada československého národa v Uhersku usazeného osvědčuje: 1. Slovenský národ je částí jazykově i kulturněhistoricky jednotného československého národa. Na všech kulturních bojích, které vedl český národ a které ho učinily známým po celém světě, se podílela i slovenská větev. 2. Pro tento československý národ žádáme i my neomezené sebeurčovací právo na základě plné nezávislosti."

Večer 30. října, když už část účastníků shromáždění byla na cestě domů, dorazil do Turčianského Sv. Martina Milan Hodža se zprávou o tom, že v Praze už byl vyhlášen československý stát. Sešel se užší kruh deklarantů a na základě nové situace udělal v textu Deklarace dvě korektury: předně vypustil pasáž s požadavkem samostatného zastoupení Slováků na mírové konferenci. Bylo to logické rozhodnutí – protože už existoval československý stát, požadavek samostatného slovenského zastoupení na mírové konferenci by vlastně vyjadřoval nedůvěru Slováků vůči novému státu a jeho oficiální reprezentaci. Druhá úprava se týkala vsuvky do bodu 2, v níž se dávalo najevo, že deklaranti reagují na nově vzniklou situaci, tedy i na vyhlášení Československa: „Na základě této zásady projevujeme svůj souhlas s tím nově utvořeným mezinárodním postavením, které dne 18. října 1918 formuloval prezident Wilson a které dne 27. října 1918 uznal rakousko-uherský ministr zahraničí."

Deklarací se Slovensko přihlásilo k samostatnému československému státu. Deklarace vyjadřovala rozhodnutí Slováků rozejít se s Uherskem a začít novou etapu své existence v rámci Československé republiky. Pro Slováky to bylo vskutku převratné, revoluční rozhodnutí, které udělalo tečku za tisíciletou existencí v Uhrách a začalo novou československou etapu. Vnitřní rozchod Slovenska s Uherskem dozrával v průběhu 19. století přímo úměrně s tím, jak se uherský stát měnil z původního multietnického státního útvaru v centralistický maďarský stát. Vnější podmínky k uskutečnění faktického rozchodu však nastaly teprve po vypuknutí první světové války. Slováci těchto podmínek využili a podle svých schopností se zapojili do zahraničního i domácího odboje – účastí v politických zápasech, v diplomacii i jako důstojníci a vojáci československých legií.

9 V MEZIVÁLEČNÉM ČESKOSLOVENSKU

Budování státu

BOJ O SLOVENSKO

Dne 28. října 1918 byl v Praze vyhlášen československý stát a 30. října se k němu jednomyslně přihlásila i slovenská politická reprezentace. Cesta od vyhlášení k normálně fungujícímu státu však nebyla jednoduchá. V Praze přebral Národní výbor moc do svých rukou bez problémů. Podobně tomu bylo i v jiných českých městech. Složitější situace nastala v českém a moravském pohraničí, kde převažovalo německy mluvící obyvatelstvo. Pohraniční oblasti Čech a Moravy bylo nutno obsadit, převzít moc i správu od staré administrativy, což se neobešlo bez konfliktů a násilného vojenského zásahu. Německé obyvatelstvo, které mělo v Předlitavsku v několikerém ohledu privilegované postavení, se včlenění do nového státu bránilo a odmítalo se stát národnostní menšinou.

Ještě komplikovanější situace vznikla na Slovensku. Slovenské obyvatelstvo se spontánně přihlásilo k československému státu. Slovenští představitelé se hned po vyhlášení Martinské deklarace rozjeli po celém Slovensku, vysvětlovali obyvatelům novou situaci a agitovali pro nově vzniklý stát. Úspěch této agitace se dal vysvětlit nespokojeností s poměry v Uhrách, s válkou i s předchozí národní agitací. Po celém Slovensku se vytvářely národní výbory a ozbrojené národní gardy.

Ve skutečnosti však bylo Slovensko nadále ovládáno bývalou administrativou, četnictvem a vojskem. Slovenská národní rada v Turčianském Sv. Martině disponovala jen nepatrnými mocenskými prostředky, jimiž nebyla schopna přebrat faktickou moc v zemi. Dne 31. října 1918 se v Budapešti ujala moci vláda Mihály Károlyiho, bývalého opozičního poslance. Nová vláda dávala jasně na vědomí, že se stále považuje za vládu celého starého Uherska. I v tom byl zásadní rozdíl mezi postojem rakouských a uherských politických orgánů. Károlyiho vláda se obrátila na Slovenskou národní radu s návrhem autonomie pro Slovensko, ale Slovenská národní rada tuto nabídku odmítla. Bylo však jasné, že boj o Slovensko se teprve musí vybojovat. Maďarské ozbrojené síly totiž nehodlaly respektovat nové orgány moci. Stará uherská administrativa – župani, slúžni (funkce analogická okresnímu hejtmanovi), ale také velká část bývalé státní správy a státní zaměstnanci: úředníci, železničáři, poštovní personál – dávala najevo své nepřátelství vůči novému státu a poslouchala příkazy z Budapešti. Maďarské vojsko obsadilo v polovině listopadu Turčianský Sv. Martin a na krátkou dobu internovalo dokonce předsedu Slovenské národní rady Matúše Dulu.

VELIKÝ ZNAK
REPUBLIKY ČESKOSLOVENSKÉ.
PRAVDA VÍTĚZÍ

Velký znak Československé republiky

V Budapešti pochopili, že jenom násilím není možné Slovensko trvale udržet. Proto se pokusili mobilizovat na Slovensku své stoupence. Do hry vstoupil i předválečný pokus rozdělit Slováky na západní a východní, tzv. Slovjaky. Už od začátku listopadu 1918 byl v tomto směru velmi aktivní Viktor Dvortsák, pracující v maďarských službách, který založil Východoslovenskou radu. Dne 11. prosince pak vyhlásil v Košicích vytvoření Východoslovenské, tzv. Slovjacké republiky. Dalším Slovákem pracujícím v maďarských službách byl František Jehlicska; stal se iniciátorem a organizátorem cesty Andreje Hlinky na mírovou konferenci do Paříže v srpnu 1919. Maďarská vláda prostě dělala všechno pro to, aby Slovensko zůstalo součástí Maďarska.

Dne 14. listopadu se v Praze sešlo na svém prvním zasedání dočasné Národní shromáždění vzniklé rozšířením Národního výboru, aby provedlo první státoprávní akty. Mělo 256 členů a slovenský klub v něm tvořilo 40 členů, včetně devíti poslanců české národnosti, mezi jinými i Edvarda Beneše. 186 poslaneckých mandátů z českých zemí bylo rozděleno mezi české politické strany podle výsledků voleb z roku 1911. Národní shromáždění rozhodlo o republikánském zřízení ve smyslu Masarykovy Washingtonské deklarace. Za prezidenta zvolilo Tomáše Garrigue Masaryka, předsedou vlády se stal Karel Kramář, ale hlavním úkolem nových orgánů státní moci se stalo připravit první parlamentní volby. Před vládou a prozatímním Národním shromážděním stanuly mimořádně složité úkoly. Bylo třeba vybudovat základy státu ve složité vnitropolitické i sociální situaci. V dubnu 1919 byl přijat tzv. záborový zákon o zabrání velkostatků nad 150 ha zemědělské, respektive 250 ha veškeré půdy. Agrární reforma, jež se měla provádět na základě tohoto zákona, byla však realizována jen pomalu a postupně, přísliby přidělení půdy nedokázaly utlumit sociální napětí mezi venkovským obyvatelstvem způsobené poruchami v zásobování, vysokými, lichvářskými cenami a kvetoucím černým trhem ani protidrahotní vystoupení dělníků v městech. Nezbytné se jevilo i vytvořit ekonomické základy fungování nového státu. Uskutečnila se měnová reforma, vláda však dala nejprve okolkovat rakousko-uherské bankovky, postupně však vytvořila novou měnu – československou korunu. Rovněž bylo třeba se vypořádat se ztrátou bývalých trhů a uvést znovu do pohybu válkou poškozenou ekonomiku země.

Dočasné Národní shromáždění v Praze a vláda byly nuceny se zabývat i vážnou situací na Slovensku. Rozhodly se vyslat tam vojsko a četnictvo, k nimž se přidaly skupiny českých a slovenských dobrovolníků. Koncem roku byly na Slovensko převeleny dvě divize legionářů z Itálie pod velením generála Piccioneho. Největší část československých ozbrojených sil však stále zůstávala na Sibiři. Přesto se dařilo postupně osvobozovat Slovensko zpod maďarské kontroly, koncem roku 1918 byly osvobozeny Košice, na Nový rok 1919 i Bratislava. Celá akce se dařila také dík intenzivní diplomatické činnosti a zákroku Dohody, která nařídila maďarské vládě stáhnout svá vojska za demarkační čáru stanovenou Dohodou.

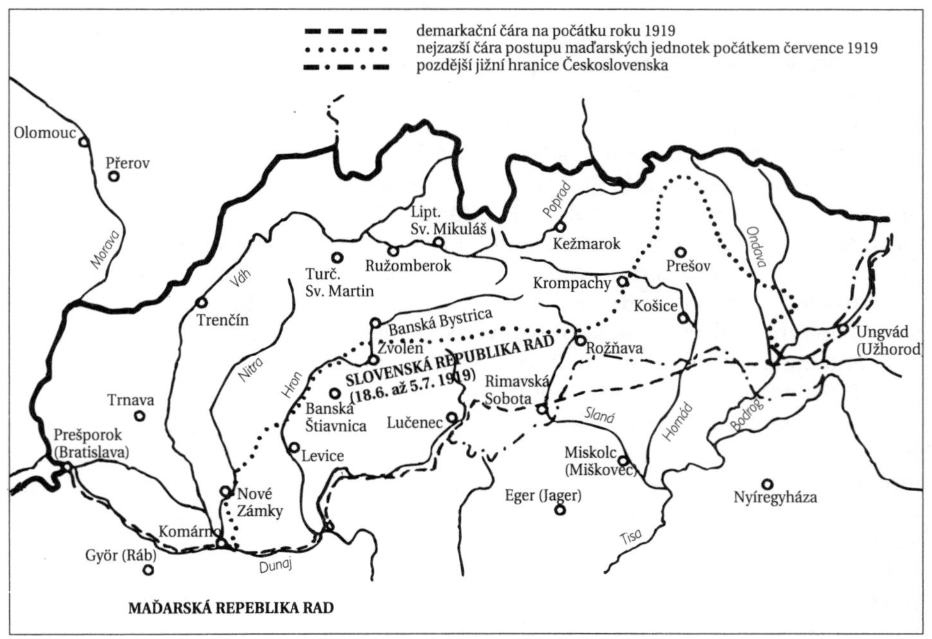
demarkační čára na počátku roku 1919
nejzazší čára postupu maďarských jednotek počátkem července 1919
pozdější jižní hranice Československa
Olomouc
Přerov
Morava
Váh
Trenčín
Lipt. Sv. Mikuláš
Ružomberok
Turč. Sv. Martin
Poprad
Kežmarok
Prešov
Ondava
Krompachy
Košice
Ungvád (Užhorod)
Banská Bystrica
Zvolen
SLOVENSKÁ REPUBLIKA RAD (18.6. až 5.7. 1919)
Rožňava
Rimavská Sobota
Nitra
Hron
Banská Štiavnica
Lučenec
Slaná
Hornád
Bodrog
Trnava
Prešporok (Bratislava)
Levice
Miskolc (Miškovec)
Nové Zámky
Eger (Jager)
Nyíregyháza
Komárno
Györ (Ráb)
Dunaj
Tisa
MAĎARSKÁ REPEBLIKA RAD

Maďarský postup a Slovenská republika rad

Ku proletarom caleho šveta!

Vitazna svetova revolucia, ktoru ñe može prekazac v napredovaňi s novimi veľkimi višledkami bohaciala svojich zdari. Na slovenskej ťemi, ktora už ošlebodzena je od jarma imperialistov:

ňeška se otvori samostatna Slovenska Radova Republika.

Perši skutok bul od jarma českich imperialistov višlebodzneho proletariata, že od imperialistov vikričeniale v skutočnosci zohavenvo samourčujuce pravo sebe zhotoval.

S tim pohnutom slovenske robotnici, vojaci a šedlaci dalej budovali totu revolučnu frontu, ktorej cestu ruska a uherska Radova Republika rovnili, a placu, vihrali pre veľku ideu svetovej Radovej Republiki.

Slovenska Radova Republika, ktora še teraz narodzila, jak prirodzenich spojeni patri viťazinich prjaceli, rusku a uhorsku Radovu Republiku a medzinarodneho proletariata.

Slovenska Radova Republika stava še pod ochranu vše lepše a lepše vistaveneho jednoteho a solidarneho robotnickeho internacionala. Perši pozdrav slovenskej Radovej Republiki ešči česke utlačenim proletarom patri. Slovenska Radova Republika stoji tješ na fundamentu najobšírnejšej proletarskej demokracii, ale doraz ustavi zbroj diktaturi, ktora ñe šanuje totich, ktore proti totej čistej, verejnej a ñefalošnej demokracie daco plano robja, ktore samourčujuce pravo ohrožovaju. Z tehocilu rozburi každu našilnost kapitalistov a imperialistov, vipustoši každu žnost vikoristovanie a chlata mocnu svetovu revoluciu mocneho pracujuceho ľudi.

Mocno a bez pojednane pracuje slovenski proletariat svoju historicku povolanu, a bi verne prenasledoval robote predchod, že bi a svojim prikladom povzbudoval nasledujuci, že bi na proletarskeho meno hodne buli.

Ňech žije švetova revolucia!

Ňech žije kommunisticki international!

Plakát oznamující vyhlášení Slovenské republiky rad

Pomocí vojska se ujala na Slovensku moci i prozatímní vláda reprezentovaná Vavrem Šrobárem, kterého 7. prosince 1918 pražská vláda jmenovala ministrem s plnou mocí pro správu Slovenska. Jeho ministerstvo však nebylo samostatnou vládou, pouze ministerstvem podřízeným vládě pražské. Ministr pro Slovensko sídlil napřed v městečku Skalici na moravsko-slovenské hranici, pak v Žilině, 4. února 1919 přesídlil natrvalo do Prešporku, nyní oficiálně přejmenovaného na Bratislavu, která se stala hlavním městem Slovenska. Její trochu excentrická poloha byla při rozhodování o hlavním městě vyvážena tím, že to bylo největší město na území Slovenska, s rozvinutým průmyslem a vybudovanou komunikační a kulturní infrastrukturou.

V Budapešti se však se zánikem bývalého Uherska nemínili smířit. Naděje vkládané do Károlyiho se nesplnily – před vítěznými mocnostmi Dohody nedokázal obhájit integritu historických Uher přesto, že měl pověst demokrata a smířlivého politika vůči nemaďarským národnostem, a tak v březnu 1919 se dostali v Maďarsku k moci bolševici v čele s Bélou Kunem. Co se nepodařilo Károlyiho maďarské vládě dohodou, toho se snažila ta bolševická dosáhnout vojenským tažením na jaře roku 1919. Maďarské Rudé armádě se podařilo obsadit skoro třetinu slovenského území a v červnu 1919 byla vyhlášena v Prešově Slovenská republika rad. Netrvala však dlouho; po důrazném zásahu Dohody musela maďarská Rudá armáda opustit slovenské území. Za bojů s maďarskými bolševiky postihla Slovensko velká ztráta: 4. května 1919 při návratu na Slovensko zahynul během leteckého neštěstí nejvýznamnější slovenský představitel a ministr Milan Rastislav Štefánik.

Součástí konstituování československého státu bylo také vytyčení jeho hranic. Tak vlastně poprvé v dějinách vzniklo Slovensko nejen jako tradiční pojem, který znamenal: země obývaná Slováky, ale také jako administrativní území s konkrétními hranicemi. Historická byla pouze hranice na severu, s Polskem. Ta byla v zásadě akceptovaná, Polsko si však vynutilo připojení několika obcí na Oravě a Spiši, jež patřily původně k Uhrám. Hranice s Podkarpatskou Rusí na východě a s Moravou na západě byla pouze vnitřní hranicí v rámci československého státu. Krátký hraniční úsek s Rakouskem určila bez problémů saintgermainská mírová smlouva. Nejsložitější se ukázala jižní hra-

Pohřeb M. R. Štefánika na Bradle

nice s Maďarskem, o níž se jednalo dlouho. Hlavní problém spočíval v tom, že vzhledem k dlouhodobé migraci obyvatelstva v Uhrách zde neexistovala etnická hranice a v důsledku tuhé uherské centralizace zde neexistovala ani žádná jiná hranice. Trianonská mírová smlouva ze 4. června 1920 přihlédla k strategickým i ekonomickým a až v poslední řadě k etnickým aspektům a vytvořila hranici, která v zásadě platí do současnosti. Tak bylo v červnu 1920 i po stránce mezinárodního práva ukončeno konstituování nového státu, protože hranice a mezinárodní uznání Československa už předtím zakotvila versailleská mírová smlouva s Německem (28. června 1919) a saintgermainská mírová smlouva s Rakouskem (10. září 1919).

Po překonání všech mezinárodních i vnitřních problémů zahájilo Slovensko novou etapu svých dějin a Milan Hodža mohl roku 1919 v *Slovenském týždenníku* napsat: „Od Prešporka za Košice vlají slovenské prapory. Naše vojska nám slovenskou vlast osvobodila, tuto vlast si však teď musíme vydobýt. Naší bude slovenská otčina, až všechno, co je v ní, bude v rukách slovenského lidu. Mnoho práce je před námi, ale ruce máme volné a pracovat umíme."

Mírovými dohodami v Paříži byla Československá republika ustanovena jako nový stát na mapě Evropy – jeden z tzv. nástupnických států Rakousko-

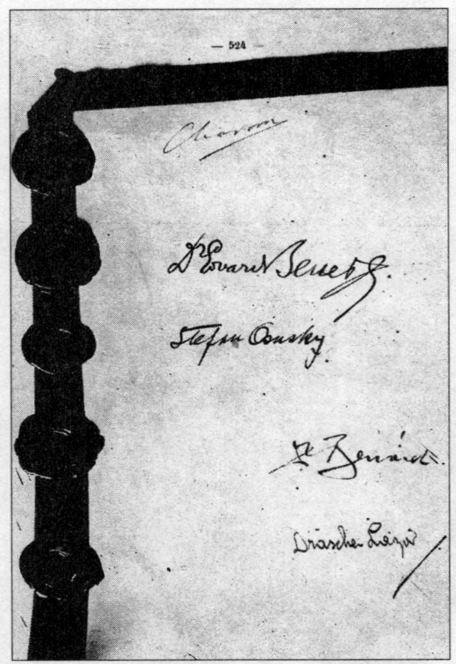

Podpisy zástupců ČSR pod trianonskou mírovou smlouvou

-Uherska. Součástí Československa se stala i Podkarpatská Rus. Mírová smlouva potvrdila dohodu, kterou uzavřela Národní rada uherských Rusínů s T. G. Masarykem v Pittsburghu i rozhodnutí Americké národní rady Uhro-Rusínů z 12. listopadu 1918, a přičlenila území Podkarpatské Rusi k Československu s tím, že Podkarpatská Rus má dostat autonomii.

Nový stát měl více než 13,5 milionu obyvatel, z čehož na Slovensko připadly téměř tři miliony. Jeho národnostní složení bylo pestré. Podle sčítání lidu z roku 1921 žilo v Československu 6 850 000 Čechů, 3 123 000 Němců, z toho kolem 150 000 na Slovensku, 1 910 000 Slováků, 745 000 Maďarů, 461 000 Rusínů, Ukrajinců a Rusů, 180 000 Židů, 75 000 Poláků a několik menších národností. Podle sčítání z roku 1930, které lze považovat za hodnověrnější, protože se konalo už v relativně konsolidovaných poměrech, se tato čísla u nejdůležitějších národnostních skupin změnila. Roku 1930 bylo v republice 7,4 milionu Čechů, 3,2 milionu Němců, 2,2 milionu Slováků, 691 000 Maďarů a 549 000 Rusínů a Ukrajinců. Na Slovensku žilo také početné romské obyvatelstvo. Celkový počet Romů se však do statistik nepromítl, jelikož etnicko-identifikační proces mezi nimi ještě neproběhl a v statistikách najdeme romské obyvatelstvo mezi Slováky i mezi Maďary.

Germany
R. Oder
Poland
Karlsbad
R. Elbe
Prague
Silesia
Opava
Krakow
Galicia
Pilsen
Bohemia
Olomouc
Moravia
Tabor
Brno
R. Vah
St. Martin
Slovakia
R. Danube
Vienna
Pressburg
R. Tisza
Austria
Hungary
Budapest
THE FUTURE CZECHOSLOVAK STATE.

Fiktivní mapa nové republiky, jak měla vypadat v představách činitelů zahraničního odboje

Zajímavý byl vývoj židovské národnosti. Židé se cítili víc náboženskou než etnickou skupinou. Po vzniku Československa se však židovské obyvatelstvo na Slovensku přiklánělo k slovenské národnosti. Podle sčítání z roku 1930 se k židovskému náboženství hlásilo téměř 137 000 občanů, k židovské národnosti však jen necelých 73 000. Československou národnost uvádělo až 44 000 Židů, skoro 10 000 se hlásilo k národnosti německé a stejný počet k národnosti maďarské. Zákonodárství Československé republiky poskytlo židovskému obyvatelstvu příznivé podmínky pro rozvíjené jeho kultury i pro náboženský život.

Pohled na národnostní složení dokumentuje, že Československá republika byla multietnickým státem, v němž nejpočetnější český národ tvořil asi polovinu obyvatelstva. Přitom Československo vzniklo jako „národní stát" na základě práva na sebeurčení. Docela jiná optika však vznikne, když Čechy a Slováky jako dva státotvorné národy zařadíme pod jeden státotvorný československý národ. V tom bylo racionální jádro čechoslovakismu, podle něhož Češi a Slováci tvoří jeden politický národ. V této podobě čechoslovakismus vyhovoval i Slovákům, protože v jiném případě by byli pouze menšinovým národem, co do počtu až třetím ve státě. Statistický pohled je ovšem vždycky jednodušší než pohled politický a historický. Jednoduchá představa o jednotném československém národě v sobě skrývala mnoho historicky podmíněných problémů, které se vynořily teprve postupně, během další existence státu.

ÚSTAVA Z ROKU 1920 PROBLÉM SPOLEČNÉHO STÁTU

Sociální nepokoje, špatná vnitropolitická a hospodářská situace vyvolaly už v květnu 1919 vnitropolitickou krizi. Obecní volby, které se konaly v českých zemích ve dnech 15. a 16. června, vedly nakonec k pádu Kramářovy vlády. Dne 8. července jmenoval prezident Masaryk novou vládu v čele se sociálním demokratem Vlastimilem Tusarem. Byla to koaliční vláda dvou stran nejúspěšnějších v obecních volbách – sociálních demokratů a agrárníků. Další politický vývoj v zemi měly určit až první parlamentní volby, provedené na základě nové ústavy.

Dne 29. února 1920 byla schválena ústava Československé republiky. Československo se stalo parlamentní demokratickou republikou s důsledným oddělením moci zákonodárné, výkonné a soudní. Národní shromáždění jako nejvyšší zákonodárný orgán se mělo skládat ze dvou komor – senátu a poslanecké sněmovny. Senátoři i poslanci byli voleni ve všeobecných, přímých a tajných volbách. Volební právo bylo rovné a poprvé ho získaly i ženy. Pro většinu slovenského obyvatelstva se tak vytvořila poprvé v dějinách možnost svobodně volit, a podílet se tak na politickém a veřejném životě jako plnohodnotní občané. Na základě této ústavy byl Tomáš Garrigue Masaryk znovu zvolen prezidentem republiky. V této funkci setrval do roku 1935.

Ústava vytvořila z Československa Československou republiku, stát organizovaný centralisticky a unitaristicky. Na základním charakteru státu v tomto smyslu málo změnilo zavedení zemského zřízení na Slovensku v čele se zemským prezidentem roku 1928; zemský prezident byl pouze úředníkem centrální vlády v Praze.

Státní centralismus a unitarismus působil ve vztahu k Slovensku v ekonomické i politické oblasti problémy. Stát byl řízený i v ekonomice unitaristicky a liberálními zásadami nechránil slabší slovenské hospodářství, zejména průmyslovou výrobu, před vyspělejší českou konkurencí. Na Slovensku tudíž zanikaly mnohé průmyslové závody, čímž rostlo sociální napětí a ekonomické problémy nabývaly často národnostního zabarvení.

Politické problémy v česko-slovenských vztazích vyplývaly také ze skutečnosti, že Češi a Slováci chápali principiálně jinak společnou státnost. Zatímco v Čechách převládala účelová představa, že nový československý stát vlastně uskutečňuje program české státnosti v nové, vylepšené formě, tedy rozšířené o Slovensko, na Slovensku převládlo mínění, že jde o spojení dvou částí do jednoho celku. Mnozí slovenští politici akceptovali státní centralismus roku 1918 jako nezbytné stadium, potřebné k tomu, aby se Slovensko vymanilo z uherské minulosti, nikoli však jako trvalou státní koncepci. Postupně začínal ve slovenské veřejnosti zdomácňovat požadavek slovenské autonomie. Byl to koneckonců starý slovenský politický program, zděděný z Uherska, nyní uplatňovaný v Československé republice. Postupem doby si program slovenské autonomie získával stále víc stoupenců. Lze říci, že i mnozí politici, kteří zůstávali věrni státnímu centralismu, chápali Slovensko, na rozdíl od velké části české veřejnosti, jako svébytný a samostatný celek.

V ústavě se mluvilo o československém národě a o československém jazyku. Byla to oficiální státní doktrína, která však měla jednoznačně politický charakter. Státní jazyk československý se měl používat ve dvou zněních – českém a slovenském. Na Slovensku se v úřadech i ve školách používala slovenština, takže v této oblasti problémy nebyly. Kdykoli se na tomto poli objevily nějaké problémy, reagovaly příslušná ministerstva na stížnosti striktními příkazy svým expoziturám, aby se v úředním i vyučovacím procesu slovenština používala. Idea politického čechoslovakismu vycházela z představy národního státu československého a ze státotvorného československého národa, který se pouze v tomto pojetí stal výrazně většinovým ve státě, kde žily více než tři miliony Němců, přes 600 000 Maďarů a rovněž Rusíni-Ukrajinci, Židé, Poláci, Romové. Tato koncepce vycházela z potřeby vnitřně pevného státu.

Vnitřní upevnění státu sledovala v podstatě i slovenská koncepce autonomie, podle níž se však jeho vnitřní pevnosti mělo dosáhnout decentralizací. Centralizační a decentralizační snahy se tak staly hlavní osou politického života ve státě a týkaly se nejen vztahu česko-slovenského, ale také vztahu menšin, zejména početné německé, k republice.

Na základě nové ústavy byly na duben 1920 vypsány parlamentní volby. Nejsilnější politickou stranou se stala sociální demokracie, která spolu s agrárníky a národními socialisty sestavila vládu v čele se staronovým ministerským předsedou Vlastimilem Tusarem. Vláda neměla pevné postavení, musela čelit silnému odporu opozice, oslabovaly ji však i vnitřní rozpory v sociální demokracii, jež nakonec vedly k jejímu rozpadu a ke vzniku Komunistické strany Československa (v květnu 1921).

POLITICKÝ A SOCIÁLNÍ VÝVOJ V LETECH 1920–1929

Po roce 1918 už na Slovensku přestal působit imperativ sjednocování a netříštění sil a politická scéna se brzy přirozeným způsobem diferencovala. Nejsilnější politickou stranou roku 1920 byla i na Slovensku sociálnědemokratická strana, která v parlamentních volbách do poslanecké sněmovny získala 38 % hlasů. Už roku 1925 ji však předstihla Hlinkova slovenská ľudová strana, která tehdy získala více než 34 procent hlasů, což byl nejlepší výsledek z meziválečného období; v dalších volbách už nedosáhla 30 procent, i když zůstávala nejsilnější slovenskou politickou stranou. Hlinkova slovenská ľudová strana (HSĽS) se opírala o početné katolické obyvatelstvo v slovenských městech i na venkově. Vycházela z lidového, křesťansko-sociálního hnutí z přelomu století. Podobně jako jiné strany tohoto zaměření v evropských zemích postupně opouštěla demokratismus a přikláněla se k politické koncepci autoritativního, nacionalisticky orientovaného systému. Ve své propagandě se však vydávala za jedinou právoplatnou představitelku Slováků, což bylo v souladu s jejím nacionalistickým a autoritativním zaměřením; zároveň byla hlavní představitelkou slovenského autonomistického hnutí. Větší část meziválečného období byla v opozici, občas jevila ochotu ke kompromisu a v krátkém období let 1927–1929 se podílela na vládě.

K myšlence autonomismu se hlásila také Slovenská národná strana, jež převzala jméno někdejší jediné slovenské politické strany. Po roce 1918 to však byla už jen malá strana sdružující autonomisty ze slovenského evangelického tábora. Opírala se o autoritu intelektuála a básníka Martina Rázuse, většího vlivu však nedosáhla.

Martin Rázus

Na národním principu byly založeny menšinové strany maďarské a německé. Po začátečním popřevratovém chaosu, kdy vzniklo několik maďarských politických stran i národních a dělnických rad, se mezi maďarským obyvatelstvem postupně prosadily hlavně dvě politické strany: Zemská křesťansko-sociální strana a Maďarská národní strana. Zemská křesťansko-sociální strana byla založena na konzervativních principech křesťansko-sociálního reformního hnutí. Měla ambice se stát stranou celoslovenskou a ucházela se i o hlasy Slováků a Němců. Mezi Němci měla také dlouho dost stoupenců. Její vedoucí osobností byl

Géza Szüllö a od roku 1932 její předseda János Esterházy. Prosazovala princip autonomie a dožadovala se územní reorganizace podle etnického principu. Maďarská národní strana se vyvinula z předchozího agrárně a nacionalisticky orientovaného seskupení. Obě tyto nejvýznamnější maďarské politické strany byly napojeny na Budapešť, odkud dostávaly instrukce. Svým způsobem byly nástrojem maďarské iredentistické politiky a ve vztahu k Československu vystupovaly negativisticky, tj. odmítaly tento stát jako takový.

Podobně jako maďarské strany i německé strany vyrůstaly z chaosu popřevratové doby. Němci žijící na Slovensku byli přitom rozděleni konfesionálně i teritoriálně a mezi jednotlivými ostrovy jejich osídlení (západní Slovensko s Bratislavou, střední Slovensko kolem Handlové a Kremnice, Spiš) chyběla komunikace. Němci z Čech a Moravy, podporovaní organizacemi v Německu, se od počátku snažili vytvořit jednotnou politickou organizaci sdružující všechny slovenské Němce. Došlo přitom k ostrému „konkurenčnímu boji" mezi touto orientací a Budapeští, která počítala s využitím slovenských Němců pro své cíle. Vytvořit jednotnou politickou organizaci se nakonec nepodařilo. Němci, hlavně na Spiši, byli orientovaní promaďarsky a Spišská německá strana byla od vzniku Maďarské národní strany roku 1925 její integrální součástí. Před volbami roku 1929 se utvořila Karpatoněmecká strana s cílem sjednotit všechny slovenské Němce a „vytrhnout" je z maďarských osidel, ale velký úspěch tehdy nezaznamenala.

Politické strany národnostních menšin představovaly pro zastupitelskou demokracii určitý problém. Jelikož sdružovaly hlasy příslušníků menšin, a ty tvořily v Československu téměř třetinu všeho obyvatelstva, při demokratickém volebním systému blokovaly velký počet poslaneckých míst. A protože jejich postoj k státu byl negativistický, stávalo se pak, že bez větších tzv. státotvorných stran nemohla normálně fungovat žádná vláda. Málo na tom změnila krátká aktivistická epizoda za vlády tzv. panské koalice.

Nejvýznamnější a po většinu doby vládní stranou v Československu byla Republikánská strana zemědělského a malorolnického lidu, známá spíš pod názvem agrární strana. Významné pozice zaujímala také na Slovensku. Vstoupil do ní i Vavro Šrobár, jeho politický vliv však postupně slábl. Do popředí agrární strany se propracoval Slovák Milan Hodža, vedle Antonína Švehly nejkoncepčnější politická osobnost agrárníků.

Další silnou stranou s jistým zázemím i na Slovensku byla sociálnědemokratická strana, která po skvělém vítězství ve volbách roku 1920 prudce upadla v důsledku vnitřního rozštěpení a jen pomalu se vzpamatovávala. Nejvýznamnějším představitelem sociální demokracie na Slovensku v meziválečném období byl Ivan Dérer, ministr v několika vládách.

Komunistická strana Československa měla na Slovensku menší vliv než v českých zemích, i když podle volebních výsledků dosahovala na Slovensku celostátního průměru a patřila k silnějším stranám – roku 1925 měla 13,9 procent a roku 1929 10,6 procent hlasů. Na Slovensku se značná část jejích stoupenců rekrutovala z řad radikálních příslušníků národnostních menšin a neměla zde, hlavně v dvacátých letech, silnější intelektuální zázemí.

Existovala i řada menších politických stran, ty však neměly významnější politický vliv. Na Slovensku stojí za zmínku snad jen celostátní Československá strana národněsocialistická.

Politický systém Československa vycházel z ústavy i ze starších představ odboje, utvářel se však postupně, v konkrétních podmínkách sociálních i národnostních zápasů. Po celou dobu trvání předmnichovské republiky to byl fungující systém parlamentní demokracie, který Československo odlišoval od jeho sousedů hlavně v třicátých letech, po nastolení Hitlerovy diktatury. Složitá vnitřní situace si však vynutila formální i zásadnější ústupky vůči uznávaným demokratickým postupům.

Milan Hodža

První problémy se objevily už krátce po volbách roku 1920. Vnitřní krize v sociálnědemokratické straně donutila kabinet Vlastimila Tusara k rezignaci už 14. září 1920. V kritické situaci vstoupil do hry prezident Masaryk a jmenoval úřednickou vládu Jana Černého, která se udržela u moci rok, kdy ji nahradila vláda Benešova, a teprve 7. října 1922 nastoupila víceméně konsolidovaná parlamentní vláda agrárníka Antonína Švehly. Autorita Hradu musela nejednou zasahovat do politického dění. Ani to by však nebylo zcela stačilo k odvracení neustálé hrozby politických krizí. I za pomoci Hradu se proto vytvořilo seskupení nejsilnějších politických stran, tzv. pětka, na jejíž půdě se spíš dařilo dosáhnout konsenzu. Pod tlakem extremistických sil, jež ohrožovaly stát i jeho demokratický systém, přijalo Národní shromáždění v březnu 1923 zákon na ochranu republiky, který měl chránit celistvost státu i jeho demokratický charakter. Ukázalo se totiž, že křehká demokracie se ještě nedokáže ubránit pouze demokratickými prostředky. Velký vliv politických stran i zásada imperativního mandátu, tj. zásady, že poslanci byli vázáni rozhodnutími svých stran, omezovaly funkčnost parlamentu, pro občany však na druhé straně existovaly do té doby nebývalé možnosti organizovat občanskou společnost a prosazovat své zájmy nejen parlamentními volbami, ale hlavně na komunální úrovni.

Vnitřní politické napětí probíhalo ve státě především mezi levicí a pravicí a na národnostní úrovni, v prvních letech zejména mezi Čechy a Němci. Rudo-zelené spojenectví, tedy koalice agrárníků se sociálními demokraty, ztrati-

Andrej Hlinka slouží v Ružomberku mši

lo funkčnost krátce po parlamentních volbách roku 1925. Ze složité krize, v níž musel opět „vypomoci" úřednickou vládou Jan Černý, nakonec v říjnu 1926 vzešla parlamentní vláda Antonína Švehly bez socialistů – vláda tzv. panské koalice, která měla v osobách Franze Spiny a Roberta Mayra-Hartinga poprvé německé ministry. Po zdlouhavých jednáních vstoupila do vlády začátkem roku 1927 i Hlinkova slovenská ľudová strana: Jozef Tiso se stal ministrem zdravotnictví, Marko Gažík ministrem pro sjednocení zákonů; už koncem února 1927 nahradil Gažíka Ľudovít Labay.

Slovenští ľudáci setrvali ve vládě pouze krátce. Jejich účast nebyla podporovaná všemi představiteli strany a působení celé vlády tzv. panské koalice nepřineslo v politické ani hospodářské oblasti očekávané výsledky. HSĽS navíc nebyla spokojena s výsledky, jichž bylo dosaženo v jejím programu slovenské autonomie. Požadavek autonomie Slovenska prosazovala HSĽS už od počátku dvacátých let. V lednu 1922 předložila strana (tehdy ještě měla název Slovenská ľudová strana) Národnímu shromáždění první oficiální návrh na autonomii Slovenska. Přes všechnu snahu ľudáků se však centralistický systém řízení státu nezměnil. Jistým ústupkem od státního centralismu bylo uzákonění zemského zřízení v červenci 1927, které vstoupilo v platnost od roku 1928. Podle tohoto zákona se Slovensko stalo samostatnou zemí v čele se zemským prezidentem a s celoslovenským zemským úřadem. Kompetence zemských úřadů však byly omezené a podstatu centralistického systému nenarušily.

K odchodu z vlády využili ľudáci Tukovy aféry v říjnu 1929. Už 1. ledna 1928 uveřejnil Vojtech Tuka v deníku *Slovák* článek *V desiatom roku Martinskej deklarácie*, v němž se odvolával na neexistující tajnou klauzuli k Martinské deklaraci, podle níž Slováci souhlasili s připojením Slovenska k Československu pouze na „zkušební dobu" deseti let. Vycházeje z toho Tuka tvrdil, že od 30. října 1928 přestává být Slovensko součástí Československa, pokud jeho představitelé nerozhodnou jinak. Na základě tohoto článku byl zahájen soudní proces, v němž byl Tuka obviněn z vlastizrady a špionáže ve prospěch Maďarska a 5. října byl odsouzen na 15 let do vězení. Dne 8. října odešli ministři HSĽS Tiso a Labay z vlády.

Vnitropolitický vývoj Československa byl od samého vzniku státu pod tlakem mezinárodní situace. Československo vzniklo v příznivých podmínkách, jež se vytvořily v Evropě na konci světové války. Mírové smlouvy tento příznivý trend ještě formálně potvrdily a nový stát dostal v mírových smlouvách základní garance své existence a bezpečnosti. To ovšem na druhé straně znamenalo, že Československo bylo do značné míry závislé na pevnosti versailleského systému. Hlavním tvůrcem československé zahraniční politiky byl Edvard Beneš, který založil bezpečnost státu na garancích velmocí. Tyto garance byly tím důležitější, že Československo mělo dost problematické vztahy se sousedy. Nejkomplikovanější byl právě vztah k Maďarsku, jež se nechtělo vzdát svých revizionistických nároků a usilovalo o obnovu historického Uherska. Maďarský revizionismus ohrožoval také Jugoslávii a Rumunsko, a proto se všechny tři země v letech 1920–1921 vzájemnými dvojstrannými smlouvami snažily zajistit proti maďarským nárokům. Tak vznikl blok, nazývaný v meziválečném období Malá dohoda. Jedním z jejích nejaktivnějších tvůrců byl Edvard Beneš.

Bezpečnostní systém založený na garancích velmocí dostával trhliny už krátce po mírové konferenci, když se objevily rozpory mezi nejdůležitějšími evropskými dohodovými zeměmi – Velkou Británií a Francií, čímž se Československo postupně dostávalo do značně jednostranné závislosti na Francii. Nepříznivý trend evropské politiky se potvrdil na mezinárodní konferenci v Locarnu roku 1925. Výsledkem jednání byl garanční pakt, jímž se zaručovaly hranice Německa s Francií a Belgií, nikoli však jeho východní hranice. Postupný mocenský vzestup Německa a Itálie a jejich snaha ovlivňovat dění ve střední Evropě oslabovaly československé pozice ještě víc.

V těchto mezinárodních souvislostech je nutno vidět i postavení slovenské otázky, protože i slovenská autonomie úzce souvisela se zahraničním postavením státu. Pro Edvarda Beneše a mnoho českých i slovenských politiků závisela stabilita a bezpečnost státu na jeho vnitřní pevnosti. Vnitřní pevnost pak zase spatřovali především v jeho centralizaci. Decentralizaci považovali proto za velmi riskantní především v souvislosti s německou otázkou.

Trvalým zdrojem napětí v Československu byla palčivá sociální otázka. Nový stát se jen pomalu dostával z poválečné deprese a začátkem dvacátých let vypukla nová hospodářská krize, jejímž důsledkem bylo skoro půl mi-

Edvard Beneš

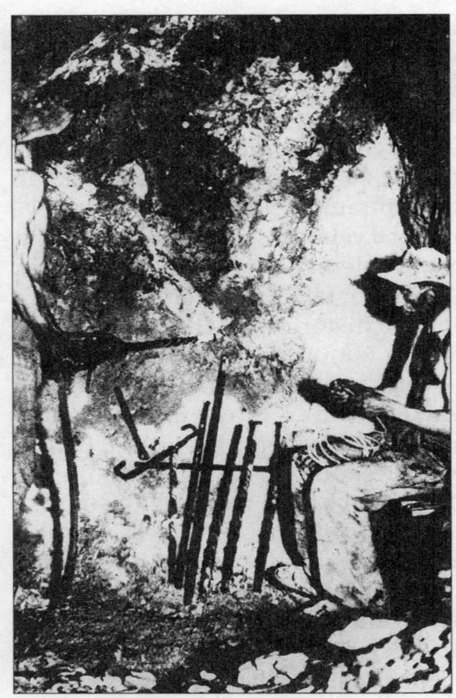

Kremničtí horníci

lionu nezaměstnaných. Projevovaly se i problémy spojené s nevýhodnou strukturou československého průmyslu, který byl z velké části odkázaný na zahraniční trhy – například v textilním průmyslu se vyváželo až 70 procent všech výrobků. Retardačně působilo i zadlužení státu. Od poloviny dvacátých let se však podařilo ekonomiku stabilizovat a došlo i k značnému růstu výroby.

V Československé republice bylo ve srovnání s předchozím obdobím dosaženo velkého pokroku v sociálním pojištění. Rozšířilo se nemocenské pojištění dělníků, bylo zavedeno invalidní a starobní pojištění a od roku 1929 penzijní pojištění soukromých zaměstnanců. Zákon zajistil osmihodinovou pracovní dobu, byla učiněna opatření k ochraně zdraví zaměstnanců. V oblasti sociální politiky patřilo Československo k vyspělým evropským zemím. I když se v oblasti životní úrovně zařadilo na přední místo ve střední a jihovýchodní Evropě, za vyspělými západoevropskými státy stále ještě zaostávalo. Sociální rozdíly přetrvávaly i mezi městy a venkovem a mezi různými oblastmi. Kromě Podkarpatské Rusi patřily některé oblasti Slovenska, hlavně na východě a severu země, k těm nejzaostalejším. Nejrůznější sociální vrstvy žily v bídě a nedostávalo se jim základních životních potřeb. Proto bylo do značné míry pravdivé konstatování Martina Mičury, představitele Československé strany lidové na Slovensku: „Při takovém demokratickém a sociálním zákonodárství, jaké vládne u nás, tváří v tvář přece jen rapidnímu přibývání sociální bídy nelze necítit, že chyby musí být někde v provádění tohoto zákonodárství."

Slovensko představovalo v hospodářské sféře vážný problém, který se nepodařilo uspokojivě vyřešit během celé existence předmnichovské republiky. Jádro věci spočívalo v tom, že do jednoho státního celku byly spojeny dvě rozdílně vyvinuté ekonomické oblasti. Slovensko vstupovalo do nového státu jako výrazně agrární země, v níž se zemědělstvím živilo více než 60 procent obyvatel (v českých zemích to bylo jen o něco víc než 30 procent. Zatímco v českých zemích pracovalo v průmyslu téměř 40 procent obyvatel, na Slovensku to bylo jen o něco víc než 17 procent. K tomu je třeba připočíst technologickou zaostalost a malou konkurenceschopnost některých továren, hlavně v oblasti železářství. Liberální politika státu, který nechal téměř volnou ruku dravým pod-

Ulice v Hruštíně na Oravě s typickými dřevnicemi (okolo roku 1930)

níkům a bankám, přivedla řadu firem na Slovensku do krize a k zániku. Některé továrny byly doslova rozmontovány a odvezeny. Neobešlo se to bez sociálních nepokojů, vzpour i krveprolití. Slovensko, hlavně slovenský průmysl, orientovaný na celouherské trhy, zápasilo s hledáním nových odbytišť i s novou konkurencí českého průmyslu. Špatná sociální situace v některých slovenských regionech nutila lidi k vystěhovalectví. Ideální poměry nebyly ani v českých zemích, Slovensko však bylo postiženo mnohem víc, což při sociálních nepokojích vyvolávalo i národnostně zabarvenou nespokojenost. Po jisté konsolidaci v druhé polovině dvacátých let přišel další tvrdý úder – velká hospodářská krize.

KULTURNÍ ROZMACH

Vytvoření Československé republiky položilo základy pro rychlý kulturní rozvoj Slovenska. Zatímco v politické a hospodářské oblasti se v postavení Slovenska v rámci nové republiky objevily určité problémy, v kulturní sféře byl pokrok Slovenska a Slováků jednoznačný a v historii je jen málo podobných příkladů, kdy v poměrně krátké době 20 let dosáhl určitý národ tak dynamický a všestranný rozvoj v oblasti kultury. Předpoklady k tomu si Slováci vytvářeli už za Uherska, kdy za těžkých podmínek soustřeďovali síly na obranu před maďarizačním náporem. Výsledky nebyly v uherských podmínkách však přiměřené vynaloženému úsilí. Po odstranění vnějších překážek, jež brzdily rozvoj kultury, se mohlo úsilí promítnout do prudkého rozmachu ve všech sférách kultury.

Před rokem 1918 neměli Slováci ani jednu střední školu se slovenským vyučovacím jazykem a s výjimkou některých církevních škol se slovenština jako vyučovací jazyk přestala používat i ve školách lidových. Po roce 1918 se v krátkém čase podařilo proměnit celou školskou infrastrukturu od lidových škol po univerzitu na školy se slovenským vyučovacím jazykem. Už v listopadu 1918 se začalo vyučovat slovensky na gymnáziu ve Skalici, což bylo poprvé od zrušení slovenských gymnázií v polovině sedmdesátých let 19. století. Zakrátko se rozšířila síť slovenských středních škol tak, že za deset let už jejich počet dosahoval 60 a postupně se zvyšoval. V každém významnějším městě na Slovensku vznikla slovenská střední škola. Slovensky se začalo vyučovat také ve všech lidových školách. Roku 1919 vznikla v Bratislavě Univerzita Komenského s filosofickou, právnickou a lékařskou fakultou. Později se rozšířila ještě o fakultu přírodovědeckou. V posledních letech existence Československa začala, po dlouhých průtazích, působit také Vysoká škola technická.

Takový mohutný rozmach školství nezůstal bez problémů. Na Slovensku nebylo dost učitelů Slováků. Mnohé školy by vůbec nebyly mohly fungovat bez pomoci českých učitelů, kteří přišli pomoci slovenskému školství. Patrné to bylo zejména na bratislavské univerzitě, kde zpočátku působili jen tři slovenští profesoři. Další problém byl spojen s budováním knihoven, včetně Univerzitní knihovny v Bratislavě. Státní dotace do slovenského školství nebyly dostatečné, zejména Univerzita Komenského by si byla zasloužila větší státní podporu vzhledem k tomu, že vznikala za těžkých podmínek, bez dostatečného předchozího zázemí a vybavení. Na druhé straně se v Československé republice vytvořily podmínky k tomu, aby slovenští studenti v mnohem větší míře než dosud využívali možnosti studovat na českých vysokých školách. Systém různých fondů, nadací a jiných stipendií umožnil kvalitní vzdělání i mnoha nemajetným a nadaným slovenským studentům. V Čechách, hlavně na Karlově univerzitě, se dostalo kvalitního univerzitního vzdělání celé zakladatelské generaci slovenské vědy a školství, která už od třicátých let začala působit na Slovensku. Vize Štefana Krčméryho, který ve svém článku v *Slovenských pohľadech* roku 1922 viděl optimisticky perspektivy slovenské kultury, byla do značné míry oprávněná: „Každým dnem se otvírají dveře slovenských škol až po universitu. Každým dnem sílí tepna národa. Přejde pět deset let a Slovensko promluví mocně ústy své nové generace. Ne s ohledem na proroctví, ale kvůli zákonům života věříme v zítřejší den, který nám dá novou silnou generaci s novými myšlenkami i novými formami. Na tomto místě myslím v první řadě na literaturu a umění."

Budova Univerzity Komenského v Bratislavě

Dne 1. ledna 1919 začala znovu působit Matica slovenská, násilně zavřená maďarskými úřady roku 1875. Navázala na původní úsilí Matice – podporovala rozvoj kultury a vědy na Slovensku, působila na poli osvěty a vzdělávání. Zakládala místní odbory, které se snažily šířit vzdělanost a kulturu ve všech regionech Slovenska. Matica slovenská vydávala knihy a časopisy různého zaměření. Pokud se naplno nerozvinul odborný vědecký výzkum na univerzitě, vědecké obory Matice slovenské plnily rovněž funkci organizátorů vědeckého výzkumu. Už v letech předmnichovské republiky se ve vědecké komunitě začínaly klást základy pro pozdější vznik Slovenské akademie věd a umění.

STIPENDIA
ŠTÁTNE CENY
FOND PRE SLOVENSKÉ KNIHY

Karikatura Ľ. Rambouské z prosince 1930 zobrazující ministra školství Ivana Dérera

Začaly vznikat vědecké společnosti. Jako první významná instituce vznikla na půdě Univerzity Komenského Šafárikova učená spoločnosť. Její revue *Bratislava* se stala vedle *Zborníku Matice slovenskej* nejdůležitějším vědeckým časopisem na Slovensku. Roku 1937 vzniklo sdružení Vedecká syntéza, inspirované novopozitivismem, hlavně tzv. vídeňským kroužkem. Sdružení významným způsobem ovlivnilo vývoj vědeckého myšlení na Slovensku.

Už před rokem 1918 se Slováci snažili zakládat a rozvíjet spolkovou činnost; odmítavý postoj maďarských úřadů tomu bránil. Po roce 1918 se činnost i síť spolků rychlým tempem rozšířily prakticky ve všech oblastech slovenského života. Spolky různého charakteru, od tělocvičných a hasičských až po umělecká sdružení, pěvecké spolky a ochotnické soubory, do značné míry přispěly k rychlému rozvoji vzdělanosti a kulturní aktivity i v nejodlehlejších koutech země.

Nejbouřlivější a přímo hmatatelný byl rozvoj slovenského umění. Do roku 1918 nebyly na Slovensku podmínky pro vznik profesionálního divadla. Roku 1920 vzniklo v Bratislavě Slovenské národné divadlo. Slovenské bylo zprvu jen podle názvu; také tady vypomohli čeští divadelníci. V divadle se hrálo většinou česky. Na českých školách se připravovala nová generace slovenských divadelníků. Roku 1925 vznikla konečně i v Bratislavě Hudební a dramatická akademie. To všechno umožnilo, že ve Slovenském národním divadle mohla od roku 1932 zdomácnět i slovenská činohra. Roku 1937 vzniklo v Košicích Východoslovenské národné divadlo jako další profesionální scéna. Jeho činnost se však do války nerozvinula, protože po vídeňské arbitráži v listopadu roku 1938 byly Košice připojeny k Maďarsku.

Náročným hudebním školením prošla nová nastupující generace hudebních skladatelů a interpretů, která se naplno prosadila hlavně v období po roce 1945. Přispěla k tomu i existence hudební školy v Bratislavě pod vedením Frica Kafendy; z ní vznikla Hudební a dramatická akademie.

Literární tvorba nevyžaduje větší finanční náklady, také proto se úspěšně rozvíjela už před rokem 1918; v nových podmínkách však zaznamenala nebývalý rozmach. Na začátku třicátých let dosahoval počet periodik vydávaných ve slovenštině více než dvou stovek; řada z nich se věnovala uveřejňování původních literárních děl. Rozšířil a prohloubil se kontakt slovenské literatury se světem, a to jak prostřednictvím české literatury, tak rozvojem vlastní překladatelské a vydavatelské činnosti. Ústřední slovenský literární časopis *Slovenské pohľady*, založený už roku 1881 a redigovaný zprvu Svetozárem Hurbanem Vajanským a později Jozefem Škultétym, byl po válce obnoven; velkou pozornost věnoval vedle původní tvorby také překladům a informacím o dění ve světové literatuře. Poprvé vyšla ve slovenštině řada klasických děl světové literatury.

VATRA
ČÍSLO 1
MLADÉ SLOVENSKO
ROČNÍK VII
ČISLO 1—2
M. GALANDA
MLADOSŤ

Dva mladé slovenské kulturní časopisy: Vatra z roku 1923 a Mladé Slovensko z roku 1925

Grafika Kolomana Sokola „Ženy“ z roku 1941

Na tvorbu předválečné generace navázaly dvě mimořádné osobnosti slovenské literatury: básník, literární historik a kritik Štefan Krčméry (1892–1955) a Martin Rázus (1888–1937), který působil také jako politik, předseda malé, nepříliš úspěšné Slovenské národní strany; do meziválečného kulturního života se zapsal především jako osobitý básník a spisovatel. Záhy vstoupilo do literatury pokolení vzdělané v moderním duchu a vyrostlé v úzkém kontaktu s literaturou světovou. Platí to zejména o básnících Jánu Smrekovi a Emilu Boleslavovi Lukáčovi a o prozaicích Jozefovi Cígerovi Hronském, Gejzovi Vámošovi, Margitě Figuli a Františku Švantnerovi. Ve dvacátých letech se vyprofilovala široká levicově orientovaná skupina teoretiků a spisovatelů kolem časopisu *DAV*; nejvýraznější osobností mezi nimi byl básník Ladislav Novomeský. V druhé polovině třicátých let představovali umělecky vyhraněnou skupinu slovenští surrealisté v čele s Rudolfem Fabrym. V oblasti literární kritiky se vedle Štefana Krčméryho nejvíc prosadili Andrej Mráz a Milan Pišút.

Významné místo v kulturním životě Slovenska zaujali výtvarní umělci; moderní slovenské malířství představují zejména Martin Benka, Ľudovít Fulla, Janko Alexy, Mikuláš Galanda, Miloš Bazovský. Jako grafik světového jména vynikl Koloman Sokol.

Rozvoj slovenské umělecké tvorby podporovaly umělecké spolky. Již roku 1920 vznikl Spolok slovenských umelcov v Martině a o rok později Umelecká beseda slovenská v Bratislavě. Spisovatelé si založili roku 1923 Spolok slovenských spisovateľov, který naplno rozvinul svou aktivitu ve třicátých letech za předsednictví Janka Jesenského. Nejvýznamnějším činem Spolku bylo svolání prvního kongresu slovenských spisovatelů do Trenčianských Teplic roku 1936.

Příznivá kulturní atmosféra na Slovensku podpořila rozšíření moderních prostředků masové kultury – filmu a rozhlasu. Film se velmi brzy změnil z pouťové atrakce v důležitý dokumentační a informační prostředek. Síť kin se rozšířila po celém Slovensku; na sklonku první republiky jich už bylo přes dvě stě. Promítaly se většinou zahraniční a české filmy. Původní slovenská tvorba byla zpočátku skromná. Kromě dokumentaristiky se jen sporadicky natáčely slovenské umělecké filmy. Nejvýznamnějším představitelem slovenské filmové tvorby v meziválečném období byl fotograf a režisér českého původu Karel Plicka.

Pravidelné rozhlasové vysílání začalo na Slovensku roku 1926. Velmi rychle se rozšířilo, k čemuž přispěla vedle bratislavského studia také studio v Košicích (od roku 1927) a v Banské Bystrici (od roku 1936). Rozhlas rychle pronikl do domácností a stal se pravidelným společníkem slovenské veřejnosti. Jeho význam spočíval nejen ve zpravodajství, ale také v šíření uměleckého slova a hudby.

Slováci využili příznivých podmínek po roce 1918 a velmi rychle dohonili to, co v dobách národní nesvobody nemohli rozvinout. Meziválečné dvacetiletí je obdobím jejich snad nejdynamičtějšího rozvoje v oblasti kultury a vzdělanosti.

Pod nacistickou hrozbou

HOSPODÁŘSKÁ KRIZE A JEJÍ DŮSLEDKY

Dne 4. října 1929 došlo ke krachu na newyorské burze. Začala jedna z největších hospodářských krizí světových dějin, která zachvátila celý svět. V Československu se její důsledky projevily teprve v průběhu roku 1930, zato však Československo patřilo k zemím, které byly krizí postiženy nejvíc. Souviselo to s nevýhodnou ekonomickou strukturou státu, protože velká část jeho výroby byla odkázaná na export. Ochranářská opatření, jež zaváděly státy po vypuknutí krize, se tak projevily v hlubokém poklesu výroby. V celém Československu to bylo více než o třetinu, na Slovensku ještě o něco víc. Krach bank a řady průmyslových podniků měl za následek masovou nezaměstnanost. V Československu bylo začátkem roku 1933, kdy krize vrcholila, registrováno 920 000 nezaměstnaných. Prakticky každý třetí dělník byl bez práce. To všechno se projevilo ve spotřebě a postihlo všechna odvětví, včetně zemědělství, kde příjmy rolníků klesly až o 40 procent.

Masová nezaměstnanost znovu vyhrotila sociální zápasy na Slovensku. Z registrovaných nezaměstnaných na Slovensku dostávalo nuznou podporu pou-

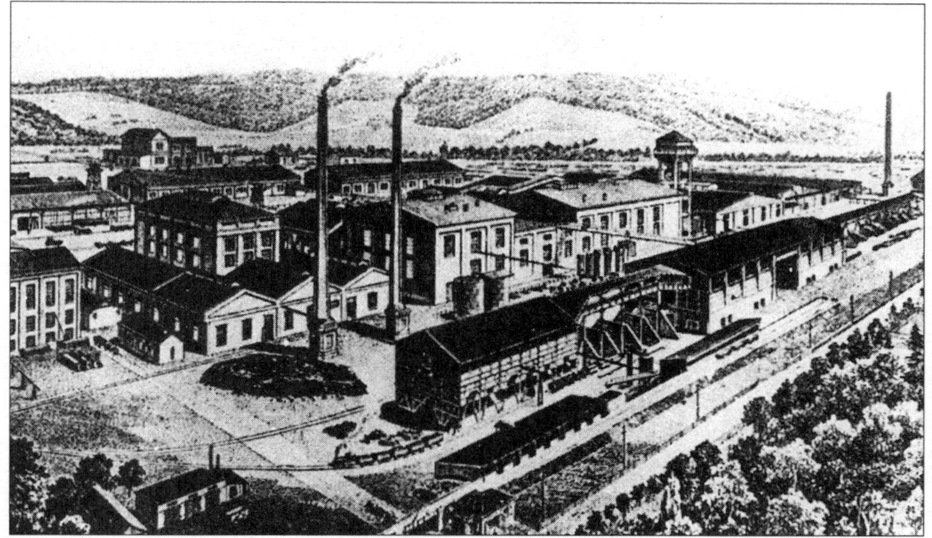

Hutní závod Hnúšťa-Likier

ze 20 procent; ostatní byli vystaveni doslova hladu. Hospodářsky zaostalejší Slovensko bylo v sociálním ohledu postiženo krizí v průměru víc než české země. Došlo i k nepokojům a četnickým zásahům, jež někde (v Košútech, na Polomce, v Čierném Balogu) skončily tragicky. Navíc na Slovensku, kde stále platily v některých právních sférách staré uherské zákony, se staly velkou hrozbou exekuce postihující neobyčejně tvrdě dlužníky.

Teprve od druhé poloviny třicátých let lze pozorovat jisté známky oživení výroby. Nezaměstnanost se podařilo částečně zmírnit výstavbou silnic a železničních tratí. Mezinárodní ohrožení republiky v třicátých letech ji donutilo budovat pohraniční opevnění. Na Slovensku to bylo na maďarských a rakouských hranicích. Také tam se naskytla možnost výdělku. Vyzbrojování armády si vyžádalo jednak stavbu nových továren se zbrojní výrobou, jednak přenesení této výroby hlouběji do vnitrozemí. Tak vznikly závody v Dubnici a v Povážské Bystrici. Po překonání recese rozhodl se i Baťa stavět závody na Slovensku: obuvnický podnik na horní Nitře v nově založeném městě Baťovany (dnes Partizánske) a výrobnu umělých vláken a pletárnu ve Svitu. To všechno se jevilo jako projevy jistého pozitivního trendu, nic však nezměnily na skutečnosti, že až do konce první republiky bylo na Slovensku dosaženo zaměstnanosti v průmyslu pouze na úrovni před první světovou válkou.

Průběh krize a její důsledky nutily hledat východiska, jež by Slovensko v budoucnosti více chránila před důsledky hospodářských krizí, a na druhé straně Slovensko víc přiblížila českým zemím. Jedním z nich se stala industrializace. Už začátkem roku 1931 vznikl Národohospodársky ústav pre Slovensko a Podkarpatskú Rus; na jeho půdě vypracovala skupina mladých slovenských náro-

Oslavy 10. výročí Deklarace slovenského národa, na které 20. října 1928 přečetl v Martině tajemník Matice slovenské Štefan Krčméry text rezoluce

dohospodářů plán industrializace Slovenska. Roku 1937 předložili plán zprůmyslnění Slovenska také komunisté. Svůj projekt nazvali *Plán hospodářského, sociálního a kulturního povznesení Slovenska.* Do konce předmnichovské republiky se však z těchto projektů podařilo uskutečnit pouze zlomky.

Za hospodářské krize se v Československu vyhrotily vnitropolitické konflikty. Zároveň působil zahraničněpolitický tlak, který se vystupňoval hlavně po nástupu Hitlera k moci v lednu 1933. Hrad v čele s prezidentem T. G. Masarykem i čelní politici agrární strany se snažili udržet kontinuitu vládní moci; dařilo se jim to jen s vypětím všech sil. Agrárníci František Udržal a Jan Malypetr v čele koaličních vlád (1929–1932, resp. 1932–1935) lavírovali v hospodářských a sociálních bouřích jako rybáři na malém člunu v rozvichřeném moři.

Hospodářská krize i hrozby z Německa si vynutily i další ústupky na úkor demokratického režimu. V červnu 1933 přijalo Národní shromáždění zákon o mimořádné moci nařizovací, známý spíš pod názvem „zmocňovací zákon“, který rozšiřoval pravomoci vlády v hospodářských otázkách na úkor parlamentu. V červenci 1933 přijal parlament zákon o tisku a doplňky k zákonu na ochranu republiky. V říjnu 1933 byla zakázána činnost Německé nacionálněsocialistické dělnické strany (DNSAP, nacisté) a Německé nacionální strany (DNP, nacionalisté). Stále častěji docházelo k výtržnostem a srážkám mezi krajně nacionalisticky orientovanými německými a českými seskupeními.

Na Slovensku zintenzivnila Hlinkova slovenská ľudová strana (HSĽS) aktivitu ve prospěch autonomie. V květnu 1930 předložila v parlamentě v pořadí už druhý návrh autonomie Slovenska. Přitom zdůrazňovala, že autonomie má posílit československý stát. Jeden z hlavních ideologů strany Jozef Tiso o tom roku 1930 v článku *O ideologii Slovenskej ľudovej strany* napsal: „Odmítáme podezření, že požadavkem autonomie strojíme úklady proti jednotnosti státu československého, neboť při autonomním zřízení stát přenechává jisté své funkce autonomnímu tělesu, přičemž v ostatních funkcích zůstává jeho svrchovanost nedotčena... Autonomie je uznáním státní svrchovanosti a autonomisté stojí na půdě uznání celistvosti státu.“ Obě autonomistické strany – katolická HSĽS i evangelická Slovenská národná strana – sjednotily své úsilí o dosažení autonomie a v říjnu 1932 vytvořily autonomistický blok.

Myšlenka autonomie se šířila i mezi obyvatelstvem, takže i do té doby víceméně centralisticky orientované politické strany začaly uvažovat o nutnosti modifikace politického systému státu ve směru decentralizace a větší samostatnosti Slovenska. Požadavek změny současného postavení Slovenska zazněl i na sjezdu mladé slovenské inteligence v červnu 1932.

Politickou hladinu na Slovensku v té době nejvíc rozbouřily Pribinovy slavnosti v Nitře v srpnu 1933. Slavnosti byly původně zamýšleny jako církevní a byly zaměřeny na oslavu výročí údajného vysvěcení prvního křesťanského kostela na Slovensku. Brzy se však proměnily v bouřlivou politickou demonstraci, při níž autonomistický blok vehementně prosazoval svůj politický program. Protože rozbouřený dav vykřikoval protivládní a šovinistická protičeská hesla, událost měla dohru v tisku a v celém politickém životě. Jejím důsledkem bylo i dočasné zkomplikování diplomatických vztahů mezi Československem a Vatikánem.

V napjatém ovzduší se v květnu 1935 konaly parlamentní volby. Jejich výsledky už mohly vnímavému pozorovateli naznačit ledacos o budoucích problémech republiky. Nápadné bylo především volební vítězství Sudetoněmecké strany (SdP) Konrada Henleina, která získala více než 15 procent všech hlasů a stala se nejsilnější parlamentní stranou. Po zákazu nejextrémnějších německých politických stran se této straně, která získala jednoznačnou podporu i v Německu, podařilo soustředit hlasy většiny německých voličů. V oblastech obývaných Němci to bylo více než 60 procent hlasů. Na Slovensku získala Sudetoněmecká strana 1,7 procenta hlasů. I to byl relativní úspěch, uvážíme-li počet Němců na Slovensku. Od samého vzniku Československa docházelo k pokusům vytvořit jednotnou politickou organizaci slovenských Němců na národnostním principu. Ve volbách roku 1935 Karpatoněmecká strana, vedená sudetským Němcem z Olomouce Franzem Karmasinem, vstoupila do volební koalice se Sudetoněmeckou stranou a její počet voličů se zdvojnásobil. V důsledku toho se hned po volbách Sudetoněmecká a Karpatoněmecká strana organizačně sjednotily.

Ministerský předseda ČSR M. Hodža (vlevo) s rumunským premiérem Tatarescem

Na druhé straně hlasy slovenských Němců jako by ani nechyběly maďarským politickým stranám, které vytvořily jednu kandidátku, na níž kandidovali jak představitelé Zemské křesťanskosociální, tak Maďarské národní strany. Se ziskem téměř 15 procent slovenských hlasů se zde maďarská koalice stala třetím nejsilnějším seskupením. Roku 1936 na nátlak Budapešti došlo k fúzi maďarských stran a k vytvoření Maďarské sjednocené strany. V koncentraci hlasů německých a maďarských voličů do Sudetoněmecké strany a do maďarské koalice lze tedy spatřovat charakteristický znak voleb roku 1935. Byla to předzvěst kritického vývoje, který měl následovat.

I v celostátním měřítku bylo možné pozorovat tendenci polarizace k levici i k pravici. Na Slovensku se nejsilnějším seskupením stal Autonomistický blok vedený Hlinkovou slovenskou ľudovou stranou, který zde získal 30,1 procenta, což bylo na úrovni roku 1929. Na předchozí úrovni zůstaly i nejsilnější celostátní strany, tzv. centralisté. Zde došlo pouze k mírnému poklesu u agrárníků a přírůstku u sociálních demokratů. Získali také komunisté – roku 1929 měli 10,6 procenta, roku 1935 téměř 13 procent.

Prezident jmenoval vládu v čele s představitelem nejsilnější celostátní, tedy agrární strany, Janem Malypetrem. Protože ten se však stal předsedou poslanecké sněmovny, do čela vlády byl 5. listopadu jmenován další představitel agrární strany Milan Hodža – první Slovák, který zastával tuto funkci. Jmenování Milana Hodži předsedou vlády bylo jedním z posledních oficiálních státnických aktů T. G. Masaryka; 14. prosince, po překročení věku 85 let, abdikoval. Jeho nástupcem se stal Edvard Beneš, zvolený i díky hlasům jak komunistů, tak HSĽS.

Poměry, v nichž se ujal Milan Hodža funkce předsedy vlády, nelze označit za klidné. Krátkou dobu dvou měsíců vedl zároveň i úřad ministerstva zahraničních věcí. Pokusil se přeorientovat zahraniční politiku Československa směrem větší spolupráce podunajských států, ale bez výraznějšího úspěchu. Oblastí, kde se rozhodovalo o budoucích osudech Československa, byl prostor naplněný vzrůstající agresivitou hitlerovského Německa.

ZHORŠENÍ MEZINÁRODNÍHO POSTAVENÍ STÁTU V TŘICÁTÝCH LETECH

Poměrně klidný průběh prvního desetiletí existence Československa vystřídaly v druhém desetiletí vážné otřesy. Vnější bezpečnost státu byla založena na poválečných mírových smlouvách a opřena o garance Velké Británie a Francie. Poválečné uspořádání světa, založené na porážce a oslabení Německa a na dočasném vyřazení Ruska z evropské politiky, se však začalo měnit, když oba tyto státy začaly stále výrazněji vstupovat na mezinárodní scénu.

Vztah Československa k velmoci na východě byl dost komplikovaný, působily tu neblahé zkušenosti s bolševismem při vzniku republiky, ale také fakt, že Československo se stalo zemí s velmi početnou a oficiálně podporovanou ruskou, tzv. bílou, tj. protibolševickou emigrací. Roku 1922 podepsalo Československo se sovětským Ruskem pouze obchodní smlouvu a vztahy se konsolidovaly teprve v třicátých letech, už pod hrozbou nebezpečí ze strany Hitlerova Německa. Dne 9. června 1934 konečně Československo jako jeden z posledních evropských států oficiálně navázalo diplomatické styky se Sovětským svazem.

Největší nebezpečí pro Československo znamenal nástup Hitlera k moci a jeho rostoucí agresivita. Hitler se netajil, že chce Československo zlikvidovat. Tím hned vzrostly naděje maďarských revizionistů, kteří stále živili sen o obnově Velkého Uherska. Ne náhodou byl právě maďarský ministerský předseda Gyula Gömbös jedním z prvních návštěvníků u svého dávného přítele Adolfa Hitlera krátce po jeho nástupu k moci. Nepřátelský postoj vůči Československu projevovalo i Polsko – i to mělo zájem na korekci vzájemných hranic.

Hitler pomocí politických představitelů německé menšiny v Československu vedených Konradem Henleinem soustavně stupňoval tlak vůči Československu. Československá politika na to reagovala pokusem o upevnění malodohodového spojenectví – už v únoru 1933 byl přijat nový organizační pakt Malé dohody. Zároveň se hledaly nové možnosti posílení mezinárodního postavení – v květnu 1935 podepsalo Československo spojeneckou smlouvu se Sovětským svazem, která byla vázána na existující smlouvy mezi Francií a Sovětským svazem a Francií a Československem. Přece však znamenaly na určitou dobu posílení bezpečnosti státu.

Problémem se stal postoj obou západních velmocí – Velké Británie a Francie. Především Velká Británie projevovala poměrně velkou shovívavost vůči nacistickému Německu. Svým způsobem to byla politika usmiřování Hitlerovy agrese; postupně přerostla do politiky appeasementu, tj. ústupků německé rozpínavosti.

Situace se však vážně a radikálně zhoršila po anšlusu Rakouska v březnu 1938. Hitler měl nyní Československo sevřené v kleštích a netajil se, že ho chce brzy zlikvidovat.

MNICHOV

Hitlerovým cílem byly likvidace Československa jako státního útvaru a především jeho ozbrojené moci, jejíž vyřazení považovali i němečtí generálové za velmi důležité pro uskutečnění německých plánů na ovládnutí Evropy. V druhém plánu hrála úlohu i nacistická představa, zděděná ještě po velkoněmcích 19. století, že Čechy a Morava jsou součástí velkoněmeckého prostoru. Hitler počítal s jejich anexí a ovládnutím.

Plán na rozbití Československa dostal v německých dokumentech označení *Fall Grün* – Plán Zelený. Jako záminku k zákroku vůči Československu si Hitler vzal ochranu německého obyvatelstva v ČSR. V roce 1935, kdy dosáhla Sudetoněmecká strana výrazného úspěchu ve volbách, nebyla ještě stranou vyhraněně nacistickou. Hitler však věděl, že její popularita mezi německým obyvatelstvem je důležitější. Povolal k sobě vůdce strany Henleina a koncem března 1938 mu dal příkaz, aby systematicky kladl československé vládě takové požadavky, které nemůže přijmout. Zjevně mu nešlo o to, aby se plnily národnostní požadavky Němců v Československu, ale o vyvolávání nepokojů, které by v konečném důsledku poskytly záminku k napadení Československa.

První krok ve smyslu Hitlerových instrukcí učinil Henlein již na karlovarském sjezdu Sudetoněmecké strany 24. dubna 1938; vyhlásil tam program, kte-

Konrad Henlein na návštěvě Slovenska

rý měl proměnit české a moravské pohraničí v samostatnou správní oblast, kde by vlastně vládl neomezeně Henlein a jeho strana. I když se požadavky kladené Henleinem netýkaly zájmů slovenských Němců, Karpatoněmecká strana jako organická součást Henleinovy strany je bez výhrad podporovala.

V polovině května začalo Německo přesouvat vojsko k československým hranicím. Henleinovci zároveň vyvolávali nepokoje v pohraničních oblastech. Československá vláda vedená Milanem Hodžou se rozhodla kráznému opatření. Vyhlásila částečnou mobilizaci a vojenské jednotky obsadily některé pohraniční oblasti. Tento energický zákrok překvapil henleinovce i Hitlera. Německo nebylo ještě na válečný konflikt zcela připraveno, a proto Hitler radil Henleinovi, aby takticky ustoupil. Henlein se tak na Hitlerův pokyn přihlásil u Milana Hodži a projevil ochotu o svých požadavcích jednat. Bylo však jasné, že to není definitivní vyřešení krize.

Koncem května Hitler prohlásil, že je rozhodnut zničit Československo vojenskou silou. Počítal s tím, že se do války proti Československu zapojí i Maďarsko a Polsko. Obě tyto země měly zájem připojit si území Československa, žádnou velkou ochotu vstoupit do války však neprojevovaly. Obávaly se, že by se vystavily velkému riziku – Polsko se bálo Sovětského svazu a Maďarsko malodohodových spojenců Československa, zejména Rumunska, kteří by mohli

Maďarsko vojensky ohrozit. Hitler se na válku připravoval systematicky, v létě 1938 se však ještě necítil dost silný k boji proti západním spojencům Československa – Francii a Velké Británii. Proto dal přednost taktice, jíž se snažil Československo mezinárodně izolovat. Věděl, že Velká Británie ani Francie válku nechtějí a udělají všechno, aby se jí vyhnuly. Navíc v Anglii se ve vládních kruzích i mezi aristokracií projevovaly sympatie k sudetským Němcům a ochota naslouchat jejich požadavkům.

Velká Británie do krize skutečně zasáhla a rozhodla se vyslat do Československa zprostředkovatele mezi československou vládou a Henleinem. Zprostředkovatelem se stal známý anglický germanofil lord Walter Runciman a v jeho doprovodu byly i osoby známé svými styky s henleinovci. Nešlo tedy ani tak o zprostředkování jako spíš o hrubý nátlak na československou vládu. Ta nakonec nátlaku podlehla a začátkem srpna, když Runcimanova mise skončila, oficiálně přijala Henleinovy požadavky.

Henlein a Hitler byli znovu zaskočeni. Ve skutečnosti si nepřáli, aby československá vláda tyto požadavky přijala. Měli zájem o stupňování napětí. Henlein se proto pokusil 12. září v pohraničních oblastech o puč. Ten však skončil naprostým fiaskem.

Hitler se rozhodl sám vstoupit do diplomatické hry a události urychlit. Dne 15. září se v Berchtesgadenu sešel s britským ministerským předsedou Chamberlainem, který při setkání prohlásil, že nemá zásadní námitky proti odstoupení českého pohraničí Německu. Chtěl jen otázku konzultovat s vládou a také s Francií.

Československo se dostávalo do nebezpečné izolace. Sovětský svaz, který měl s Československem spojeneckou smlouvu, slovně bránil ohrožený stát. Sovětský komisař zahraničních věcí Litvinov tak učinil i na plenárním zasedání Společnosti národů 21. září. Politický realista Beneš však věděl, že Sovětský svaz nepůjde do izolované války proti Německu a že diplomatický klíč mají v rukou západní spojenci republiky.

Německé požadavky měla řešit konference v Mnichově, kde se 29. září setkali zástupci Německa, Itálie, Velké Británie a Francie – Hitler, Mussolini, Chamberlain a Daladier. Bez účasti Československa rozhodli o tom, že Československo odstoupí pohraniční oblasti Čech a Moravy Německu. Podkladem pro jednání byl návrh předložený Mussolinim, ve skutečnosti však vypracovaný Německem. Pohraniční oblasti, kde převažovali etničtí Němci, se měly stát součástí Německa. Návrh byl přijat bez velké diskuse.

Zpráva o mnichovském diktátu československou společnost šokovala. Byla to otevřená zrada západních spojenců, a Československo se tak skutečně ocitlo v mezinárodní izolaci. Za této situace se československá vláda diktátu podrobila a 30. září rozhodnutí mnichovské konference přijala. Nacistické Německo během několika dní vojensky obsadilo pohraniční oblasti i s vybudovanými obrannými opevněními.

Ještě před mnichovskou konferencí, 22. září, odstoupila vláda Milana Hodži a nastoupil kabinet generála Jana Syrového. Po přijetí mnichovského diktátu

Edvard Beneš, který byl prezidentem od roku 1935, abdikoval a později emigroval do Londýna. Novým prezidentem okleštěné republiky se stal Emil Hácha.

V době mnichovské krize většina Slováků byla ochotna bránit republiku a podrobení se mnichovskému diktátu přijala slovenská veřejnost s hlubokým rozčarováním a šokem. I když se konkrétní ustanovení mnichovské dohody bezprostředně slovenského území nedotýkala, znamenala hrozbu i pro Slováky, a to v dvojím slova smyslu. Etnický princip, proklamovaný v Mnichově, se mohl uplatnit i na Slovensku a mohl znamenat citelné ztráty území. Mnichovská dohoda přímo doporučila řešit maďarské požadavky jednáním na stejném principu, jaký byl uplatněn v Mnichově. Ostatně odstoupení českého a moravského pohraničí oslabilo pozice Československa natolik, že se to v konečném důsledku dotýkalo i zájmů Slováků. Republika ztratila významné průmyslové oblasti a léta budovanou obrannou linii. Po Mnichově byla fakticky vydaná na milost a nemilost nacistickému Německu. To, že se mocnosti v Mnichově zaručily garantovat bezpečnost zbytku Československa, nebral nikdo příliš vážně.

Slovenská otázka, tj. otázka decentralizace státu a dosažení přinejmenším určité míry samosprávy Slovenska, hrála v celém pohnutém roce 1938 důležitou úlohu. Iniciativu měla v této otázce HSĽS; dvacátý rok existence republiky se pro ni měl stát rozhodujícím rokem, v němž by se mohl uskutečnit plán slovenské autonomie. I heslo stanovené stranou pro rok 1938: „V novém roku do útoku!“ svědčí o odhodlání HSĽS prosadit svůj cíl.

Složitá mezinárodní situace přiměla československou vládu, aby se začala zabývat i možností jisté decentralizace státu. Uklidnění mohl přinést vstup HSĽS do vlády. Milan Hodža vedl v tomto směru intenzivní jednání s HSĽS už začátkem roku 1938, k dohodě však nedošlo. Po anšlusu Rakouska v březnu 1938 byl už i Beneš ochotný opustit striktní centralismus a uvažovat o národnostní autonomii a decentralizaci. Do popředí se pochopitelně dostala otázka německá, ale Hodža usiloval v rámci reformy řešit i otázku slovenskou. Vláda vypracovala a schválila návrh zákonů, řešících otázky menšin, národnostní autonomii v rámci decentralizované samosprávy a také otázku používání jazyků menšin. Tento návrh dostal název národnostní statut a jeho přijetí by bylo znamenalo proměnu Československa z národního státu ve stát národnostní. Statut narazil na odpor Sudetoněmecké strany, a tak podněty, které z něho vycházely a mohly do určité míry posunout i řešení slovenské otázky, vyšly naprázdno.

Hlinkova slovenská ľudová strana po zmaření jednání o vstupu do vlády vystupňovala svou aktivitu k dosažení autonomie, nevstupovala však do riskantních zahraničněpolitických kombinací spřádaných v Berlíně, Budapešti nebo Karlových Varech. Ukázalo to ostatně i setkání delegace sudetských Němců, vedených K. H. Frankem, s Andrejem Hlinkou v Ružomberku 8. února 1938. Pro poslance Sudetoněmecké strany to byla koneckonců jen zastávka na cestě do Budapešti, kde měli jednání mnohem důležitější. U Hlinky chtěli pouze vysondovat, do jaké míry by mohli pro své cíle využít politiky HSĽS. Hlinka se při setkání k ničemu nezavázal a žádné praktické kroky dohodnuty nebyly.

HSĽS se snažila dosáhnout autonomie stupňováním vnitřního tlaku a v tomto ohledu byla ochotná k spolupráci s menšinovými stranami na Slovensku, s nimiž vytvořila neformální autonomistický blok. Zároveň si uvědomovala, že otevřená spolupráce s Němci a Maďary, která ohrožovala existenci republiky, není mezi Slováky populární. Proto si při kontaktech s nimi počínala poměrně opatrně, i když požadavek autonomie prosazovala se stále větším důrazem. S tímto záměrem už 5. června po doznění první vážné krize publikoval časopis *Slovák* návrh HSĽS na autonomii a téhož dne zorganizovala strana v Bratislavě politické shromáždění. Druhého dne pořádala manifestaci agrární strana a podle policejních zpráv i podle svědků se druhé manifestace zúčastnilo víc lidí než manifestace ľudácké. Při agrárnickém shromáždění se Milan Hodža vyslovil pro určitou decentralizaci státu a pro posílení pozice Slovenska, tedy pro princip rovnoprávnosti Čechů a Slováků, legislativní autonomii, jak ji prosazovala HSĽS, však odmítl.

Za mnichovské krize byla slovenská společnost i v otázce postavení Slovenska rozdělená a nepřevažovala jednoznačně ani orientace centralistická, ani autonomistická. Ve volbách roku 1935 odevzdali slovenští voliči víc hlasů stranám centralistickým. V době ohrožení republiky sice HSĽS stupňovala svou agitaci pro autonomii, ale obavy z mezinárodního ohrožení spíš posilovaly pozice centralistických stran. Potvrdil to i průběh a výsledky obecních voleb, které proběhly v květnu 1938. Na Slovensku se volilo ve více než 80 procentech obcí. V mnoha obcích se strany dohodly na složení obecního zastupitelstva, většinou to bylo na základě výsledků parlamentních voleb z roku 1935. V obcích, kde se volby konaly, narazily na sebe ve většině případů dva bloky: HSĽS a volební seskupení nazvané Slovenská jednota za československú demokraciu a republiku, což bylo seskupení bývalých centralistických stran v čele s agrárníky a sociálními demokraty. Byli tam národní socialisté, živnostníci, Československá strana lidová, tzv. Mičurovci. Toto volební seskupení bylo doplněno Národním sjednocením a Slovenskou národnou stranou. Právě účast Slovenské národní strany v tomto seskupení byla překvapením. Znamenala, že tato strana opustila autonomistický blok s HSĽS a přidala se fakticky na opačnou stranu – k bývalým centralistům. Oficiálně to Slovenská národná strana zdůvodnila vážností mezinárodní situace: „Jde o bytí a nebytí našeho domova."

Volby se konaly v 1452 obcích, tj. v 51 procentech všech obcí. Slovenská jednota získala s převahou nejvíc hlasů – 43,93 %, HSĽS dostala 26,9 %, KSČ 7,4 %. Oproti parlamentním volbám šlo jen o malé přesuny mezi politickými stranami, jen komunisté překvapivě ztratili skoro polovinu hlasů. Výsledky voleb nebyly nikdy zveřejněny, ale v podstatě dokumentují, že obyvatelé Slovenska si uvědomovali ohrožení republiky a podporovali její zachování.

Zachování a upevnění státu hlásala ostatně i HSĽS pod Hlinkovým vedením. V tomto duchu se nesla i její manifestace v červnu v Bratislavě. Hlavním motem bylo: Slovenská autonomie má posílit republiku. Neochota poskytnout autonomii Slovákům republiku oslabuje. Tato strana se však pokoušela vystupovat jako jediná představitelka všech Slováků, což v žádném případě neodpovídalo skutečnosti. Smrt Andreje Hlinky 16. srpna 1938 už směřování HSĽS výrazněji neovlivnila. Ve straně vyrostla nová generace politiků, z nichž se nejvíc prosazovali Jozef Tiso a Karol Sidor.

SLOVENSKÁ AUTONOMIE

V tísnivé atmosféře, jaká vládla v Československu po Mnichově, sešli se ve dnech 5. a 6. října v Žilině představitelé HSĽS a dostavili se i představitelé dalších politických stran. Hlinkova slovenská ľudová strana využila situace, předložila svůj návrh autonomie občanským stranám a ty ho přijaly. Pražská vláda návrh akceptovala a 7. října jmenovala zemskou autonomní vládu v čele s Jozefem Tisem. Autonomii dostala i Podkarpatská Rus.

Československo se fakticky proměnilo ve federativní stát s názvem Česko-Slovenská republika. Československý parlament v Praze návrh o autonomii schválil. Slovensko dostalo oficiální název Slovenská krajina (Slovenská země). V kompetenci ústředních orgánů v Praze zůstala zahraniční politika, národní obrana, měna, společný rozpočet a pak takové záležitosti jako míry, váhy, cla, doprava a pošty. Ostatní patřilo do samosprávné kompetence slovenských orgánů – slovenského sněmu a slovenské vlády.

Manifest slovenského národa, vypracovaný Hlinkovou slovenskou ľudovou stranou v Žilině, dokumentuje krátkozrakost jejích politiků, kteří se v manifestu přihlásili k „mírovému řešení sporů v duchu mnichovské dohody“. Velmi brzy se ukázalo, co to znamená. V „duchu mnichovské dohody“ Maďarsko po-

Německý ministr zahraničí Ribbentrop vyhlašuje vídeňskou arbitráž

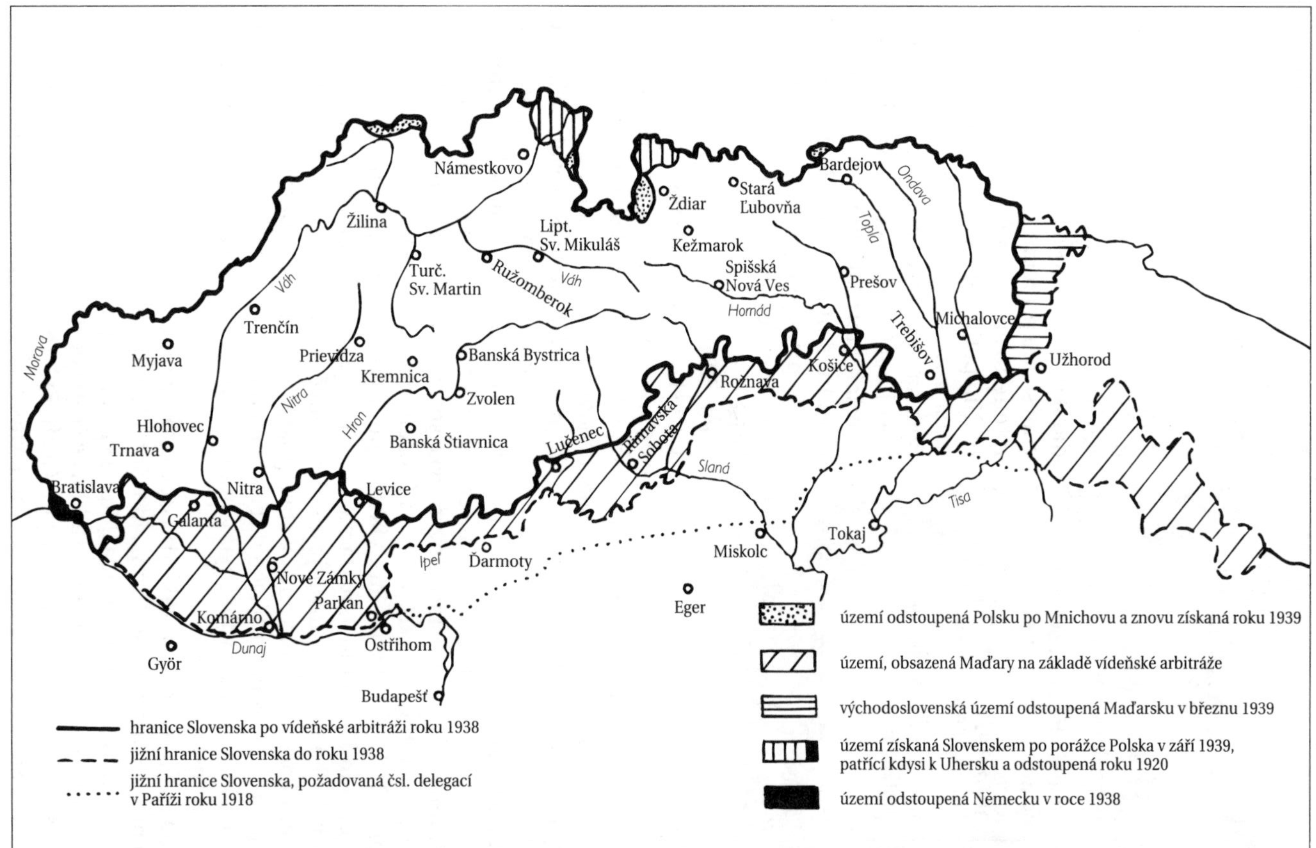
Námestkovo
Žilina
Turč.
Sv. Martin
Lipt.
Sv. Mikuláš
Ružomberok
Váh
Ždiar
Stará
Ľubovňa
Kežmarok
Spišská
Nová Ves
Hornád
Bardejov
Ondava
Topľa
Prešov
Trebišov
Michalovce
Užhorod
Morava
Myjava
Trenčín
Prievidza
Kremnica
Banská Bystrica
Zvolen
Nitra
Hron
Hlohovec
Trnava
Banská Štiavnica
Lučenec
Rimavská
Sobota
Rožňava
Košice
Slaná
Tisa
Tokaj
Miskolc
Bratislava
Nitra
Levice
Galanta
Nové Zámky
Parkan
Komárno
Dunaj
Ipeľ
Ďarmoty
Ostřihom
Győr
Eger
Budapešť
hranice Slovenska po vídeňské arbitráži roku 1938
jižní hranice Slovenska do roku 1938
jižní hranice Slovenska, požadovaná čsl. delegací v Paříži roku 1918
území odstoupená Polsku po Mnichovu a znovu získaná roku 1939
území, obsazená Maďary na základě vídeňské arbitráže
východoslovenská území odstoupená Maďarsku v březnu 1939
území získaná Slovenskem po porážce Polska v září 1939, patřící kdysi k Uhersku a odstoupená roku 1920
území odstoupená Německu v roce 1938

Slovensko v letech 1918–1940

Hej, Slováci!
ešte naša slovenská reč žije,
Dokiaľ naše verné srdce
za náš národ bije:
Žije, žije duch slovenský,
bude žiť na veky,
Hrom a peklo! márne vaše
proti nám sú vzteky.

Hymnická píseň „Hej Slováci" s textem Sama Tomášika byla v letech 1939–1945 státní hymnou

žadovalo území jižního Slovenska, kde žilo smíšené, převážně však maďarské obyvatelstvo. Když jednání mezi Maďarskem a Česko-Slovenskem nevedla k cíli, rozhodl Hitler ve prospěch Maďarska. Vídeňskou arbitráží z 2. listopadu 1938 bylo jižní Slovensko odtrženo od Česko-Slovenska a připojeno k Maďarsku – jednalo se o aplikaci „mnichovského principu" na Slovensko. Odtržené území okupované Maďarskem tvořilo pětinu Slovenska s 800 000 obyvatel, z nichž bylo asi 250 000 Slováků. Byla na nich nastolena tvrdá diktatura, postihující i maďarské obyvatelstvo, ale Slováci, kteří tam žili, pocítili i drsný národnostní útlak. K „dělení" Slovenska se připojilo i Polsko, které urvalo pro sebe několik obcí na Oravě a na Spiši.

Po Mnichově se politický vývoj v Česko-Slovensku posunul výrazně doprava směrem k autoritativnímu politickému režimu. V Praze se už od listopadu 1938 nescházel parlament, prezident Hácha získal široké pravomoci, levicové strany byly zakázané nebo donuceny ukončit činnost, ve veřejném životě se stále víc prosazovaly fašizující tendence. Na Slovensku Hlinkova slovenská ľudová strana využila situace a začala prosazovat pod heslem národní jednoty mocenský monopol. V listopadu 1938 vznikla politická strana s názvem HSĽS – Strana slovenskej národnej jednoty. Znamenalo to, že ostatní měšťanské strany vlastně splynuly s HSĽS a přestaly existovat. KSČ byla už 9. října výnosem ministerstva vnitra slovenské autonomní vlády zakázaná. Tak vlastně po 20 letech fungování pluralitního parlamentního systému vznikla na Slovensku jediná slovenská politická strana. Kromě ní mohly existovat ještě menšinové strany – *Deutsche Partei* v čele s Franzem Karmasinem, která se stala pokračovatelkou Karpatoněmecké strany, rozpuštěné v mnichovských dnech, a maďarská strana v čele s Jánosem Esterházym, která sdružovala zbytky maďarského obyvatelstva, které zůstalo na území Slovenska.

Začala být porušována základní občanská a demokratická práva – svoboda tisku a projevu a svoboda shromažďování. Všechna tato opatření zdůvodňovala HSĽS potřebou „jednoty národa". Rostl vliv ozbrojených oddílů strany – Hlinkových gard. Ľudácká strana prosadila, že čeští státní zaměstnanci a učitelé působící na Slovensku byli odsunuti do Čech. Byli to právě ti, kdo přišli pomoci v době, kdy Slovensko nemělo dostatek vlastních sil. Odsun prováděný na národnostním principu byl jednoznačným porušením základních lidských práv. Odsunutí Češi ho pociťovali jako osobní křivdu a projev nevděku, protože většina z nich se na Slovensku usadila natrvalo a považovala ho za svůj domov.

Ve volbách do slovenského autonomního sněmu 18. prosince 1938 se slovenský volič poprvé setkal s „jednotnou kandidátkou", na niž byli vedle příslušníků HSĽS sem tam na ukázku zařazeni i bývalí příslušníci jiných politických stran.

Hitler však odtržení pohraničních území Čech a Moravy nepovažoval za svůj konečný cíl. Tím byla definitivní likvidace Česko-Slovenska a připojení Čech a Moravy k velkoněmecké říši. Slovensko v jeho plánech dlouho nefigurovalo vůbec. Před Mnichovem byl ochoten dát ho Maďarsku, respektive Polsku za účast ve válce proti Československu. Svým váhavým postojem se však Maďarsko dostalo do Hitlerovy nemilosti a kromě území zabraných po vídeňské arbitráži nebyl ochoten mu dát víc. Proti Polsku se už připravoval v budoucnosti zaútočit, protože chtěl k velkoněmecké říši připojit území, jež Německo ztratilo v první světová válce.

Připojení Čech a Moravy k Německé říši však nebylo tak jednoduché. V Mnichově se mocnosti zavázaly, že budou garantovat bezpečnost a územní celistvost zbytku Československa. Násilné připojení Čech a Moravy by už západní mocnosti musely volky nevolky považovat za *casus belli*, jinak by se před domácím veřejným míněním nadobro znemožnily. Tak se do Hitlerových úvah postupně dostalo Slovensko. Pokud by Slováci vyhlásili státní samostatnost, Česko-Slovensko by přestalo existovat, a tím by ztratily platnost i garance dané v Mnichově. Za takových podmínek by bylo možné obsadit Čechy a Moravu i bez vojenského konfliktu. Slovensko se tak ocitlo na několik měsíců v centru Hitlerovy evropské politiky, když mu mělo posloužit jako nástroj k dosažení jeho původního cíle.

Připomeňme si výpověď Jozefa Tisa před národním soudem. Prý nevěděl, že Hitler potřeboval Slovensko pro své vojenskopolitické cíle, a právě tak nevěděl, že samostatný slovenský stát měl Hitlerovi pomoci ke zdůvodnění nutnosti rozbít ČSR před mezinárodní veřejností. Tyto výroky uvedl na svou obhajobu. Pokud je jeho výpověď pravdivá, dokazuje nízkou úroveň zahraničněpolitické orientace představitelů HSĽS. Vždyť Jozef Tiso patřil mezi její nejinformovanější politiky.

Franz Karmasin

Nej svitol deň!

¡Na stráž!

Ľuďácké propagační plakáty

Slovenští ľudáci se tak měli stát důležitou Hitlerovou převodovou pákou. Nejeden z nich se tak dostal k nejvyšším nacistickým funkcionářům a obdržel od nich příslib podpory a „ochrany". Jako zprostředkovatel styků mezi slovenskými politiky a nacisty fungoval vůdce karpatských Němců Franz Karmasin.

V říjnu 1938 přijal místopředsedu tehdejší slovenské vlády Ferdinanda Ďurčanského, který patřil k radikálnímu křídlu, požadujícímu státní samostatnost Slovenska, polní maršál Hermann Göring. Ďurčanský jako soukromá osoba, bez vědomí slovenské vlády nebo slovenského sněmu a za přítomnosti místodržitele v Rakousku Seyss-Inquarta, Franze Karmasina a Alexandra Macha prohlásil, že Slovensko chce státní samostatnost a že se přitom chce opřít o vojenskou, politickou a hospodářskou pomoc Německa. Ďurčanský a Mach tam zcela svévolně a voluntaristicky prohlásili, že vyhlášení státní samostatnosti je možné, až se poprvé sejde slovenský zemský sněm, protože jeho většina je pro slovenskou státní samostatnost, což nebylo pravda. Ďurčanský dále sliboval, že Německo bude mít velký vliv na vedení slovenského státu a že německá menšina bude mít jednoho ministra. (Tím se ovšem měl stát přítomný Franz Karmasin.) Dne 12. února přijal v Berlíně Vojtecha Tuku dokonce sám Hitler za přítomnosti Karmasina a ministra zahraničí Joachima von Ribbentropa. Tuka, který oslovoval Hitlera „mein Führer", naprosto nestydatě vystupoval jménem slovenského národa, přestože žádné takové pověření ani mandát k tomu neměl. Sám se vyjádřil, že mu takový mandát dávají české soudy a vězení. Tuka řekl Hitlerovi, že „slovenský národ bude rád bojovat pod führerovým vedením za udržení evropské civilizace". V zápisu z přijetí se dále uvádělo Tukovo tvrzení, že společenství s Čechy se pro Slováky stalo nadále nemožným, a to jak z mravního, tak z politického hlediska. Skutečnost, že patří k českému státu, je možná jen proto, že považovali nynější vládu pouze za přechodnou, ale on i jeho kolegové jsou rozhodnuti podrobit se volání slovenského lidu a uskutečnit samostatnost Slovenska. Osud Slovenska závisí na führerovi. Tuka doslova řekl: „Vkládám osud svého národa do vaší péče." Někteří příslušníci HSĽS byli tedy ochotni a připraveni vyhlásit samostatnost Slovenska. Největší autority v ľudáckém táboře, Jozef Tiso a Karol Sidor, však váhaly.

Vnitropolitická krize v Česko-Slovensku vyvrcholila začátkem března 1939. Dne 6. března se sešli hlavní představitelé vlády, sněmu a Hlinkovy slovenské ľudové strany. Přijatý závěr vlastně odmítl návrhy radikálů. Připustilo se sice budování samostatného slovenského státu, ale toliko jako vzdálený cíl, k němuž se má pracovat postupně, evoluční cestou. Okamžité vyhlášení samostatnosti bylo odmítnuto. Tím se jednoznačně potvrdilo, že prohlášení Tuky, Ďur-

Vláda Slovenské republiky v roce 1939

čanského a Macha se neopírala o žádný mandát a nebyla ničím jiným než svévolnými avanturami těchto ľudáckých radikálů.

Nacisté začali být pomalu nervózní. Hitler věřil, že se mu podaří připojit Čechy a Moravu k velkoněmecké říši do roka a do dne od anšlusu Rakouska. Březnové dny roku 1939 tedy měly rozhodnout.

Vztahy mezi Slovenskem a pražskou vládou v pomnichovském Česko-Slovensku se stále vyostřovaly. Vyplývalo to z ne vždy ujasněných kompetencí, ale také z celkové vnitropolitické a v širším slova smyslu i z evropské krize. Toho využil Hitler a postaral se, aby v Praze měli „dostatek informací" o slovenských snahách o samostatnost. Dne 9. března pražská vláda na pověsti o možném vyhlášení nezávis-

Dr. Jozef Tiso na návštívil 13. března 1939 Hitlera v Berlíně

lého Slovenska reagovala vojenským zásahem. Jozef Tiso byl odvolán z funkce předsedy slovenské vlády a na Slovensku byla vyhlášena vojenská diktatura. Armáda, která zde zasáhla, zatkla stovky lidí. Dne 11. března byl do funkce předsedy slovenské vlády jmenován Karol Sidor, zatímco Tiso se odebral na svou faru do Bánovců nad Bebravou. Vojenský zásah, známý v literatuře jako „Homolův puč", byl s velkou pravděpodobností v Hitlerově režii a sloužil jeho záměrům.

Napětí na Slovensku vzrůstalo. Mnoho ľudáků, hlavně radikálů, uprchlo do sousedního Rakouska. Hlinkova garda a ozbrojené oddíly německé menšiny – FS (*Freiwillige Schutzstaffel*) – se připravovaly na ozbrojené střetnutí. Z Německa znovu přišli vyjednavači, snažili se Jozefa Tisa a Karola Sidora přesvědčit, aby vyhlásili státní samostatnost Slovenska. Nejprve to byl Arthur von Seyss-Inquart a 12. března ve čtyři hodiny ráno přijel do Bratislavy i státní tajemník ministerstva zahraničí Wilhelm Keppler. Neměli úspěch.

Hitler ztratil trpělivost a rozhodl se pro rázný krok. Pozval si do Berlína Jozefa Tisa a dal mu otevřeně na vědomí, že pokud Slovensko nevyhlásí samostatnost, „ponechá Slovensko svému osudu", což mělo znamenat hrozbu připojení k Maďarsku, respektive rozdělení Slovenska mezi tři sousedy – Německo, Polsko a Maďarsko. Jozef Tiso sice tou dobou oficiálním představitelem autonomní Slovenské země nebyl, ale tato skutečnost Hitlerovi nepřekážela. Protože se mu to hodilo do karet, rozhodl se neuznat jeho odvolání pražskou vládou. Jeho jediným cílem bylo docílit okamžitého vyhlášení samostatnosti Slovenska, aby mohl se svým vojskem vpochodovat do Čech a na Moravu. Celá inscenace byla kromě toho jednoznačným politickým „blufováním" ze strany Hitlera a jeho typická „hra kočky s myší". Vsadil na hrubý nátlak a dosáhl svého cíle.

Tisova návštěva byla důkladně zrežírovaná. Napřed ho dlouho a důkladně zpracovával Joachim von Ribbentrop. Teprve potom, když bylo jasné, že Tiso hrubému nátlaku podlehl, uskutečnila se audience u Hitlera, která vlastně jenom potvrdila to, co Tisovi přednesl Ribbentrop. Tiso si vymohl jediný ústupek – z Berlína požádal prezidenta Emila Háchu, aby na 14. března svolal slovenský sněm. Na sněmu byl vyhlášen Slovenský stát. Hitler okamžitě využil situace a 15. března vstoupila německá armáda na území českých zemí, kde byl vyhlášen Protektorát Čechy a Morava. Československá republika po 20 letech své existence zmizela z mapy Evropy.

10 SLOVENSKÝ STÁT JAKO HITLERŮV SATELIT

Totalitní režim a Hitlerova „ochrana"

POLITICKÉ POMĚRY V SLOVENSKÉM STÁTĚ

Na zasedání sněmu 14. března informoval Tiso poslance o svých „rozhovorech" s Ribbentropem a Hitlerem. Přestože sněm nebyl zprávou příliš překvapen, působil skličujícím dojmem. Pokud se později Alexander Mach vyjádřil, že sněmovna přijala zprávu s nadšením, pak to nadšení prožíval patrně jen on sám, protože svědectví ostatních účastníků hovoří jednoznačně o mrazivém ovzduší. Poslanec Peter Zaťko popsal událost takto: „Velkou část poslanců jsem neznal, neznal jsem ani smýšlení velké většiny slovenského sněmu. Byl jsem překvapen, kolik z nich zůstalo po Tisově referátu zaraženo, bezradní, kolik z nich si kladlo otázku, co dělat, jak odpovědět. Neměl jsem dojem, že je to shromáždění, jemuž Hitlerovo oznámení přišlo vhod. Předseda sněmu Martin Sokol se projevil jako přívrženec ČSR, protože mi řekl: Já budu muset takovouhle samostatnost vyhlásit. Budu rád, když přitom neomdlím." V podobném duchu se nesou obsáhlé a velmi detailní vzpomínky poslance Pavla Čarnogurského, který neměl proč zamlčovat stísněnou atmosféru v slovenském sněmu. Právě z tohoto rozpoložení vznikla později teorie, že vyhlášení slovenského státu bylo vlastně rozhodnutím pro „menší zlo". Tím „větším zlem" mělo být připojení celého Slovenska k Maďarsku.

Předseda Slovenského zemského sněmu zkoncipoval zákon o slovenském státě, jehož první paragraf zněl: „Slovenská země se prohlašuje za samostatný a nezávislý slovenský stát. Sněm Slovenské země se mění v zákonodárný sněm slovenského státu." Sněmovna zákon odhlasovala a jmenovala novou vládu v čele s Jozefem Tisem. Teprve později, v ústavě přijaté 21. července 1939, se novému státu dostalo oficiálního názvu Slovenská republika.

Vyhlášení slovenského státu 14. března 1939 posloužilo Hitlerovi jako záminka, aby se prosadil v destabilizovaném středoevropském prostoru. Problémy v česko-slovenských vztazích do roku 1939 nebyly takového rázu, aby Slováci jako masa spontánně směřovali k samostatnému státu. Hlinkova slovenská ľudová strana prosazovala politiku autonomie, myšlenka vytvoření samostatného slovenského státu se zrodila teprve v období, když se Česko-slovenská republika pod Hitlerovým tlakem začala rozpadat. I tehdy, počátkem roku 1939, prosazovali tuto myšlenku pouze někteří radikálové v Hlinkově straně.

Slovensko tedy nevstupovalo do éry samostatné státnosti s nadšením, spíš s pocitem rezignace. Většina obyvatelstva, která vnímala nacistické Německo jako agresora a hlavního viníka celoevropské krize, mohla těžko den ze dne uvěřit, že stát pod Hitlerovou ochranou může přinést Slovensku pozitivní vývoj. Od začátku existovaly vážné obavy, zda bude možné slovenskou samostatnost udržet. Při obsazování Moravy 15. března pronikla německá armáda i na Slovensko až k řece Váh a toto území okupovala. Slovenská vláda nakonec po těžkých jednáních západní hranici formálně ubránila, ale s tím, že se na slovenském území vytvořila vojenská zóna s německými posádkami podél celých moravsko-slovenských hranic.

Slovenský stát vznikl z Hitlerovy vůle a v prostoru plně ovládaném a kontrolovaném nacistickým Německem. Jeho existence byla závislá na vůli Hitlera a na jeho dalších plánech v Evropě. Velmi brzo se ukázalo, že Hitler využívá Slovenska jako nástupiště pro další agresi.

Hned při vzniku státu došlo k mezinárodnímu konfliktu s Maďarskem. Už vídeňskou arbitráží v listopadu 1938 ztratilo Slovensko svá jižní území, která byla připojena k Maďarsku. V březnu 1939, při zániku Česko-Slovenska, Maďarsko okupovalo Podkarpatskou Rus; při této příležitosti pronikla maďarská vojska na slovenské území. Došlo k válečnému konfliktu, v jehož důsledku muselo Slovensko odstoupit na východě další území s více než 40 000 obyvatel.

Na takto značně okleštěném slovenském území vznikl státní útvar, který patřil k nejmenším v Evropě, měl však znaky formálně samostatného státu. Slovenskou republiku uznalo de iure nebo de facto 27 států, včetně všech velmocí kromě Spojených států. Některé země měly v Bratislavě vyslanectví, jiné pouze konzuláty. Mezinárodní postavení Slovenské republiky se však začalo rychle měnit. V důsledku slovenské účasti na válce proti Polsku přerušily styky se Slovenskem Velká Británie a Francie. Poměrně dobré politické, ale hlavně kulturní a ekonomické vztahy se Sovětským svazem v důsledku paktu Hitlera se Stalinem se po vypovězení války Sovětskému svazu proměnily ve válečný stav, a Slovenská republika tak vstoupila do další fáze mezinárodní izolace, když její mezinárodní kontakty zůstaly omezeny na země ovládané Německem a na některé neutrální státy.

Formální samostatnost však byla pouze vnější, zdánlivá. Ve skutečnosti všechno, co se v Slovenské republice dělo, probíhalo pod přísnou německou kontrolou. Slovenská republika musela 23. března 1939 podepsat s Německem „ochrannou smlouvu", podle níž se Německo zavázalo ochraňovat integritu slovenského území, Slovensko však muselo podřídit německým zájmům a kontrole jak zahraniční politiku, tak armádu. Německo získalo také rozhodující pozice v slovenské ekonomice.

Jako Hitlerův satelit se Slovensko zúčastnilo válečného tažení proti Polsku a vstoupilo tak do druhé světové války. Toto tažení bylo krátké, trvalo vcelku dva týdny a ztráty na životech na slovenské straně nebyly velké. Mnohem větší byly škody morální. Účast na agresivní válce proti sousednímu slovanskému státu po Hitlerově boku se dala těžko ospravedlnit. Rozšíření slovenského území o 25 obcí, které byly po první světové válce připojeny k Polsku (třebaže předtím byly součástí Uherska), navrácení obcí, které si Polsko připojilo roku

1938, a falešné manifestování pocitu vítězství nemohly zakrýt skutečnou morální porážku.

Političtí představitelé Hlinkovy strany se tedy rozhodli pro kolaboraci s hitlerovským Německem. V první fázi existence slovenského státu se mohla i tato kolaborace chápat jako politika „menšího zla", ale z dlouhodobého hlediska to byla politika bezperspektivní. Hitler se totiž nikdy netajil tím, že považuje slovanské národy za méněcenné. Pokud trvala válka, potřeboval v zázemí klid. Ten mu mohla zajistit na Slovensku zdánlivá samostatnost, řízená domácími „quislingy". V německé politice se po vyhlášení samostatného Slovenska objevila i nová myšlenka udělat ze Slovenska něco jako vzorový stát, který by byl výkladní skříní, reklamou pro ostatní země v jihovýchodní Evropě. Poměry na Slovensku se měly stát ukázkou, jak může žít a prosperovat národ, který se dá pod Hitlerovu ochranu. V případě válečného vítězství byl Hitler rozhodnutý uskutečnit své geopolitické plány a představy, což by znamenalo nejen konec slovenské samostatnosti, ale v konečném důsledku i tragédii slovenského národa. V případě Hitlerovy válečné porážky však představovala kolaborace s ním stejnou slepou uličku.

Představitelé Hlinkovy strany nepovažovali pro svou politiku za dostatečné, bude-li se existence slovenského státu chápat pouze jako „menší zlo". Proto se snažili vytvořit kolem formálně existujícího státu novou státní ideologii. Začali prohlašovat, že Slovenská republika je dovršením „tisíciletého úsilí Slováků o vlastní státnost", masově se začaly vyrábět historické mýty sahající až ke knížatům Pribinovi a Svatoplukovi, jehož začali označovat za prvního slovenského krále atd. Vytváření takovéto falešné národní ideologie však nemohlo zakrýt jednu vážnou slabinu – samotný fakt kolaborace s Hitlerem. Občané Slovenska považovali národní socialismus a Hitlera za společné zlo. V nových podmínkách se však pojednou z úst nejvyšších slovenských představitelů dověděli, že Hitler a jeho Německo jsou nejlepším přítelem a ochráncem Slováků. Takto formulovanou ideologii však většina Slováků nemohla akceptovat. Proto se původní teorie „menšího zla" v slovenské společnosti zakořenila hlouběji, což mělo své důsledky na konci války.

Vážné problémy se objevily i ve vnitřní politice. Slovenská republika byla státem s jednoznačně totalitním politickým systémem. Dne 21. července 1939 přijal Slovenský sněm ústavu, která měla jednoznačně autoritativní charakter, zakotvovala stavovské zřízení společnosti. Ve skutečnosti byla ústava pouze formálním dokumentem, jehož ustanovení se v praxi nedodržovala. Pro Slováky, kteří prošli demokratickým vývojem před rokem 1938, to byl zřetelný krok zpět. Formální a neodpovídající skutečnosti se stal i přijatý název státu – Slovenská republika, protože tento stát nikdy *res publica,* čili věcí veřejnou nebyl. Za celou existenci slovenského státu nedostali slovenští občané možnost přistoupit k volebním urnám. Ústava sice stanovila, že sněm má být volen každých pět let, vládnoucí stranu však vůbec nenapadlo, aby při vzniku nového státu tento akt potvrdila volbou sněmu samostatného státu. V činnosti tedy zůstával sněm, který byl zvolen roku 1938 jako sněm Slovenské země, nikoli jako sněm suverénního státu. Sněm už při vzniku státu zmocnil vládu, aby činila „v přechodné době“ všechno, co je potřebné k udržení pořádku a k zajištění zájmů státu. Ukázalo se, že toto přechodné období trvalo vlastně až do roku 1945, neboť roku 1943 byl mandát sněmu prodloužen až do roku 1946.

Akt voleb by však ve vzniklé situaci ani neměl žádný význam. Už za slovenské autonomie vznikl na Slovensku systém jedné strany a politický monopol HSĽS byl zakotven přímo v ústavě. Vznikla v podstatě státostrana, jakou Slovensko poznalo později za komunistické diktatury. Kromě Hlinkovy slovenské ľudové strany legálně fungovaly pouze strany národnostních menšin – německé a maďarské. Německá *Deutsche Partei* využívala německou ochranu, osobovala si mimořádná práva a pokoušela se zasahovat vehementně do slovenské vnitřní politiky. Ústava dávala Hlinkově straně zvláštní postavení a pravomoci, protože se přímo uvádělo, že se slovenský národ podílí na státní moci prostřednictvím Hlinkovy slovenské ľudové strany. Státostrana obsadila všechny důležité instituce a organizace. Dne 26. října 1939 byl prezidentem Slovenské republiky zvolen Jozef Tiso a předsedou vlády se stal Vojtech Tuka. Nic ve státě se nemělo dít bez vědomí HSĽS, organizované na vůdcovském principu. Od října 1942 přijal prezident Tiso i formálně titul vůdce. Bez členství v HSĽS byla těžko možná osobní kariéra a také státní úředníci se snažili vstoupit do strany, aby si zajistili svá postavení. Totalitní pozici HSĽS dobře vystihovala slova jejího předsedy a později vůdce Jozefa Tisa: „Strana musí být v čele, musí být organizátorem celého veřejně-společenského života. Strana je národ a národ je Strana. Národ mluví skrze Stranu. Strana přemýšlí místo národa. Co národu škodí, to Strana zakazuje a pranýřuje.“ Proto počet členů strany rychle rostl. Zatímco roku 1938 měla 50 000 členů, roku 1943 to už bylo skoro 300 000.

Původní koncepce Hlinkovy strany byla nacionalistická, ale blízká představě stavovského státu. Tuto představu však Jozef Tiso a jeho blízcí spolupracovníci nemohli uskutečnit, jelikož nacionálněsocialistický systém byl s touto koncepcí v zásadním rozporu. Radikální křídlo HSĽS v čele s Vojtechem Tukou a Alexandrem Machem se snažilo prosadit koncepci slovenského nacionálního socialismu. Nadbíhání nacistickému Německu a jeho politickému režimu bylo pro radikální část slovenských ľudáků typické. Ani tato koncepce, v jejímž jménu měl být odstaven i prezident Tiso a vnitřní poměry se měly radikalizovat a ještě víc přizpůsobit poměrům v Německu, se naplno neprosadila, protože o ni za války neměl zájem ani Hitler. V domácí politice nezískala tato koncepce nikdy větší oporu. Vytvořil se tak politický systém, který byl v principu totalitní, ale ve vztahu k občanům poměrně mírný, bez větších represálií.

Iluzornost slovenské samostatnosti se naplno projevila velmi brzy. Německo zasahovalo do všech záležitostí, hlavně do složení vlády. Všechny důležité funkce mohly být obsazeny pouze těmi, s nimiž souhlasili v Berlíně. Hned v prvních dnech Slovenské republiky musel odejít do ústraní Karol Sidor, vedle Tisa nejvýznamnější osobnost v HSĽS; bylo známo, že si Hlinka přál, aby se jeho nástupcem stal právě Sidor. Hitler nemohl Sidorovi zapomenout jeho tvr-

Katolický kněz a zároveň premiér nového státu Jozef Tiso

dohlavé odmítání vyhlásit slovenskou státní samostatnost. Navíc byl Sidor známý polonofil a jako takový nemohl být ve slovenské politice žádoucí v době, kdy Hitler začal připravovat vojenský útok na Polsko. Právě v tomto ohledu představovalo totiž Slovensko důležité vojenské a strategické nástupiště. Karol Sidor se pak stal slovenským vyslancem ve Vatikánu.

Na nátlak z Berlína došlo i k dalším změnám. V první fázi války se slovenský ministr zahraničí Ferdinand Ďurčanský snažil aspoň částečně se vymanit z úplné závislosti na Německu. Takový pokus nemohl uspět, a proto v červenci 1940 si Hitler zavolal prezidenta Slovenské republiky, jímž byl od října 1939 Jozef Tiso, do Salcburku a donutil ho k personálním změnám ve vládě. Ďurčanský musel odejít, ministrem zahraničí se stal ministerský předseda Vojtech Tuka a pozice radikálního germanofilského křídla byly posíleny. Ve všech hlavních slovenských úřadech a ministerstvech zaujali významná místa němečtí poradci dbající, aby se Slovensko ani v nejmenším neodchýlilo od těsné spolupráce s Německem. Slovenská republika se stala členem válečné osy Berlín–Řím–Tokio (v listopadu 1940) a vstoupila do Paktu proti Kominterně (v listopadu 1941).

Vnitropolitický vývoj na Slovensku v letech 1939–1945 byl poznamenán zápasem o moc mezi dvěma hlavními směry v politice Hlinkovy strany. Umírně-

Ministr zahraničí Slovenska a posléze i ministerský předseda Vojtech Tuka přijímá zahraničního diplomata

né křídlo v čele s Jozefem Tisem vycházelo ve své ideologii z konzervativních představ o stavovském, autoritativně řízeném státě s jistými křesťanskými rysy; jejich protipól tvořili radikální fašisté, otevřeně prosazující ideologii a praxi německého národního socialismu a usilující, aby se Slovensko co nejvíc podobalo svému „velkému vzoru". V čele této skupiny stáli Vojtech Tuka a Alexander Mach. Tuka ve své agitaci přizpůsobovat se nacistickému Německu prohlašoval, že Slovensko si může činit nárok na německou ochranu pouze tehdy, když si ji zaslouží. V únoru 1941 bylo z Tukovy iniciativy vypracováno a publikováno 14 bodů slovenského národního socialismu, který měl Slovensko ještě víc přiblížit poměrům v nacistickém Německu a měl být podle vyjádření jeho tvůrců dalším rozvinutím „nacionálněsocialistické revoluce". V pozadí tohoto zápasu byly nesporně i osobní ambice jeho protagonistů. Tiso a jeho skupina měli určitou podporu ve sněmu i u části obyvatelstva. Radikálové naproti tomu byli zcela izolovaní a nemohli se proti Tisovi prosadit. Jejich největší oporou byly polovojenské oddíly Hlinkovy gardy, jejichž velitelem byl Alexander Mach, ale ani na ně se radikálové v boji proti Tisovi nemohli úplně spolehnout. V daných mocenských poměrech obě skupiny kalkulovaly s tím, že se mohou prosadit jedině prostřednictvím Hitlera. Proto se radikální skupina všemožně snažila získat führerovu přízeň a podporu. Hitlerovi byli tito patolízalové nesporně bližší a v Salcburku docílil, že se dostali do významných pozic ve státě.

Za války mu však záleželo především na tom, aby byl na Slovensku klid a aby tam nemusel vojensky zasahovat. Proto mu vyhovoval v čele státu Tiso a jeho skupina. Pokus o odstranění Tisa, připravovaný Tukou a Machem za vydatné pomoci slovenských Němců Franze Karmasina, Hitler nepodpořil, a tak se Tiso udržel u moci až do konce války. V zápase o moc však musel i Tiso, aby si udržel Hitlerovu přízeň, dělat mnohé ústupky, takže vlastně celý ten mocenský zápas sloužil pouze Německu a jeho záměrům. Kolaborace malého státu s nacistickou velmocí musela vést do takové situace zcela zákonitě.

Totalitní nacionalistická ideologie připustila, jak jsme již uvedli, vedle Hlinkovy slovenské ľudové strany už jen existenci národnostních menšinových stran. Po odtržení jižních oblastí zůstala na Slovensku jen nepatrná maďarská menšina, jejíž vůdce János Esterházy byl sice poslancem Slovenského sněmu, do politiky však nijak vážněji zasahovat nemohl. Naopak slovenští Němci, jejichž počet dosahoval kolem 150 000, se pokoušeli zasahovat do slovenské politiky velmi vehementně, hlavně prostřednictvím svého vůdce Franze Karmasina. Ten zastával funkci státního tajemníka pro záležitosti německé menšiny a jeho politika směřovala jednoznačně k tomu, aby ze slovenských Němců udělal *Herrenvolk*, který by měl rozhodující postavení v zemi, ovládal Slováky a kontrolovat je, zda správně sledují Hitlerovu politiku nové Evropy. Karmasin a jeho *Deutsche Partei* usilovali o faktickou exteritorialitu slovenských Němců, kteří měli mít i německé státní občanství a podléhat německým orgánům. *Deutsche Partei* zřídila v Bratislavě úřadovnu, tzv. *Wepner Amt*, v níž se shromažďovaly materiály z celého Slovenska – hlášení o protiněmeckých vystoupeních atd. Z této slovenské ústředny se pak materiály zasílaly k vyhodnocení do vídeňské úřadovny Sicherheitsdienstu. Deutsche Partei a její ozbrojené složky FS, jakož i německý tisk se významně podílely na protižidovském štvaní a protižidovských opatřeních.

Karmasin se například velmi rozhodně ohradil i proti snahám některých slovenských horlivců zavést v zemi slovenský národní socialismus. Podle něho byl národní socialismus výhradně německou záležitostí, na Slovensku tedy záležitostí zdejších Němců, nikoli Slováků. V Berlíně museli často Karmasinovu horlivost brzdit, protože se obávali, že by *Deutsche Partei* mohla svými akcemi vyprovokovat protiněmecké nálady a vnitropolitickou krizi, kterou nemohlo Německo za války potřebovat.

Rusínsko-ukrajinské obyvatelstvo zůstalo po celou dobu na okraji politického dění. V Slovenském sněmu byli zastoupeni jedním poslancem. Po obsazení Podkarpatské Rusi Maďarskem zůstali Rusíni na Slovensku izolováni od svých soukmenovců, s nimiž za první republiky úzce spolupracovali. Jejich politická aktivita zůstala během celé existence Slovenské republiky omezena na minimum. Ožili teprve za povstání roku 1944 a pak v souvislosti s přechodem fronty, když se na slovenské území dostala Rudá armáda.

Ve velmi těžkém postavení se ocitlo slovenské obyvatelstvo v odtržených jižních oblastech. Jejich tíživá sociální situace vyplývala z toho, že hospodářsky byli napojeni na slovenské území. Politicky byl hortyovský režim Maďarska roku 1938 nesrovnatelný s režimem v Československu, kde i po Mnichově zůstaly zbytky občanských svobod a sociálních vymožeností. K tomu přibylo pronásledování z národnostních důvodů, jež bylo mnohem horší než útlak ve starém Uhersku. Slovenské školy byly zavírány, slovenské knihy hromadně páleny. O Vánocích 1938 stříleli četníci do lidí, kteří vycházeli v Šuranoch z kostela, a zabili přitom jedno děvče. Pro slovenskou inteligenci nebylo na okupovaném území místo. Stávalo se, že rodiny ze zoufalství opouštěly své domovy a utíkaly na území slovenského státu.

ŽIVOT VE SLOVENSKÉ REPUBLICE

Přesto, že režim byl nedemokratický a kolaboroval s Německem, v části domácí veřejnosti vyvolala slovenská státnost příznivou odezvu. Bylo zřejmé, že situace v slovenském státě je v mnohém ohledu příznivější než v okolních zemích. Platilo to především o prvních letech existence slovenského státu, do roku 1943.

Na Slovensku existovala vysoká zaměstnanost. Ovlivnila ji jednak válečná konjunktura v průmyslu, ale také skutečnost, že mnozí Slováci měli možnost pracovat za výhodných podmínek v Německu. Každoročně tam odcházelo na práce asi 40 000 slovenských občanů. Pro ty Slováky, kteří nemuseli narukovat a kterým příliš nevadila přítomnost německých vojsk, německých poradců a samotný fakt kolaborace, se jevil život v jejich mikrosvětě docela přijatelným. Mnoha Slovákům, kteří se před rokem 1939 nemohli uplatnit ve státní správě, ve školství, vědě, armádě atd., se nyní naskytla možnost rychlého postupu. Státní správa i administrativa se sice nacházely pod německou kuratelou, ale přeci jen v „slovenských rukou". Uplatnění mnoha Slováků bylo ovšem umožněno krajně nehumánním aktem vysídlení skoro 20 000 českých státních zaměstnanců už v období tzv. druhé republiky. Větší možnosti pro uplatnění Slováků vznikly pak v důsledku dalšího nehumánního aktu – když byli z ekonomického života vyřazeni židovští obyvatelé.

Slovenskou ekonomiku oživila na čas válečná konjunktura. Potřeby války si vynutily stavbu řady závodů, některé rozšířily svou výrobu. Stavěly se nové komunikace – silnice a železnice. Odtržení jižních oblastí vedlo rovněž k výstavbě nových silnic a železničních tratí, což poskytlo zaměstnání mnoha dělníkům. Prosperita prvních válečných let ovšem nepůsobila všude stejně. V některých oblastech ekonomika naopak stagnovala a existovaly i regiony bídy. Problémy se nevyhnuly důlním revírům: největší stávka na Slovensku za celé válečné období proběhla v říjnu 1940 v Handlové. Zúčastnili se jí právě tak němečtí jako slovenští havíři. Tato skutečnost byla krajně nepříjemná vedení *Deutsche Partei,* které vždycky hrdě prohlašovalo, že má své lidi – tedy slovenské Němce – pod kontrolou. Zlepšily se rovněž odbytové možnosti zemědělců, a to proto, že od Slovenska byly odtrženy nejúrodnější jižní oblasti. Zásobování na Slovensku zůstávalo za daných okolností na velmi slušné úrovni, stabilní a vysoce hodnocena byla rovněž slovenská koruna.

Žatva na velkostatku v prvním válečném roce

I v složitých poměrech za války intenzivně pokračoval kulturní rozvoj Slovenska. Byly dobudovány bratislavská univerzita i vysoká škola technická, vznikla Vysoká škola obchodní. Roku 1942 vznikla Slovenská akademie věd a umění. Do vědeckého a kulturního života na Slovensku vstoupila nová generace, kvalitně připravená v předcházejícím období, která velmi napomohla rozvoji slovenské vědy a umění. To všechno pomáhalo představitelům Hlinkovy strany vytvářet obraz Slovenské republiky jako ostrova klidu a blahobytu v okolní rozbouřené Evropě. Všechno se však zakrýt nedalo. Zejména ne stále zjevnější charakter podřízenosti Slovenska německým záměrům.

Slovenská armáda se účastnila německých válečných tažení, počínaje válkou proti Polsku. Vzápětí po přepadení Sovětského svazu (22. června 1941) se připojilo k této Hitlerově agresi i Slovensko a zúčastnilo se jí svými dvěma divizemi. Slovenská Rychlá divize se během tažení roku 1942 probojovala až ke Kavkazu. Oficiální vláda se snažila tuto slovenskou účast glorifikovat a například generální tajemník HSĽS a ministr hospodářství Gejza Medrický prohlásil: *„Dnes se hroutí pod silnými údery německé armády, po jejímž boku stojí také armáda slovenská, starý svět. V této válce nejde o dobývání nových území, ale o zboření starých špatných světů. Slovenští vojáci si v této válce dobývají jméno hrdinných bojovníků.“* Podobných vyjádření bylo v slovenském tisku daleko víc, ale ve skutečnosti bojová morálka slovenských vojáků nebyla valná. Jejich ochota bojovat se v mnohém podobala té z první světové války. Mnozí sloven-

Náčelník štábu wehrmachtu Keitel za návštěvy v Bratislavě

ští vojáci přebíhali na stranu Rudé armády. Rychlá divize nakonec ztratila bojeschopnost a byla stažena do Sedmihradska. Druhá, tzv. Zajišťovací divize byla nakonec přesunuta jako pomocná stavební jednotka do Itálie. I ospravedlňování slovenské účasti bojem proti bolševismu nemělo velký účinek. V dané situaci bylo všem jasné, že se jedná o vynucenou válku po boku agresora, který nebojuje proti bolševismu, ale za ovládnutí světa.

Válka a realita slovenské totální podřízenosti Německu začaly stále víc ovlivňovat také ekonomiku i všední život každého jednotlivce. Válce bylo podřízeno celé slovenské hospodářství. Na Slovensku se vyráběly pro německou armádu zbraně, hlavně ve zbrojovkách v Dubnici a v Považské Bystrici, Německo jako hlavní odběratel slovenských výrobků určovalo, co se bude přednostně vyrábět. Druhou stránkou mince však bylo, že Německo v důsledku vyčerpanosti válkou ztrácelo schopnost i ochotu za zboží platit, stávalo se stále větším dlužníkem. To poškozovalo slovenské hospodářství. Slovensko se stalo vhodným objektem pro německé firmy, které ovládaly stále víc nejen výrobu, ale také zvyšovaly svůj podíl na kapitálu. Firma Hermann Göring Werke kontrolovala velké průmyslové podniky, hlavně zbrojařské, a zároveň vlastnila rozsáhlé lesy po celém Slovensku.

Už od roku 1943 se v slovenském hospodářství začaly projevovat krizové jevy, postupně se promítající i do životní úrovně obyvatelstva. Vznikaly problémy se zásobováním, rostla korupce a rozmáhal se černý trh s nezvykle keťaskými cenami, za jaké si mohli dovolit nakupovat jen majetní lidé. Úměrně s růstem hospodářských těžkostí se vzmáhala i nespokojenost obyvatelstva. „Výkladní skříň“ začala ztrácet svůj lesk. Skutečnost, že ve všech sousedních zemích, včetně Německa, byla situace ještě horší, nemohla trvale zastavit rostoucí nespokojenost.

TRAGÉDIE SLOVENSKÝCH ŽIDŮ

Totalitní diktatura se nejvíc projevila ve vztahu k židovskému obyvatelstvu. Antisemitismus byl od počátku součástí ideologie Hlinkovy slovenské ľudové strany, podobně jako tomu bylo u jiných katolických, lidových nebo křesťanskosociálních proudů. Protižidovská opatření začala na Slovensku zavádět už autonomní vláda, tedy bez vnějšího zasahování Německa. Když se Slovensko stalo německým satelitem, sílil z německé strany tlak, aby se i na Slovensku „řešila“ židovská otázka podle německého vzoru. Tento tlak byl evidentní, holocaust slovenských Židů však nelze připsat pouze jemu. Mnohé antisemitské výpady Alexandra Macha a koneckonců i prezidenta Tisa se v ničem nelišily od protižidovského štvaní nacionálních socialistů v Německu. Leták vydaný roku 1940 Hlinkovou gardou hlásal: „Nás neobalamutí hloupou frází, že Žid je taky člověk. Židi jsou zástupci a agenti ďáblů. Žid není výtvor Boží, ale ďábelský, a proto Žid není člověk, jenom jako člověk vypadá. Ten, kdo Židy jakýmkoli způsobem podporuje nebo chrání, toho trest Boží nemine.“ Takovéto primitivní antisemitské štvaní nebylo bohužel v oněch letech ani ze strany oficiálních slovenských představitelů výjimkou.

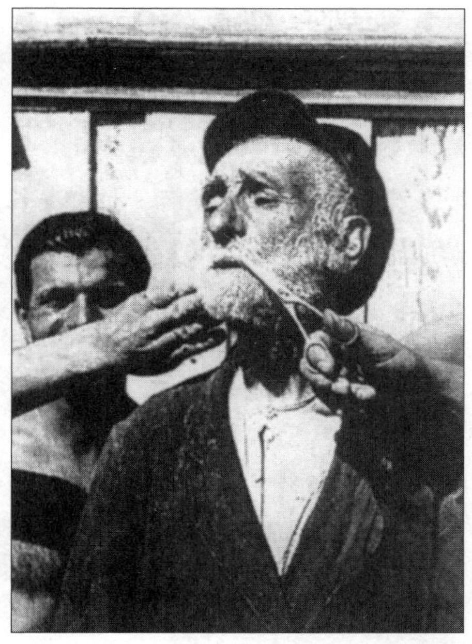

Pogromy a ponižování Židů se staly předzvěstí „konečného řešení“ židovské otázky

Nápor proti židovskému obyvatelstvu byl soustavný a postupně se slovenští Židé dostávali mimo občanskou společnost i mimo zákon. Už krátce po 14. březnu 1939 se začala protižidovská opatření množit. Zprvu to byla snaha omezit Židy v některých povoláních. Byli vyloučeni ze státní služby, nesměli působit jako učitelé, důstojníci a vůbec zastávat významnější funkce. Pak následovala snaha zbavit je majetku. V této fázi se jednalo nejen o úsilí likvidovat ekonomické aktivity židovského obyvatelstva, ale také především o snahu získat jeho majetek. Židům byly odebírány průmyslové podniky, živnosti a nakonec i jejich nemovitý majetek. Tomuto procesu se říkalo arizace, což znamenalo, že všechny tyto majetky měly přejít ze židovských do árijských rukou. A právě tady se přiživovali mnozí členové HSĽS, především nejrůznější funkcionáři a příslušníci Hlinkových gard. O podíl na arizovaném majetku se velmi vehementně hlásili slovenští Němci. Docházelo ke sporům a Franz Karmasin si v tisku i v hlášeních do Německa stěžoval, že se Němcům odpírá privilegované postavení při arizaci.

Vládní nařízení a praktiky panující moci znemožnily Židům vykonávat tzv. svobodná povolání, v nichž měli procentuálně poměrně vysoký podíl, hlavně v lékařství a advokacii. Souběžně přijímaná drastická opatření měla zamezit židovskému obyvatelstvu v přístupu ke vzdělání. Židé mohli navštěvovat prakticky jen základní školy, a to pouze odděleně od „árijských" žáků.

Následovala úplná společenská izolace Židů. Bylo jim zakázáno stýkat se s ostatním obyvatelstvem, nesměli navštěvovat veřejná místa – kina, divadla, kavárny, koupaliště, nesměli volně cestovat. V mnoha slovenských městech visely na náměstích a v parcích nápisy: „Židům, cikánům a psům vstup zakázán!" Aby se Židé odlišili od ostatních obyvatel, museli povinně nosit na oděvu našité žluté hvězdy. Všechno směřovalo k tomu, aby se dostali do naprosté izolace. Začala se připravovat ghetta a pracovní tábory.

Dne 9. září 1941 vydala slovenská vláda soubor protižidovských zákonů, tzv. židovský kodex, vypracovaný na základě německých norimberských zákonů.

Nástup slovenských občanů židovského původu do transportů v koncentračním táboře v Žilině

Někteří slovenští představitelé se zprvu snažili, aby se protižidovské zákony dostaly na konfesionální bázi, to se však nepodařilo a slovenské protižidovské zákony byly právě tak jako německé postaveny na rasovém základě.

Proti takto koncipovanému zákonodárství protestoval i Vatikán. Státní tajemník kardinál Maglione poslal slovenskému vyslanci Sidorovi nótu, v níž se psalo: „Svatá stolice přijala s hlubokým zármutkem zprávu, že i na Slovensku, tedy v zemi, kde se skoro všechno obyvatelstvo hlásí k nejlepším katolickým tradicím, bylo dne 9. září t. r. uveřejněno 'vládní nařízení', jímž se ustanovuje zvláštní 'rasové zákonodárství' obsahující různá opatření otevřeně odporující katolickým principům." Vatikán protestoval z principiálních důvodů, ale také proto, že se toto zákonodárství týkalo mnoha pokřtěných Židů: „Svatá stolice nemůže zůstat lhostejná ani vůči bolestné situaci tolika jejích synů židovského původu v důsledku těchto i jiných tíživých opatření citovaného nařízení. Jsou zbaveni mnoha práv, izolováni od ostatních občanů a ve srovnání s nimi se dostanou do morálně, sociálně a ekonomicky nerovného postavení, takže mnozí z nich budou prakticky nuceni k hrdinským činům, aby mohli zůstat věrnými příslušníky církve, a snad se mnozí dostanou i do krajní nouze." Je příznačné, že na tuto nótu slovenská vláda vůbec neodpověděla.

Vyvrcholením protižidovské politiky vlády se stalo vyvezení slovenských Židů do táborů smrti – do německých vyhlazovacích táborů.

Slovenská vláda přijala německou nabídku odsunout slovenské Židy na „práce ve východních územích". Od března až do října 1942 se uskutečňovaly násilné transporty židovského obyvatelstva ze Slovenska do vyhlazovacích táborů. Za tu dobu bylo odtransportováno téměř 60 000 slovenských Židů, z nichž většina ve vyhlazovacích táborech zahynula. Slovenská vláda navíc za každého vyvezeného Žida zaplatila Německu 500 říšských marek.

Proti vystěhovávání slovenských Židů opět protestoval Vatikán. Dne 14. března 1942, krátce před započetím transportů, zaslal vatikánský státní sekretář slovenskému vyslanci nótu, v níž se uvádělo: „Podle zprávy, kterou nejnověji dostal Státní sekretariát, bezprostředně hrozí všem příslušníkům židovské rasy, bez rozdílu náboženství, věku a pohlaví, vyhnání z území Slovenské republiky. Tyto osoby (kolem 80 000) chtějí vyvézt do Haliče a do okolí Lublina a deportovali by odděleně muže, ženy a děti. Státní sekretariát chce věřit, že tato zpráva neodpovídá pravdě, protože nepovažuje za možné, že by se v zemi, která se chce řídit katolickými principy, měla uplatnit tak politováníhodná opatření s tak bolestnými následky pro mnoho rodin."

Vatikán opakovaně protestoval proti rasovým zákonům a transportům. I Svaté stolici bylo krajně nepříjemné, že se něco takového děje v zemi, v jejímž čele stojí katolický kněz. Nezakrytě to napsal kardinál Maglione vatikánskému chargé d'affaires v Bratislavě Burziovi: „Svatá stolice přijala zprávu o nových smutných opatřeních slovenské vlády proti neárijcům s hlubokým politováním. Je to tím smutnější, že podle Vaší zprávy byl tento zákon vydán za účasti některých kněží, kteří jsou poslanci v parlamentě." Státní sekretář monsignore Tardini na okraj odpovědi britské vládě, která rovněž protestovala, poznamenal: „Je

Štefan Bednár, Příchod do koncentráku

to neštěstí, že prezidentem Slovenska je kněz. Každý chápe, že Svatá stolice nemůže zastavit Hitlera. Ale kdo pochopí, že nedovede udržet na uzdě kněze?"

Velmi trapný dojem, zřejmě i ve Vatikánu, vyvolaly také antisemitské projevy samotného prezidenta Tisa, který se nehumánní činy svého režimu dokonce pokoušel obhajovat náboženskými důvody, když v jednom z projevů řekl, že lidé mají od Boha přikázáno milovat sami sebe. A tato sebeláska jim velí, aby se zbavili všeho, co jim škodí. Slovákům škodí Židé, musí se jich tedy podle Božího přikázání zbavit. Takto krkolomná demagogie byla opravdu již příliš a ve Vatikánu nezapomněli poznamenat, že hlavním božím přikázáním je láska k bližnímu.

Brzy se stalo obecně známým, že Židé jsou vyváženi ne na práce, ale do vyhlazovacích táborů. V říjnu 1942 byly transporty zastaveny, ale to už bylo pozdě. Téměř 60 000 slovenských Židů se stalo obětí holocaustu.

Další transporty pokračovaly až po okupaci Slovenska německou armádou na podzim 1944. Tehdy bylo vyvezeno do táborů smrti dalších 13 000 Židů. Mnohé v době protipovstaleckého teroru jednoduše postříleli.

Zůstává však skutečností, že právě v krátké době od března do října 1942 na základě rozhodnutí slovenských orgánů byla násilně odtransportována a vyhubena větší část slovenského židovského obyvatelstva. Odpovědnost za holocaust slovenských Židů nese tedy plně vláda. Na této nehumánní akci velmi aktivně spolupracovali mnozí příslušníci Hlinkových gard; řada z nich se zištným cílem – v naději na možnost uchvátit židovský majetek v rámci tzv. arizace. Holocaust slovenských Židů se tak stal jednou z nejtragičtějších kapitol moderních slovenských dějin. Řadoví slovenští občané s výjimkou fanatických extrémistů přijímali všechna protižidovská opatření většinou s rozpaky i s odporem. Když se rozšířily zprávy o tom, že slovenští Židé jsou v německých koncentračních táborech vražděni, autorita slovenské vlády u části obyvatelstva poklesla a společnost se začala výrazněji polarizovat na stoupence a odpůrce režimu; těch druhých stále přibývalo.

Období let 1939–1945 bylo těžké i pro slovenské Romy, kteří byli považováni za rasově méněcenné. Měli zakázáno používat veřejné dopravní prostředky, nesměli vstupovat do měst a do veřejných prostorů, někde měli vyhrazeny určité hodiny pro nezbytný pobyt; od roku 1941 se pro Romy začaly zřizovat pracovní tábory. Po obsazení Slovenska německou armádou došlo na více místech k masovým popravám Romů ze strany speciálních jednotek SS. Z jihoslovenských oblastí přičleněných k Maďarsku odváželi Romy do koncentračních táborů, hlavně do tábora v Dachau.

Odboj a Povstání

FORMOVÁNÍ DOMÁCÍHO A ZAHRANIČNÍHO ODBOJE

Vývoj na frontách světové války výrazně přispíval k tomu, že vzrůstala nespokojenost s režimem i jeho kolaborací s nacistickým Německem.

Třebaže životní úroveň na Slovensku byla v rámci válečných poměrů velmi dobrá, vyšší než ve všech okolních zemích, obyvatelstvo nebylo s vládou spokojeno. Sílící nespokojenost přerůstala v organizovaný odboj. U části obyvatelstva se nespokojenost s režimem spojovala s přáním obnovit Československou republiku.

Aktivní organizovaný odboj proti režimu nastolenému Hlinkovou slovenskou ľudovou stranou zahájili skoro od samého začátku existence Slovenské republiky komunisté. Komunistická strana byla zakázaná a organizovala se ilegálně. Ve státoprávní oblasti prosazovali slovenští komunisté různé projekty, kromě jiných i projekt „sovětského Slovenska", což znamenalo připojení Slovenska k Sovětskému svazu.

Organizovaný odboj zahájily i skupiny složené z bývalých politiků, jejichž strany byly pod nátlakem sloučeny s Hlinkovou slovenskou ľudovou stranou. Tomuto seskupení se říkalo „občanský blok". Jeho příslušníky však byli všichni nekomunisté, tedy i bývalí sociální demokraté. Významnou složku občanského bloku představovali slovenští evangelíci, nespokojení s privilegovaným postavením katolické církve a s politickým klerikalismem, který zaujal dominantní postavení, zdaleka ne pouze proto, že prezidentem republiky byl katolický kněz. Do občanského bloku patřily i skupiny, jež neakceptovaly slovenský stát a snažily se obnovit Československo, i když často v jiné podobě, než byla předmnichovská republika. Zatímco komunisté byli napojeni na Moskvu, občanský blok se orientoval na spolupráci s emigrační československou vládou v Londýně.

Vláda pomocí rozsáhlého policejního aparátu sledovala všechny podezřelé. Už v červnu 1939 odhalila například odbojovou organizaci Revoluční mládež Slovenska, která sdružovala především mladé studenty a dělníky. Postupně byli pozatýkáni vedoucí funkcionáři ilegální komunistické strany, pod trvalým policejním dohledem se nacházeli všichni bývalí politici – odpůrci HSĽS.

V prvních letech války nebyly ve slovenské společnosti příznivé podmínky pro rozvinutí širšího odboje. Odbojová činnost se tehdy projevovala hlavně v zahraničí. Zatímco mobilizovaní slovenští vojáci bojovali po boku Hitlera, mnoho Slováků vstoupilo do aktivního boje na straně protihitlerovské koalice. Slováci vytvořili z uprchlíků vojenskou jednotku v Polsku a později představovali značnou část československého armádního sboru, který se pod velením Ludvíka Svobody zúčastnil válečných akcí po boku Rudé armády.

Slováci bojovali také při obraně Francie, kdy první československé divizi velel Slovák generál Rudolf Viest. Slováci působili i v řadách britského letectva. Slovák Jozef Gabčík se zúčastnil atentátu na Reinharda Heydricha v Praze. Slováci bojovali v partyzánských jednotkách na Ukrajině, v Bělorusku, v Itálii i ve francouzském odboji. Celkově počet Slováků, kteří se zúčastnili druhé světové války na straně protihitlerovské koalice, daleko převyšoval počet mobilizovaných slovenských vojáků, válčících na straně Německa.

Aktivní vojenský odboj měl svou politickou organizaci. Prezident Edvard Beneš, který po Mnichově emigroval do Londýna, se snažil zorganizovat zahraniční vládu podobně, jako tomu bylo za první světové války. Zároveň usiloval o uznání této vlády ze strany států protihitlerovské koalice. Další dva nejvýznamnější českoslovenští politici v zahraničním odboji byli Slováci Milan Hodža a Štefan Osuský, kteří se také přihlásili k projektu obnovy Československé republiky. Mezi Benešem na jedné straně a Hodžou a Osuským na straně druhé však brzy došlo k vážným neshodám. Jejich hlavním důvodem se stalo řešení slovenské otázky. Podle Benešova pojetí mělo být Československo obnoveno v jeho předmnichovské podobě, tj. jako unitární stát. Hodža a Osuský na druhé straně prosazovali větší samosprávu Slovenska. V memorandu, jež oba vypracovali ve spolupráci se slovenským komunistou žijícím v emigraci Vladimírem Cle-

Štefan Osuský

mentisem, se požadovala taková reforma vnitřního uspořádání Československa, která by znamenala prakticky federaci. Na takový model státoprávního uspořádání však Beneš nechtěl přistoupit. Došlo k vážným sporům a k roztržce. Hodža založil v Paříži Slovenskou národní radu (v listopadu 1939), potom se sice nechal přesvědčit a přijal účast v Benešově zahraniční akci, nakonec se však oba, Hodža i Osuský, s Benešem definitivně rozešli. Hodža se pak věnoval svému poslednímu většímu dílu, které nakonec roku 1942 v Londýně vydal pod názvem *Federation in Central Europe* a které představovalo vlastně Hodžovu politickou závěť. Potom emigroval do Spojených států, kde roku 1944 zemřel. Po rozchodu Hodži a Osuského s Benešem neměli Slováci v londýnské emigrační vládě žádného významnějšího představitele.

Vývoj války podpořil Benešovy ambice. Štefan Osuský ztratil po pádu Paříže svého největšího podporovatele a britská politika začala ochotněji spolupracovat s evropským odbojem. Po nástupu Winstona Churchilla do úřadu britského premiéra padla i poslední překážka, jež stála v cestě Benešovi – britská vláda skoncovala s mnichovanskou politikou Nevilla Chamberlaina. Následovalo oficiální uznání Benešovy zahraniční vlády, které v létě 1941 potvrdil i Sovětský svaz. To vše posilovalo nejen Benešovy pozice, ale také jeho koncepci unitárního Československa.

K aktivizaci domácího odboje přispěly především tři skutečnosti: vstup Slovenska do války proti Sovětskému svazu, což mezi Slováky vzbuzovalo hluboký nesouhlas, brutální protižidovská opatření slovenské vlády a konečně obrat ve válce, k němuž došlo po bitvě u Stalingradu. Benešův zahraniční úspěch přispěl zároveň k sjednocování platformy domácího odboje. Jelikož domácí odboj a plánované ozbrojené vystoupení mohlo mít význam pouze jako součást protihitlerovské fronty, domácí odboj přijal zásadně koncepci protihitlerovské koalice – obnovu Československa. Komunisté se vzdali plánu „sovětského Slovenska" mezi jiným i na pokyn Moskvy, která rovněž uznala Benešovu vládu. Domácí slovenský odboj však ve své převážné většině nepřijal Benešův plán obnovy státního centralismu a unitarismu a požadoval pro Slovensko rozsáhlou samosprávu na základě principu, který v dobové terminologii dostal název „rovný s rovným".

Pozice Benešovy i celého československého odboje posílilo podepsání československo-sovětské smlouvy 13. prosince 1943. Stále trvala válka a Sovětský svaz byl důležitým členem protihitlerovské koalice, proto se tato smlouva hodnotila jako mezinárodní posílení budoucího obnoveného státu. Později se však tato smlouva v Stalinových rukou stala nástrojem k ovládnutí Československa a jeho včlenění do sovětské sféry vlivu.

Koncem roku 1943 představitelé občanského bloku a komunisté uzavřeli tzv. Vánoční dohodu a vytvořili společně ústřední odbojový orgán – Slovenskou národní radu (SNR). Občanský blok v ní zastupovali Jozef Lettrich, Ján Ursíny a Matej Josko, komunisty Karol Šmidke, Gustáv Husák a Ladislav Novomeský. Slovenská národní rada se později ještě měnila a doplňovala o nové členy. Nejdůležitějším bodem Vánoční dohody byla příprava ozbrojeného povstání a svr-

Partyzánský výcvikový tábor ve slovenských horách

žení diktatury Hlinkovy strany. Úkoly SNR vytyčovala Vánoční dohoda takto: „1. Jednotně a centrálně vést boj slovenského národa za odstranění nacisticko-německého diktátu, vykonávaného i domácími uzurpátory politické moci. 2. V příhodné chvíli převzít veškerou politickou, zákonodárnou, vojenskou či administrativní výkonnou moc na Slovensku a vykonávat ji podle vůle lidu až do té doby, dokud svobodně zvolení zástupci lidu nebudou moci veškerou moc převzít. 3. Po převzetí moci, jen co to bude možné, Slovenská národní rada se postará, aby si slovenský lid volně a svobodně určil své zástupce, jimž Slovenská národní rada veškerou moc odevzdá. 4. Slovenská národní rada bude ve své činnosti postupovat v dorozumění s československou vládou a celým zahraničním odbojem, jejichž práci na mezinárodním a vojenském poli uznává a podporuje."

Byla přijaty teze, podle nichž se měla řídit budoucí politika Slovenska. Kromě demokratických a antifašistických zásad byla vyhlášena také zásada „rovný s rovným", podle níž se měl uspořádat vztah Čechů a Slováků v obnovené Československé republice.

SLOVENSKÉ NÁRODNÍ POVSTÁNÍ

Povstání se připravovalo ve spolupráci s armádou, v níž velká část důstojníků a pochopitelně i mužstva byla nespokojena s ľudáckým režimem a byla ochotna vstoupit do ozbrojeného boje proti němu. Vojenská stránka povstání byla řízena Vojenským ústředím v čele s podplukovníkem Jánem Golianem. Povstání se připravovalo v součinnosti s Rudou armádou a v návaznosti na její postup. V době, kdy se Rudá armáda přiblíží k hřebenům Karpat, měly jí dvě východoslovenské divize uvolnit vstup na Slovensko a zároveň posádky na západě a jihu země měly bránit postupu německých vojsk na Slovensko. Ľudácká vláda měla být svržena a moci se měla ujmout Slovenská národní rada a jí podřízené národní výbory.

V době příprav povstání už na celém Slovensku existovaly početné partyzánské skupiny, které vyvíjely aktivní záškodnickou činnost – vyhazovaly do povětří mosty, zatarasovaly komunikace, přepadávaly vlaky vezoucí munici na frontu a podobně. Činnost partyzánů se nepodařilo koordinovat s plány povstání, převážně i kvůli komunikačním potížím v hornatých terénech Slovenska, kde partyzáni působili, ale také pro neochotu partyzánů podřídit se vojenským a politickým představitelům Slovenské národní rady. Svou úlohu sehrálo i to, že Sovětský svaz chtěl právě prostřednictvím svých partyzánských velitelů kontrolovat odboj na Slovensku. Akce partyzánů tak často komplikovaly přípravy povstání a vyprovokovaly otevřený německý zásah.

Už 12. srpna 1944 slovenská vláda vyhlásila na Slovensku výjimečný stav. Postřílení členů německé vojenské mise a jejího civilního doprovodu, kteří se vraceli přes Slovensko z Rumunska, na dvoře martinských kasáren 28. srpna dalo

Slovenští povstalci v boji

Banská Bystrica, centrum povstání

Německu záminku k přímému zásahu. Vyslanec Hans Elard Ludin předložil Jozefu Tisovi návrh na německý vojenský zásah na slovenském území a Tiso s ním souhlasil. Dne 29. srpna začala německá armáda obsazovat Slovensko. Německé oddíly pronikaly do země několika směry: od Čadce směrem k Žilině, z Moravy na střední Pováží, z Petržalky do Bratislavy, z Polska směrem na Kežmarok a Poprad. V 19 hodin večer přečetl ministr národní obrany Ferdinand Čatloš v rozhlase projev, v němž oznámil, že slovenská vláda pozvala německou armádu na Slovensko do boje proti partyzánům. Zároveň žádal slovenské obyvatelstvo, aby Němcům nekladli odpor a aby německou armádu podporovali. Na to vojenské ústředí v Banské Bystrici vydalo slovenským posádkám heslo k zaujetí obranného postavení. To byl signál k začátku povstání. Ještě téhož večera došlo k prvním bojům v oblasti Žiliny a druhého dne i v oblasti Kežmarku.

Povstání veřejně oznámil banskobystrický svobodný rozhlasový vysílač 30. srpna 1944. Jako prvním v něm zazněly dvě výzvy formulované skupinou kolem Vavra Šrobára v Donovalech. Vysílač v Banské Bystrici, který se odpojil od bratislavského vysílání, sehrál při mobilizaci Slováků do povstání významnou úlohu. Proto se stal terčem nepřátelských útoků a po bombardování 2. září byl zničen. Povstalecký rozhlas vysílal sice technicky méně kvalitně, ale až do konce října 1944. Na svobodném území začal vycházet povstalecký tisk, vydávaly se letáky. Všechno mělo sloužit mobilizaci sil v boji proti německé okupaci.

Oproti původním plánům vypuklo povstání předčasně, v době, kdy všechny vojenské přípravy nebyly ještě ukončeny. Nepodařilo se udržet dvě východoslovenské divize, které Němci rychle odzbrojili, a ani posádky na západním Slovensku nebyly schopny klást německé invazi větší odpor. Tak se povstání vlastně od začátku omezilo na území středního Slovenska s centrem v Banské Bystrici, což značně ztížilo jeho operační prostor i možnost dlouhodobé obrany.

Přesto slovenské povstání roku 1944 představuje jedno z největších protihitlerovských odbojových vystoupení v týlu německé armády. Dva měsíce se podařilo udržet povstalecké území, a tedy celou souvislou frontu, proti náporu německé armády. Vojenští velitelé povstání Ján Golian a Rudolf Viest (od 7. října) byli postaveni před těžký úkol – museli bojovat v nepřátelském obklíčení. Výzbroj a posily bylo možno přesouvat na povstalecké území toliko letecky. Pomoc ať už ze Sovětského svazu nebo ze Spojených států nemohla být proto dostatečná, i když snaha pomoci tu na obou stranách byla. Ze Sovětského svazu se na povstalecké letiště přesunul 1. československý stíhací pluk a 2. československá paradesantní brigáda. Ze základny v Itálii přilétala na povstalecké území také americká letadla s materiální pomocí a výzbrojí. Významným mezinárodním uznáním Povstání bylo vyslání vojenských misí zemí protihitlerovské koalice na povstalecké území. Rozhodujícím činitelem pro udržení povstaleckého území se však stala podpora domácího obyvatelstva.

Vojenští velitelé povstání: Ján Golian

Rudolf Viest

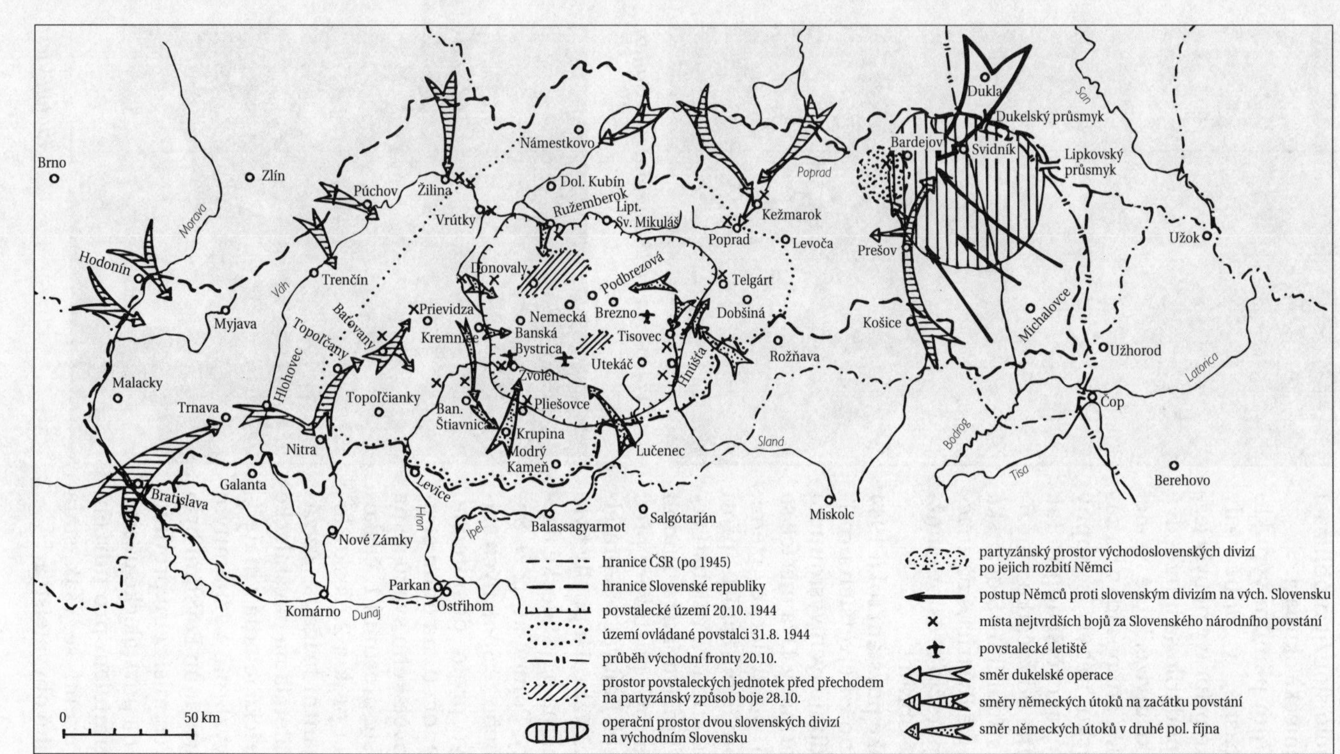
Brno
Zlín
Hodonín
Morava
Myjava
Malacky
Trnava
Bratislava
Galanta
Púchov
Žilina
Trenčín
Váh
Hlohovec
Topoľčany
Baťovany
Nitra
Nové Zámky
Komárno
Dunaj
Parkan
Ostřihom
Vrútky
Námestkovo
Dol. Kubín
Ružemberok
Lipt. Sv. Mikuláš
Poprad
Kežmarok
Levoča
Prievidza
Kremnica
Donovaly
Nemecká
Banská Bystrica
Zvolen
Brezno
Podbrezová
Tisovec
Utekáč
Telgárt
Dobšiná
Rožňava
Hnúšťa
Topoľčianky
Ban. Štiavnica
Krupina
Pliešovce
Modrý Kameň
Lučenec
Levice
Hron
Ipeľ
Balassagyarmot
Salgótarján
Miskolc
Slaná
Košice
Prešov
Bardejov
Svidník
Dukla
Dukelský průsmyk
Lipkovský průsmyk
San
Michalovce
Užok
Užhorod
Latorica
Čop
Bodrog
Tisa
Berehovo
hranice ČSR (po 1945)
hranice Slovenské republiky
povstalecké území 20.10. 1944
území ovládané povstalci 31.8. 1944
průběh východní fronty 20.10.
prostor povstaleckých jednotek před přechodem na partyzánský způsob boje 28.10.
operační prostor dvou slovenských divizí na východním Slovensku
partyzánský prostor východoslovenských divizí po jejich rozbití Němci
postup Němců proti slovenským divizím na vých. Slovensku
místa nejtvrdších bojů za Slovenského národního povstání
povstalecké letiště
směr dukelské operace
směry německých útoků na začátku povstání
směr německých útoků v druhé pol. října
0
50 km

Slovenské národní povstání

Vypálený Telgárt, kde povstalci sváděli tvrdé obranné boje

Povstání se zúčastnila značná část Slováků žijících na jeho území. V povstalecké armádě bojovalo 60 000 vojáků a v partyzánských oddílech asi 18 000 partyzánů. Široká byla podpora obyvatel. Slovenského národního povstání se však zúčastnili i příslušníci jiných národů – Češi, Rusové, Ukrajinci, Bělorusové, Francouzi, ale také Maďaři a Němci. Jako jednotlivci se na bojích podíleli také polští, rumunští, jugoslávští, italští, řečtí, angličtí a američtí antifašisté. Slovenské národní povstání se tak stalo součástí celosvětového zápasu s nacismem.

Boje v horách a horských průsmycích byly velmi tvrdé. Němci s takovým odporem nepočítali a museli postupně své oddíly na Slovensku posilovat. Povstání tak vázalo značné německé vojenské síly a spolu s převratem v Rumunsku oslabilo vojenské pozice Německa v středoevropském prostoru.

Urputné boje, které trvaly dva měsíce, byly ze strany povstalců většinou boji obrannými. Nejvíc se zde projevil nevýhodný časový moment, v němž Povstání vypuklo. Nejtvrdší obranné boje sváděli povstalci u Strečna, u Vrútek a Martina, v prostoru Zvolen–Hronská Dúbrava–Banská Štiavnica, u Svätého Kríže nad Hronom (Žiar nad Hronom), na horní Nitře a u Telgártu. Houževnatý odpor vojáků a partyzánů však nemohl zadržet postup německé armády, hlavně z málo krytého a otevřeného prostoru na jihu, odkud Německo začalo proti povstalcům mohutnou ofenzivu 17. října. Dne 27. října padlo centrum povstání – Banská Bystrica. Část povstalecké armády se dostala do zajetí, mezi nimi i oba velící generálové Rudolf Viest a Ján Golian, kteří byli v Německu popraveni. Část armády spolu s partyzány se stáhla do hor a pokračovala tam v partyzánském boji, vystavena akcím přepadových oddílů SS. Partyzánská činnost v slovenských horách pokračovala až do osvobození slovenského území Rudou armádou. I když bylo povstání potlačeno, působilo v partyzánských oddílech stále víc než 13 000 mužů.

Po vypuknutí povstání se na povstaleckém území ujala moci Slovenská národní rada. Dne 1. září se obrátila na obyvatele země s deklarací, podle níž přebírá moc na území Slovenska a jako jediná je oprávněna mluvit jménem slovenského národa. SNR vyhlásila obnovení Československé republiky a svržení ľudácké vlády. Byly zde vlastně proklamovány zásady, dohodnuté ve Vánoční dohodě z prosince 1943. Deklarace se vyjádřila i k česko-slovenskému vztahu: „Jsme pro bratrské soužití s českým národem v obnovené Československé republice. Ústavoprávní, sociální, hospodářské a kulturní otázky republiky budou definitivně uspořádány vzájemnou dohodou zvolenými zástupci slovenského a českého lidu v duchu demokratických zásad, pokroku a sociální spravedlnosti." Důležitou součástí deklarace bylo, že se přihlásila k protifašistické koalici: „Dnešním dnem se slovenský národ manifestačně připojuje k spojeneckým národům, které svým bojem a velkými oběťmi zajišťují svobodný a demokratický život národům celého světa, a tedy i našemu malému národu. Všemi silami chceme přispět k rychlému ukončení tohoto zápasu za svobodu."

Ústup povstalců do hor

Hlavní štáb partyzánů, Jan Šverma a Rudolf Slánský – uprostřed

Při Slovenské národní radě se vytvořil jako výkonný orgán Sbor pověřenců (*Zbor povereníkov*), který fakticky představoval slovenskou vládu. Zvláštností tohoto sboru bylo, že striktně dodržoval princip parity a v čele rezortů byli vždy jak zástupci občanského bloku, tak i komunistů.

Podle deklarace Slovenské národní rady mělo být Československo obnoveno prakticky jako federativní stát. Proto Slovenská národní rada uznala zahraniční vládu Edvarda Beneše, žádala však, aby Beneš akceptoval slovenskou samosprávu podle programu SNR.

Prezident Beneš ve svých plánech s ozbrojeným povstáním na Slovensku počítal, předpokládal však, že to bude akce plně řízená v jeho intencích z Londýna. Samostatné vystoupení Slováků nebylo v plném souladu s jeho plány, komplikovalo mu jeho představu o obnovení unitárního Československa. Po odstoupení Milana Hodži a Štefana Osuského ze zahraničního odboje tak před Benešem vyvstával další orgán, který požadoval slovenskou samosprávu – Slovenská národní rada.

Benešův londýnský projev, pronesený 8. září, v němž se pokoušel vydávat povstání za svou akci a Slovenskou národní radu jako vrcholný řídící orgán povstání zcela obešel se na Slovensku střetl s velkými rozpaky. Poselství Benešovy vlády, odeslané 23. září do Banské Bystrice, obavy potvrdilo. Beneš žádal, aby byl přijat zplnomocněnec emigrační vlády, který měl být jakýmsi komisařem a jehož činnost by fakticky eliminovala funkci Slovenské národní rady. Slovenská národní rada odpověděla v tom smyslu, že respektuje vládu a prezidenta v Londýně jako představitele zahraničního odboje, ale SNR je vr-

Až do hořkých konců: Hitler a Tiso na svém posledním setkání v roce 1944

Českoslovenští vojáci Svobodova armádního sboru vztyčují v Dukelském průsmyku výsostné znaky republiky

cholným orgánem slovenského lidu, a proto má na slovenském území veškerou zákonodárnou a vládní moc. Zároveň vyslala 7. října do Londýna delegaci ve složení Ján Ursíny, Ladislav Novomeský a za armádu plukovník Mirko Vesel. Její jednání v Londýně byla těžká, ale nicméně se nakonec podařilo dosáhnout kompromisu, v němž Beneš přijal svébytnost slovenského národa a uznal pravomoci Slovenské národní rady. Náročnost jednání však dávala tušit, že se celá otázka ještě bude řešit a že Benešův ústup je pouze dočasný. Prezident hrál o čas a počítal s tím, že se mu nakonec podaří prosadit svou variantu obnovy Československa. Postavení Slovenska v obnoveném státě tak představovalo složitou a nedořešenou otázkou až do konce války.

Bombardování Bratislavy anglo-americkým letectvem 16. června 1944

Po potlačení povstání nastalo na Slovensku období nebývalého teroru. Všichni, kdo se zapojili do povstání a nepodařilo se jim ukrýt, byli vystaveni teroru jednotek SS, *Heimatschutzu* (ozbrojené složky slovenských Němců) a Pohotovostním oddílům Hlinkovy gardy. Četné vesnice a horské osady byly pro účast na povstání a pro pomoc partyzánům vypáleny, muži odvlečeni do koncentračních táborů nebo rovnou na místě popraveni. Židé začali být znovu shromažďováni a posíláni do vyhlazovacích táborů.

Bratislavská vláda tou dobou ztratila kontrolu nad Slovenskem a v zemi už fakticky nevládla. Všechno bylo v rukou okupační německé armády. Čelní politici Hlinkovy strany neměli pro takto vzniklou situaci připraveno žádné řešení. Nová vláda v čele se Štefanem Tisou, kterou prezident Jozef Tiso jmenoval 5. září, pouze přihlížela akcím německých jednotek. Jedinou alternativou, která ještě Hlinkově straně zbývala, bylo setrvat s Hitlerem až do konce.

Konec války se nezadržitelně blížil. Dne 6. října 1944, tedy ještě v době, kdy na středním Slovensku existovalo souvislé povstalecké území, překročila Rudá armáda a s ní také příslušníci 1. československého armádního sboru v oblasti Dukelského průsmyku Karpaty a vstoupili na území Slovenska. Hornatý terén ztěžoval další postup Rudé armády a Němci ho naplno využívali. Slovensko se tak až do jara 1945 stalo bojištěm. Přesto ještě do konce roku 1944 postoupila Rudá armáda a 1. československý armádní sbor do řady míst východního Slovenska a rovněž do oblasti jihovýchodního Slovenska, které okupovalo Maďarsko. Od ledna 1945 začaly další urputné boje o Slovensko. První ukrajinský front a 1. československý armádní sbor postupovaly od severovýchodu, čtvrtý ukrajinský front od východu a druhý ukrajinský front spolu s jednotkami rumunské armády od jihovýchodu. Velmi urputné boje probíhaly v oblasti Liptovského Mikuláše, kde se Němci dobře opevnili. Nakonec však jarní ofenziva Rudé armády německý odpor zlomila.

Vytlačením německých vojsk z Bratislavy 4. dubna 1945 byla většina slovenského území osvobozena. V některých pohraničních oblastech se německá armáda udržela až do začátku května, kdy válka na Slovensku definitivně skončila. Vůdce a prezident Jozef Tiso emigroval do Rakouska, kde se později dostal do amerického zajetí a byl vydán československým orgánům. Dne 3. dubna 1945 vstoupil do Košic na východním Slovensku prezident Edvard Beneš; na osvobozené území přijel z Moskvy. Dne 5. dubna nová vláda jmenovaná Benešem vyhlásila svůj program, který dostal název Košický vládní program.

11 LÉTA „ŘÍZENÉ DEMOKRACIE“

Předúnorové Československo

OBNOVENÍ SPOLEČNÉHO STÁTU

O vládním programu, který přednesl v Košicích 5. dubna 1945 předseda vlády Zdeněk Fierlinger, se dlouho diskutovalo v Moskvě mezi politiky Benešova okruhu a komunisty. Jednání trvala od 22. do 29. března 1945. Zatímco některé otázky, například otázka odsunu Němců a Maďarů i otázka retribuce, se vyřídily velmi rychle, složité jednání se rozvinulo zejména v souvislosti s postavením Slovenska v novém státě. Nakonec byl přijat kompromis otevřený na obě strany – jak směrem k federaci, tak k unitaristickému státu.

V zahraniční politice vládní program deklaroval úzkou spolupráci se Sovětským svazem na základě smlouvy z prosince 1943. Za hlavní úkoly uvnitř státu se pokládala očista veřejného života od zrádců a kolaborantů s nacistickým Německem, zavedení retribučních soudů a odnětí občanských práv Němcům, Maďarům a zrádcům. Nová vláda se sama definovala jako vláda lidové demokracie. Rozhodla se budovat a podporovat novou státní správu a zavést do života nové orgány státní moci – národní výbory. V ekonomické a sociální oblasti vláda plánovala znárodnění větších podniků a uskutečnění pozemkové reformy. Při moskevských jednáních byla vytvořena Národní fronta, sdružující komunisty i tzv. občanské strany. V pětadvacetičlenné vládě Národní fronty měli Slováci devět zástupců.

Válka zanechala na Slovensku hluboké stopy. Zatímco během první světové války se bojovalo pouze na malé části slovenského území, za druhé světové války přešla fronta prakticky celým Slovenskem. Ustupující německá armáda zde ničila dopravní komunikace i velké továrny; ty zčásti demolovala, zčásti jejich zařízení, hlavně stroje, odvážela s sebou. Země byla po přechodu fronty doslova v troskách. Bylo obtížné obnovovat hospodářský

Budova, kde byl podepsán Košický vládní program

Preziden E. Beneš den po svém příchodu do Prahy přihlíží 17. května 1945 slavnostnímu defilé východních jednotek čsl. armády

život a zásobování obyvatelstva, hlavně ve větších městech. Pomoc organizace UNRRA (*United Nations Relief and Rehabilitation Administration*) napomohla dostat se z nejhoršího, nemohla však řešit zásobovací problémy trvale. Podobná situace byla i v české části státu, třebaže tam neprobíhaly bojové operace s takovou intenzitou. Když tedy po skončení války vstoupila nová československá vláda 10. května do Prahy, stálo před ní i před celou společností mnoho problémů a právě tolik otazníků.

K vnitřní nejistotě na Slovensku přispívaly také akce banderovců, hlavně na východním Slovensku. Banderovci, nazvaní tak podle svého vůdce Stepana Bandery, byli příslušníky ukrajinské povstalecké armády, která bojovala po boku Němců za vytvoření samostatné Ukrajiny. Po skončení války se zbytky této armády snažily projít slovenským nebo polským územím na západ, do Rakouska a do Bavorska. Kromě banderovců se v slovenských lesích skrývaly a terorizovaly obyvatelstvo i další skupiny – zbytky oddílů SS, wehrmachtu a jiné živly, které zastihl konec války na slovenském, respektive polském území.

Válka radikalizovala nálady obyvatelstva a jeho velká část viděla řešení tíživé situace v zásadních politických a sociálních změnách. Proto i znárodnění klíčového průmyslu, bank a pojišťoven, prosazované zejména komunisty, sociálními demokraty a odbory, našlo podporu u většiny obyvatelstva. Znárodnění se uskutečnilo v říjnu 1945 prezidentskými dekrety. Komunisté prosazovali také radikální pozemkovou reformu, což obyvatelstvo, hlavně chudí rolníci a zemědělští dělníci, převážně uvítalo. Radikální a přitom jednoduše vypadající recepty k řešení tíživé poválečné situace byly všeobecně nakažlivé.

Ukončení bojů na frontách nedokázalo hned zásadně změnit myšlení lidí; trauma války zůstávalo ještě dlouho ve vědomí širokých vrstev. Proto bylo iluzorní pokoušet se o restaurování předválečných poměrů. Nejen nad Slovenskem, ale také nad celou střední Evropou se v poválečném období vznášely dva mohutné stíny: stín války a stín Stalina a stalinismu. Společnost byla stále ještě ovládána válečnou psychózou. Utrpení způsobená válkou a snaha o odplatu byly příliš živé, než aby se společnost mohla vyvíjet bez břemene minulosti. Stalinův stín nebyl zprvu příliš viditelný, ale působil. Zjevně se projevil pouze odvlečením tisíců slovenských občanů do sovětských gulagů, odtržením Podkarpatské Rusi od republiky a jejím připojením k Ukrajinské sovětské republice. Stalin však pokládal Československou za svou sféru vlivu, podobně jako další země střední a jihovýchodní Evropy. Tyto dva stíny, jakož i celková radikalizace společnosti, posouvající politické myšlení doleva, vytvořily příznivé podmínky pro snahu komunistů zmocnit se moci. Komunisté věděli, že mají plnou podporu Stalina a Sovětského svazu a že se od nich ovládnutí země očekává. Proto mohli rozvinout bezuzdnou demagogii, využívat protiválečné a radikální nálady obyvatelstva. Věděli, že pokud se jim podaří získat moc, nebudou se za ni už muset nikomu zodpovídat. Tato situace komunisty ve srovnání s ostatními politickými stranami neobyčejně zvýhodňovala.

Stín války se projevil i v přesunech obyvatelstva, často násilných a organizovaných vládou. Ze Slovenska emigrovali exponenti bývalého ľudáckého režimu a ještě během války byli evakuováni i slovenští Němci; z větší části zůstali v Německu, respektive v Rakousku. Pokud se vrátili, byli zbaveni občanských práv a odtransportováni zpět do Německa. Z původních více než 120 000 Němců zůstalo na Slovensku jen několik tisíc.

Československá vláda původně počítala i s vysídlením maďarského obyvatelstva, s tím však nesouhlasily západní velmoci. Uskutečnila se jen výměna obyvatelstva mezi Československem a Maďarskem, která se týkala zhruba 70 000 obyvatel na obou stranách. Na jižním Slovensku probíhal proces známý jako reslovakizace. Formálně šlo o to, aby se občanům Slovenska, kteří se po vídeňské arbitráži ocitli v Maďarsku a z různých důvodu se tehdy přihlásili za Maďary, umožnilo vrátit se k slovenské národnosti. Poválečné poměry a snaha vyhnout se možnému odsunu však měly za následek, že tato akce nesplnila původně deklarovaný záměr. Československá vláda se rovněž pokusila vysídlit maďarské rodiny z jižního Slovenska do českého pohraničí, které bylo po odsunu Němců liduprázdné. Akce nakonec skončila tak, že většina z asi 40 000 přesídlených Maďarů se vrátila do svých domovů. Násilnosti vůči maďarskému obyvatelstvu byly rovněž důsledkem válečné psychózy a snahy o odplatu za vídeňskou arbitráž a maďarské násilnosti vůči Slovákům na odtrženém území. I když nakonec maďarské etni-

Ministr zemědělství, slovenský komunista J. Ďuriš předává rolníkům dekrety na znárodněnou půdu

kum na jižním Slovensku zůstalo a po roce 1948 dostali Maďaři zpět i občanská práva, události z let 1938–1948 poznamenaly na dlouhý čas slovensko-maďarské vztahy.

Součást poválečné psychózy představovalo i úsilí vypořádat se se všemi exponenty bývalého ľudáckého režimu a kolaboranty. Už 15. května 1945 vydala Slovenská národní rada nařízení o retribučním soudnictví. Nejvýznamnější představitele Slovenské republiky soudil Národní soud, ostatní pak lidové soudy po celé zemi. Národní soud i lidové soudy lze ovšem stěží označit za skutečné tribunály, neboť procesy probíhaly pod politickým a často i osobním nátlakem.

Podle představ prezidenta Edvarda Beneše i dalších politiků českých občanských stran se mělo Československo obnovit v předmnichovské podobě – v předmnichovských hranicích, v předmnichovském centralistickém politickém systému, tedy se zemským zřízením, a s předmnichovským parlamentním systémem, i když se připouštěly jisté modifikace. K tomu však v poválečném Československu nebyly příznivé podmínky. Předmnichovské hranice se obnovily jen v českých zemích a na Slovensku, neboť Podkarpatská Rus byla připojena k Sovětskému svazu. V plném rozsahu nebylo možno obnovit ani předmnichovský parlamentarismus. Zůstaly zachovány jen instituce prezidenta, jímž se stal Edvard Beneš, a parlamentu, třebaže bez horní sněmovny – senátu. Důležitou změnou však byl zákaz řady politických stran. Tento zákaz postihl zejména dvě vlivné předmnichovské politické strany – celostátní republikánskou, tzv. agrární stranu a nejsilnější stranu na Slovensku – Hlinkovu slovenskou ľudovou stranu. Zakázány byly i další pravicové strany. Spektrum politických stran se tak značně zúžilo. Na Slovensku zbyly jen dvě důležité strany – Komunistická strana Slovenska (KSS) a Demokratická strana (DS). Před volbami v roce 1946 vznikly ještě dvě malé strany – Strana slobody a Strana práce, které však nezískaly větší podporu. Novým prvkem v politickém systému se stala Národní fronta, která měla sdružovat všechny politické strany. Z hlediska demokratického systému to byl prvek nestandardní. Měl regulovat politický život, řešit rozpory, a tak zajišťovat jednotu protifašistických sil. Vznik Národní fronty lze sice chápat na pozadí válečných událostí, od počátku však představovala nebezpečí pro obnovu parlamentní demokracie. Byla to vlastně lidovědemokratická koalice, politická základna nového režimu. Sdružovala strany s rozdílnými, až protichůdnými cíli, bránila vzniku přirozené opozice, a proto mohla být jen dočasným orgánem. Monopol moci Národní fronty nakonec komunistům ulehčil nastolit jejich vlastní monopol moci.

V politickém provizoriu disponoval velkými pravomocemi prezident republiky, který mohl vládnout sám pomocí dekretů. Na provizoriu málo změnilo i ustavení Prozatímního národního shromáždění v srpnu 1945. O dalším vnitropolitickém vývoji měly rozhodnout první poválečné parlamentní volby a ústava přijatá novým Národním shromážděním.

Lidovědemokratický režim nebyl důsledně demokratickým režimem, ani parlamentní demokracií. Nebyl to však ani režim totalitní, čímž se lišil od svého předchůdce i nástupce. K jeho označení se užívá termín „řízená demokracie", což je označení poněkud ironické, vědecky snad ne přesné, ale pro tento přechodný politický systém vcelku výstižné.

VOLBY V ROCE 1946

V květnu 1946 se konaly první poválečné parlamentní volby. Na Slovensku soupeřily o přízeň voličů především dvě nejsilnější strany – Demokratická strana a komunisté. Demokratická strana, která vznikla ještě za odboje, sdružovala především představitele slovenských protestantů a stoupenců obnovy předmnichovského Československa. I slovenští evangelíci, většinou aktivní v povstání roku 1944, si uvědomovali, že Slovensko musí dostat v obnovené republice větší samosprávu a že pouhé restaurování předmnichovských poměrů nemůže slovenské občany uspokojit. Zároveň si představitelé Demokratické strany uvědomovali, že většina obyvatel Slovenska je katolická, i když to zdaleka neznamenalo, že se ztotožňovala se zkompromitovanou a zakázanou Hlinkovou slovenskou ľudovou stranou. Voličský potenciál slovenských katolíků však byl velmi důležitý.

Katolíci, kteří se nezkompromitovali jako funkcionáři HSĽS, se snažili o založení vlastní křesťanskosociální nebo křesťanskorepublikánské strany. Zápas o povolení této strany se stal důležitým bojištěm mezi Demokratickou stranou a komunisty v Národní frontě, která jediná měla pravomoc novou stranu povolit. Komunisté předpokládali, že taková strana může odčerpat hlasy Demokratické straně, byli proto ochotni její založení podpořit. Zároveň však chtěli mít novou stranu pod kontrolou, vnucovali do jejího vedení nepřijatelné lidi a předložili katolické straně program, který sami vypracovali. Tím vlastně organizátory nové strany odradili, což byla voda na mlýn Demokratické straně, která koncem března 1946 uzavřela s představiteli slovenských katolíků dohodu o společném postupu ve volbách. Katoličtí politici se dostali do vedení Demokratické strany a na její kandidátku. Dohoda se stala známou pod označením dubnová dohoda, protože na veřejnost se dostala teprve v dubnu 1946.

Dohoda měla deset bodů. V prvním se Demokratická strana zavázala, že na odpovědných místech nahradí osoby nábožensky nesnášenlivé osobami tolerantními. Další body obsahovaly organizační otázky. Zde byl dohodnut klíč, že v představenstvech stranických organizací a institucí se budou obsazovat místa v poměru 7 : 3 ve prospěch katolíků. Na kandidátní listině do voleb měl být poměr 2 : 1. Slovenští katolíci přislíbili získat ve volební kampani voliče pro Demokratickou stranu a zároveň zrušili své podpisy na přihlášce křesťanskorepublikánské strany.

Demokratická strana zvítězila na Slovensku s velkou převahou. Získala 62 procent hlasů, kdežto komunisté pouze 30 procent. Strana slobody dostala 3,7 procenta a Strana práce 3,1 procenta hlasů. V českých zemích byl výsledek voleb jiný – zvítězili komunisté, kteří dosáhli 40 procent hlasů. Komunisté se tak stali celostátně nejsilnější stranou a prezident Beneš pověřil předsedu KSČ Klementa Gottwalda sestavením nové vlády. Vznikl tak nepoměr mezi slože-

Neverte
planým sľubom
pánov!
Za sociálnu spravodlivosť,
za večné spojenectvo s SSSR,
za nové šťastné Slovensko,
za silnú ľudovodemokratickú ČSR,
za víťazstvo slovanskej myšlienky
volte číslo
3
KSS
Čo chce
Demokratická strana
v Banskej Bystrici v septembri 1944
DEMOKRATICKÁ STRANA.
Slováci, Slovenky!
ČESKOSLOVENSKÚ REPUBLIKU.
Ústredný sekretariát je v Bratislave, Goetheho ulica číslo 17-

Volby 1946 – volební plakáty dvou hlavních politických rivalů na Slovensku, komunistů (vlevo) a demokratů (vpravo)

ním celostátních a slovenských orgánů. V Slovenské národní radě a ve Sboru pověřenců, který představoval jakousi slovenskou vládu s omezenými pravomocemi, se poměr upravil podle výsledku voleb na Slovensku. Předsedou Slovenské národní rady se stal předseda Demokratické strany Jozef Lettrich, předsedou Sboru pověřenců komunista Gustáv Husák, ale většinu sboru tvořili demokraté.

Parlament, který vzešel z voleb, zvolil 19. června prezidentem republiky Edvarda Beneše. Komunisté využívali svých pozic ve vládě, zejména v ministerstvu vnitra, k tomu, aby se pokusili se Stalinovou tichou, ale zřetelnou podporou uskutečnit své mocenské ambice. V zemi vznikala napjatá situace a napětí postupně vzrůstalo.

Představy komunistů se promítly i do roviny praktické politiky. Národní shromáždění přijalo zákon o dvouletém plánu, jehož podstatou bylo dokončení obnovy válkou poničené země a jejího hospodářství. Na Slovensku se měla zároveň zahájit i plánovitá industrializace. Poprvé se zde objevil prvek ekonomického plánování, který se stal později základním principem komunistické hospodářské politiky. Dvouletý plán vstoupil v platnost od 1. ledna 1947.

SLOVENSKÁ OTÁZKA

V celém Košickém vládním programu se nejobtížněji rodily právě části týkající se postavení Slovenska v Československé republice. Slovenská národní rada setrvávala na svém stanovisku, podle něhož měla právě ona vykonávat veškerou zákonodárnou moc a jí kontrolovaný Sbor pověřenců výkonnou moc na území Slovenska. Ústřední vládě měly patřit pouze zahraniční záležitosti, včetně zahraničního obchodu, a národní obrana. Zároveň Slovenská národní rada požadovala, aby Slovensko mělo přiměřené zastoupení v ústředních orgánech.

Některé rezorty měly mít kompetence rozděleny mezi ústřední úřady a SNR – dráhy, pošty a telekomunikace, finance a poválečná rekonstrukce. Všechny ostatní záležitosti měly patřit na Slovensku do výlučné kompetence Slovenské národní rady a jejích pověřenstev. Takovýto model státoprávního uspořádání předpokládal, že se i v českých zemích vytvoří vlastní zákonodárné a výkonné orgány. Ideovým základem nového státoprávního uspořádání bylo uznání existence dvou rovnoprávných národů.

Jednání o tomto neuralgickém bodu se dlouho nehýbala z místa. Beneš a jeho okolí vycházeli stále z teorie o jednotném československém národě, jak to definovalo i prohlášení londýnské vlády z 3. června 1943. Během jednání představitelů Slovenské národní rady v Londýně i za moskevských jednání musel Beneš ustoupit a přijal zásadu dvou národů. V deklarativní rovině byla tedy existence dvou národů přijata, avšak Beneš sám a s ním většina českých politiků z jeho okolí se s touto zásadou vnitřně neztotožnili. Prezident neustále prohlašoval, že jeho vědeckým přesvědčením je existence jednotného československého národa. A co bylo důležité, Beneš byl ochoten akceptovat dva národy pouze v této deklarativní rovině, konkrétní důsledky, jež by měly

V Košickém vládním programu, předneseném v dubnu 1945 ministerským předsedou Zdeňkem Fierlingrem, se deklarativně uznala existence dvou samostatných národů a Slovensku se dostalo omezené autonomie

podobu ústavních změn, však naprosto vytrvale odmítal. Jeho hlavní taktickou zbraní byla hra o čas. Pod záminkou, že se tyto věci uspořádají až doma nově zvolenými orgány, oddalovali jeho vyjednavači v Moskvě definitivní řešení.

Košický vládní program se nakonec stal kompromisem mezi oběma koncepcemi. V deklarativní rovině byla uznána existence slovenského národa a Československá republika byla prohlášena za stát dvou rovnoprávných národů. Na Slovensku byly přiznány pravomoci Slovenské národní radě a Sboru pověřenců, ovšem bez podrobného definování jejich kompetencí. Tento kompromis cítily obě jednající strany jako provizorium, a proto zákonitě docházelo ke sporům.

Slovenská národní rada vycházela ze své definice, že je jedinou reprezentantkou politické vůle národa a že o slovenských věcech je oprávněna rozhodovat pouze ona. Takovéto pojímání pravomoci se křížilo s koncepcí centralistickou, podle níž pravomoc prezidenta a ústřední vlády měla platnost na celém území státu. Košický vládní program tedy v zásadě neřešil budoucí státoprávní uspořádání, ale odsouval řešení problému. Další vývoj se mohl ubírat ve směru posílení kompetencí Slovenské národní rady a k vytvoření paralelních orgánů v českých zemích, a tedy k symetrickému federativnímu modelu, anebo směrem k posilování pravomoci ústřední vlády, a tedy k státnímu centralismu a unitarismu. Košický vládní program umožňoval obě cesty. Budoucí vývoj závisel na mnoha okolnostech. Na vývoji vnitropolitickém i mezinárodním.

V praktické politice se objevily jisté pozitivní momenty. Na Slovensko byly přesunuty některé průmyslové závody a uvažovalo se o budoucím zprůmyslnění Slovenska. Byly však i negativní signály, především ze strany některých příslušníků národněsocialistické strany, kde se začala projevovat nespokojenost s přijatou zásadou rovnoprávnosti dvou národů.

Otázku měla vyřešit nová ústava. Názory na poměr Čechů a Slováků, který v ní měl být zakotven, se mezi jednotlivými politickými stranami dost lišily. Ústava však mohla být přijata teprve parlamentem zvoleným v řádných volbách. Bylo jasné, že to nebude úkol lehký. A protože mezitím docházelo i ke konkrétním kompetenčním sporům, o celé záležitosti se jednalo už v květnu 1945. Výsledkem byla první pražská dohoda, podepsaná 2. června 1945. Při jednáních se vycházelo z usnesení Slovenské národní rady, přijatého 26. května, jež akceptovalo zásady federativního uspořádání státu a zároveň vytyčilo záležitosti, které mají spadat do kompetence československého sněmu a ústřední vlády. Dohoda z 2. června jednak rozšířila pravomoci ústředních orgánů a prezidenta i o takové otázky, jako byly záležitosti vnitřní bezpečnosti, zásadní úpravy ve školství, zdravotnictví a sociálním pojištění, ale především nepřijala zásadu federativního uspořádání. O této otázce, která představovala první tři články usnesení Slovenské národní rady, se vůbec nejednalo a byl přijat nový kompromis, podle nějž se sice deklarovalo, že Slovenská národní rada je představitelkou slovenského národa i nositelkou státní moci na Slovensku, zároveň se však tato deklarace oslabila následujícím článkem: „Až do ustavení zatímního československého zákonodárného sboru vykonává pro celé území Československé republiky zákonodárnou moc ve společných věcech prezident republiky, k návrhu vlády a po dohodě se SNR svými dekrety.“ Také další články dohody deklarovaly pravomoci Slovenské národní rady a Sboru pověřenců, zároveň je však oslabovaly tím, že je podřizovaly ústřední vládě. Sbor pověřenců byl vládě republiky odpovědný za plnění a provádění prezidentských dekretů a jiných nařízení týkajících se společných věcí. A protože společné věci byly definovány tak, že obsáhly prakticky všechno, první pražská dohoda sice oslabila pravomoci Slovenské národní rady a Sboru pověřenců, neřešila však otázku zásadně. Ukázalo se, že jsou nezbytné další rozhovory.

Další kolo jednání se konalo ve dnech 9.–11. dubna 1946 v Praze a na závěr byl přijat protokol, který upřesňoval předchozí dohodu. Nyní šlo spíš o konkretizaci některých zásad, což vyplynulo z politické praxe a z rozdílné interpretace, respektive z nedostatečného definování jednotlivých článků první pražské dohody. V budoucnosti měl nesrovnalosti a rozpory řešit koordinační orgán při Úřadu předsednictva vlády, složený paritně ze tří Čechů a tří Slováků. Druhou pražskou dohodou se některé pravomoci, které si revoluční cestou přivlastnila Slovenská národní rada, vrátily prezidentovi republiky. Prezident jmenoval vysokoškolské profesory, soudce a státní úředníky vyšších kategorií, uděloval milost a podobně. Zásadně se však tento dokument neodchýlil od principů vytyčených v první dohodě, stále tedy trval stav jakéhosi provizoria.

Zásadní změna ve vývoji česko-slovenského uspořádání nastala až po volbách v květnu 1946. Volby změnily poměr sil ve státě a přinesly i změnu v pojetí státoprávního uspořádání. Do voleb byla Slovenská národní rada poměrně jednotná v názoru, že ona má být nositelkou státní moci na Slovensku, jak to sama formulovala ve svých návrzích. Mezi komunisty a demokraty nebylo v tomto ohledu zásadnějších rozdílů. Také čeští komunisté do jisté míry podporovali slovenské požadavky; například při březnových jednáních v Moskvě stáli ve sporu s národními socialisty a lidovci na straně Slovenské národní rady. Vycházeli přitom z přesvědčení, že slovenská otázka může být v boji o moc ve státě jejich „spojencem“. Také Moskva podporovala federativní řešení. Vyjádřil to už v prosinci 1944 Georgi Dimitrov: „Domnívám se, že nejlepším řešením budoucího poměru Čechů a Slováků v osvobozené ČSR by bylo, aby Češi a Slováci byli v rovnoprávném postavení, aby v Čechách byla vláda česká, na Slovensku vláda slovenská a aby byla společná federativní vláda československá.“ Tak radikální státoprávní řešení ovšem čeští komunisté neakceptovali.

Když ale Demokratická strana získala 62 procent hlasů a komunisté na Slovensku prohráli volby, své stanovisko změnili. Rázem se stali stoupenci pražského centralismu a spoléhali se, že silná KSČ jim i na Slovensku může zajistit pozice, které nebyli schopni získat v demokratických volbách.

To byla chvíle, na niž čekali stoupenci centralismu na české straně. Dne 27. června 1946 v Praze přijali představitelé politických stran sdružených v Národní frontě Čechů a Slováků, dohodu, známou jako třetí pražská dohoda. Ta zásadně změnila pravomoci Slovenské národní rady a Sboru pověřenců, které se staly málo funkčními přívěsky ústřední vlády. Slovenská národní rada mohla vykonávat svou zákonodárnou moc pouze „v mezích příslušných celostátních zákonů" a návrhy nařízení musela předkládat vládě, bez jejíhož souhlasu se tyto návrhy nemohly projednávat v plénu SNR. Pokud se vláda usnesla, že Slovenská národní rada má vydat nějaké nařízení, pak je SNR byla povinna v určené lhůtě vydat. Sbor pověřenců byl přímo odpovědný vládě, a třebaže pověřence jmenovalo předsednictvo Slovenské národní rady, slib skládali do rukou předsedy vlády a každý pověřenec odpovídal za svou činnost příslušnému ministrovi pražské vlády.

Zásady formulované v třetí pražské dohodě ukazovaly, kam směřuje vývoj: k posílení centralismu. Demokratická strana sice bránila pravomoci slovenských národních orgánů, ale pod tlakem komunistů a českých politických stran byla nucena ustoupit. Představitelé Demokratické strany se obávali, že jejich strana by mohla být v této situaci označena za nestátotvornou a zlikvidována. Na projevy nespokojenosti, které se v souvislosti s třetí pražskou dohodou objevily na Slovensku, dal předseda Slovenské národní rady Jozef Lettrich pouze vyhýbavou odpověď, která vyjadřuje bezradnost reprezentantů Demokratické strany: „Tyto obavy by byly odůvodněné pouze tehdy, kdyby na straně celostátních exekutivních orgánů nebyl dostatek dobré vůle pro uplatnění zásad o národní rovnoprávnosti Čechů a Slováků a pro dodržení slavnostních politických projevů nebo závazných politických dohod." Později Demokratická strana využívala každé příležitosti k úsilí zrušit třetí pražskou dohodu, ale bez úspěchu.

Ukázalo se, že dobrá vůle není tou kategorií, s níž lze v politice počítat. Taková vůle na české politické scéně chyběla také proto, že na ní stále absentovalo vědomí o tom, že Slováci jsou samostatným národem, a převládal tam naopak názor, že silná může být pouze republika řízená centralisticky. A komunisté svým příklonem k centralismu začali další fázi svého boje o moc. Aby mohli co nejrychleji dosáhnout svého cíle, potřebovali, opírajíce se o pozice získané ve volbách v českých zemích, proměnit Slovensko v přívěsek Prahy. A tak se „národnostní otázka" nakonec přece jen stala spojencem komunistů, i když v jiném smyslu, než původně předpokládali.

Pro Slováky to byl jednoznačně krok zpět v porovnání s tím, co požadovalo povstání v srpnu 1944, i s tím, co obsahoval Košický vládní program v dubnu 1945.

Vítězství pracujícího lidu

LISTOPAD 1947 – GENERÁLKA

Komunisté zcela zjevně nabrali kurs na získání veškeré politické moci v zemi a k nastolení diktatury se Stalinovou oporou v zádech. Stalin pozorně sledoval činnost československých komunistů a prostřednictvím svých diplomatů i Informbyra komunistických stran s centrem v Moskvě tuto činnost podle potřeby usměrňoval. Situace na Slovensku byla však velkou překážkou pro uskutečnění komunistických plánů. Proto se komunisté rozhodli poměr sil na Slovensku násilným způsobem zvrátit. Od jara 1947 zahájili velkou ofenzivu zaměřenou na oslabení politického vlivu Demokratické strany.

Posloužil jim k tomu i proces s Jozefem Tisem. Tento proces jako většina dalších vedených retribučními soudy měl jednoznačně politické pozadí. Komunisté předpokládali, že v dubnové dohodě slíbila Demokratická strana představitelům slovenských katolíků, že se zasadí o korektní průběh procesu a hlavně o to, že Tiso nebude popraven. Komunistům se jednalo o vyvolání rozkolu v Demokratické straně, a tak učinili všechno pro to, aby byl Tiso odsouzen a popraven. V tomto bodu se mohli opřít o podporu centralistických českých stran i samotného prezidenta Beneše. Celý proces se proto stal arénou politického zápasu. Dne 15. dubna 1947 vynesl Národní soud nad Tisem rozsudek smrti, který byl 18. dubna vykonán. V katolickém křídle Demokratické strany se sice projevila nespokojenost a odstředivé tendence, což stranu oslabilo, k jejímu rozpadu či rozštěpení však nedošlo, jak to předpokládali komunisté. Proto připravovali další provokace a rozhodli se tlak na Demokratickou stranu ještě vystupňovat.

Jasným projevem toho, že Československo bylo v Stalinově sféře vlivu, se stal vztah k Marshallovu plánu. K plánu hospodářské pomoci Spojených států válkou zničeným evropským zemím se československá vláda nejprve přihlásila a rozhodla se vyslat na konferenci o Marshallově plánu do Paříže v létě 1947 svého zástupce. Na Stalinův nátlak však nakonec vláda své původní rozhodnutí změnila a účast na Marshallově plánu nakonec odvolala.

Komunisté využili skutečnosti, že měli v rukou rozhodující pozice v státní bezpečnosti. Na podzim 1947 vyrobili proti Demokratické straně na základě falešných svědectví, falšovaných dokumentů i násilím vynucených přiznání aféru nazvanou „protistátní spiknutí na Slovensku“.

Již od léta 1947 začala státní bezpečnost shromažďovat různé kompromitující materiály na vedoucí činitele Demokratické strany. Zároveň probíhaly akce bývalých partyzánů, inspirovaných komunisty, kteří požadovali od předsednictva Slovenské národní rady „očistu“ politického a veřejného života a svoje vyzbrojení. Jednalo se jednoznačně o prostředek psychologického nátlaku, zejména když partyzáni zároveň oznámili úmysl uskutečnit „pochod na Bratislavu“.

V září 1947 vydalo pověřenectvo vnitra, které vedl nestraník Mikuláš Ferjenčík, zprávu o odhalení protistátního spiknutí na Slovensku, která byla vypracována Státní bezpečností. Při odhalování „spiknutí“ se komunisté opírali o zahraniční aktivity Ferdinanda Ďurčanského a některých domácích skupin, namířené proti republice. Snažili se u veřejnosti vzbudit zdání, že i v řadách Demokratické strany jsou lidé, kteří ve spolupráci s ľudáckou emigrací připravovali protistátní akce s cílem vyhlásit slovenský stát. Pomocí bezuzdné demagogie servírovali obyvatelstvu své výmysly, mezi nimiž nechyběla ani příprava atentátu na Beneše.

Ján Ursíny byl po únoru 1948 jedním z prvních odsouzených v politických procesech

Protože se však v této zářijové zprávě neobjevila žádná významnější osobnost, nemělo její zveřejnění takový dosah, jaký si komunisté představovali. Proto státní bezpečnost pokračovala v intenzivním konstruování dalších „odhalení" tak, aby se tentokrát týkaly vedoucích funkcionářů Demokratické strany. Podařilo se jim kriminalizovat Otta Obucha, tiskového referenta kabinetu místopředsedy vlády Jána Ursínyho. Z protistátního spiknutí byli obviněni i vedoucí funkcionáři Demokratické strany Ján Kempný a Miloš Bugár. Tady už byl zřejmý cíl těchto provokací – dokázat propojení mezi zahraniční ľudáckou emigrací, domácími proľudáckými skupinami a Demokratickou stranou. V „práci" státní bezpečnosti se už v plné míře uplatňovaly metody dobře známé z pozdějšího komunistického období.

Komunisté ovšem věděli, že nevystačí pouze s vymýšlením „protistátních spiknutí". Rozhodli se, že k boj proti Demokratické straně využijí hospodářských a sociálních problémů na Slovensku. Nastolováním těchto nesporně aktuálních otázek získávali komunisté na svou stranu slovenské dělníky a rolníky. Problémů v zásobování se snažili zneužít k útokům na pověřence výživy a zásobování, představitele Demokratické strany Kornela Fila. Rolníky chtěli získat zas prosazováním radikální pozemkové reformy, podle níž se měla dostat do nuceného výkupu všechna půda nad 50 hektarů. Ministr zemědělství Július Ďuriš vytyčil tyto a další radikální požadavky v tzv. hradeckém programu, který byl pochopitelně celostátní, ale působil velmi silně i na slovenském venkově. Na Slovensku se dal kromě toho využít proti pověřenci zemědělství, představiteli Demokratické strany Martinovi Kvetkovi.

Stupňovaný tlak proti Demokratické straně vyvrcholil na podzim 1947. Dne 30. října 1947 se v Bratislavě sešel sjezd závodních a zaměstnaneckých rad; vyslovil požadavek, aby Sbor pověřenců odstoupil a ustavil se nový „očištěný". Hned nato podal demisi předseda Sboru pověřenců Gustáv Husák, čtyři pověřenci za komunistickou stranu a také pověřenec vnitra Mikuláš Ferjenčík. Protože už předtím ve zcela jiné souvislosti podali demisi dva zástupci Demokratické strany ve Sboru pověřenců, Gustáv Husák toho okamžitě využil a oznámil předsednictvu Slovenské národní rady, že Sbor pověřenců jako celek nemůže plnit svou funkci a odstupuje. Ještě téhož dne, 31. října, na zasedání Slovenské národní fronty, jehož se nezúčastnili představitelé Demokratické strany, Slovenská národní fronta pověřila Gustáva Husáka, aby zahájil, jednání o sestavení nového Sboru pověřenců. Demokratická strana reagovala okamžitě: její sekretariát ještě téhož dne oznámil, že pověřenci Demokratické strany se svých funkcí nevzdávají, a proto se nemůže jednat o demisi celého Sboru pověřenců. Vzhledem k tomu, že se představitelé Demokratické strany zasedání Slovenské národní fronty nezúčastnili, její usnesení prohlásili za neplatné. Došlo k otevřené krizi.

Představitelé Demokratické strany však cítili, že v situaci, kdy komunisté ovládli a dík populismu posilovali své pozice v odborech a rolnických organizacích, je nezbytné vymanit se z izolace. Proto změnili taktiku a přistoupili na jednání. Na půdě Slovenské národní fronty však k dohodě nedošlo. Dne 5. listopadu se o politické krizi na Slovensku jednalo v pražské vládě. Ta přijala usnesení, jímž pověřila svého předsedu Klementa Gottwalda, aby zahájil jednání o sestavení nového Sboru pověřenců. Gottwald přijel do Bratislavy a na jednáních, která trvala tři dny – od 8. do 10. listopadu 1947 – spolu s Júliem Ďurišem prosazoval tvrdý kurs proti Demokratické straně. Neuspěl však, protože požadavky komunistů na reorganizaci Sboru pověřenců neměly oporu v ústavě. Komunisté se rozhodli stupňovat nátlak, organizovali manifestační shromáždění v závodech, na 14. listopad svolali do Bratislavy rolnický sjezd, který podpořil všechny jejich požadavky. Hrozili dokonce generální stávkou. V takovém ovzduší se konalo ve dnech 17.–18. listopadu 1947 zasedání celostátní Národní fronty. Na něm Demokratická strana podlehla tlaku – vzdala se tří pověřenectví (zdravotnictví, pošt a soudnictví) a vyměnila kritizované pověřence zemědělství a výživy a zásobování, Martina Kvetka a Kornela Fila. V novém Sboru pověřenců obsadila místo devíti pouze šest pověřeneckých křesel; komunisté měli předsedu a čtyři pověřence, dvě malé strany dostaly po jednom pověřeneckém křesle a dva rezorty, vnitro a spravedlnost, vedli odborníci bez stranické příslušnosti.

Gustáv Husák, od roku 1946 předseda Sboru pověřenců

Komunisté sice nezvítězili úplně, dosáhli však mnohého. Řešení krize na Slovensku ukázalo, že na cestě k monopolu moci jsou připraveni využít nejrůznějších prostředků. Zatímco celostátně mohli postupovat dík volebním výsledkům zdánlivě a formálně podle ústavy, na Slovensku se nerozpakovali ústavu a demokratické parlamentní zvyklosti porušit a násilím zlikvidovali výsledky voleb z roku 1946. Bez voleb a za brutálního politického nátlaku ztratila Demokratická strana ve Sboru pověřenců většinu, plynoucí z demokratických voleb.

Listopadový převrat na Slovensku byl vlastně jakousi generálkou celostátního převratu, který nakonec komunisté za použití podobných metod politického nátlaku, třebaže až do 25. února 1948 formálně v souladu s ústavou, uskutečnili v Praze.

ÚNOR 1948 – PREMIÉRA TOTALITY

Tlak komunistů v celostátním měřítku sílil. Předsevzetí chopit se veškeré moci chtěli uskutečnit dřív, než se budou konat parlamentní volby, plánované na rok 1948. Věděli, že se mohou spolehnout na Stalina a Sovětský svaz, který měl rozhodující pozice v střední Evropě. Ve vládě vyvolávali ustavičné konflikty a Gottwald jako předseda vlády neplnil její rozhodnutí. Vláda ztrácela funkčnost, protože nebyla schopna dohodnout se na žádné zásadnější otázce. Navíc svévolné jednání komunistického ministra vnitra Václava Noska proměňovaly bezpečnostní aparát v poslušný nástroj komunistů.

Pomocí demagogie a populistických hesel se komunistům podařilo získat na svou stranu velkou část české a slovenské veřejnosti. Do boje o moc se komunisté rozhodli zapojit i představitele závodních rad a na 22. únor svolali sjezd rolnických komisí a účastníky sváželi do Prahy doslova z celé republiky. Mnozí dělníci a zemědělci vlastně ani nevěděli, oč jde, ale podlehli populistickým heslům a stali se tak nástroji komunistů. Praha se proměnila v dějiště politického boje, který měl rozhodnout o budoucích osudech Československa.

K rozhodnému útoku proti demokracii využili komunisté demise ministrů tří politických stran – národněsocialistické, lidové a slovenské demokratické 20. února 1948. Představitelé těchto stran předpokládali, že demisi podají také sociálnědemokratičtí ministři, ti však ve vládě zůstali stejně jako ministr zahraničních věcí Jan Masaryk. Demisi tedy podalo dvanáct z 26 členů vlády a měla to být odpověď na zesilující tlak komunistů. Konkrétním podnětem k demisi se staly tři sporné otázky. První z nich byla úprava platů státních zaměstnanců, kdy vláda tento návrh komunistů neschválila. Druhou otázkou se stal zákon o trvalé úpravě vlastnictví zemědělské půdy, který se přes úsilí komunistů nepodařilo prosadit v zemědělském výboru parlamentu. Nejzávažnějším sporným bo-

Klement Gottwald oznamuje na balkoně Kinského paláce komunistické požadavky

dem však byly přehmaty v komunisty řízené bezpečnosti. V souvislosti s vyšetřováním pokusu o atentát na Petra Zenkla, Prokopa Drtinu a Jana Masaryka a s vyšetřováním mostecké špionážní aféry, inscenované proti národněsocialistické straně, bylo přeřazeno 13 obvodních velitelů Sboru národní bezpečnosti v Praze. Prokop Drtina žádal, aby byl rozkaz o přeřazení odvolán, a vláda se kromě toho usnesla, že zřídí komisi k přešetření stížnosti na bezpečnost a justici. Toto usnesení z 13. února předseda vlády nesplnil. Komunisté zároveň pohrozili, že zorganizují masová vystoupení dělníků a rolníků.

Karol Šmidke

Předáci občanských stran předpokládali, že prezident Beneš jejich demisi nepřijme, v důsledku čehož budou komunisté donuceni k ústupkům, protože krize by mohla vyústit v pád vlády a v nové volby, v nichž by se mohl změnit poměr sil.

Komunisté se však rozhodli využít nabídnuté situace k uskutečnění svých plánů na státní převrat. Na 21. únor svolali shromáždění na Staroměstské náměstí, na kterém Klement Gottwald obvinil občanské strany z toho, že se pokoušejí o zpátečnický zvrat. Zároveň vyzval, aby se v celé republice organizovaly akční výbory Národní fronty, které měly z veřejného a politického života odstraňovat všechny, kdo stáli komunistům v cestě. Po celém státě se organizovaly demonstrace. Dne 22. února sjezd závodních rad podpořil požadavky komunistů v otázce řešení vládní krize a žádal další znárodnění. Dne 23. února vznikl v Praze Ústřední akční výbor Národní fronty jako samozvaná „revoluční" instituce. Dne 24. února se uskutečnila hodinová generální stávka; ukázala, že komunistům se do značné míry podařilo ovládnout ulici i mnohé velké průmyslové podniky. Vznikaly a ozbrojovaly se lidové milice, na Slovensku i skupiny bývalých partyzánů. Některé posádky jim dokonce vydaly zbraně.

Komunisté vyvíjeli nátlak na prezidenta Beneše, aby demisi ministrů přijal a jmenoval novou, reorganizovanou vládu, v níž měli mít komunisté pevnější pozice. Edvard Beneš sice představitelům občanských stran 23. února slíbil, že demisi nepřijme, nakonec však tlaku komunistů podlehl, 25. února demisi přijal a jmenoval novou vládu podle návrhu předloženého Gottwaldem. To, co na první pohled vypadalo jako běžné řešení politické krize, se velmi brzy proměnilo v komunistický převrat. Tak skončilo krátké poválečné období, charakteri-

Slavnostní defilé lidových milicí v Bratislavě

zované pokusem o obnovení demokratického politického systému. „Řízená demokracie" se změnila v diktaturu jedné politické strany.

Vítězství komunistů a dovršený státní převrat vedly nejen k nastolení komunistické totality, ale také k definitivnímu podřízení Československa mocenským zájmům Sovětského svazu. Československo se stalo jednou z klíčových zemí sovětského bloku. Stalin sice nabádal české a slovenské komunisty, aby uskutečnili státní převrat, 19. února poslal do Prahy náměstka ministra zahraničních věcí Valerije A. Zorina s tím, aby českoslovenští komunisté požádali Sovětský svaz o vojenskou pomoc. Nakonec však Moskva nemusela vyvíjet žádnou mimořádnou aktivitu. Čeští a slovenští komunisté přivedli zem do sovětského tábora i bez významnější a zjevnější sovětské pomoci.

Paralelně s událostmi v Praze a v českých zemích probíhalo dění i na Slovensku. Ústřední výbor Komunistické strany Slovenska se sešel již 17. února a obvinil Demokratickou stranu z příprav reakčních plánů na odstranění „lidovědemokratického zřízení". Na 21. února svolali slovenští komunisté do bratislavské Reduty shromáždění, na němž znovu napadli Demokratickou stranu a její ministry. Zároveň vznesli požadavek, že pokud ministři Demokratické strany vystoupili z vlády, mají odejít také ze Sboru pověřenců. Gustáv Husák nezůstal jen u prohlášení. Využil své funkce předsedy Sboru pověřenců a podobně jako v listopadu 1947 i v únoru 1948 neústavním způsobem provedl „rekonstrukci“ Sboru pověřenců, odkud představitele Demokratické strany jednoduše vyhodil a vedením rezortů, které spravovali, pověřil nové lidi. Pověřenci za Demokratickou stranu se sice odmítli vzdát svých funkcí, bylo však jasné, že rozhodnutí o jejich osudu stejně jako o osudu demokracie na Slovensku padne v Praze. Závislost Sboru pověřenců na pražské vládě je odsunula do role statistů. Všechno důležité se nyní už odehrávalo v Praze.

Hned 26. února podali demisi předseda Slovenské národní rady Jozef Lettrich a místopředseda Andrej Cvinček; novým předsedou se stal komunista Karol Šmidke. Někteří poslanci byli ze Slovenské národní rady vyhozeni, někteří se vzdali mandátu sami. Ani po této reorganizaci neměli komunisté v Slovenské národní radě většinu, ale podobně jako v Národním shromáždění v Praze ani v Slovenské národní radě se po únorovém převratu poslanci neodvážili hlasovat proti návrhům komunistů, kteří triumfovali a zcela ovládli politickou scénu.

Demokratická strana se pod náporem událostí zhroutila. Komunistům se podařilo vytvořit v jejích řadách skupinu ochotnou s nimi kolaborovat; tito lidé ustavili i v samotné Demokratické straně akční výbor a stranu prakticky zlikvidovali. Na jejím místě byla utvořena strana nová – Strana slovenskej obrody.

Dne 6. března 1948 předsednictvo Slovenské národní rady po předchozím schválení vládou jmenovalo osm nových členů Sboru pověřenců. Tento nový sbor měl nyní 14 členů, z toho bylo deset komunistů, i když někteří z nich formálně zastupovali odbory nebo odbojové složky. Dvě místa zůstala představitelům nově vytvořené Strany slovenské obrody, Strana slobody a sociální demokracie dostaly po jednom místě.

Akční výbory pracovaly po celém Slovensku, na všech úrovních. V průběhu několika dní byl státní převrat dokonán.

12 KOMUNISTICKÁ DIKTATURA A JEJÍ KRIZE

První fáze komunistického režimu

ZAVEDENÍ SOVĚTSKÉHO MODELU VLÁDY

Po uchopení moci se komunisté snažili nastolit co nejrychleji totalitní, nekontrolovatelnou moc. Vhodným nástrojem, který měl navenek budit dojem legitimity jejich monopolu moci, byla tzv. obrozená Národní fronta. Její součástí se staly odbory a společenské organizace, kde si komunisté zajistili vedoucí postavení. Zastrašené a nefunkční nekomunistické strany se už nevzmohly na odpor. Parlamentu byl předložen návrh nové ústavy. Okleštěné a zastrašené Ústavodárné národní shromáždění ústavu 9. května 1948 přijalo. Formálně obsahovala i pozůstatky demokratických principů, zůstala však jenom cárem papíru, protože proklamované občanské svobody a práva se nedodržovaly.

Dne 30. května se uskutečnily parlamentní volby. Voličům byla předložena jednotná kandidátka Národní fronty sestavená komunisty, která dostala 89,2 procenta hlasů. Na Slovensku to bylo 84,9 procenta. Kdo nesouhlasil s jednotnou kandidátkou, mohl vhodit do urny bílý lístek. Na Slovensku se k tomu odhodlalo 14 procent voličů.

Prezident Beneš odmítl podepsat novou ústavu a 2. června abdikoval. Těžce nemocný za několik měsíců – 3. září 1948 – zemřel. Dne 14. června nový parlament zvolil prezidentem republiky komunistu Klementa Gottwalda. Novým předsedou vlády se stal Antonín Zápotocký. Nejvyšší státní orgány – funkce prezidenta, parlament i vláda – byly nyní v rukou komunistů.

I na Slovensku se ve všech orgánech prosadili komunisté. Slovenská národní rada pod vedením komunisty Šmidkeho byla vytvořena na základě výsledků voleb do parlamentu a ze stovky poslanců bylo 80 komunistů, 17 zástupců Strany slovenskej obrody a tři poslanci byli ze Strany slobody. Strana slovenskej obrody se stala podobně jako Strana slobody pouhým přívěskem komunistické strany.

Komunistická strana začala na plné obrátky přebírat do svých rukou i ekonomiku státu. Byly zestátněny všechny podniky nad 50 zaměstnanců a velkoobchod. To však byl pouze první krok, po kterém následovaly rychle další. Do rukou státu postupně přešly všechny průmyslové a živnostenské podniky, firmy zahraničního obchodu a velkoobchodu. Následovala likvidace řemeslníků a drobných živnostníků.

Podle původního komunistického plánu probíhala krátce i pozemková reforma. Nejvyšší povolená hranice vlastnictví zemědělské půdy bylo nyní

50 hektarů. Ostatní půda se měla rozdělit mezi drobné rolníky a bezzemky. To ovšem byl, jak se brzy ukázalo, pouhý „revoluční slogan" a agitační prostředek k získání rolníků. Krátce po únoru 1948 sice nová moc ještě rozdělila dekrety novým vlastníkům půdy, ale již na začátku roku 1949 začala akce združstevňování slovenské vesnice.

Klement Gottwald, „první dělnický prezident"

Formálně bylo vytváření jednotných zemědělských družstev dobrovolné, ve skutečnosti se však používalo nevybíravých metod násilí a zastrašování. Největší odpůrci byli žalářováni, posíláni do táborů nucených prací, které vznikly už v listopadu 1948 na základě zákona; byly určeny pro „třídní nepřátele a nepřátele lidovědemokratického zřízení", jak se tehdejší politický systém eufemisticky sám pojmenoval. Děti „třídních nepřátel", za něž byli považováni i rolníci, kteří nechtěli vstoupit do zemědělských družstev nebo kteří neplnili povinné dodávky zemědělských produktů, neměli přístup do vyšších škol, byli vyhazováni ze zaměstnání.

Výsledkem takového násilného procesu byly hluboké změny v sociální struktuře slovenské společnosti. Soukromí vlastníci a podnikatelé přestali existovat. Také soukromé advokátní poradny, lékařské ordinace a všechny drobné živnosti byly zlikvidovány; některé živnosti a obchody tím, že se jim přestalo přidělovat zboží a suroviny, takže musely zaniknout. V krátké době se prakticky všichni občané stali státními zaměstnanci a ve státní zaměstnance svého druhu se proměnili i družstevní rolníci, protože na svou půdu prakticky ztratili nárok a postupně o ni ztráceli i zájem.

Souběžně se změnou sociální struktury probíhal mocenský proces, při němž byl stát ovládnut komunisty až na úroveň okresů, obcí a jednotlivých závodů. Hned v prvních dnech komunistického převratu se všude vytvářely „akční výbory" složené z komunistů a jejich přisluhovačů, které začaly provádět pod heslem „očisty" dalekosáhlé čistky ve všech institucích. Všude se dostávala k moci nová elita společnosti – členové komunistické strany, velmi často lidé bez jakékoli kvalifikace; znakem kvalifikace se prostě stal členský průkaz komunistické strany.

Etablování nové elity a důsledná výměna vedoucích kádrů na všech úrovních se nedaly tak rychle uskutečnit bez atmosféry zastrašování a strachu. V Československu začaly brzy politické procesy. Na Slovensku se již v dubnu 1948 konal první proces proti příslušníkům Demokratické strany. Její místopředseda Ján

Vlado Clementis

Ursíny a další přední funkcionáři byli odsouzeni k dlouholetému vězení. 15. května následovaly další rozsudky. Přední činitelé Demokratické strany Ján Kempný, Miloš Bugár, Ľudovít Obtulovič a další dostali na základě vykonstruovaných obvinění dlouholeté tresty vězení. Všechny tyto procesy byly zinscenovány státní bezpečností a zmanipulovanou justicí dovedeny do konce. V září 1950 začaly vznikat pověstné Pomocné technické prapory (PTP), v nichž měly vykonávat vojenskou službu beze zbraně politicky nespolehlivé živly (kněží, kulaci, příslušníci inteligence). Všichni, kdo byli zařazeni do PTP, byli vystaveni nebývalému ponižování. Ze Slovenska sloužilo v praporech PTP více než 7000 mužů.

Trnem v oku byla komunistům církev, na Slovensku především katolická. Roku 1949 byly církve postaveny pod státní dozor, o rok později proběhla akce Bezpečnosti, při níž byly za jednu noc zlikvidovány mužské kláštery, řeholníci internováni v tzv. soustřeďovacích klášterech a později většinou skončili v pracovních táborech. Pak přišly na řadu i ženské kláštery. Církev měly zastrašit velké procesy s biskupy Jánem Vojtaššákem a Michalem Buzalkem v lednu 1951: Ján Vojtaššák byl odsouzen na 24 let do vězení, Michal Buzalka na doživotí. Proces s řeckokatolickým biskupem Pavlem Gojdičem, který byl odsouzen rovněž na doživotí, byl spojen s likvidací řeckokatolické církve na Slovensku. Všechny její kostely a zařízení převzala pravoslavná církev, a řečtí katolíci tak byli nuceni přecházet na pravoslavnou víru.

Komunistický režim se snažil zastrašit také inteligenci. Začalo rozsáhlé „prověřování“ v jejích řadách, mnozí museli odejít na „převýchovu“ do výroby. Jejich místa obsadili osvědčení komunisté, často pouze s narychlo absolvovanou několikatýdenní přípravkou.

Za takové situace se mnozí zachránili útěkem za hranice. Slovenská emigrace v západní Evropě, Spojených státech a Kanadě se rozrůstala. Masové emigraci však komunistický režim zabránil uzavřením hranic; pokus překročit je se stal životu nebezpečným dobrodružstvím. Hranice s nekomunistickými zeměmi se proměnila v „železnou oponu“. Státem vydržované rušičky ztěžovaly poslech zahraničních rozhlasových stanic, tisk z ciziny – s výjimkou komunistického – byl pro veřejnost nedostupný. Nová, komunistická společnost měla vznikat v naprosté izolaci.

Komunistický režim zakrátko zlikvidoval všechny zárodky občanské společnosti. Řada spolků byla zrušena, jiné se přetvořily v jednotné celostátní soustavě organizací, řízených komunistickou stranou a její ideologií. Jakákoli občanská iniciativa byla podezřelá a v zárodku potlačena. Občan se měl stát poslušným vykonavatelem vůle jedné politické strany a jeho „aktivita" byla vymezena tím, že vykonával nařízení a usnesení, náklonnost vůči režimu projevoval účastí na různých akcích, jakými byly například každoroční oslavy 1. máje a podobně.

Zločinná mašinérie, jež zakrátko zlikvidovala všechny „nepřátelské síly" v zemi, se už začátkem padesátých let obrátila do vlastních řad. Prvním signálem byl proces proti partyzánskému veliteli Viliamovi Žingorovi v říjnu 1950, jenž byl obviněn, že se chce stát slovenským Titem. Protititovská hysterie byla ovšem pouze záminkou, protože oběťmi procesů se stala řada slovenských partyzánských velitelů. Viliam Žingor byl odsouzen k smrti a popraven. Roku 1952 se konal velký monstrproces s „protistátním spiknutím" v čele s generálním tajemníkem KSČ Rudolfem Slánským. Jedenáct obžalovaných bylo odsouzeno k smrti a popraveno. Kromě Slánského mezi nimi byl i Slovák Vladimír Clementis, v letech 1948–1950 ministr zahraničí.

V nejtěžších letech komunistické diktatury, do roku 1953, bylo v Československu v různých vykonstruovaných procesech odsouzeno k smrti 233 občanů, 178 rozsudků smrti bylo vykonáno. K tomu je třeba připočíst oběti, které zahynuly nebo byly natrvalo zmrzačeny v pracovních táborech a uranových dolech, nebo byly bez rozsudku zlikvidovány bezpečností.

Proti otevřené a bezohledné komunistické diktatuře vznikl ve společnosti přirozený odpor. Už roku 1949 začal pracovat vysílač *Biela légia*, který vyzýval k nenásilnému odporu proti režimu. Státní bezpečnost však toto hnutí velmi brzy odhalila a 60 jeho členů postavila před soud. Tři vedoucí činitelé (Anton Tunega, Albert Púčik a Eduard Tesár) byli odsouzeni k trestu smrti a popraveni. Také v katolické církvi vznikala ohniska odporu, z kterých se později vytvořila tzv. tajná církev. Ale podmínky k organizování masového odporu společnosti byly velmi nepříznivé. Diktatura držela celou společnost v pevném sevření. Všemocná státní bezpečnost si velmi brzy vy-

Fyziognomie prokurátora Josefa Urválka jakoby přímo zosobňovala zrůdnost komunistické justice

Komunistický propagační plakát

budovala celou síť agentů a spolupracovníků, kteří měli za úkol hlásit jakýkoli náznak organizovaného odporu. V atmosféře studené války, kdy se mezi obyvatelstvem šířily obavy z možné třetí světové války, se jevila naděje na pomoc ze zahraničí mizivou. Ze zahraničí pronikaly za pomoci české a slovenské emigrace do veřejnosti pouze zprávy a komentáře zahraničních rozhlasových stanic, hlavně nově vybudované rozhlasové stanice Svobodná Evropa, financované vládou Spojených států. To však bylo málo, navíc i poslech těchto stanic se stal nebezpečným a mohl mít pro odhaleného posluchače a jeho rodinu těžké následky.

Současně s terorem začal komunistický režim zápas o získání podpory společnosti, především mladých lidí. Do tohoto zápasu se musely povinně zapojit všechny organizace a umělecké svazy. Pseudoromantický patos se opravdu nemíjel účinkem. Mládež se na čas dařilo získat i různými budovatelskými akcemi, jako byla například stavba trati mládeže, zahájená už roku 1949, líbivými hesly o budování nové beztřídní a spravedlivé společnosti a o formování nového socialistického člověka. Úspěchy této propagandy však byly záhy otupeny neschopností režimu držet krok se západní Evropou v ekonomické oblasti a stále zřetelněji projevovaným terorem.

Československo se stalo jedním ze Stalinových satelitů. Silné omezení jeho suverenity ukázaly již události v souvislosti s Marshallovým plánem roku 1947; po únoru 1948 se tento trend stal naprosto jednoznačným. Začátkem roku 1949 vznikla v Moskvě Rada vzájemné hospodářské pomoci (RVHP). Formálně to měla být instituce hospodářské spolupráce a integrace, ve skutečnosti RVHP fungovala jako nástroj ekonomického podřízení středoevropských a východoevropských satelitů jejich protektorovi – Sovětskému svazu. Roku 1955 došlo také k vojenskému podřízení se na bázi Varšavské smlouvy.

Po Stalinově a Gottwaldově smrti roku 1953 se komunistický režim zmírnil. V té době však už byla společnost zastrašená a ubitá. Výměna funkcí probíhala jaksi automaticky jako v dobře zaběhnutých monarchiích. Po Gottwaldově smrti se prezidentem stal Antonín Zápotocký, předsedou vlády Viliam Široký. Podle sovětského vzoru byl zesnulý „vůdce československého proletariátu" s velkou pompou nabalzamován a ústřední výbor KSČ se rozhodl, že už nebude obsazovat funkci předsedy strany – místo ní byla zavedena funkce prvního tajemníka; stal se jím Antonín Novotný.

Pouze velmi zvolna a opatrně začínal ve společnosti vzrůstat odpor proti diktátorskému režimu. Také v nové generaci komunistů, která vstupovala do veřejného života koncem padesátých let, klíčila nespokojenost a začínaly se projevovat snahy reformovat systém. Signálem k tomu se staly události v Německé demokratické republice roku 1953, pak v Maďarsku a v Polsku roku 1956, jakož i veřejné odhalení Stalinových zločinů na XX. sjezdu Komunistické strany Sovětského svazu. Také na Slovensku se začalo formovat reformní komunistické křídlo.

SLOVENSKÁ OTÁZKA V EPOŠE STALINISMU

Už před únorem 1948 se Benešovi a jeho nejbližším spolupracovníkům, stoupencům centralismu a obnovení předmnichovského unitarismu, podařilo prosadit státní centralismus. Komunisté, i slovenští, jim při tom vydatně napomohli.

Po únorovém převratu komunisté tento státní centralismus ještě upevnili, protože jejich diktatura existenci státního centralismu přímo předpokládala. Jakékoli snahy Slováků o rozšíření pravomoci slovenských národních orgánů představovaly pro komunistickou moc nebezpečí a byly s velkou rozhodností potírány. Základem politického centralismu se stala především skutečnost, že Komunistická strana Slovenska po únoru 1948 ztratila svou samostatnost a byla podřízena jako součást KSČ pražskému vedení. Tento krok se připravoval velmi rozhodně a důsledně hned po komunistickém převratu. V červnu vyšel ze zasedání ústředního výboru KSČ návrh, aby se obě strany sloučily. Komunistická strana měla být jednotná, centrálně řízená, podle Gottwaldových slov to mělo být „ku prospěchu jak Čechů, tak Slováků". V září 1948 se touto otázkou zabýval ústřední výbor Komunistické strany Slovenska a jak se dalo očekávat, podpořil toto rozhodnutí, jež tím nabylo platnost. Název Komunistická strana Slovenska (KSS) zůstal, zůstaly i orgány strany na Slovensku, ale byly to vlastně jen převodové páky ústřední Komunistické strany Československa (KSČ) bez jakékoli autonomie.

Roháč
ROČNÍK IV. • ČÍSLO 10 • 15. MARCA 1951 • KČS 5.—
REPUBLIKU SI ROZBIŤ NEDÁME

Karikatura zesměšňující tzv. slovenské buržoazní nacionalisty. Zleva: Clementis, Okáli a Novomeský

V sérii procesů a čistek došlo také na slovenské komunisty, spoluorganizá-

Stavba trati mládeže

tory Slovenského národního povstání. Už na IX. sjezdu KSS v květnu 1950 se objevila kritika tzv. slovenského buržoazního nacionalismu. Mraky nad Husákem, Novomeským a spol. se začaly kupit a houstnout. Na zasedání ÚV KSČ v únoru 1951 se nejprve se slovenskými „buržoazními nacionalisty" vypořádaly stranické orgány. Clementis, Husák a Novomeský byli vyloučeni z komunistické strany a zatčeni. Zatímco Clementis byl odsouzen a popraven už roku 1952, k procesu s ostatními buržoazními nacionalisty na Slovensku došlo až roku 1954, tedy teprve po Stalinově a Gottwaldově smrti, což jim patrně zachránilo život. Gustáv Husák byl odsouzen na doživotí, Ivan Horváth na 22 let, Daniel Okáli na 18 let, Ladislav Holdoš na 13 a Ladislav Novomeský na deset let vězení. Kromě svého zřetelně protislovenského pozadí šlo v procesu také o vypořádání se s povstaleckou generací, která za povstání prosazovala federativní model státoprávního uspořádání Československa. Byla to tedy zároveň prevence, jež měla zabránit pokusům o opětovné nastolení slovenské otázky. Souběžně s tím se řešil mocenský spor mezi samotnými slovenskými komunisty ve prospěch centralisticky orientované skupiny kolem Viliama Širokého.

Mnohým komunistům ve vedení strany a státu bylo přitom jasné, že se slovenská otázka může kdykoli stát znovu aktuální. Zároveň si uvědomovali, že pouze terorem se celý problém nikdy nepodaří trvale vyřešit. Proto současně vznikl plán vyřešit slovenskou otázku tím, že se začne s industrializací Slovenska. Podle některých marxistických teoretiků byla tato otázka totožná se zaostáváním Slovenska za českými zeměmi. Pokud by se podařilo dostat Slovensko na jejich úroveň, měla se slovenská otázka vyřešit „automaticky“ a trvale, a to i při politickém a státoprávním centralismu. Plán industrializace Slovenska neměl pouze tento politický rozměr. Industrializaci chápali komunisté jako všeobecnou zákonitost období „výstavby socialismu“, do nějž podle nich Slovensko po únoru 1948 vstoupilo.

Komunistické moci se však nepodařilo smést slovenskou otázku ze stolu politikou ekonomického vyrovnávání. Spíš naopak, industrializace, modernizace a početní růst inteligence postavily před společnost slovenskou otázku v nové podobě. Během první velké krize komunistického bloku, roku 1956, udělala i KSČ v obavách před možnými nepokoji na Slovensku malé vstřícné gesto a rozšířila některé pravomoci Slovenské národní rady. Jednalo se však pouze o detaily, například do její kompetence opět přešlo jmenování a odvolávání pověřenců. Protože však tou dobou už o všech zásadních otázkách rozhodovalo vedení KSČ, měly nové kompetence Slovenské národní rady pouze symbolický charakter. Sotva sovětské tanky nebezpečí v Maďarsku zažehnaly, udělala KSČ velmi rychle několik protislovenských opatření, jimiž byl pověstný zejména centralistický byrokrat, první tajemník KSČ a od roku 1957, po smrti Antonína Zápotockého, i prezident republiky Antonín Novotný.

Nová ústava z roku 1960 vcelku voluntaristicky prohlásila Československo za socialistický stát a zavedla nové oficiální pojmenování státu – Československá socialistická republika (ČSSR). V ústavě už byla přímo zakotvena vedoucí úloha KSČ ve společnosti i ve státě. Tato ústava však kromě toho prakticky zlikvidovala poslední zbytky slovenských samosprávných orgánů a zavedla tuhý unitarismus. Kompetence Slovenské národní rady se staly pouze symbolickými. Byl zrušen Sbor pověřenců, čímž padly i poslední zbytky vládních kompetencí, jež slovenské orgány měly. Rostoucí nespokojenost s komunistickou diktaturou tak dostala na Slovensku i zřetelné národnostní zabarvení, protože slovenská otázka se na veřejnosti tabuizovala a vůle Slováků mít samosprávné orgány se nerespektovala.

Nový státní znak ČSSR

Projevilo se to kromě jiného i v tom, že část slovenských reformních komunistů se kromě představ o reformě politického a ekonomického systému začala zabývat také otázkou reformy státoprávního uspořádání, neboť nespokojenost s centralismem na Slovensku se nepodařilo odstranit ani terorem.

POKUS O EKONOMICKÉ „VYROVNÁVÁNÍ" SLOVENSKA

Představa, že slovenská otázka se automaticky vyřeší, když se odstraní ekonomické opožďování Slovenska za českými zeměmi, nezůstala je na papíře, ale začaly se opravdu podnikat konkrétní kroky s cílem industrializovat Slovensko. Po celé zemi se začaly budovat rozsáhlé průmyslové komplexy. Industrializace spojená s urbanizací měla však na Slovensku rozporný účinek. Rozsáhlou výstavbou průmyslu se vytvořilo mnoho nových pracovních míst a vzrostl počet městského obyvatelstva. Byla to značně rozsáhlá změna v tehdejším způsobu života slovenského člověka. Zatímco roku 1947 pracovala na Slovensku v zemědělství skoro polovina populace, koncem osmdesátých let to bylo už jen 13 procent. Počet osob zaměstnaných v průmyslu vzrostl za tu dobu na čtyřnásobek, z 200 000 na více než 800 000 lidí. Mnoho závodů bylo orientováno na výrobu vyžadující množství surovin – hutě, hliníkárna, cementárny, chemické závody, což mělo negativní vliv na životní prostředí. Takovéto mamutí podniky však nevyráběly finální výrobky, proto jejich efektivita byla v rámci celého hospodářství nízká. Přesto měl tento proces i pozitivní rysy, neboť výrazně podpořil modernizaci Slovenska, které se proměnilo z agrární země v zemi průmyslovou. V několika zbrojařských podnicích se pracovalo s technologií na svou dobu špičkovou.

Sklizeň na družstevních lánech

Situace v zemědělství se po prvním šoku združstevňování stabilizovala. Stát poskytoval rolnickým družstvům vysoké dotace, zemědělství získalo v šedesátých letech novou dynamiku. Mnozí rolníci nebo členové jejich rodin byli zaměstnáni v průmyslu, a tak se životní úroveň venkovského obyvatelstva výrazně zvýšila. Vesnice po celém Slovensku změnily svou tvář, byly v nich postaveny nové domy se všemi vymoženostmi civilizace. Na konci komunistického období to byla právě slovenská vesnice, která měla v celé společnosti nejvyšší životní standard.

Komunističtí mocipáni se snažili izolovat zem od vnějšího světa nejen z důvodů ideologických. Už od konce padesátých let bylo totiž zřejmé, že země sovětského bloku zůstávají ekonomicky i životní úrovní pozadu za ostatní Evropou. Přitom i zde vývoj směřoval kupředu. Komunisté měli zájem o rozvoj země, jenže tuhý centralistický systém, v němž se o každé maličkosti rozhodovalo na úrovni nejvyšších vládních orgánů, vývoj fakticky brzdil. Modernizace postupovala i na Slovensku, jenom její tempo bylo ve srovnání s vyspělou Evropou stále pomalejší. Tento fakt nedokázala zastřít ani nejdůkladnější izolace.

Slovenský občan se měl na jedné straně, ve srovnání s poměry před válkou, rozhodně lépe. Zlepšila se kvalita bydlení, postavily se nové komunikace, nebyla nezaměstnanost, občané měli jisté sociální vymoženosti, vzdělanostní úroveň stoupla. Lze říci, že za komunistického režimu se Slovensko modernizovalo, modernizace však byla příliš nákladná, měla deformovaný charakter a nedržela krok s modernizačním procesem ve vyspělých západních zemích. Státní socialismus víceméně zvládal industrializační fázi vývoje, ale nebyl schopný zvládnout úkoly postindustriální společnosti, respektive zajistit přechod k ní.

PROTIKLADNÝ VÝVOJ V KULTUŘE A VZDĚLÁVÁNÍ

Na Slovensku došlo k výrazným změnám v oblasti vzdělávání. Skoro celá dětská populace začala navštěvovat mateřské školky, povinná školní docházka se postupně prodloužila na deset let. Velké části populace se dostalo úplného středoškolského vzdělání, zvýšil se především počet různých odborných škol. Z Bratislavy se stalo známé vysokoškolské centrum, vysoké školy však postupně vznikly i v Košicích, Banské Bystrici, Zvolenu, Nitře, Prešově, Martině a v Žilině. Slovenská akademie věd a umění, založená za války, se v roce 1953 přetvořila v Slovenskou akademii věd, která kromě učené společnosti v krátké době vybudovala síť pracovišť-ústavů v nejrůznějších vědních oborech. Řada slovenských vědců dosáhla mezinárodního uznání a zejména v oblasti přírodních a technických věd se podařilo prolomit mezinárodní izolaci. V oblasti společenských věd komunistický režim žárlivě střežil své ideologické postoje, což působilo negativně na rozvoj těchto vědních disciplín. Přesto i zde bylo dosaženo některých pozoruhodných výsledků.

Rozšířila se síť profesionálních kulturních institucí – divadel, koncertních těles, galerií a muzeí. Rostl počet uměleckých škol, značná část populace navštěvovala lidové školy umění, dosahující dobré úrovně. Zájmová umělecká činnost se těšila zájmu velké části mladých.

Ve všech oblastech umělecké tvorby komunistická strana začala ihned po únoru 1948 tvrdě prosazovat jednotný umělecký směr – socialistický realismus. Vágnost tohoto pojmu však dovolovala umělcům najít svobodný prostor pro svou tvorbu. Komunističtí cenzoři a ideologové se čas od času uchylovali k tvrdým zásahům v uměleckých svazech, nepodařilo se jim však uměleckou tvorbu nikdy zcela ovládnout.

V literární oblasti i po roce 1948 vydávali svá díla příslušníci starší předválečné generace; k nim se přidružila řada mladých autorů, kteří sice demonstrativně přijali heslo socialistického realismu, ale ve svých nejlepších dílech a překladech dosáhli vysoké umělecké hodnoty. V poezii k nim patřili Ján Kostra a Pavol Horov, z debutantů koncem padesátých let vynikli Milan Rúfus a Miroslav Válek. V próze si získali trvalé jméno František Hečko, Alfonz Bednár a Rudolf Jašík. Roku 1956 začal vycházet literární časopis *Mladá tvorba*, kde se profilovala mladá generace literárních tvůrců – v poezii tzv. trnavská skupina, reprezentovaná výraznými novátorskými typy: Jánem Stachem, Jánem Ondrušem, Ľubomírem Feldekem a Jozefem Mihalkovičem. Měsíčník *Mladá tvorba* spolu s týdeníkem *Kultúrny život* se staly nejen tribunami nových uměleckých iniciativ, ale také ohnisky, kde se rodila duchovní opozice proti zkostnatělému režimu.

Alfonz Bednár a Rudolf Jašík, dva z příslušníků prozaické generace padesátých let

Jeden z nejúspěšnějších slovenských filmů „Vlčie diery" režiséra Paľa Bielika z roku 1948

Rozvoj divadelnictví nebyl po roce 1948 bez problémů. Rozšíření počtu profesionálních souborů nešlo vždy ruku v ruce s růstem kvality. Negativně působily některé ideologické konstrukce, jež do divadelnictví vnášela vládní moc spolu s neujasněnými a jednostrannými pokusy o prosazování socialistického realismu. Postupně se však i divadlo vymanilo z křečovitosti. Na půdě Vysoké školy múzických umění vyrostla nová generace všestranně vzdělaných herců, režisérů, dramaturgů. Z režisérských osobností se svými průkopnickými inscenacemi nejvíc zapsali do dějin slovenského divadla Andrej Bagár, Karol L. Zachar a Jozef Budský. Z mimobratislavských režisérů se hlavně v komediálním žánru prosadil martinský režisér Martin Hollý. Do vědomí veřejnosti vstoupily některé výrazné herecké osobnosti, mnozí z nich přešli k profesionálnímu divadlu z amatérských scén – Viliam Záborský, Ctibor Filčík, Július Pántik, Gustáv Valach, Ladislav Chudík, Jozef Króner, Hana Meličková a populární komediální herec František Dibarbora.

Interpreti vysoké úrovně vyrostli na slovenských operních scénách – Oľga Hanáková, Nina Hazuchová, Štefan Hoza, Janko Blaho a mnozí další. Uměleckou náročností vynikl baletní soubor Slovenského národního divadla, jehož předním sólistou a choreografem byl Jozef Zajko. Rozvíjela se i operetní scéna, jejímž nejpopulárnějším interpretem byl od padesátých let František Krištof-Veselý. Opereta žila hlavně z klasického evropského repertoáru, ale uplatnila se také původní tvorba, jíž se věnoval populární hudební skladatel Gejza Dusík. Koncem padesátých let se na slovenské profesionální scéně objevil muzikál. Tradičním slovenským divadelním projevem jsou loutkové hry. I ty dosáh-

Slovenský ľudový umelecký kolektív (SĽUK)

ly vysoké evropské úrovně, což platí o několika scénách, zejména však o Státním loutkovém divadle v Bratislavě, založeném roku 1957. Slovenské loutkové divadlo se mohlo opírat o velmi dobré vlastní autorské zázemí.

Profesionální divadlo si vynutilo i vývoj v oblasti jevištního výtvarnictví a kostymérství. Rozvoj zaznamenal slovenský film, a to jak po stránce kvalitativní, tak kvantitativní. Zestátnění kinematografie po roce 1945 nepůsobilo jako brzda, neboť stát věnoval do rozvoje slovenského filmu mnoho prostředků. Od roku 1949 začala výstavba filmových ateliérů v Bratislavě-Kolibě. Po uvedení do provozu roku 1953 se filmové ateliéry na Kolibě staly základnou pro rozvoj slovenské kinematografie. Výrazné úspěchy i na světových přehlídkách získala slovenská dokumentární tvorba. První významnou filmovou premiérou se po roce 1948 stal film herce a režiséra Paľa Bielika *Vlčie diery* s tematikou Slovenského národního povstání; dodnes patří mezi divácky nejúspěšnější domácí poválečné tvorby. Začátkem šedesátých let vstoupila do slovenského filmu nová generace úspěšných režisérů: Štefan Uher, Peter Solan, Juraj Jakubisko, Dušan Hanák. Úspěšný byl i slovenský film pro děti a mládež a kreslený film, kde za průkopníka lze považovat Viktora Kubala.

Skladatel Ján Cikker

Bouřlivý rozvoj zaznamenala v poválečném období slovenská hudební kultura. Po roce 1948 se vládnoucí strana pokusila usměrnit hudební umění v socialistickém smyslu, specifikum hudby jako uměleckého projevu však ukázalo, že je dost odolné vůči ideologickým tlakům. Na rozvoj hudební kultury příznivě působilo založení Slovenské filharmonie v prosinci 1948. Slovenská filharmonie se stala předním slovenským hudebním tělesem a pod taktovkou Ľudovíta Rajtera a Ladislava Slováka sklízela i mezinárodní úspěchy. Dalším impulsem pro rozvoj slovenské hudby bylo založení Vysoké školy múzických umění roku 1949. Postupně přicházeli do slovenského hudebního života noví interpreti i skladatelé, počet interpretačních těles vzrůstal. Nejúspěšnějšími se vedle Slovenské filharmonie a Opery Slovenského národního divadla staly Komorní orchestr pod vedením Bohdana Warchala a Symfonický orchestr Slovenského rozhlasu. Vznikly a ve světě s úspěchem vystupovaly i profesionální soubory, které se specializovaly na lidové taneční a hudební umění jako Slovenský ľudový umelecký kolektív (SĽUK), Lúčnica a jiné. V hudební tvorbě dominovaly dva velké zjevy slovenské hudební kultury – skladatelé, autoři základního repertoáru slovenské opery – Eugen Suchoň a Ján Cikker. V poválečném období se plně prosadili žáci skladatelské školy Alexandra Moyzese – Ladislav Holoubek, Dezider Kardoš, Andrej Očenáš, Šimon Jurovský a Tibor Frešo. Od šedesátých let nastupovala nová, vzdělaná a hloubavá generace skladatelů – Ján Zimmer, Ladislav Burlas, Ivan Hrušovský, Ilja Zeljenka a další skladatelé a interpreti mladší generace.

Rozvoj měst, spojený s industrializací, vyžadoval i novou koncepci architektonické výstavby měst a městských sídlišť. Řada architektů, kteří dotvářeli městské komplexy zničené válkou, navazovala na předválečné tradice, například Emil Belluš a Vladimír Karfík. Velmi rychle se vyškolila nová generace architektů. Kvalitní vzdělání a cit pro dotváření prostředí a výstavbu nových sídlištních komplexů se však dostaly do rozporu s investičními možnostmi. Přestože Slovensko

Hudební skladatel Eugen Suchoň

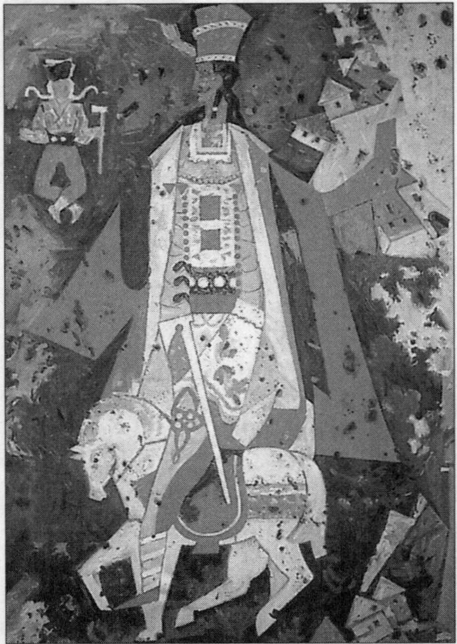

Ľudovít Fulla, Jánošík na bielom koni, 1948

mělo dobré architekty, po celé zemi se stavěla fádní sídliště nesplňující náročná kritéria moderního člověka na kvalitní bydlení a životní prostředí.

V poválečném období se začalo dynamicky rozvíjet i slovenské sochařství, které předtím jen ojediněle zaznamenalo větší mezinárodní úspěchy. Po válce dosáhlo velmi rychle špičkové středoevropské úrovně. Určité stopy vládnoucí ideologie nesla monumentální tvorba, jež vznikala na objednávku státních institucí. I zde se však prosadily umělecké kvality tvůrců, zejména Jozefa Kostky v jeho poetických plastikách a Fraňa Štefunka. První poválečná generace slovenských sochařů se většinou školila v pražské výtvarné akademii a na uměleckoprůmyslové škole. Brzy se však prosadila generace, která absolvovala Vysokou školu výtvarných umění v Bratislavě, založenou roku 1949. Výtvarný život podnítil i vznik dalších uměleckoprůmyslových škol, založení Slovenské národní galerie v Bratislavě (1948) a dalších galerií výtvarného umění po celém Slovensku. Znásobily se tak možnosti vystavovat díla domácích i zahraničních výtvarných umělců, což značně rozšířilo výtvarné vzdělávání i zájem o výtvarnou tvorbu. Po celém Slovensku vznikla síť lidových škol umění, kde žáci dostávali od dětského věku základy různých uměleckých technik. Výtvarné umění se stalo pro slovenského člověka součástí každodenního života.

Plynule pokračovalo ve svém vývoji slovenské malířství a grafika, jako by pro ně neexistovala žádná válečná cézura. Nadále intenzivně tvořila předválečná malířská generace, vyškolená většinou v Praze. K ní se postupně přidávaly mladší generace, které už získaly odborné vzdělání na Slovensku. V mnohem větší míře než před válkou proniklo slovenské umění na světové výstavy; získalo nejen obdiv, ale také ocenění, například Ľudovít Fulla zlatou medaili a čestné ocenění na světové výstavě v Bruselu v roce 1958. V Slovenské národní galerii a dalších galeriích byly pořádány monotematické výstavy věnované významným domácím autorům. Bratislava se stala i mezinárodním centrem ilustrátorů, protože se zde od roku 1967 pravidelně koná celosvětová soutěžní přehlídka Bienále ilustrací. Na této výstavě se prezentovali také přední slovenští ilustrátoři – Vincent Hložník, představitel osobitého expresionismu, Albín Brunovský, mistr imaginačního realismu, Viera Bombová, autorka poetických kreseb, a mnozí další. Mezinárodních úspěchů dosáhlo i slovenské užitkové výtvarné umění, především tradiční keramika.

Totalitní politická moc se snažila držet umělecký život pod svou kontrolou, toto úsilí však mělo jen částečný úspěch. Občas se podařilo odsunout některé avantgardní a nekonformní umělce na okraj uměleckého života, respektive je donutit k emigraci, podařilo se vytvořit jistou elitu umělců, kolaborujících s vládní politickou mocí, ale úplně zastavit umělecký život, respektive plně ho podřídit své kontrole se komunistické moci nepodařilo.

Kulturní a společenský život v letech totality se tedy vyvíjel v protikladech: na jedné straně se slovenská společnost nesporně rozvíjela, na druhé straně se však stále víc ukazovalo, že se komunistická diktatura stala brzdou dalšího rozvoje společnosti, vzdělávání i kultury.

Ekonomická a společenská krize

ZAOSTÁVÁNÍ EKONOMIKY A SPOLEČNOSTI

IX. sjezd Komunistické strany Československa, konaný roku 1949, vytyčil jako hlavní úkol budování socialistického zřízení. Za zcela samozřejmé se tehdy považovalo, že toto nové zřízení bude zároveň znamenat dynamický rozvoj ekonomiky a s tím spojený růst životní úrovně obyvatelstva. Ze sjezdových materiálů vyplývá nesmírná důvěra v plánování jako v systém, který může nejlépe zajistit hospodářský rozvoj. Už v roce 1948 byly naznačeny hlavní body prvního pětiletého plánu. Začátkem padesátých let se v ekonomice projevily jisté pozitivní trendy, což souviselo také s obnovou hospodářství zničeného válkou a na Slovensku se začátky rozsáhlejší industrializace.

Oficiálně byl první pětiletý plán (1949–1953) prohlášen za splněný, ale již v letech 1952–1953 se objevily jisté hospodářské těžkosti. Tempo hospodářského růstu bylo sice podle statistických údajů vysoké, životní úroveň obyvatelstva však zaostávala za ekonomickým rozvojem a v letech 1951–1956 dokonce stagnovala. Roku 1953 vláda uskutečnila měnovou reformu, čímž si komunisté popudili i část svých někdejších příznivců z řad dělníků, kteří přišli o své často celoživotní úspory. Došlo k nepokojům a stávkám.

Za této situace stranické a státní vedení korigovalo svou dosavadní hospodářskou politiku. Větší prostředky byly věnovány na uspokojování potřeb obyvatelstva, na bytovou výstavbu. Snížily se maloobchodní ceny, byly zvýšeny investice do zemědělství a spotřebního průmyslu. Po překonání největších disproporcí a po obnovení stability režimu se však znovu přistoupilo k původní koncepci hospodářské politiky, třebaže přednostní rozvoj těžkého průmyslu v druhé pětiletce (1956–1960) už nebyl tak výrazný jako na začátku padesátých let.

Voluntaristicky a nereálně postavené plány se nedařilo plnit. Už v červnu 1956 se na celostátní konferenci KSČ objevila kritika příliš centralizovaného řízení ekonomiky. Bylo přijato rozhodnutí, že je nutné uvolnit iniciativu pro nižší složky řídícího aparátu. To však byla, jak se ukázalo, nepřekročitelná bariéra, protože nižší složky – vlastně krajské a okresní organizace komunistické strany – podle hlavní komunistické doktríny přímo závisely na rozhodnutí centra. Při zachování politické centralizace a při faktické likvidaci tržních mechanismů žádná iniciativa se nemohla projevit. Konference KSČ byla sice plná optimistické rétoriky, ale přiznala, že ekonomika je v krizi. Začalo se uvažovat o reformách.

V říjnu 1957, tedy po roce od konstatování krize, uveřejnil ústřední výbor KSČ materiál nazvaný *Zásady nové soustavy řízení*; byl publikován ve formě dopisu a určen k široké diskusi. Jeho zásadním omylem bylo, že zlepšení situace viděl v zdokonaleném systému plánovitého řízení, a ne v tom, že hospodářství bez ekonomických mechanismů, za naprostého umrtvení konkurence a tržního principu nemůže fungovat. Od té doby se řešení hospodářských problémů hledalo stále v nových a nových návrzích na zlepšení systému řízení, jenže výsledky se nedostavovaly. Přiznat zásadní omyl, který vyplýval z doktríny prezentované na IX. sjezdu KSČ, však nebylo možné. A tak se o problémech mluvilo, navrhovala se různá pseudořešení, ale bez úspěchu.

Materiály ze sjezdů a konferencí KSČ jsou výmluvným dokladem této bezvýchodnosti. XI. sjezd KSČ vytyčil v roce 1958 znovu nerealistické úkoly, které tkvěly ve všeobecně pojatém zvýšení produktivity práce; mluvilo se o automatizaci ve výrobě, o zavádění nových technologií, o mechanizaci v zemědělství a tak podobně. Již za dva roky, na celostátní konferenci KSČ, vedoucí straničtí činitelé opět nastolili požadavek dalšího zvyšování výroby. Náročný program, vytyčený pro pětiletku v letech 1961–1965, úplně zkrachoval, což muselo nakonec přiznat i vedení strany a státu. Byl to jasný signál neefektivnosti plánovaného řízení ekonomiky pouze na základě voluntaristických představ. Výsledek takového plánování se ukazoval stále zřetelněji: v závodech se hromadily neprodejné zásoby, kdežto na trhu chyběly často i ty nejzákladnější výrobky. Na sjezdu KSS v listopadu 1952 se všechny nedostatky suše pojmenovaly v rezoluci: „Technický rozvoj se opožďoval, nedostatečně se využívalo základních fondů a rostla rozestavěnost v investiční výstavbě, nedosahoval se plánovaný růst produktivity práce. Vysokého tempa růstu výroby se dosahovalo překračováním počtu pracovníků, zatímco podíl produktivity práce na přírůstku výroby soustavně klesal. Trvají nepořádky v materiálně technickém zásobování,

Jedním z nejvelkolepějších pomníků industrializace Slovenska se staly Východoslovenské železárny v Košicích

často se překračují vlastní náklady výroby, rostou nadnormativní zásoby. Některé závody neplní plánovanou výrobu důležitých výrobků a kvalita výrobků je často na nízké úrovni. Nadále citelně zaostává zemědělská výroba a neplní se plán nákupu zemědělských výrobků." Až chronickým projevem krize a nemožnosti překonat dogmatické ekonomické myšlení se stala skutečnost, že se všechny tyto nedostatky kvalifikovaly jako výsledek nízké úrovně řídící práce, přestože bylo evidentní, že jde o zásadní neschopnost centrálně plánovaného hospodářství překročit jisté bariéry.

Postupovalo se tedy znovu starou metodou. XII. sjezd KSČ, který se sešel koncem roku 1962, stanovil, že rozhodujícím rokem v ekonomickém vývoji bude rok 1963, a nařídil vypracovat sedmiletý plán rozvoje národního hospodářství na léta 1964–1970. Bylo to oficiální přiznání krachu předcházejícího pětiletého plánu a zároveň nové voluntaristické východisko, jemuž již zřejmě nevěřili ani jeho tvůrcové. Potvrdil to již rok 1963, který se ani v nejmenším nestal přelomovým, právě naopak. Usnesení o sedmiletém plánu bylo staženo a vyprácovávaly se pouze roční plány, které však byly málo konkrétní a nikdo je ani vážně nekontroloval. V lednu 1965 vydal ÚV KSČ další dokument nazvaný *O hlavních směrech zdokonalení plánovitého řízení národního hospodářství a o práci strany*. Nesměle se již připomnělo využívání zbožně-peněžních vztahů v ekonomice, všechno však zůstávalo pouze v teoretické a deklarativní rovině. Když potom XIII. sjezd KSČ v květnu 1966 jako jeden z hlavních úkolů znovu vytyčil „zdokonalení soustavy plánovitého řízení hospodářství“ a stanovil jako jeden z hlavních úkolů strany vypracování pětiletého plánu na léta 1966–1970, málokdo věřil, že se podaří vyřešit už chronickou „kvadraturu kruhu“. Reforma, která už byla spojena se jménem Oty Šika, přinesla sice některé dílčí výsledky, nebyla však oním propagandou halasně ohlašovaným přelomem v hospodářském vývoji.

Neschopnost řešit ekonomické problémy vyvolávala mezi obyvatelstvem rostoucí nespokojenost. K tomu se přidružoval nesouhlas s politickou diktaturou, se svévolí nové politické elity, s umlčováním svobody projevu a tisku. Tento odpor proti komunistické diktatuře nabýval od konce padesátých let masových forem a rok co rok vzrůstal. Zatímco ještě začátkem padesátých let se komunistům podařilo oklamat a získat si značnou část obyvatelstva, včetně nezanedbatelné části inteligence, myšlenkou budování nového společenského řádu, procesy padesátých let, atmosféra teroru a všemocnost nové vládnoucí elity otevřely oči i mnohým z nich. Občané Československa stále tíživěji pociťovali izolovanost od ostatního světa. Možnosti cestování byly velmi omezené. Pokus zastavit příliv informací zvenčí měl pouze částečný úspěch. Prostřednictvím zahraničního rozhlasu a ze sporadických informací těch, kdo se za železnou oponu přece jen dostali, získávali Češi a Slováci informace o tom, jak se žije na její druhé straně.

Vládnoucí elita už nemohla zastírat, že ekonomika státu stagnuje. Zatímco ještě v polovině padesátých let byly některé ekonomické ukazatele a životní úroveň aspoň srovnatelné s vyspělými zeměmi, později již zkostnatělý, centralizovaný a zbyrokratizovaný systém komunistických zemí nedokázal vůbec reagovat na dynamický rozvoj západoevropské a americké ekonomiky. Integrační tendence v západní Evropě ještě zrychlily rozvoj hospodářství kapitalistických států. Stejného efektu však nemohl docílit pokus o východoevropskou integraci v centralistickém systému a pod kontrolou Moskvy. Začátkem šedesátých let bylo už jasné, že nůžky mezi Východem a Západem se rozevírají, ekonomika Východu zaostává a s ní i životní úroveň obyvatelstva. Třebaže Československo a Německá demokratická republika představovaly v komunistickém bloku nejvyspělejší státy, opožďování za západní Evropou bylo brzy zřejmé i zde. Právě na příkladě těchto dvou zemí, které patřily před válkou k vyspělým oblastem industriálního světa, se dala přímo názorně demonstrovat neschopnost komunistického modelu ekonomiky. Dílčí zásahy do neefektivního systému nemohly přinést trvalejší zlepšení. To všechno zvyšovalo rostoucí nespokojenost s komunistickým režimem. Ale hlavní příčinou nespokojenosti však zůstávaly politické poměry a odhalení zločinů komunismu v Sovětském svahu i v Československu.

K neklidu a k pocitům rozčarování přispívaly i potlačená touha svobodně projevit názor, cenzura tisku a neexistence komunisty zlikvidovaných spolků a občanských sdružení, která by mohly bez ideologického dohledu vykonávat svou činnost. Nespokojenost projevovala i nová nastupující generace, která se v stagnující společnosti nemohla uplatnit. Tradičně nábožensky založené obyvatelstvo pak s nevolí neslo omezování práv církve a bránění náboženským projevům ve společnosti, jež otevřeně vyhlašovala ateismus za svůj oficiální světový názor. Odpor proti ateizaci života se velmi silně projevoval v tradičně katolickém slovenském prostředí.

KRITICKÉ HLASY V ČESKÉ A SLOVENSKÉ SPOLEČNOSTI

Neúspěšné ekonomické reformy vyvolávaly ve společnosti nespokojenost. Odhalení Stalinových zločinů podporovalo tendence namířené proti projevům stalinismu.

Atmosféra ve společnosti se od počátku šedesátých let poněkud uvolnila. Tento proces nemohli zcela přehlížet ani stalinisté v ústředním výboru KSČ, a proto se v dubnu 1963 vrcholný orgán KSČ zabýval otázkou porušování zákonnosti. Nejvyšší odpovědní funkcionáři, na Slovensku Karol Bacílek jako první tajemník ÚV KSS, byli odvoláni. Proces uvolňování však probíhal velmi pomalu a polovičatě. Antonín Novotný navíc využil situace, aby odvolal z funkce předsedy vlády Viliama Širokého a nahradil ho Jozefem Lenártem. Zbavil se tak největšího konkurenta a předhodil ho spolu s Brunem Köhlerem jako hlavního obětního beránka. Bylo to pochopitelné, protože sám Novotný jako přední stranický představitel byl za procesy spoluodpovědný a spolu s dalšími vysokými funkcionáři neměl zájem, aby byly nezákonnosti plně odhaleny. Proto i rehabilitace postižených probíhaly nedůsledně. Mnozí byli propuštěni z vězení, ale nemohli se v plné míře vrátit do společenského a politického života. Platilo to také o odsouzených a pouze částečně rehabilitovaných tzv. slovenských buržoazních nacionalistech. Gustáv Husák a společníci byli sice zbaveni obvinění z buržoazního nacionalismu, všichni se však obávali jejich návratu do politického života, a tak jim do vysokých funkcí nebyl umožněn návrat. Gustávu Husákovi byla například nabídnuta podřadná funkce státního tajemníka, kterou odmítl.

Rehabilitace však měly na Slovensku širší dosah. V celé společnosti, zejména v kulturních kruzích, se první náznaky obrodného procesu začaly projevovat již od roku 1963, kdy se stal prvním tajemníkem ústředního výboru Komunistické strany Slovenska Alexander Dubček a kdy se uvolnila celková atmosféra. Na konferenci Svazu slovenských spisovatelů v dubnu 1963 mnozí spisovatelé, zejména rehabilitovaný Ladislav Novomeský, ostře kritizoval stalinismus, ale i vedení KSČ v čele s Antonínem Novotným. Gustáv Husák podrobil ostré kriti-

Básník Ladislav Novomeský

ce poměry v stranickém vedení na městské konferenci Komunistické strany Slovenska roku 1964. Intelektuálním předvojem obrodného procesu se stal týdeník *Kultúrny život*.

Nejdůležitější události, které nakonec vyústily do „pražského jara“, se ale odehrály až v průběhu roku 1967. Významné místo mezi nimi zaujal IV. sjezd Svazu československých spisovatelů, který se konal ve dnech 27.–29. června 1967 a na němž vystoupili spisovatelé jako mluvčí nespokojenosti celé společnosti, když formulovali základní požadavky občanů Československa. Spisovatelský sjezd se tak stal manifestačním vyjádřením protestu proti politice komunistické strany. Spisovatelé volali po návratu do evropské kulturně civilizační sféry, žádali zrušení cenzury, otevřenost a přijetí evropského kontextu české a slovenské kultury. V referátech a diskusních příspěvcích Milana Kundery, Pavla Kohouta, Ivana Klímy, Ludvíka Vaculíka, Václava Havla a jiných se požadovala otevřenost v kulturní sféře i v celé společnosti, jakož i odstranění přetrvávajícího dogmatismu.

Vedoucí komunističtí činitelé sledovali průběh sjezdu s rostoucí nelibostí. Když nakonec byl na sjezdu přečten dopis pronásledovaného ruského spisovatele Alexandra Solženicyna, celá stranická delegace v čele s ideologickým tajemníkem Jiřím Hendrychem demonstrativně sjezd opustila. Následovala tvrdá kritika všech, kdo žádali demokratizaci společnosti, obnovení občanských svobod a zrušení cenzury. Zákulisní tlak ze strany stranických a vládních orgánů měl za následek, že se do vedoucích orgánů spisovatelské organizace nepodařilo zvolit nejexponovanější kritiky režimu a plénum sjezdu nepřijalo usnesení požadující zrušení cenzury. Následovala i represivní opatření proti revoltujícím spisovatelům: ti nejaktivnější byli vyloučeni z KSČ a jejich tribuna, *Literární noviny*, orgán Svazu spisovatelů, byly zastaveny. Přesto se sjezdové materiály dostaly, byť různými neoficiálními cestami, na veřejnost a ohlas na ně byl obrovský. Sjezd spisovatelů se tak stal důležitým katalyzátorem vývoje v následujících měsících.

Na sjezdu spisovatelů se dokonce objevila kritika zahraniční politiky Československa, především k postoji k nedávno proběhlé šestidenní červnové válce, v níž československá vláda jednoznačně podpořila „spřátelené“ arabské země a přerušila diplomatické styky s Izraelem. Krátce po sjezdu emigroval z Československa slovenský prozaik Ladislav Mňačko, jenž jako hlavní důvod uvedl nemožnost svobodně vyjadřovat své názory, a to i v otázce izraelsko-arabského konfliktu. Mňačko navíc postoje československých orgánů označil za projevy přetrvávajícího antisemitismu mezi politickými špičkami státu.

Na Slovensku se k všeobecné nespokojenosti připojila také další – nespokojenost s postavením Slovenska v republice, s tuhou centralizací a likvidací všech slovenských samosprávných orgánů. Nejvyšší československý představitel, vedoucí tajemník KSČ a prezident republiky Antonín Novotný, vyvolal mezi Slováky několika protislovenskými výroky přímo na slovenské půdě bouři nevole. Stal se tak ztělesněním nejen centralistického byrokratického systému, ale také mluvčím přetrvávajícího netolerantního postoje jisté části české veřejnosti vůči Slovensku.

A tak nebylo divu, že se diskuse o slovenské otázce dramatizovala. Systematicky se objevovaly články kritizující stav společnosti v nejvýznamnějším literárním časopise *Kultúrny život*, na jehož stránkách se již v lednu 1967 objevila diskuse o česko-slovenských vztazích a postavení Slovenska ve státě. Vyzněla v požadavek celou problematiku principiálně řešit. Na situaci reagovali i slovenští komunisté, když koncem května 1967 se konalo zasedání ÚV KSS, požadující posílení vlivu KSS a Slovenské národní rady na řešení slovenských záležitostí.

Nejvíc slovenská otázka eskalovala po skandální návštěvě Antonína Novotného na Slovensku, kdy si svým chováním v historickém centru slovenského hnutí v Martině postavil proti sobě značnou část slovenské veřejnosti i slovenské stranické vedení. Novotný navštívil Martin koncem srpna 1967, aby se na pozvání zúčastnil probíhajících oslav 100. výročí založení tamního slovenského gymnázia. Již před odjezdem odmítl zařadit do svého doprovodu představitele slovenského politického a veřejného života, a tak na protest proti tomu Alexander Dubček, od roku 1963 první tajemník ÚV KSS, zůstal v Bratislavě a Novotného cesty se nezúčastnil. Na programu mělo být položení věnců na Národním hřbitově v Martině, kde jsou pochováni mnozí významní představitelé slovenského života, a právě zde očekávaly prezidenta tisíce lidí, ten však odjel na návštěvu zemědělského družstva a na Národní hřbitov vůbec nepřijel. Odmítl také nocovat v určeném hotelu, a to pod

Ladislav Mňačko v roce 1966, kdy byl jmenován zasloužilým umělcem

záminkou, že se na něho chystá atentát. Když průvod projížděl podfatranskými Mošovcemi, rodištěm Jána Kollára, shromáždění lidé očekávali, že se Novotný ve vsi zastaví, aby položil u Kollárova pomníku kytici. Auta však Mošovcemi projela bez toho, aby pan prezident projevil byť jen minimální zájem o přítomné. Arogantně se Novotný choval také k shromážděným občanům během kladení věnců k památníku sovětských vojáků. Vrcholem však bylo jeho chování v Matici slovenské, když Matici označil za nacionalistickou, a to z toho důvodu, že se zajímá také o zahraniční Slováky. Pamětní knihu návštěv dokonce urážlivě odstrčil a odešel s výhrůžkami, že nechá případ přešetřit. Když potom z protestu na slavnostní oběd polovina pozvaných hostí nepřišla, Novotný ze Slovenska jednoduše odjel a jeho manželka ostentativně vrátila přijaté dary. Roztržku se nepodařilo utajit a pobouřeno bylo celé Slovensko.

Na říjnovém zasedání ÚV KSČ roku 1967 se Novotného metody dočkaly první otevřené kritiky. Zatím se hovořilo o porušování zásad kolektivního vedení a o subjektivismu. Konkrétnější podobu dostala kritika až na prosincovém zasedání ÚV KSČ. S ostrou kritikou Novotného jednání vystoupil první tajemník KSS Alexander Dubček, jenž hovořil především o nedostatcích ve vnitřním životě strany a o tom, jak se strana odcizuje společnosti. Novotný však kritiku převedl do národnostní polohy a začal mluvit o buržoazním nacionalismu v KSS. S pokusem opětovného oživení slovenského „buržoazního nacionalismu" – tentokrát měl být jeho hlavním nositelem Alexander Dubček – však Novotný nepochodil ani mezi českými komunisty. Vedení Komunistické strany Slovenska obvinění rezolutně odmítlo, a tak si Novotný pozval na pomoc generálního tajemníka Komunistické strany Sovětského svazu Leonida Brežněva. Dne 8. prosince přibyl Brežněv do Prahy, prozkoumal situaci, ale nezaujal stanovisko; prohlásil, že je to vnitřní záležitost českých a slovenských komunistů. K překvapení všech tak Brežněv Novotného nepodpořil. A to bylo vlastně vynesení rozsudku, nicméně Novotný se nemínil vzdát. Když se mu konflikt nepodařilo sprovodit ze světa a kritické hlasy sílily, uvažoval o možnosti vyřešit situaci silou. Oporou se mu měli stát vysoce postavení důstojníci v armádě i v bezpečnostních složkách a také řada věrných komunistů ve stranickém aparátě. Ozbrojený zásah byl připraven – byly dokonce vypracovány seznamy ví-

z prác žiakov Ľudovej školy umenia v Bratislave: hore Pastier VERONIKY ABELOVSKEJ (10 r.), dolu Marianta MICHALA POLÁČKA (7 r.)

Pred sjazdom hovoria: V. Mihálik, K. Mináriк, L. Gudema, G. Husák, L. Szántó, V. Záborský, P. Horov, P. Števček, J. Strinka, R. Fabry, A. Rašla, K. Lazarová, V. Mináč, E. Löbl, A. Sirácky, O. Pavlík, Ľ. Lipták, O. Kopčok, E. Friš ■ Vzbura či letargia mládeže? ■ Eis a Reis o pomere Čechov a Slovákov ■ Červený katalóg R. Olšinského ■ Čo vidí K. Hrabovská v Ťažkého Hriešnici ■ Mihálikove a Plávkove verše pre samotu ■ K. Földvári o vraždách jednej laureátky ■ Svedectvo C. Kuchtu o apokalypse

KULTÚRNY ŽIVOT

Bratislava ● Kčs ● 13. mája 1966 ● XXI

20

Týdeník Kultúrny život v dobách své největší slávy

ce než tisíce opozičníků: politiků, důstojníků, spisovatelů, novinářů, vědců, umělců. Nespolehliví představitelé ÚV KSČ měli být postaveni pod dohled státní bezpečnosti. Připravený zásah, který měl být proveden po Vánocích 1967, se však nakonec neuskutečnil. Novotnému se nedostalo z Moskvy jasné podpory a on sám se k ozbrojenému převratu neodhodlal. To byla jasná předzvěst jeho konečné porážky. Situaci měl řešit ÚV KSČ, jehož zasedání bylo svoláno hned po Novém roce 1968. Na něm už Novotný neměl většinu.

Prezident Antonín Novotný (vpravo)

Koncem roku 1967 se nespokojenost s Novotným začala veřejně projevovat v celém státě, ale zejména na Slovensku. Opoziční projevy pronikaly i do tisku, hlavně do *Kultúrného života.* V prosinci 1967 se v Bratislavě konaly studentské demonstrace namířené proti režimu a proti jeho hlavnímu představiteli. Studenti táhli v průvodu večerní Bratislavou a nesli Novotného podobizny pomalované vězeňskými mřížemi. Policie proti nim nezasáhla. Bylo zřejmé, že se schyluje k dramatu.

POKUS O ZÁSADNÍ REFORMU SYSTÉMU ROKU 1968

Nespokojenost zjevná v celé společnosti zachvátila i řady komunistů. Mnozí z nich ostatně vstupovali do KSČ s vědomím, že se společnost ubírá nesprávným směrem. Neúspěšné pokusy o ekonomickou reformu přesvědčily i mnohé komunisty, hlavně odborníky-ekonomy a přední intelektuály, že již nepomohou kosmetické úpravy, ale pouze zásadní reforma celého systému. Tato skupina reformních komunistů byla pro další vývoj velmi důležitá. Politický systém diktatury totiž neumožňoval větší vliv řadovým občanům-nekomunistům, i když mezi nimi byli přední odborníci. Klíče ke všemu měla v rukou komunistická strana. Reformní komunisté se v druhé polovině šedesátých let dostali i na přední místa v stranickém aparátě a získali v zemi jistý vliv.

Začátkem roku 1968, od 3. do 5. ledna, se krizí ve společnosti zabýval ústřední výbor KSČ, který vlastně pokračoval ve svém přerušeném zasedání z prosince 1967. Na tomto zasedání se reformní komunisté prosadili proti konzervativním stranickým byrokratům. Nebylo náhodou, že v čele kritiků Antonína Novotného stál Slovák, vedoucí tajemník KSS v Bratislavě Alexander Dubček, jenž Novotnému vytýkal nejen zásadní politické chyby, ale také jeho necitlivost a netaktnost vůči Slovákům. Antonín Novotný byl nakonec z funkce vedoucího tajemníka ústředního výboru KSČ odvolán a na jeho místo byl zvolen právě Dubček, vůbec první Slovák, který zaujal ve stranické hierarchii nejvyšší postavení. Začal proces, který vstoupil do dějin jako „pražské jaro“.

Alexander Dubček

Postupně docházelo ke změnám ve vedoucích funkcích ve straně, vládě i ve vedení parlamentu. Celý tento proces byl koncem února urychlen skandálem kolem emigrace tzv. „semínkového generála" Jana Šejny, který patřil k jedněm z nejdůvěrnějších spolupracovníků prezidenta Novotného. Důvodem jeho emigrace bylo odhalení rozkrádání státního majetku – nelegální prodej jetelového semene, jehož výtěžek si generál ponechal sám pro sebe. Šejna názorně zosobňoval zkorumpovanost vysokých funkcionářů i celého režimu. Jako blízký Novotného přítel udělal závratnou kariéru, když bez vzdělání a praxe se stal generálem, vysokým stranickým funkcionářem a vedoucím sekretariátu na ministerstvu národní obrany. Po svém odhalení Šejna emigroval do Spojených států, kde se stal vítanou kořistí CIA, což vyvolalo ve vedení zemí Varšavské smlouvy šok, protože s sebou odvezl mnoho tajných vojenských materiálů. Pozice Novotného jako prezidenta, oslabená jeho odvoláním z postu vedoucího tajemníka ÚV KSČ, což byla fakticky nejvyšší politická funkce ve státě, se stala neudržitelnou, a tak 22. března rezignoval. Dne 30. března byl za nového prezidenta zvolen generál Ludvík Svoboda, bývalý velitel 1. československého armádního sboru v Sovětském svazu a ministr národní obrany v letech 1945–1950. Začátkem padesátých let komunista Ludvík Svoboda ztratil důvěru „Kremlu" a musel na čas odejít z veřejného života.

Změny nastaly i ve vládě, kde dogmatického „starokomunistu" Jozefa Lenárta vystřídal Oldřich Černík, ochotný realizovat radikálnější ekonomickém reformy. Předsedou parlamentu se stal reformní komunista Josef Smrkovský.

Změny nastaly i ve vedení Komunistické strany Slovenska. Místo Alexandra Dubčeka byl do funkce prvního tajemníka ÚV KSS ještě v lednu zvolen Vasil Biľak, který byl tehdy ještě počítán k reformnímu křídlu. Do předsednictva ÚV KSS se prosadila řada reformních komunistů, přesto se však tento orgán v demokratizačním procesu výrazněji neprosazoval. Zatímco reformní proud vynesl do čela komunistické strany Slováka Alexandra Dubčeka, v Bratislavě vedoucí osobnost jeho typu chyběla.

Charakteristickým heslem pražského jara se stal požadavek „socialismu s lidskou tváří". Znamenalo to, že vedoucí garnitura KSČ si předsevzala zásadním způsobem reformovat socialistický systém, když k reformám mělo dojít především v politické oblasti. Byl uvolněn přísný dozor nad tiskem, v zemi existovala předtím nebývalá možnost svobodně projevit vlastní názory, občanům se ve větší míře umožnilo cestovat do zahraničí. V ekonomice se plánovalo uskutečnění zásadních reforem, jež měly sladit plán s trhem. Tržní hospodářství se mělo usměrňovat ekonomickými nástroji řízení. Autorem této ekonomické reformy byl Ota Šik, na jejím propracování se však podíleli i mnozí slovenští ekonomové, hlavně Eugen Löbl.

Konzervativní komunisté, kteří se obávali o své pozice a pro něž byla taková občanská svoboda nepředstavitelná, kladli reformám odpor. Výsledkem boje mezi reformními a konzervativními komunisty se stal *Akční program KSČ*, přijatý ÚV KSČ začátkem dubna. Původním záměrem reformních komunistů bylo předstoupit před členy strany i před veřejnost s krátkým, jednoduchým a srozumitelným programem. Akční program, na němž pracovalo několik skupin více než dva měsíce, obsahoval však množství kompromisů, charakteristických pro reformní komunistické hnutí. Řada jeho opatření však byla v komunistickém světě převratná: program zásadní demokratizace vnitřního života KSČ, požadavek partnerského vztahu KSČ k ostatním politickým stranám a společenským organizacím, zajištění základních občanských práv, demokratizace ekonomického řízení, vytvoření prostoru pro soukromé podnikání v oblasti služeb; nechyběl dokonce ani požadavek aktivnější zahraniční politiky a uskutečnění federalizace státu. Ve skutečnosti však byl program jako celek nedůsledný a v okamžiku přijetí již v mnohém překonaný.

Ještě hůř to vypadalo s akčním programem KSS. Vasiľ Biľak od března 1968, kdy představitelé komunistických stran podrobili na schůzce v Drážďanech pražské jaro kritice (zde poprvé zazněl termín „plíživá kontrarevoluce“), přešel na stranu odpůrců reforem. Pod jeho vedením konzervativci na Slovensku vypracovali také akční program, který však neobsahoval žádné zásadní reformy.

Jádrem sporu mezi konzervativci a reformními komunisty se stala otázka svolání mimořádného XIV. sjezdu KSČ. Reformátoři se ho snažili svolat v co nejkratší době, neboť doufali, že ÚV KSČ zvolený na sjezdu dá zelenou dalším, především ekonomickým reformám. Konzervativci se svolání sjezdu bránili a argumentovali potřebou seriózně ho připravit. Když však na pražské poradě vedoucích tajemníků okresních a krajských organizací dostali od těchto aparátčíků podporu a cítili, že také v Moskvě jsou na jejich straně, o čemž je přesvědčil i předseda rady ministrů Sovětského svazu Alexej

REPORTÉR
DEMOKRACIE
se vám zachtělo,
holoubkové!

Karikatura Haďáka na titulní stránce časopisu Reportér

Bratislava, 3. srpna 1968: necelé tři týdny před invazí (v popředí zleva: Dubček, Brežněv, Biľak)

Kosygin, který se koncem května přijel léčit do Karlových Varů, souhlasili nakonec se zahájením sjezdu 9. září.

Na Slovensku probíhal stejně úporně zápas o svolání mimořádného sjezdu KSS. Šlo především o to, zda se má konat před sjezdem KSČ, nebo po něm. Konzervativci prosazovali, aby slovenský sjezd proběhl až po celostátním, reformní komunisté ho chtěli uskutečnit před celostátním sjezdem s tím, že by pak celostátní sjezd byl přinejmenším morálně nucen akceptovat závěry sjezdu slovenských komunistů. Nakonec reformní komunisté prosadili svůj názor a datum sjezdu bylo stanoveno na 26. srpna.

V uvolněném ovzduší se společnost aktivizovala bez ohledu na záměry komunistické strany. Již v únoru začaly vycházet *Literární listy* (dříve *Literární noviny,* zastavené po spisovatelském sjezdu roku 1967); staly se jednou z hlavních tribun reformních názorů. Bylo to znamení, že fakticky ztratila účinnost cenzura, v červnu ostatně zrušená i oficiálně. Hned nato se v českém tisku objevil manifest nazvaný *2000 slov.* Zkoncipoval ho spisovatel Ludvík Vaculík jako reakci intelektuálních kruhů na signály, že reformní proces jako by pod tlakem konzervativních politiků ztrácel dech. Jednalo se o výzvu k občanům, aby se snažili prohloubit a zintenzivnit demokratizační proces. Požadavky manifestu však v otázkách demokratizace přesahovaly daleko limity i těch nejosvícenějších komunistů, a proto ho ÚV KSČ odmítl jako projev nedůvěry vůči komunistické straně. Ústřední výbor KSS šel ještě dál a manifest nazval „pobuřováním proti republice", zejména proto, že se postavil proti monopolu moci komunistické strany.

Ve společnosti rozjařené příslibem svobody a horečně se aktivizující začaly vznikat nové spolky a organizace, které se vymykaly kontrole komunistů a požadovaly dalekosáhlé reformy. K takovým organizacím patřil například Klub angažovaných nestraníků (KAN), ale i skrytě protikomunisticky orientovaný Klub 231, což byl spolek politických vězňů odsouzených na základě paragrafu 231 – za „rozvracení republiky". Na Slovensku obdobnou organizaci nazvanou Slovenská organizácia na obranu ľudských práv založil v květnu Emil Vidra. Nejedna skupina domýšlela své plány nesporně dál, až za oficiálně uznané meze socialismu, v situaci roku 1968 se to však neprojevilo otevřeně. Hlavní společenský proud se soustřeďoval kolem reformních komunistů v čele s Alexandrem Dubčekem, za nimiž stála i většina obyvatel. Je paradoxní, že takto vlastně poprvé v dějinách Československa získala komunistická strana spontánní a nesporně většinovou podporu obyvatelstva. K podpoře reformních komunistů se spontánně přidalo i obyvatelstvo Slovenska.

Jiný postoj zaujali k situaci v Československu vedoucí komunističtí představitelé v Moskvě a ostatních socialistických zemích. Už 23. března se v Drážďanech setkali vedoucí představitelé zemí sovětského bloku a vyslovili obavy nad vývojem v Československu. Brežněv si pozval československé komunisty do Moskvy, aby je při jednáních se sovětskými představiteli 4. května oficiálně upozornil na nebezpečí kontrarevoluce v Československu. Šlo o zcela zřejmou výstrahu. Po odjezdu československé delegace přijeli do Moskvy představitelé ostatních zemí Varšavské smlouvy s výjimkou Rumunska, vedeného Nicolaem Ceausescem, které se na akcích proti Československu odmítlo podílet. Vážné výhrady vůči vývoji v Československu vznášeli především vedoucí činitelé NDR a Polska. V Moskvě nesli s velkou nelibostí, že reformy v Československu nejsou žádným „rozpracováním" myšlenek Komunistické strany SSSR, ale že se jedná o myšlenky vlastní, na Moskvě nezávislé, a tudíž nebezpečné.

Další pohrůžkou Československu bylo rozhodnutí konat na jeho území v červnu velké vojenské cvičení Varšavské smlouvy. Po oficiálním skončení manévrů vojska na území republiky zůstávala, což veřejnost značně pobouřilo. Nakonec začátkem srpna vojska Varšavské smlouvy Československo opustila, ukázalo se však, že jen nakrátko. Nad reformním socialismem s „lidskou tváří" se začaly stahovat mraky.

Dne 15. července byl ústřednímu výboru KSČ doručen dopis pěti zemí Varšavské smlouvy, který obviňoval vedení strany a státu, že neklade odpor protisocialistickým a kontrarevolučním silám. Tento dopis byl ze strany ÚV KSČ i ÚV KSS rozhodně odmítnut a jeho publikování vyvolalo ve veřejnosti velmi negativní ohlas, protože se již jednalo o otevřené zasahování do vnitřního vývoje v Československu. Koncem července a začátkem srpna se na sovětsko-československé hranici v Čierné nad Tisou setkaly delegace komunistických stran obou zemí. Představitelé KSČ v čele s Alexandrem Dubčekem rozhodně odmítali obvinění z toho, že se země odklonila od socialismu. Podobně tomu bylo na dalších jednáních 3. srpna v Bratislavě, kde se sešli představitelé šesti komunistických stran Varšavské smlouvy. Tam se však Brežněvovi podařilo prosadit tezi, že socialistické výdobytky musí bránit celá Varšavská smlouva, což lze pokládat za vznik tzv. Brežněvovy doktríny.

Tyto varovné signály přehlušila v Československu hromadná euforie nad znovu nabytými svobodami. Vždyť i Dubček sám a jeho spolupracovníci pokládali vojenský zásah Varšavské smlouvy v Československu za nepředstavitelný. Zatím však již 16. srpna politické byro ÚV KSSS rozhodlo o invazi do Československa. Dne 17. srpna se šéf maďarských komunistů János Kádar setkal s Dubčekem a upozornil ho na nebezpečí vojenské invaze, kterou vzápětí schválilo pět představitelů komunistických stran na setkání v Moskvě 18. srpna.

VZNIK ČESKO-SLOVENSKÉ FEDERACE

Uvolněním tuhého centralistického režimu na jaře 1968 vyvstala před veřejností znovu slovenská otázka. Jedním z výsledků pražského jara se stala idea vytvoření česko-slovenské federace, čímž by se napravily všechny omyly a úhybné manévry předchozích vlád, počínaje lavírováním prezidenta Beneše, přes utužený centralismus Gottwalda až po ignorantství Antonína Novotného. Proměnou Československa ve federativní stát se měl uskutečnit původní plán povstalecké Slovenské národní rady z roku 1944.

V březnu 1968 se ve Smolenicích uskutečnila vědecká konference slovenských a českých historiků a politologů, na níž se přítomní vyslovili za přetvoření unitárního státu ve federativní. Krátce poté zasedala předsednictvo a po něm i plénum Slovenské národní rady – a nastolila stejný požadavek. Po jistém váhání se připojil 9. dubna také ÚV KSS. Slovenská národní rada se začala chovat aktivně a 14. března přijala zákon, podle něhož se Bratislava stala opět oficiálním hlavním městem Slovenska. Bylo to drobné a formální porušení tuhého centralistického systému.

Požadavek slovenské strany akceptoval také ústřední výbor KSČ, když program federalizace zahrnul do svého akčního programu, který byl přijat začátkem dubna. Stejně tak nová vláda Oldřicha Černíka pojala do svého programového prohlášení požadavek přeměny Československa ve federaci.

Zdálo se, že se myšlenka ujala a že ji akceptuje celá společnost. Potvrdil to i průzkum veřejného mínění, podle něhož 60 procent občanů republiky souhlasilo s federací zcela a 26 procent částečně. Mezi obyvateli Čech a Moravy to bylo 52 procent a 31 procent. Nesouhlas vyjádřilo pouze 10 procent obyvatel Čech a Moravy a na Slovensku nikdo. A přece se i za těmito čísly skrývaly určité problémy. Částečný souhlas s federací vyslovili například i ti, jimž bylo blízké heslo: „Napřed demokratizace, potom federalizace.“ Tento slogan měl mnoho zastánců i mezi českými a slovenskými komunistickými funkcionáři. Za ničím nezdůvodnitelnou snahou oddělit demokratizaci od federalizace se často skrývala prostá snaha oddálit akt federalizace, respektive ho v budoucnu znemožnit. Na tuto tezi reagovali slovenští spisovatelé Ladislav Novomeský, Miroslav Válek v Vojtech Mihálik prohlášením, v němž se říkalo: „Jsme přesvědčeni, že teze napřed demokratizace, potom federace, která je nyní tak rozšířená a jejíž konkrétní ozvěny lze najít i v Kultúrném životě, je pomýlená a že tyto dvě otázky nelze od sebe oddělovat ani preferovat jednu před druhou, přičemž se domníváme, že životní zájem slovenského národa – totiž realizování úplné svébytnosti a svrchovanosti tohoto národa – nás opravňuje akcentovat v této situaci právě myšlenku federace. Bez jejího dosažení, bez dovršení národní revoluce nemůže totiž existovat skutečná demokracie sloužící zájmům slovenského národa."

Vláda nakonec přikročila ke konkrétním krokům. V květnu schválila odbornou komisi pro přípravu zákona o česko-slovenské federaci, v jejímž čele stál Gustáv Husák. Komise ho připravila, parlamentem byl přijat 27. října 1968. Říkalo se v něm, že národ český a národ slovenský se po 50 letech společného státního života rozhodly vybudovat svůj vztah „na nových a spravedlivějších základech". Zákon zároveň vyslovil přesvědčení, že „dobrovolné federativní státní spojení je odpovídajícím výrazem práva na sebe určení a rovnoprávnost, ale i nejlepší zárukou pro náš plný vnitřní národní rozvoj i pro ochranu naší národní svébytnosti a svrchovanosti."

Česko-slovenská federace tedy skutečně vznikla. Vyhlášena však byla teprve koncem října 1968, tedy už za přítomnosti okupačních vojsk. Za takové situace nemohla vzniknout federace skutečná a demokratická, ale pouze formální. A tou také česko-slovenská federace zůstala. Neuspokojila jedny ani druhé. Na české straně narazilo federativní uspořádání na nepochopení, mezi některými stoupenci centralismu vznikla dokonce teze, šířená v následujícím období, že Slováci získali federaci za pomoci ruských tanků. Ani Slovákům nepřinesla federace plné uspokojení, protože byla čistě formální – skutečná samospráva na Slovensku neexistovala. Federalizované státní orgány ostatně neměly rozhodující moc ve svých rukou, neboť o všem se rozhodovalo ve stranických orgánech a o nejdůležitějších otázkách v Moskvě. Protože KSČ se nefederalizovala a nadále zůstala centrálně řízenou organizací, nemohla být ani federace ničím jiným než nefunkční, papírovou institucí.

Taková federace spolu s postupným upevňováním komunistického diktátu a teroru nemohla vytvářet podmínky k tomu, aby se nevyjasněné otázky v oblasti česko-slovenských vztahů otevřeně ventilovaly. Naopak situace ve federaci po roce 1968 přispívala k zhoršení česko-slovenských vztahů. Tak jako heslo „Napřed demokratizace a potom federalizace" bylo od základu falešné, nemohl fungovat ani opačný vztah – federalizace bez demokratizace nemohla být skutečnou, ale pouze fiktivní federací. Ukázalo se, že pro celý další vývoj v Československu byla rozhodující noc z 20. na 21. srpen 1968.

OKUPACE VOJSKY VARŠAVSKÉ SMLOUVY

Sympatie obyvatelstva i zahraničí k československým reformám však nepřesvědčily vedoucí představitele Sovětského svazu v čele s Leonidem Brežněvem, ani mnohé představitele ostatních komunistických stran. V československém reformním hnutí viděli nebezpečný pohyb, který mohl ohrozit jejich vlastní pozice. Straničtí bosové v Moskvě nesli s nelibostí, že reformní iniciativa vzniká mimo okruh sovětských komunistů. Proto také mnozí z nich, byť z počátku umírněným reformám naklonění, odmítli československý pohyb. Pro konzervativní představitele komunistických stran československý demokratizační proces ohrožoval sovětský model socialismu, a proto se ho rozhodli násilím přerušit.

V noci 20. srpna ve 23 hodin vstoupila vojska pěti států Varšavské smlouvy (Sovětského svazu, NDR, Polska, Maďarska a Bulharska) na území Československa. Vojenské akce se zúčastnilo 27 divizí, půl milionu vojáků, 800 letadel, více než 6300 tanků a 2000 děl. Byla to největší ozbrojená akce v Evropě od skončení druhé světové války. Alexander Dubček a ostatní přední představitelé KSČ byli zatčeni a odvlečeni nejprve na Ukrajinu, později do Moskvy. Zemi okupovala vojska Varšavské smlouvy; od jejího vzniku roku 1955 se vlastně jednalo o jedinou větší akci tohoto vojenského uskupení. Je příznačné, že se uskutečnila proti jednomu ze svých členů.

Předsednictvo ústředního výboru KSČ ještě v noci 21. srpna vydalo prohlášení, v němž se uvádělo, že vojenská akce Varšavské smlouvy se uskutečnila bez vědomí prezidenta republiky i bez vědomí všech státních, ústavních i stranických orgánů. V prohlášení se dále říkalo: „Předsednictvo ÚV KSČ vyzývá všechny občany naší republiky, aby zachovali klid a nekladli postupujícím vojskům odpor. Proto ani naše armáda, bezpečnost a lidové milice nedostaly rozkaz k obraně země. Předsednictvo ÚV KSČ považuje tento akt za odporující nejen všem zásadám vztahů mezi socialistickými státy, ale za popření základních norem mezinárodního práva." Okamžitě bylo svoláno zasedání parlamentu, vlády a ústředního výboru KSČ. Tajně, bez vědomí okupačních vojsk se v Praze-Vysočanech sešel mimořádný XIV. sjezd KSČ, který vojenskou okupaci země tvrdě odsoudil.

Československá armáda tedy zůstala v kasárnách. Na ulicích však pokračovaly bouřlivé demonstrace. Dne 23. srpna se v celé republice konala jednohodinová protestní generální stávka. Na více místech použila vojska Varšavské smlouvy proti civilnímu demonstrujícímu obyvatelstvu zbraně. Několik desítek lidí bylo zabito, další byli zraněni.

Pod vojenským tlakem a hrozbami „nedozírných následků" byli nakonec přední činitelé KSČ a státu donuceni podepsat v Moskvě „dohodu" o konsolidaci. Delegace vedená prezidentem republiky Ludvíkem Svobodou měla v úmyslu dosáhnout propuštění internovaných československých představitelů v čele s Dubčekem. Podlehli však mocenskému diktátu a otevřenému násilí. Jednání v Moskvě, jichž se zúčastnili už také internovaní představitelé strany, vlády a parlamentu – Alexander Dubček, Oldřich Černík a Josef Smrkovský –, byla ve skutečnosti moskevským diktátem. V konečném protokolu z 26. srpna museli českoslovenští představitelé souhlasit s neplatností mimořádného XIV. sjezdu KSČ, zavázali se udělat kroky k „normalizaci" situace v zemi, uvolnit z funkcí osoby, označené za nositele kontrarevoluce. Přední funkcionáři, včetně Dubčeka, předběžně zůstávali ve funkcích. Protokol je však zavazoval,

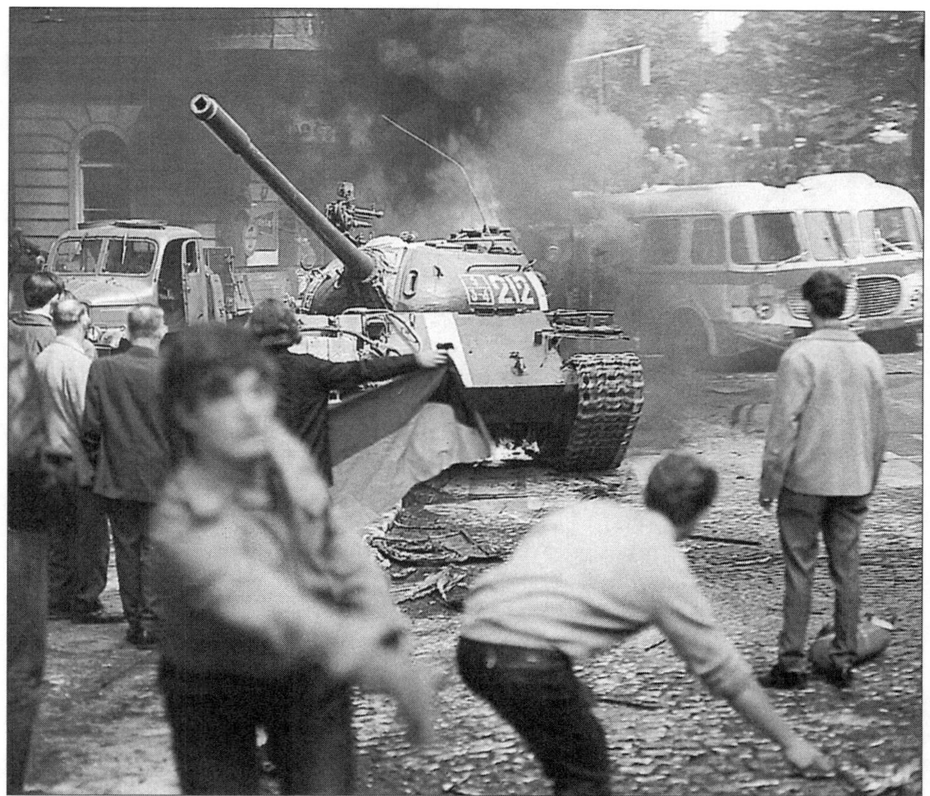
212

21. srpen 1968

aby ovládli a kontrolovali masové sdělovací prostředky. Zároveň se museli českoslovenští činitelé zavázat, že ponechají ve funkcích všechny ty komunisty, kteří před srpnem i po vojenském zásahu bojovali proti „kontrarevoluci“, tj. otevřeně kolaborovali s okupační mocí. Sovětské vedení pouze formálně přislíbilo, že vojska nebudou zasahovat do vnitřních záležitostí a že odejdou, jakmile pomine nebezpečí ohrožení socialistického zřízení.

Při moskevských jednáních se zřejmě „dobře zapsal“ Gustáv Husák, který se stal Brežněvovým favoritem. Hned po návratu z Moskvy se zapojil do jednání mimořádného sjezdu KSS, který se konal v Bratislavě a na němž byl zvolen prvním tajemníkem ústředního výboru KSS. Průběh i výsledky sjezdu byly symptomatické pro tehdejší poměry, neboť jeho jednání začalo velmi revolučně. Sjezdoví delegáti se nejprve přihlásili se k závěrům XIV. mimořádného sjezdu, ale pak Gustáv Husák vynaložil velké úsilí, aby toto usnesení zvrátil. Demagogicky argumentoval „slovenskou kartou“, především tím, že na mimořádném vysočanském sjezdu nebylo přítomno ani deset procent slovenských delegátů.

Srpen 1968 v Bratislavě

Husákovi se nakonec podařilo, že se slovenský sjezd distancoval od tzv. XIV. vysočanského sjezdu. Na druhé straně však došlo k drtivé porážce konzervativních komunistů, jejichž hlavní představitelé v čele s Biľakem nebyli do nového ústředního výboru vůbec zvoleni. Pouze Husák posílil svou pozici.

Závěry moskevských jednání se postupně začaly uvádět do života, když ústřední výbor KSČ schválil 31. srpna, deset dní po vstupu vojsk do Československa, tzv. moskevský protokol. Národní shromáždění pak přijalo 13. září zákon o opatřeních v oblasti masově komunikačních prostředků a 16. října byla v Praze podepsána dohoda o „dočasném pobytu“ sovětských vojsk v Československu. Sovětská strana odmítla blíže časově určit tento „dočasný pobyt“. Dne 18. října přijalo zákon o „dočasném pobytu“ sovětských vojsk také Národní shromáždění.

Alexander Dubček zůstal zatím ve funkci, ale odpůrci reforem posílili své pozice a pod jejich tlakem se reformní komunisté museli vzdávat jedné pozice za druhou. Ve vojensky okupované a z Moskvy kontrolované zemi už nebylo místo pro reformy, i když obyvatelstvo žilo stále ještě několik měsíců v horečné aktivitě.

Pod tlakem sovětského vedení se mezi bývalými stoupenci reforem vytvořila silná skupina tzv. „realistů", kteří se za cenu udržení vlastních pozic podřídili diktátu z Moskvy. Fronta reformních komunistů se tak rozštěpila a nejexponovanější stoupenci reforem se dostávali postupně do izolace. Tento trend posílilo zasedání ústředního výboru KSČ ve dnech 14.–17. listopadu v Praze, kdy byla přijata dvě důležitá organizační opatření. Vytvořil se výkonný výbor předsednictva strany, jakési „užší předsednictvo" s rozsáhlými pravomocemi. V tomto osmičlenném výboru zůstali z exponovaných reformních komunistů pouze Dubček a Smrkovský. Vzhledem k federativnímu uspořádání státu se vytvořilo Byro ÚV KSČ pro řízení stranické práce v českých zemích v čele s „realistou" Lubomírem Štrougalem. Protože stranu na Slovensku vedl další „realista" Husák, pozice Dubčeka, a tím i ostatních stoupenců reforem, byly značně oslabeny. Stalo se jen otázkou času, kdy dojde k personálním výměnám.

Ztroskotání reformního hnutí v Československu potvrdilo fakt, že komunistický systém nelze reformovat, že se jedná jen o iluzi, kterou však mnozí stoupenci „demokratického socialismu", zejména mezi západoevropskými levicovými intelektuály, ještě dlouhá léta udržovali při životě. Postup dogmatiků a aparátčíků v Moskvě a jejich domácích pomahačů byl však systematický a neúprosný. V dubnu 1969 byl Alexander Dubček sesazen z funkce prvního tajemníka ústředního výboru KSČ a na jeho místo nastoupil Gustáv Husák.

Slováka Dubčeka nahradil Slovák Husák, jeden z předních činitelů povstání roku 1944, později aktivní účastník komunistického převratu, ale také „buržoazní nacionalista", odsouzený roku 1954 k doživotnímu vězení. Husák požíval po svém nástupu jistý kredit i podporu části obyvatelstva. Mnozí reformní komunisté, kteří ho považovali za svého člověka, doufali, že se mu podaří zachránit aspoň něco z československých reforem. Nelítostná realita kolaborace s velmocí však brzy všechny zbavila posledních iluzí. Mocichtivý Gustáv Husák se stal přímo symbolem normalizace a postupně nejnenáviděnějším člověkem ve státě, jejž představoval od roku 1975 také jako prezident.

13 OD „NORMALIZACE“ K NOVÉ NADĚJI

HUSÁKOVSKÁ „NORMALIZACE“

„Normalizací“ je v dějinách Československa označováno období od roku 1969 až do poloviny osmdesátých let. Pod tímto heslem začali dogmatičtí komunisté upevňovat svou moc a vraceli poměry v zemi do kolejí, které pokládali za „normální“, tedy zpátky od reforem k strnulému dogmatismu padesátých let.

„Normalizace“ začala postupně a vlastně už hned po vstupu vojsk Varšavské smlouvy do Československa a po podepsání moskevského protokolu. Už koncem roku 1968 bylo jasné, že s pokračováním reforem nelze počítat. Na protest proti tomuto směřování Československa se 16. ledna 1969 na Václavském náměstí v Praze upálil mladý český vysokoškolák Jan Palach. Jeho zoufalý čin nemohl zvrátit vývoj, měl však v celé společnosti velkou odezvu. Na Komenského univerzitě v Bratislavě drželo od 20. do 25. ledna, tedy do dne Palachova pohřbu,

Gustáv Husák a Vasil Biľak, dva hlavní „hrdinové“ česko-slovenské normalizace

19 studentů hladovku. „Normalizátory" to však nemohlo zastavit. Stejně neúčinné bylo vzdorování odborů. Ve dnech 4.–7. března 1969 se v Praze konal VII. všeodborový sjezd, jehož jednání se stále ještě neslo v reformním duchu roku 1968. Stejné zaměření měly také přijaté dokumenty – *Charta odborového hnutí* a nové stanovy.

Ale již za několik dní, na zasedání ústředního výboru KSS v Bratislavě, Gustáv Husák, vehementně se deroucí do Brežněvovy přízně, ostře zaútočil na reformní novináře a mnohé reformní politiky, mezi něž se ještě nedávno počítal. Předsednictvo ústředního výboru KSČ pak přijalo začátkem dubna opatření ke kontrole sdělovacích prostředků. Dne 13. dubna 1969 se na letišti v Mukačevě setkal Gustáv Husák s Leonidem Brežněvem a právě zde dostal šéf slovenských komunistů poslední požehnání před chystaným zasedáním ústředního výboru KSČ.

Jan Palach

Zasedání ÚV KSČ v dubnu 1969 se stalo i navenek jasným signálem mohutného nástupu „normalizace", když na postu vedoucího tajemníka ÚV KSČ nahradil Alexandra Dubčeka právě Gustáv Husák. Dubček byl prozatím „odklizen" do funkce předsedy federálního parlamentu, ve které však vydržel pouze do října, kdy byl spolu s Josefem Smrkovským z funkce odvolán. Nakrátko se pak stal velvyslancem v Turecku, avšak i odtud ho „normalizátoři" vytlačili – v dalších letech až do odchodu do důchodu pracoval Dubček, vyloučený ze strany a pod stálým policejním dohledem, jako technik v lesním závodě. Už ze spěchu, s nímž „normalizace" pokračovala v obsazování rozhodujících funkcí, bylo zřejmé, že podobný proces brzy zasáhne celou společnost.

Přesto však ještě jistou dobu někteří reformní komunisté doufali, že se jim podaří s Husákovou pomocí zachránit aspoň něco z československých reforem. Ve skutečnosti však ihned po Husákově nástupu začala fungovat represivní stranická mašinérie, která se na přelomu let 1969–1970 roztočila zjevně a naplno. Okolo Gustáva Husáka se začali shromažďovat ortodoxní komunisté, kteří byli v dobách reforem odsunuti, nebo se cítili ohroženi. K nim se postupně přidávali další „prohlédnuvší", většinou lidé neschopní, kteří v ovzduší reforem a konkurence intelektuální elity neměli možnost zaujmout významnější pozice. Teď cítili svou příležitost. Mnozí z nich dokonce patřili k Husákovým odpůrcům, který byl přece jen v letech 1968–1969 považován za stoupence reforem. Nyní musel strpět jejich návrat do pozic, ba co víc, záhy se stal jejich zajatcem. Sám Husák si udržoval svoje postavení pouze posunem své politiky na jasně protireformní stanovisko.

Gustáv Husák se snažil vydávat federalizaci Československa za své dílo. Jako příslušník povstalecké Slovenské národní rady měl k tomu konec konců jistou legitimitu. Po svém nástupu do nejvyšší stranické funkce však zájem o decentralizaci státu, kterou představovala federalizace, ztratil. Jeho úsilí se napnulo naopak k co největší centralizaci politické a státní moci. Vyhovovala mu tedy pouze formální, papírová federace.

Ovšem formální federace popudila nakonec proti Husákovi nejen českou, ale také slovenskou veřejnost. Za komunistické diktatury nemohla fungovat žádná skutečná federace, neboť ta předpokládala demokratický režim a transparentnost politiky. V normalizačních poměrech se o všem rozhodovalo v úzkém kruhu vedení KSČ, která federalizovaná nikdy nebyla. S Husákovou podporou se v únoru 1970 stal prvním tajemníkem ústředního výboru KSS Jozef Lenárt, někdejší Husákův politický odpůrce, jeden z představitelů konzervativních probrežněvovských sil mezi československými komunisty. Bylo tedy logické, že už koncem roku 1970, tedy necelé dva roky poté, co začala fungovat federace, Federální shromáždění přijalo ústavní zákony č. 125 a 133, jež oslabovaly pravomoci národních institucí a opětně posilovaly centralismus. I federalizace se tedy stala obětí „normalizace".

Všechny vymoženosti demokratizačního procesu z roku 1968 byly postupně zlikvidovány. Cenzura sice nebyla formálně zavedena, stranické orgány si však našly způsob jak ovládnout a kontrolovat masově komunikační prostředky. To byl vůbec první a nejdůležitější úkol, který si „normalizátoři" vytyčili a na němž trvalo i moskevské stranické vedení. Prvním nezbytným krokem se stalo najít mezi novináři ochotné spolupracovníky, což se podařilo velmi rychle. Dne 17. května 1969 více než sto českých a slovenských novinářů uveřejnilo prohlášení nazvané *Do vlastních řad.* Představovalo vlastně první dokument kritizující „protisocialistické" tendence v tisku od ledna 1968. Krátce nato se podařilo dosáhnout, že předsednictvo Svazu slovenských novinářů přijalo prohlášení, v němž vyjádřilo plnou podporu tehdejší politické linii KSČ, tedy linii „normalizační". Na Slovensku, stejně jako v českých zemích, byly postupně zastaveny nejexponovanější časopisy, jako například *Literární život* či časopis vysokoškoláků *Reflex*; *Kultúrny život* přestal vycházet již v září 1968. Tribunou „normalizátorů" v politické i kulturní oblasti se stal týdeník *Nové slovo.* Konečně na celostátním aktivu novinářů-komunistů v Praze dne 2. července 1969 se jeho účastníci vyslovili pro obnovení principu stranickosti v žurnalistice. Redakce novin a časopisů se pak z obav před zastavením začaly samy „normalizovat", opustily kritické a reformátorské pozice a přizpůsobovaly se momentální politické situaci. Ovšem po příslušných změnách svých ansámblů.

Drasticky byly omezeny možnosti cestovat do zemí demokratického světa. Komunističtí aktivisté, kteří se sami nazvali „zdravým jádrem", podobně jako kdysi akční výbory Národní fronty, začali provádět čistky. Všichni komunisté museli projít prověrkami; vyžadovalo se od nich vyjádření souhlasu s „internacionální pomocí“ v srpnu 1968. Nesouhlasící anebo ti, kdo se v demokratizačním procesu příliš angažovali, byli z řad KSČ vyloučeni. Ovšem vyloučení z komunistické strany mělo okamžitě za následek ztrátu zaměstnání nejen v stranických aparátech, ale také ve významnějších podnicích, ve školách, vědeckých ústavech, v armádě, ve státní správě. Statisíce lidí přišlo o své zaměstnání. Náhradou dostali nekvalifikovaná a špatně placená místa.

POUČENIE z krízového vývoja v strane a spoločnosti po XIII. zjazde KSČ

Schválené na plenárnom zasadaní ÚV KSČ v decembri 1970

Biblí normalizační éry se stalo „Poučení z krizové vývoje“

Nejvyšší státní orgány začaly odvolávat svá četná usnesení z roku 1968. Dne 9. září tak učinil ústřední výbor KSS a později, 25.–29. září, rovněž ústřední výbor KSČ. Na tomto zasedání vystoupil Gustáv Husák s drtivou kritikou reformního hnutí pod Dubčekovým vedením. V listopadu 1969 byla svolána celostátní porada komunistů-funkcionářů národních výborů, na níž se rozhodlo o „očistě“ národních výborů od všech „oportunistů“. Podobným způsobem postupovaly i ostatní státní orgány a důležité instituce. Dne 20. listopadu 1969 ústřední a kontrolní revizní komise KSS rozhodla, aby se všichni přední slovenští intelektuálové a pracovníci v oblasti sdělovacích prostředků podrobili stranickému vyšetřování.

Začátkem roku 1970 ústřední výbor KSČ rozhodl o „výměně členských průkazů“. Celá tato akce spojená s pohovory se stala hlavním prostředkem boje „normalizátorů“ proti všem reformním komunistům. Na Slovensku bylo z KSS vyloučeno 53 000 členů, z čehož téměř polovina patřila k inteligenci. Vzápětí následoval pokyn, aby se provedly „pohovory“ i s bezpartijními, pracujícími na vysokých školách, ve výzkumných ústavech, v armádě, státní správě, v masmédiích, v kulturních institucích a uměleckých svazech. V důsledku těchto „pohovorů“ přišly o místo, respektive o členství v uměleckých svazech další desetitisíce příslušníků inteligence.

Běžnou metodou v oblasti kultury se stalo zrušení stávajících uměleckých svazů a založení nových. V Bratislavě se tak již 11. června 1969 konal zakládající sjezd Svazu slovenských spisovatelů, jenž přijal do svých řad pouze osvědčené a prověřené soudruhy. Obdobně se postupovalo i v ostatních uměleckých svazech. Na rozdíl od padesátých let se nekonaly politické monstrprocesy. Soudní stíhání některých nejexponovanějších odpůrců „normalizace“ neskon-

Komunističtí předáci podepisují se sovětskými představiteli dohodu o přátelství, spolupráci a vzájemné pomoci „na věčné časy“, zahrnující také umístění sovětských vojsk na čsl. území

čilo „exemplárními tresty“ a vládní moc je spíš tajila, než propagovala. Čistky však postihly velký počet převážně kvalifikovaných lidí, a ochromily tím vývoj celé společnosti.

Ve způsobu provádění čistek byl jistý rozdíl mezi Slovenskem a českými zeměmi. Zatímco v českých zemích, a zejména v Praze, probíhaly čistky velmi radikálně a přední vědci a vysokoškolští učitelé byli degradováni na místa manuálních pracovníků, na Slovensku nebyl tento proces tolik drastický. Postižení sice museli opustit místa ve vědeckých institucích a na vysokých školách, byli však umístěni do muzeí, knihoven a na méně kvalifikovaná místa, kde však měli alespoň minimální šanci pracovat v souladu se svou kvalifikací. Zákaz publikovat postihl ovšem nepohodlné intelektuály v Čechách stejně jako na Slovensku.

Mnozí občané po vojenské okupaci republiky emigrovali do zahraničí. Jednalo se o jednu z největších emigračních vln v dějinách Slovenska, v jejímž důsledku opustilo zemi mnoho vysoce kvalifikovaných odborníků.

Nová moc si pospíšila vytvořit novou ideologii, jakýsi zjednodušený katechismus normalizátorů. V prosinci 1970 přijal ústřední výbor KSČ *Poučení z krizového vývoje ve straně a společnosti*. Byl to souhrn pouček, který obsahoval hodnocení vývoje v Československu na sklonku šedesátých let. Souhlas s tímto dokumentem se vyžadoval od všech řídících pracovníků, učitelů, vědců, kulturních pracovníků, jeho odmítnutí znamenalo okamžitou diskvalifikaci. Základním tenorem „Poučení" bylo odmítnutí reforem a prakticky návrat k starým metodám řízení, k státnímu centralismu a dirigismu, k přísně plánovanému hospodářství. Dokument dostal právem název „Manifest neostalinismu".

Vedoucí straničtí funkcionáři, kteří se po likvidaci „pražského jara" vojsky Varšavské smlouvy znovu dostali k moci, dělali všechno pro to, aby se ve svých funkcích již udrželi trvale. Zároveň se snažili petrifikovat centralistický systém řízení společnosti. Znovu byl vytvořen fungující model Národní fronty, v němž se všechny politické strany a společenské organizace podřídily diktátu komunistické strany. Ten byl také začátkem roku 1971 potvrzen, když byl do čela Národní fronty jmenován Gustáv Husák jako nejvyšší komunistický funkcionář.

Na květen 1971 svolal ústřední výbor KSČ XIV. sjezd komunistické strany. Sjezd označovaný jako XIV. se sice konal již v srpnu 1968 v Praze-Vysočanech a jeho účastníci se tehdy rozhodně postavili proti okupaci Československa. Samozřejmě, podle závěrů moskevského protokolu však musel být anulován a z vůle normalizátorů měl být vymazán z lidské paměti. Na novém XIV. sjezdu se do ústředního výboru a do všech funkcí dostali výhradně jen dogmatičtí „starokomunisté" a normalizátoři. Rozdělení funkcí, k němuž tehdy došlo, vydrželo až na malé změny téměř 20 let, prakticky až do pádu komunistického režimu v listopadu 1989. V nejvyšší stranické funkci, která se změnila z prvního tajemníka na generálního tajemníka, byl potvrzen Gustáv Husák. Komunistická strana zinscenovala za této situace i parlamentní volby, samozřejmě s jednotnou kandidátkou. Původně se měly volby konat již v listopadu 1968 a počítalo se s tzv. vícemandátovými obvody, což by znamenalo alespoň částečnou možnost volby. Aby se tomu předešlo, přijal parlament v říjnu 1969 zákon o prodloužení volebního období. Teprve roku 1971 si byli komunisté natolik jisti svými pozicemi, že vyhlásili na konec listopadu parlamentní volby, rozumí se, pod naprostou kontrolou „normalizátorů". Pro kandidáty Národní fronty, tj. pro kandidáty-normalizátory, hlasovalo 99,9 % voličů na Slovensku, přičemž voleb se zúčastnilo 99,8 % oprávněných voličů. I když se volby konaly už v atmosféře brutálního zastrašování, uvedené výsledky evidentně svědčí o ústředním zmanipulování voleb.

V průběhu roku 1972 proběhly celostátní sjezdy jednotných zemědělských družstev (v dubnu) a odborů (v květnu). Odborářský sjezd anuloval všechna usnesení, která nebyla v souladu s normalizační politikou, a odbory se od té chvíle staly tím, čím je komunističtí aparátčíci chtěli mít – poslušným přívěskem komunistické strany, který ochotně realizoval všechna stranická usnesení. V září došlo k zglajchšaltování mládežnických organizací tím, že byl vytvořen jednotný Socialistický svaz mládeže.

Vedení KSČ postupovalo systematicky, a tak se ještě během téhož roku 1972 znovu dostala na program dne vědecká a kulturní sféra. Právě v této oblasti viděli komunisté potenciálně největší nebezpečí pro své pozice ve společnosti. Vždyť právě věda a kultura připravovaly ve společnosti půdu pro reformní pohyb pražského jara. Aby už předem umlčeli jakoukoli nespokojenost a opozici, vypracovali na ústředním výboru KSČ za aktivní pomoci přisluhovačů z řad umělců a vědců dokument nazvaný *Za nové tvůrčí činy socialistického umění* a květnová zasedání nejvyšších stranických orgánů se věnovala otázkám vědy. Byla tu zřejmá snaha udělat si z vědy a umění poslušné přisluhovače. Ideologický dozor nad společností považovali komunističtí normalizátoři za jeden z nejdůležitějších faktorů jak si trvale upevnit vlastní pozice a nepřipustit návrat k reformnímu kursu.

Zahraniční politika republiky byla již od konce druhé světové války limitovaná skutečností, že Sovětský svaz začlenil Československo do své sféry vlivu. Proto již brzy přestala postupně existovat, když všechna mezinárodněpolitická rozhodnutí se dělala v Moskvě. Tento trend po roce 1969 ještě zesílil. V Moskvě nezapomněli na projev československého ministra zahraničních věcí Jiřího Hájka v OSN po srpnové okupaci roku 1968, v němž obvinil státy Varšavské smlouvy v čele se Sovětským svazem z porušování mezinárodního práva. Taková rizika se v Moskvě rozhodli vyloučit, a tak normalizátorský ministr zahraničních věcí Bohuš Chňoupek zůstal vždy poslušným a povolným vykonavatelem příkazů Moskvy. Suverenitu Československa značně omezila i „smlouva o přátelství, spolupráci a vzájemné pomoci se Sovětským svazem", podepsaná 6. května 1970. Měla mít platnost po dobu 20 let, ale v tehdejší situaci ji občané považovali za smlouvu „na věčné časy". I nejvýznamnější zahraničněpolitická aktivita Československa v letech normalizace – mezistátní smlouva mezi ČSSR a Spolkovou republikou Německem z roku 1973 – byla iniciována (a předem schválena) v Moskvě a stala se součástí sovětské zahraničněpolitické linie. V Moskvě museli československé komunisty k smlouvě doslova dotlačit. Pochopitelně i československá účast na helsinském procesu – při podpisu závěrečného aktu roku 1975 a následných jednáních a akcích – byla koordinovanou akcí celého sovětského bloku.

EKONOMICKÁ A TECHNOLOGICKÁ STAGNACE

Důsledky politického vývoje se projevily negativně i v hospodářské sféře. Opožďování za vývojem světového hospodářství a stále větší izolovanost od světových trhů nedávaly československé ekonomice naději na zásadní zlepšení.

Od poloviny roku 1973 došlo k prudkému růstu cen surovin a materiálů na světových trzích. Československo nakupovalo zhruba třetinu surovin na trzích za světové ceny. Ekonomicky vyspělé země se s jejich růstem postupně vyrovnaly, ale v Československu, kde se dostaly k moci staré, neschopné kádry a kde se prosadily zkostnatělé metody plánování, však došlo k prudkému poklesu výroby a k hluboké ekonomické krizi. Stranické orgány nenašly na zhoršující se situaci přiměřenou odpověď. Znovu se začalo s vyhotovováním pětiletých plánů s voluntaristicky a nereálně vytčenými cíli, které se ovšem nedařilo plnit. Československo se tak ještě víc vzdalovalo od vyspělých průmyslových zemí a upadalo na úroveň zemí třetího světa.

I slovenská města se obklopila věncem typizovaných sídlišť, na obrázku ta v Košicích

Vývoj na světových trzích nutil československou vládu omezovat i nákup potravin a zemědělských produktů. Zasedání ústředního výboru KSČ a ústředního výboru KSS v říjnu 1975 reagovala na situaci stanovením plánu soběstačnosti v základních potravinách. K tomu však nebyly v zemi vytvořeny ekonomické podmínky. Zemědělskou výrobu se dařilo udržovat jakžtakž na úrovni pouze přehnanou chemizací, což šlo na úkor životního prostředí i zdraví, a také dík obrovským státním dotacím, k čemuž však stagnující ekonomika nevytvářela dostatečné rezervy. V konečném důsledku ruinovaly celou společnost.

Po zemědělství se do hluboké krize dostaly těžba uhlí, hutnictví a strojírenství. Také v těchto odvětvích se pomocí státních dotací udržovala výroba, která se však nedokázala uplatnit na trzích. Navzdory všem optimistickým plánům a komunistickým sloganům došlo od konce sedmdesátých let k poklesu životní úrovně obyvatelstva. Byl to pokles postupný, ale stále zřetelnější. V dramatické situaci se normalizátorští ekonomové a politici rozhodli sáhnout na všechny rezervy a udržovali ekonomiku a sociální situaci na alespoň přijatelné úrovni pouze za cenu rezignace na budoucí rozvoj, a tedy na úkor budoucích generací. Ekonomika a státní rozpočet běžely nadoraz, komunistické sny o budoucnosti se proměnily v úpornou snahu přežít z roku na rok.

Na Slovensku znamenal konec reforem návrat k starým extenzivním formám ekonomiky. Nadále se industrializovalo, stavěly se velké továrny, výroba stoupala, ale odbyt na světových trzích byl minimální. Pokud existoval trh v rámci východního bloku, zajistil se odbyt některých výrobků. Byla to industrializace podle koncepce z padesátých let, která už neodpovídala tehdejšímu trendu a podmínkám. Vyrábělo se zastaralou technologií, často jen pro přeplněné sklady, ale zaměstnanost dosahovala i nadále sta procent.

Celý východní blok byl ekonomicky závislý na Sovětském svazu, který zaujímal pozici největšího odběratele výrobků a zároveň hlavního dodavatele surovin. Tato závislost byla v slovenském průmyslu mnohem větší než kdekoli jinde, navíc zdejší velké průmyslové podniky – těžká chemie, výroba mědi, hliníku, energetické závody a podobně – se stávaly zátěží pro celou zemi, neboť navíc poškozovaly životní prostředí a krajinu. Dalším břemenem domácí ekonomiky byly velké zbrojařské podniky, přímo závislé na existenci Varšavské smlouvy. Stagnaci se vládnoucí komunistické garnituře speciálně na Slovensku dařilo kompenzovat tak, že se nevytvářely prakticky žádné zásoby, neinvestovalo se do technologie a modernizace výroby, ale všechno, co se vyprodukovalo, se ihned spotřebovalo. Ani za tuto cenu však životní úroveň nestoupala.

Nepříznivé trendy se po roce 1970 staly trvalými a za celou dobu se nepodařilo stagnaci překonat. Nepomohly ani různé „zdokonalené modely nebo metody řízení". Lubomír Štrougal, všeobecně považovaný za schopného pragmatika a od roku 1970 předseda federální vlády, nenašel na tento negativní jev žádnou odpověď. V nefunkční federaci se navíc na Slovensku nemohla projevit žádná samostatná iniciativa, čehož ovšem vedoucí slovenská garnitura ani nebyla schopna. Komunistický hospodářský model, založený na přísné centralizaci a na voluntaristickém plánování, nebyl perspektivní a nedal se už ani podstatným způsobem reformovat.

CHARTA 77 A JINÉ OPOZIČNÍ SPOLEČENSKÉ AKTIVITY

Od samého nástupu „normalizace" existovaly v zemi síly, které se nesmířily s daným stavem. Nemohly sice vystupovat na veřejnosti, pokoušely se však využít všech možností, jež se jim naskytly, aby mohly otevřeně projevit svůj opoziční názor. Příznivější situace se rozhodly využít po podepsání Závěrečného aktu helsinské Konference o bezpečnosti a spolupráci v Evropě 1. srpna 1975, v němž se také Československo zavázalo kromě jiného dodržovat lidská práva.

Lidská práva proklamovaná v Helsinkách, ale systematicky porušovaná komunistickým režimem, poskytla prostor různým aktivitám. Když byl Závěrečný akt spolu s paktem o lidských právech ratifikován československým parlamentem, oba dokumenty se staly součástí československého právního řádu. Jejich

Socialistický 1. máj v Bratislavě

důsledné plnění v oblasti lidských práv, náboženských svobod a životního prostředí však dělalo československým stranickým a politickým orgánům evidentní problémy, na což bylo kriticky poukázáno už na následné konferenci KBSE v Bělehradě roku 1977. Nebyla to tedy náhoda, když se opoziční síly v Československu začaly organizovat na základě lidských a náboženských práv a environmentálního hnutí.

Na obranu lidských práv se na Nový rok 1977 ustavilo neformální společenství, které publikovalo Chartu 77. V jejím prohlášení se o stavu svobod vyplývajících z dokumentů podepsaných v Helsinkách konstatovalo: „Svobody a práva, jež tyto pakty zaručují, jsou důležitými civilizačními hodnotami, k nimž směřovalo v dějinách úsilí mnoha pokrokových lidí a jejichž uzákonění může významně pomoci humánnímu rozvoji naší společnosti. Vítáme proto, že vláda ČSSR k těmto paktům přistoupila. Jejich uveřejnění nám však s novou naléhavostí připomíná, kolik základních občanských práv platí v naší zemi zatím – bohužel – pouze na papíře." A pak následoval výčet všech důležitých prohřešků, jichž se orgány v Československu dopouštěly: nedodržování svobody projevu, odpírání „osvobození od strachu" občanům za projevené názory, nedodržování práva na vzdělání, nemožnost volného šíření informací, potlačování svobody náboženského vyznání, neexistence svobodných a nezávislých institucí chránících občana, porušování svobody soukromého života odposloucháváním telefonických hovorů a kontrolou pošty, porušování práva svobodně opustit zemi a existence politicky motivovaných trestních procesů.

Signatáři Charty, jichž bylo zprvu 242, se v prohlášení přihlašovali k občanské angažovanosti a odpovědnosti: „Odpovědnost za dodržování občanských práv v zemi padá samozřejmě především na politickou a státní moc. Ale nejen na ni. Každý nese svůj díl odpovědnosti za obecné poměry, a tedy i za dodržování uzákoněných paktů, které k tomu zavazují nakonec nejen vlády, ale také všechny občany."

Charta jako občanské sdružení se pravidelně vyjadřovala k nejrůznějším politickým a společenským otázkám, k dodržování lidských práv i k otázkám ekologickým. Za celé období se pod prohlášení Charty podepsalo téměř 2000 občanů. Prvními mluvčími Charty 77 byli filosof Jan Patočka, historik a politolog Jiří Hájek a spisovatel Václav Havel. V dalším období se mluvčí Charty střídali.

Pro normalizátory byla Charta 77 výzvou, na niž reagovali represáliemi. Signatáři Charty, jichž postupně přibývalo, byli sledováni, občas vězněni, byla proti nim organizována shromáždění, jejichž cílem bylo odsoudit hnutí Charty jako dílo „imperialistických sil". Přes pronásledování a teror hnutí Charty vydrželo až do pádu komunismu v listopadu 1989.

V dubnu 1978 založili signatáři Charty 77 Výbor na obranu nespravedlivě stíhaných, který zjišťoval a uveřejňoval případy soudní a policejní perzekuce z politických důvodů. Za deset let své činnosti podal téměř 800 oznámení o nespravedlivě pronásledovaných. Uveřejňování těchto skutečností mělo smysl především proto, že upozorňovalo světovou veřejnost na politicky motivované stíhání a procesy; zároveň se v mnoha případech podařilo zmírnit vynesené

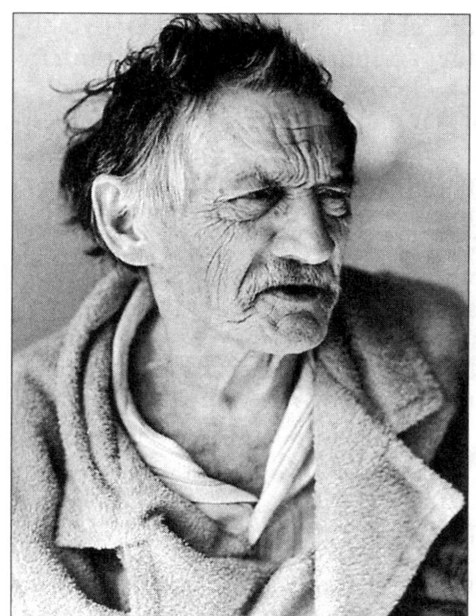

Dva nejznámější slovenští disidenti – spisovatel Dominik Tatarka (1913–1989) a publicista Milan Šimečka (1930–1990)

tresty, respektive docílit propuštění některých stíhaných, protože československá vláda nemohla zcela ignorovat protesty světové veřejnosti.

Iniciativa v chartistickém hnutí byla zejména na českém disentu, ale i na Slovensku se podařilo vytvořit skupinku signatářů a podporovatelů Charty, která ve spolupráci s českými kolegy rozvinula disidentské hnutí, ostře sledované a pronásledované státní bezpečností. Jádro tvořili slovenští intelektuálové sdružení kolem publicisty a filosofa Milana Šimečky. Další takovou skupinou se staly organizace ochránců přírody a životního prostředí, které od ekologických aktivit přecházely k odmítání komunistického režimu jako takového. Mimo Chartu se po letech mlčení přihlásil o slovo i Alexander Dubček, který roku 1976 využil skutečnosti, že se v Německé demokratické republice připravovala konference evropských komunistických stran, a rozeslal představitelům komunistických stran dopisy, v nichž žádal, aby se porada zabývala také situací v Československu. Požadoval, aby se komunistické strany postavily na obranu československých reformních komunistů, kteří byli pronásledováni politicky, sociálně i občansky. Porada komunistických stran vedená sovětskými komunisty se sice Dubčekovými dopisy nezabývala, nicméně jejich publikování vyvolalo ohlas v evropské veřejnosti a znovu obrátilo pozornost k dění v Československu. Aktivní byli i bojovníci za náboženskou svobodu, hlavně mezi slovenskými katolíky. Impulsem pro organizování poutí se stal mariánský rok, vyhlášený papežem Janem Pavlem II. v létě 1987.

Za situace, kdy v „normalizačních“ podmínkách sledovala každý pohyb občana všemocná státní bezpečnost, kontakty odpůrců režimu se zahraničím probíhaly velmi komplikovaně. Účinněji koordinovat aktivity domácích disidentů s krajany a emigrací v zahraničí bylo téměř vyloučeno. Zahraniční Slováci sice vytvořili roku 1970 za předsednictví průmyslníka Štefana B. Romana celosvětovou organizaci – Svetový kongres Slovákov, ta však nemohla být oporou domácí opozici. Konec konců i samotný Svetový kongres Slovákov trpěl odtržeností od kontaktů a informací ze Slovenska.

Menší ohlas Charty na Slovensku souvisel také se skutečností, že normalizační režim se zde nezdál tak tvrdý a postihy intelektuálů byly podstatně mírnější. Postupem doby se však i na Slovensku začaly organizovat různé skupiny opozičně naladěných občanů, ať už na základě občanském, ekologickém nebo náboženském. Aktivity těchto opozičních sdružení byly povzbuzeny změnami v Sovětském svazu a nástupem Michaila Gorbačova s kursem „perestrojky“.

„ADVENT NĚŽNÉ REVOLUCE“: GLASNOST A PERESTROJKA

V mocenském rozložení sil ve světě, v němž se Československo nacházelo v sovětské sféře vlivu, se pro další osudy země stal nakonec rozhodujícím vývoj v samotném Sovětském svazu. Pouze domácími silami nebylo možné dosáhnout změny.

Po nástupu Michaila Gorbačova do funkce generálního tajemníka Komunistické strany Sovětského svazu se začaly poměry v celém sovětském bloku měnit. Liberalizace však postupovala nejpomaleji právě ve dvou kdysi nejvyspělejších zemích – v Německé demokratické republice a v Československu. Českoslovenští komunisté, kteří se dostali k moci dík vojenské okupaci roku 1968, kladli jakýmkoli reformám urputný odpor. Obávali se, že je reformní proud smete z dobře vybudovaných pozic. Proto sledovali reformní kroky Michaila Gorbačova s netajenými obavami. Někdejší oblíbené heslo „Sovětský svaz náš vzor“ nabylo pikantní příchuť. Vnitřní opozice proti strnulému režimu se totiž opírala právě o reformy v Sovětském svazu.

V nové situaci začala ožívat různá občanská seskupení. Na Slovensku byli velmi aktivní ekologové a ochránci přírody. Ohlas ve společnosti a velkou nevoli komunistických mocipánů vyvolala publikace *Bratislava nahlas,* v níž se objevila kritika přímo katastrofální situace v hlavním městě Slovenska z hlediska životního prostředí. Odpovědnost za daný stav padala plně na vedoucí stranické a státní činitele, a proto se publikace stala nežádoucí a její autoři upadli do nemilosti. V ovzduší kritiky se aktivizovali také reformní komunisté v čele s Alexandrem Dubčekem; dostali prostor v zahraničním tisku a televizi, který neváhali využít.

Na Slovensku rostl odpor proti režimu také v církvích, hlavně v katolické. Systematické potlačování náboženských svobod a neustálá kontrola ze strany státu a bezpečnostních orgánů budily postupně vzrůstající odpor. Na Sloven-

SLOVENSKO

Po dvou letech vzpomínka na svíčkovou manifestaci z 21. března 1989 v Bratislavě

sku už existovala vybudovaná tajná církev, v níž působili kněží a církevní hodnostáři, jimž režim od padesátých let znemožňoval výkon povolání. Ústřední postavou tohoto hnutí byl biskup Ján Chryzostom Korec. O slovo se hlásila i křesťansky orientovaná inteligence; jejím organizátorem se stal právník Ján Čarnogurský.

Rozhodujícím momentem pro aktivizaci odpůrců režimu bylo poznání, že Sovětský svaz a jeho nové vedení se nehodlají vměšovat do vnitřních záležitostí zemí sovětského bloku. Sovětské vedení sice nešlo tak daleko, aby veřejně odsoudilo srpnovou invazi vojsk do Československa, Gorbačov však dal jasně na vědomí, že nemíní intervenovat na podporu tehdejšího komunistického vedení. Ukázalo se to i během jeho oficiální návštěvy Československa v dubnu 1987. Mnozí Slováci a Češi očekávali, že Gorbačov, který se stal mezitím populární osobností i v Československu, odsoudí vstup vojsk Varšavské smlouvy do Československa. Nestalo se tak, Gorbačov však řekl něco velmi důležitého – Sovětský svaz nemíní zasahovat do vnitřního vývoje svých satelitů. To byl důležitý poznatek, vždyť komunistická moc se opírala o sovětské tanky. Bez nich byla hrstka komunistů ve vedení ztracenou gardou. Byly tu sice ozbrojené síly, bezpečnost a mnozí stoupenci režimu, to však nebyla nepřekonatelná síla. Odpor proti režimu tak získával postupně na síle. Izolovanost komunistů od společnosti definoval zcela zřetelně nový generální tajemník ústředního výboru KSČ Milouš Jakeš, vystřídavší v této funkci 17. prosince 1987 Gustáva Husáka, když se v jednom ze svých pozdějších projevů vyjádřil, že komunisti působí někdy osaměle jako „kůl v plotě".

Odstranění Husáka z nejvyšší funkce bylo rovněž symptomatické. Bylo výsledkem mocenských tlaků v samém vedení komunistické strany a třebaže Milouš Jakeš nebyl o nic méně horlivý normalizátor než Husák, pohyb, který nastal, představoval po letech absolutní „nehybnosti" určité novum, přestože směr tohoto pohybu se zatím podobal otáčkám v kruhu. V říjnu 1988 odstoupil předseda federální vlády Lubomír Štrougal, kterého nahradil Ladislav Adamec, abdikoval i ministr zahraničí Bohuš Chňoupek a z předsednictví ústředního výboru KSČ odešli dva tvrdí dogmatici - Vasiľ Biľak a Josef Kempný. Ke změnám došlo i na Slovensku, kde Jozefa Lenárta vystřídal ve vedení komunistické strany Ignác Janák; k personálnímu zemětřesení došlo i ve vládě Slovenské republiky. I to však zatím byly jen „otáčky v kruhu", které neznamenaly žádný zásadnější obrat.

Rok 1988 představoval i mezník v postojích celé společnosti. Dne 25. března zorganizovala církev v Bratislavě pokojnou demonstraci se svíčkami. Komunistické orgány se pokusily nejprve zastrašit její účastníky psychickým nátlakem a když to nepomohlo, poklidné shromáždění rozehnala policie. Aktivitu začali projevovat studenti generace, pro niž byly události roku 1968 už jen dětskou vzpomínkou či dávným traumatem. Zato se jich živě dotýkala strnulost komunistického režimu a v zemi panující nesvoboda. Studenti v Bratislavě stejně jako v jiných slovenských městech zorganizovali demonstrace při 20. výročí okupace Československa, při výročí vzniku republiky v říjnu 1988 i při výročí upálení Jana Palacha, kdy nejbouřlivější demonstrace (tzv. „Palachův týden") proběhly v lednu 1989 v Praze.

Ožívala také kulturní fronta. V novinách a časopisech se objevovaly kritické články, výročí vzniku Československa bylo záminkou k publikování řady článků o Tomáši Garrigue Masarykovi, Milanu Rastislavu Štefánikovi, o demokracii a právu na svobodu. Vládní moc tyto aktivity už jen registrovala.

Dne 16. listopadu 1989 bratislavští studenti v předvečer Mezinárodního dne studentstva uspořádali demonstraci. Nebyla sice tak bouřlivá jako ta o den později v Praze, ale i zde se stala prvním impulsem k dramatickým událostem, probíhajícím v listopadu 1989 závratným tempem v obou republikách federace.

14 PÁD KOMUNISMU

17. LISTOPAD 1989

Dne 17. listopadu 1989 uplynulo 50 let od brutálního zásahu nacistických orgánů proti českým vysokým školám a studentům. České vysoké školy byly tehdy zavřeny, studenti odvlečeni do koncentračních táborů, kde mnozí zahynuli. Toto tragické výročí si pražští vysokoškoláci připomněli velkou demonstrací, při které ale nešlo pouze o dějinnou vzpomínku, ale především o nespokojenost s tehdejším stavem společnosti. Klidný studentský průvod však speciální zásahové oddíly surově napadly a zranily mnoho studentů. Brutální zásah, k němuž policie dostala přímý pokyn od stranických představitelů, představoval pověstnou „poslední kapku". Ignorantství mocipánů bylo tak velké, že nerespektovalo ani citlivost, s níž česká veřejnost stále reagovala na tragické události před 50 lety. A tak se proti zásahu ještě týž den ozvaly hlasité protesty, dokonce i ze strany některých komunistických funkcionářů. Dalo se tušit, že celá záležitost bude mít dalekosáhlé následky, zvláště když nespokojenost

LAHŮDKY
DEMOKRACIE PRO VŠECHNY
NECHCEME NÁSILÍ

17. listopad v Praze

Václav Havel a Alexander Dubček na balkonu Melantrichu

s komunistickými režimy vřela i v sousedních socialistických zemích, dokonce i ve „vždy pravověrné“ NDR. A opravdu následovala řetězová reakce. Ve všech větších městech vypukly masové demonstrace odsuzující brutální zásah a žádající jeho důkladné vyšetření.

Dne 19. listopadu bylo v Praze ustaveno Občanské fórum (OF), složené z různých občanských skupin, které se ujalo koordinace všech protestních akcí. Do jeho čela se postavil přední disident, dramatik Václav Havel. V Bratislavě vzniklo 20. listopadu obdobné sdružení, které si dalo jméno Verejnosť proti násiliu (VPN). Nespokojená občanská opozice tak získala koordinační centra, která začala přebírat rozhodující iniciativu v zemi. V popředí společenské aktivity v Praze i v Bratislavě stáli i nadále studenti a kulturní pracovníci. Studenti a herci začali okamžitě navštěvovat také továren, aby zde získali na svou stranu dělníky. Možno říci, že úspěšně.

Komunistické špičky byly zatlačeny do kouta, což však neznamenalo, že by se vzdaly bez boje. Klíčovou událostí se nakonec stalo mimořádné zasedání ústředního výboru KSČ 24. listopadu, které se protáhlo do pozdních nočních hodin; uvažovalo se na něm také o možnosti použít násilí a potlačit občanské aktivity armádou a bezpečností. Diskuse ukázala, že taková alternativa nezaručuje úspěch, protože straničtí aparátčíci se už nemohli plně spolehnout ani na bezpečnost, a už vůbec ne na armádu. Ústřední výbor KSČ se nakonec rozhodl ustoupit. Na funkci generálního tajemníka strany rezignoval Milouš Jakeš a nahradil ho Karel Urbánek, ale ani on již situaci zvládnout nedokázal. Mohutné demonstrace, probíhající denně v Praze, Bratislavě a v dalších českých a slovenských městech, hnaly vývoj událostí stále kupředu. Stále víc se zde dostávali do popředí Václav Havel a hlavní představitel „pražského jara 1968" Alexander Dubček. Manifestace, konané 25. listopadu na pražské Letenské pláni, se zúčastnilo kolem 750 000 lidí.

Verejnosť proti násiliu zformulovala již 25. listopadu svůj program, v němž žádala svobodu tisku, podnikání a jiné občanské a demokratické svobody, zrušení vedoucí úlohy KSČ, odideologizování školství, vědy a kultury a také to, aby byla uvedena do života skutečná demokratická federace.

Vláda ztratila nad situací kontrolu. Premiér Ladislav Adamec sice vystoupil na manifestaci na Letné a pokusil se přesvědčit občany, aby se uklidnili a upustili od plánované generální stávky, ale bez úspěchu. A tak se 27. listopad stal dalším velkým dnem Československa. Dvouhodinová generální stávka byla provázena masovými demonstracemi, při nichž občané požadovali konec vlády jedné strany, svobodné volby, demokracii a Husákovo odstoupení. Pod dojmem mohutné a úspěšné stávky se předseda vlády Ladislav Adamec rozhodl jednat s Občanským fórem a přislíbil sestavit novou vládu „na širokém základě", tedy s přibráním představitelů opozice. Parlament zrušil 29. listopadu pod tlakem veřejnosti 4. článek ústavy, uzákoňující vedoucí úlohu komunistické strany ve státě a společnosti, jakož i 16. článek, hlásající marxismus-leninismus jako základní princip ve výchově a vzdělávání. Parlament zároveň ustanovil parlamentní komisi k vyšetřování událostí 17. listopadu. Tlak veřejnosti donutil k odstoupení i dogmatického předsedu Slovenské národní rady Viliama Šalgoviče, kterého ve funkci nahradil Rudolf Schuster.

I Bratislava zažila koncem listopadu mohutné manifestace, konané na náměstí SNP a moderované dvojicí Budaj – Kňažko

Komunistická strana se ještě pokusila zastavit lavinu, když odmítla odzbrojit lidové milice a Adamec předložil pouze malou kosmetickou úpravu staré vlády. To však vyvolalo ve společnosti novou bouři protestů, opozice novou vládu rozhodně odmítla. Pod hrozbou nové generální stávky Ladislav Adamec 7. prosince odstoupil a pověření sestavit vládu dostal jeho zástupce Marián Čalfa. Jím sestavená vláda již nebyla převážně komunistická; z 21 členů bylo 11 nekomunistů a 10 komunistů. Významné funkce v ní zaujali představitelé disentu – místopředsedou vlády se stal Ján Čarnogurský, ministrem zahraničních věcí Jiří Dienstbier. Prezident Gustáv Husák 10. prosince jmenoval vládu a hned nato odstoupil. Dne 12. prosince spatřila světlo světa i na Slovensku nová vláda pod vedením Milana Čiče.

V programovém prohlášení nové federální vlády se už mluvilo o přechodu Československa k parlamentní demokracii a k tržnímu hospodářství, žádalo se zrušení Varšavské smlouvy a odchod sovětských okupačních vojsk z Československa, což bylo možno považovat za kvalitativní skok ve vývoji revoluce. Tato první fáze byla dovršena již koncem roku 1989 zvolením Alexandra Dubčeka předsedou Národního shromáždění (28. prosince) a volbou Václava Havla prezidentem republiky (29. prosince).

Neklamným znamením úspěchu „něžné revoluce" se stala skutečnost, že se začaly reformovat i staré struktury v čele s KSČ. Již na 21. prosince 1989 svolali komunisté svůj mimořádný sjezd, na němž odsoudili vojenskou okupaci roku 1968 a vyloučili nejexponovanější „konzervativce". Do čela KSČ se dostal Ladislav Adamec, rozklad strany však nedokázal zastavit ani on. Zanikly, nebo se přetransformovaly také společenské organizace v čele s jednotnou odborovou organizací – Revolučním odborovým hnutím (ROH). Z komunistických špiček byl postaven před soud a na čtyři roky vězení odsouzen pouze předseda pražské stranické organizace Miroslav Štěpán za zneužití pravomoci veřejného činitele během 17. listopadu 1989.

Václav Havel po své volbě prezidentem navštívil v lednu 1990 Bratislavu, kde jednal s předáky VPN. Zleva: V. Havel , Kamil Prochazka, Milan Kňažko, Milan Čič a Ján Budaj (stojící na pravém okraji fota)

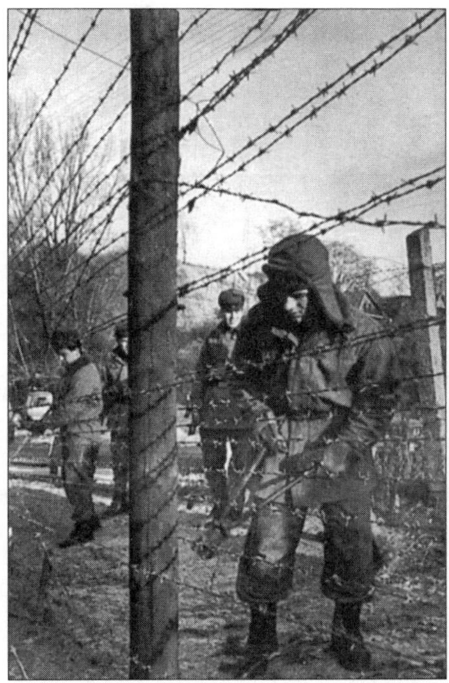

Svržení totalitního režimu a otevření se na Západ bylo nejvíc symbolizováno odstraněním drátěných zátarasů na hranicích

Vnitřní přeměna byla dovršena nakonec skutečností, že poprvé po únorovém převratu Československo začalo vést samostatnou zahraniční politiku. Za návštěvy předsedy vlády Čalfy a ministra zahraničních věcí Dienstbiera v Moskvě v prosinci 1989 zahájili oba představitelé jednání o stažení sovětských vojsk z Československa. Shody bylo dosaženo již 27. února 1990 během návštěvy prezidenta Havla v Moskvě. On a Gorbačov došli k závěru, že smlouva o přátelství a spolupráci nebude prodloužena; její trvání tak zůstalo omezeno na dobu 20 let. Dále se oba prezidenti dohodli, že vzájemné vztahy jejich zemí budou uspořádány na základě rovnoprávnosti a plného respektování nezávislosti a že sovětské vojenské síly opustí do poloviny roku 1991 Československo, což se nakonec stalo.

Československo také obnovilo v únoru 1990 diplomatické styky s Izraelem. Hledání priorit v samostatné zahraniční politice však vedlo k užší spolupráci středoevropských zemí, které se též zbavily sovětského protektorství. 9. dubna 1990 se poprvé na nejvyšší úrovni setkaly delegace Československa, Maďarska a Polska, aby o rok později, v únoru 1991, na setkání v maďarském Visegrádu utvořily seskupení s cílem kooperovat svou politiku k dosažení členství v Evropské unii. Nejednalo se o žádné pevné seskupení, spíš o výraz hledání nové středoevropské politiky. Za nějakou dobu, zejména po rozpadu Československa, ztratilo toto seskupení, do něhož vstoupily i ostatní středoevropské státy, postupně svůj *raison d'être.* Proces desovětizace skončil nakonec zrušením Varšavské smlouvy ke dni 1. července 1991. Nový zahraničněpolitický kurs Československa se záhy projevil i prominentními zahraničními návštěvami – Françoise Mitteranda a Margaret Thatcherové v září 1990, George Bushe v listopadu 1990. Významnou proměnou prošel poměr k sousednímu Německu, kdy prvním krokem k urovnání vzájemných vztahů se stala omluva prezidenta Havla za násilnosti při odsunu sudetských Němců .

Na zcela novou základnu se dostal vztah státu k církvím a k Vatikánu. Už v prosinci 1989 zaniklo sdružení katolických kněží *Pacem in terris,* které podporovalo komunistický režim, a církve obnovily své aktivity. Dne 2. února 1990 znovu zahájily svou činnost předtím zakázané řehole, zatímco teologické fa-

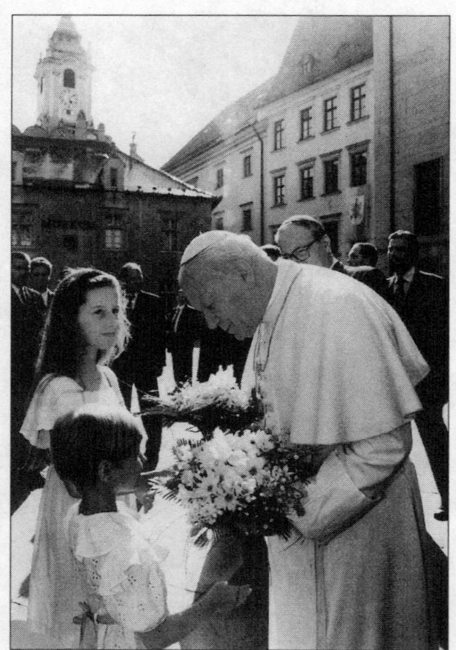

Papež Jan Pavel II. na Slovensku

kulty, dříve striktně kontrolované státem, přešly do svazku univerzit. Za jednání ve Vatikánu místopředseda vlády Ján Čarnogurský dohodl vzájemné obnovení normálních diplomatických styků i brzké svěcení nových biskupů. Na Slovensku byli vysvěceni v nitranské diecézi msgre Ján Chryzostom Korec, v košické diecézi msgre Alojz Tkáč, v rožňavské diecézi msgre Eduard Kojnok a v banskobystrické msgre Rudolf Baláž. Zároveň byla domluvena návštěva papeže Jana Pavla II. v Československu, která se pak ve dnech 21. a 22. dubna 1990 proměnila v mohutnou manifestaci věřících, kteří se opět mohli svobodně hlásit ke své víře.

Politická a morální obnova společnosti měla však i své stinné stránky. Například ekonomika státu. Zrušení Rady vzájemné hospodářské pomoci v červnu 1991 sice bylo už jen formálním aktem, současně však znamenalo, že se narušily i všechny ekonomické vazby mezi bývalými státy této organizace. Silně redukovaná byla vzájemná výměna zboží mezi nimi. Československo tak ztratilo velkou část svých trhů, ale zároveň se nemohlo vzhledem k zastaralé technologii prosadit na trzích nových. 7. května byla sice podepsána v Bruselu dohoda o hospodářské spolupráci s Evropským hospodářským společenstvím a Československo se stalo v září 1990 členem Mezinárodního měnového fondu, to však byla pouze organizační opatření, která se nemohla okamžitě projevit v krachující ekonomice. Důsledkem toho bylo zastavování výroby v mnoha závodech a rostoucí nezaměstnanost, obzvlášť vysoká v některých slovenských regionech. Slovensko mělo svůj speciální problém se zbrojařskou výrobou, zkoncentrovanou z velké části právě na jeho území. Jednalo se hlavně o výrobu těžké výzbroje, jež po zániku Varšavské smlouvy ztratila odbytiště. Konverze zbrojařské výroby na Slovensku se tak stala bolavým problémem ekonomiky s vážnými sociálními důsledky. Prudký pokles výroby a stoupající míra nezaměstnanosti, která dosahovala místy až 12 %, věstily velmi těžké období.

Politický a ústavní systém Československa nabyl formálně znaky demokratického parlamentního zřízení. Byla přijata Listina základních lidských práv a svobod, dále byl schválen petiční zákon a zákon o sdružování občanů. Ale zásadní přelom v dosavadním vývoji znamenaly první svobodné parlamentní volby, konané v červnu 1990. Již před nimi se začala konstituovat řádná politická scéna. Obě hnutí, která iniciovala a vedla revoluci roku 1989, vstupovala do voleb jako samostatné politické subjekty, ale zvláštní skupinu tvořily křesťansky orientované politické strany – v českých zemích Československá strana lidová a Křesťansko-demokratická strana, na Slovensku Kresťansko-demokratické hnutie (KDH). Novým prvkem se pak staly ekologické strany – Zelená alternativa a Strana zelených. Svou činnost obnovily i tradiční strany – sociální demokracie a Československá strana socialistická, která ovšem organizačně navázala na stranu trpěnou v rámci Národní fronty. Na Slovensku hrály nezanedbatelnou roli také strany maďarské a Slovenská národná strana.

K prvním svobodným volbám po letech totality přišlo ve dnech 8.–9. června 1990 více než 95 % oprávněných voličů. V českých zemích zvítězilo s převahou Občanské fórum (53,2 %), na Slovensku se stala nejsilnější politickou stranou Verejnosť proti násiliu, která získala ve volbách do Slovenské národní rady 29,3 % hlasů, druhé bylo Kresťansko-demokratické hnutie s 19,2 %. Slovenská národní strana získala 13,9 %, komunisté 13,3 % a maďarská koalice 8,7 % hlasů. Ovšem počet získaných hlasů se lišil podle jednotlivých zákonodárných sborů. Rozdíly byly ve výsledcích například mezi volbami do Slovenské národní rady a do Poslanecké sněmovny Federálního shromáždění, kde například Verejnosť proti násiliu dosáhla dokonce 32,5 % hlasů. V každém případě Občanské fórum a Verejnosť proti násiliu se staly nejsilnějšími politickými sesku-

O státních záležitostech se dobře diskutuje také u krbu – Richard von Weizsäcker a Michal Kováč (Bonn, listopad 1993)

peními a největší vahou se podílely na vytvoření koaliční vlády, jejímž sestavením prezident Václav Havel znovu pověřil Mariána Čalfu, kandidujícího za VPN. Ve federální vládě zaujal významnou funkci ministra vnitra další představitel VPN Ján Langoš. Nové Národní shromáždění pak zvolilo prezidentem republiky opět Václava Havla.

Dne 26. června 1990 se na své první schůzi sešla také Slovenská národní rada, za jejíhož předsedu zvolili Františka Mikloška (VPN). Slovenskou koaliční vládu, kterou vytvořily VPN a KDH, sestavil Vladimír Mečiar (VPN), dosavadní ministr vnitra, populární, ale konfliktní osobnost. V dubnu 1991 byl odvolán a předsedou vlády se stal Ján Čarnogurský (KDH).

Politická scéna se dotvořila na podzim 1990 v souvislosti s komunálními volbami. Na Slovensku tehdy došlo k jistým změnám, když se nejvíc prosadili kandidáti KDH (27,4 %) před kandidáty VPN (20,4 %) a komunisty (13,6 %); SNS dosáhla pouze 3,2 % hlasů.

Parlamentními a komunálními volbami se v Československu vytvořily nové státní a samosprávné instituce. Zákonodárné orgány začaly poměrně rychlým tempem přijímat nové zákony, které měly definitivně transformovat stát v parlamentní demokracii. Z přijatých zákonů byl zvláště důležitý zákon o mimosoudních rehabilitacích, přijatý 22. února 1991, podle něhož se měly odčinit křivdy spáchané ve společnosti komunistickým režimem po roce 1948. V květnu byly zas odhlasovány zákony o tzv. velké privatizaci, podle níž se měly odstátnit velké podniky. Už předtím byly privatizovány menší podniky a bylo umožněno soukromé podnikání. Velká privatizace se uskutečnila kuponovou metodou, podle níž všichni dospělí občané ČSFR měli právo zaregistrovat si kuponovou knížku a investovat své kupony do akciových společností. Kuponová privatizace se měla uskutečnit ve dvou vlnách: v první vlně se zprivatizoval majetek téměř 1500 akciových společností; skončila v prosinci 1992. Započatá druhá vlna byla na Slovensku po vytvoření samostatné Slovenské republiky Mečiarovou vládou zrušena.

Stabilita takto vytvořené politické scény však nevydržela dlouho ani v České republice, ani na Slovensku. K prvnímu vážnému konfliktu došlo na Slovensku uvnitř vládnoucí Veřejnosti proti násilí (VPN) již na jaře 1991. Poté, co předsednictvo Slovenské národní rady odvolalo Vladimíra Mečiara z funkce předsedy vlády, vytvořil Mečiar 1. května 1991 nový politický subjekt, který nazval Hnutie za demokratické Slovensko (HZDS). Do jeho řad přešla část bývalé VPN, velmi rychle se k němu přidávali i ti, kdo „propásli" listopad 1989 a nyní hledali možnost osobní kariéry, ale také velká část bývalých starých struktur, jež byly po listopadu 1989 ochromeny.

SPOR O POSTAVENÍ SLOVENSKA

Po listopadu 1989 nastala v Československu doba oživování politické i občanské aktivity. Léta umlčovaný občanský život dostal možnost se znovu projevit. Utvářely se nové politické strany a občanská sdružení. Celá desetiletí tabuizované a násilím umlčované otázky se dostaly na program veřejné diskuse. Lidé zažívali skutečnou, nikoli pouze deklarovanou svobodu tisku, shromažďování, svobodu svobodného vykonávání náboženských úkonů.

V ovzduší živé občanské aktivity vyplula na povrch i řada problémů, které v podmínkách totality nebylo možno řešit. Jedním z nejzávažnějších se stal problém postavení Slovenska a slovensko-českých vztahů. Ukázalo se, že léta potlačovaná slovenská otázka nepřestala existovat.

Ještě v listopadu 1989, ale i na začátku roku 1990, byli Češi a Slováci až dojemně jednotní v boji proti totalitnímu režimu. Když však stará moc, představovaná komunistickou stranou, definitivně padla, společnost se začala rychle diferencovat podle přirozených zájmů. Objevily se i rozdíly v názorech na stát a jeho uspořádání.

Haďákova karikatura (byť z roku 1968) jakoby předvídala různé pomlčkové a kompetenční spory obou republikových reprezentací

První konflikt ve vzájemných slovensko-českých vztazích vznikl již na jaře 1990. Prezident Václav Havel tehdy podal v parlamentě návrh na změnu oficiálního názvu státu a na změny státního znaku republiky. Měl především v úmyslu vypustit z oficiálního názvu státu, který tehdy stále zněl Československá socialistická republika, slovo „socialistická“ a v státním znaku umístit nad hlavu lva místo heraldicky nesmyslné pěticípé hvězdy tradiční korunku. Prezident netušil, co jeho návrh v parlamentě vyvolá. Nevěděl totiž, že Slováci jsou s názvem státu i státním znakem nespokojeni také z jiného důvodu.

V šedesátých letech byl místo tradičního slovenského znaku, dvouramenného kříže na třech vrších, zaveden nový znak, když byla nad tři vrchy umístěna vatra, jež měla symbolizovat Slovenské národní povstání; tento heraldický novotvar byl necitlivým zásahem do slovenské tradice. Obnovení tradičního slovenského znaku nestála v cestě žádná překážka, problémem však byla skutečnost, že slovenský znak byl umístěn na prsou českého lva, což ve slovenských očích symbolizovalo jeho podřízenost a nerovnocennost s českým znakem.

Ještě větší nespokojenost vyvolával na Slovensku název státu, v němž se jeho zkrácená, jednoslovná forma Československo psala bez spojovníku, lidově řečeno: bez pomlčky. Proto se celé záležitosti dostalo označení „pomlčková válka“. Při povrchním pohledu se spor mohl zdát malicherný, až komický: Slováci se dožadovali psát název státu „s pomlčkou“, tedy Česko-Slovensko, Češi trvali

Ani Václav Havel to neměl na Slovensku jednoduché; při návštěvě Bratislavy na jaře 1991 byl slovenskými nacionalisty málem inzultovaný

na tradičním psaní bez ní. V podstatě však šlo o konflikt zásadní, který měl své historické pozadí. Boj o „pomlčku" v názvu státu totiž vyjadřoval dvě rozdílné koncepce, rozdílné pojetí společného státu. Na české straně se Československo chápalo převážně jako stát unitární a čeští občané přijali bez problémů i novou československou identitu; v jejich očích trval historický český stát, rozšířený po roce 1918 o Slovensko. Na slovenské straně však převažovalo chápání státu jako spojení dvou rozdílných a rovnocenných celků. Slovensko historicky nikdy nepatřilo k Českému království, nebylo tedy součástí zemí Koruny české. Historicky i fakticky bylo toto pojetí opodstatněné a odpovídalo realitě a pokusy o vytvoření jakéhosi československého národa nikdy neměly naději na úspěch. Proto vlastně tento konflikt odrážel celou hloubku historicky podmíněného konfliktu, třebaže „spor o polmčku" se nakonec podařilo vyřešit kompromisem. Byl přijat složitý a málo funkční oficiální název státu: Česká a Slovenská Federativní Republika (ČSFR), jejíž jednoslovný název psali Češi bez spojovníku, Slováci se spojovníkem. V novém státním znaku dostal slovenský znak rovnocenné postavení, oslabené však tím, že místo dvou stejných polí byl přijat znak se čtyřmi poli, dvěma slovenskými a dvěma českými postavenými křížem proti sobě. Kompromis sice nikoho příliš neuspokojil, ale zažehnal hrozící státní krizi.

Druhá, daleko vážnější a komplikovanější krize začala brzy nato, táhla se celý rok 1990 a po volbách, hlavně závěrem roku, nabyla vysloveně dramatické podoby. Šlo o spor o rozdělení kompetencí mezi federální vládou a dvěma republikovými vládami. Slovenská strana, reprezentovaná slovenskou vládou, trvala na větších kompetencích pro republikové vlády a na oslabení centralismu. Jednání byla zdlouhavá; trvala celý rok. Nakonec se po zásahu prezidenta Havla a po jeho dramatickém projevu v parlamentě podařilo dosáhnout kompromisu. Dne 12. prosince 1990 poslanci Federálního shromáždění odhlasovali tzv. kompetenční zákon, který rozdělil kompetence mezi federální a republikové orgány. Nadřazenost federálních zákonů a institucí byla sice oslabena, zůstala však zachována. Dosažený kompromis však naznačoval, že celý problém se jen dočasně odsunul do pozadí.

Poslední konflikt souvisel s přípravou nové ústavy. Polemiky vznikaly již dřív a točily se kolem otázky, zda má mít stát jednu ústavu nebo tři – jednu federální a dvě republikové. V ústavě se totiž nedalo vyhnout řešení státoprávního uspořádání, a proto se všechny problematické otázky znovu dostaly na scénu. Po vleklých jednáních, jež trvaly vlastně plných 16 měsíců, se i zde podařilo připravit kompromis – na posledním zasedání expertní komise, složené z představitelů ČNR a SNR, obou republikových vlád i vlády federální ve dnech 3.–8. února 1992 v Mílovech na Moravě. Návrh smlouvy byl předložen oběma republikovým parlamentům a předsednictvo Slovenské národní rady o něm jednalo 12. února. Hlasování tehdy skončilo deset hlasů proti deseti, což znamenalo, že návrh přijat nebyl. Česká národní rada přijala původně text dohodnuté smlouvy jako východisko pro další jednání, po hlasování Slovenské národní rady však předsednictvo České národní rady 5. března 1992 prohlásilo, že za této situace už není o čem jednat a oficiální jednání byla přerušena bez pozitivního výsledku. Návrh smlouvy mezi oběma parlamenty o zásadách státoprávního uspořádání tedy už nevstoupil do života a nebyl ratifikovaný. Přispěla k tomu atmosféra předvolebního boje, protože v červnu 1992 se měly konat nové parlamentní volby. Politické strany se soustřeďovaly na získávání hlasů a v boji o poslanecká křesla se nevyřešené a konfliktní problémy státoprávního uspořádání staly těžkou municí celé řady politických stran na Slovensku i v Česku. V této situaci se dalo jen těžko očekávat nějaké principiální řešení. O všem měly rozhodnout volby.

ROZDĚLENÍ ČESKOSLOVENSKA

O rozdělení státu nakonec nepřímo rozhodly volby roku 1992. Na Slovensku v nich zvítězilo Hnutí za demokratické Slovensko (HZDS), které získalo ve volbách do Slovenské národní rady 37,3 % hlasů před Stranou demokratické levice, jež se přetransformovala z bývalé Komunistické strany Slovenska a získala 14,7 %. Ve volbách do federálních orgánů byl poměr hlasů poněkud modifikovanější, ale i zde zůstalo HZDS výrazně nejsilnější politickou silou. V českých zemích zvítězila Občanská demokratická strana. Na obou stranách se tedy voliči rozhodli pro „silné muže", od nichž očekávali, že vyřeší hlavní palčivé sociální a ekonomické problémy.

Po volbách roku 1992 se situace ve vzájemných česko-slovenských vztazích zásadně změnila v tom smyslu, že zatímco do roku 1992 převládala u vedoucích politiků na české i slovenské straně vůle hledat kompromis, po volbách převládla u obou vítězů voleb snaha co nejrychleji stát rozdělit. Pokud političtí komentátoři očekávali douhotrvající krizi, neboť považovali Vladimíra Mečiara a Václava Klause za politiky, kteří se nemohou dohodnout, byli překvapeni tím, jak rychle se dohodli. Tendence k rozdělení státu byla jasná už po jejich prvním jednání 17. června. Václav Klaus dal tehdy zároveň zřetelně najevo, že nemá zájem o žádnou funkci na federální úrovni. Oba vítězové voleb se tak stali předsedy republikových vlád. Federální vláda, jakož i federální parlament

Vladimír Mečiar a Václav Klaus (spolu s K. Dybou, D. Slobodníkem, J. Stráským a R. Kováčem) dělí jednotný stát

měli vlastně za úkol vytvořit legitimní kulisu rozpadu. Dohoda mezi Mečiarem a Klausem tedy přišla a znamenala rozdělení státu. Přitom žádná z vítězných stran takové rozdělení neměla ve svém volebním programu. Podle všech průzkumů veřejného mínění většina občanů v českých zemích i na Slovensku si vlastně rozdělení státu ani nepřála. Bylo jasné, že podobného smýšlení byli i voliči, kteří odevzdali hlasy Václavu Klausovi a Vladimíru Mečiarovi.

Za dané situace tak vážné rozhodnutí, jakým bylo rozdělení státu, nemohly udělat pouze vítězné politické strany. Demokratický princip vyžadoval, aby si politikové formou referenda vyžádali stanovisko občanů. Vítězové voleb stanuli před dilematem: buď se rozhodnout pro zachování demokratických principů a riskovat, že ztratí pozice získané ve volbách, nebo se rozhodnout pro zachování politické moci. Václav Klaus i Vladimír Mečiar dali přednost zachování politické moci. Referendum o státoprávním uspořádání se v Československu nekonalo. Dohoda politiků, potvrzená pouze hlasováním federálního parlamentu, kde měla vítězná seskupení většinu, vedla nakonec k rozdělení státu.

Dne 17. července 1992 vyhlásila nová Slovenská národní rada Deklaraci o svrchovanosti Slovenské republiky, v níž se odvolávala na právo národů na sebeurčení a na mezinárodní dohody a smlouvy. Ze 150 členů Slovenské národní rady hlasovalo pro deklaraci 113 poslanců, 24 bylo proti, deset se zdrželo hlasování.

Slovenská národní rada přijímá na svém slavnostním zasedání 1. září 1992 ústavu Slovenské republiky

Navíc od 20. července neměla česko-slovenská federace ani hlavu státu. Při hlasování ve federálním parlamentu 3. července 1992 nezískal jediný kandidát Václav Havel potřebnou většinu hlasů a po přijetí slovenské Deklarace o svrchovanosti prezident Václav Havel abdikoval. 26. srpna se na schůzce v Brně Mečiar a Klaus dohodli o datu rozdělení státu – 1. ledna 1993.

Souběžně probíhaly práce na přípravě ústavy Slovenské republiky. Již 1. září 1992 byl návrh ústavy předložen k schválení plénu Slovenské národní rady. Pro ústavu hlasovalo 114 poslanců, 16 bylo proti a čtyři se zdrželi hlasování. Slavnostní akt podpisu nové ústavy se uskutečnil 3. září a byl provázen dělovými salvami. Ústava nabyla platnost 1. října 1992. Výslovně se v ní uvádělo, že zrušení státního svazku, respektive vytvoření státního svazku s jiným státem, má být vykonáno referendem, vítězové voleb však byli pevně rozhodnuti neriskovat nabytou moc a o referendu napřed jen mluvili jako o možnosti, nakonec však tento požadavek zcela zamítli.

Shodou okolností téhož dne, kdy Slovenská národní rada přijala ústavu Slovenské republiky, došlo na dálnici Praha – Bratislava k těžké dopravní nehodě, při níž byl vážně zraněn Alexander Dubček; zraněním nakonec 7. listopadu 1992 podlehl. Alexander Dubček byl poslancem Federálního shromáždění za malou stranu – Slovenskou sociální demokracii a tou dobou už neměl velký politický vliv. Jeho smrt však jako by symbolizovala rozpad státu, v jehož dějinách sehrál v letech 1968–1969 klíčovou úlohu.

Podle dohody politických subjektů, vítězů voleb, kteří měli v rukou oba republikové parlamenty i federální parlament, přijalo Federální shromáždění 25. listopadu 1992 ústavní zákon o zániku České a Slovenské Federativní Republiky, která se 1. lednem 1993 rozdělila na dva nástupnické státy. Samostatná Slovenská republika mohla vzniknout.

15 SLOVENSKÁ REPUBLIKA

FORMOVÁNÍ NOVÉ STÁTNÍ ORGANIZACE

O půlnoci na přelomu let 1992 a 1993 se na Náměstí SNP v Bratislavě i na náměstích dalších slovenských měst konaly oslavy vzniku nového státu. Na stožár vystoupila slovenská vlajka, zazněla hymna, dělové salvy, slavnostní projevy. Následovala lidová veselice. Okázalé oslavy však nemohly zastřít fakt, že většina obyvatel Slovenska si podle všech průzkumů veřejného mínění státní samostatnost nepřála. Vládnoucí politická garnitura nedala občanům Slovenska možnost, aby o samostatném státu rozhodli v referendu. A tak ve skutečnosti bylo asi víc těch, kdo se s česko-slovenskou federací loučili s lítostí, než těch oslavujících.

Oslavy pokračovaly i na Nový rok 1993 – celebrovala se slavnostní mše a Národní rada Slovenské republiky se sešla na slavnostním zasedání, při němž přijala *Prohlášení k vzniku Slovenské republiky.* Říkalo se v něm: „Slovenská republika jako svrchovaný, samostatný a právní stát je jedním z dvou

Silvestr 1992 byl v Bratislavě a na celém Slovensku ve znamení oslav nadcházející samostatnosti

nástupnických států České a Slovenské federativní republiky. Slovenská republika vyjádřila principy své státnosti přijetím ústavy, prohlášením k parlamentům a národům světa, jakož i deklarováním zájmu o členství v Radě Evropy. Převzetím závazků z mezinárodních smluv potvrzuje politické rozhodnutí žít v pluralitní demokracii, respektuje a ctí lidská práva a základní občanské svobody. Plněním uvedených dokumentů a závazků vytváří základní garance svobody, spravedlnosti a míru.“ V dalším textu se uvádělo, že Slovenská republika se chce stát členem OSN, chce se stát smluvní stranou Evropské dohody o ochraně lidských práv a základních lidských svobod. Národní rada Slovenské republiky deklarovala, že Slovenská republika bude navazovat na demokratické a humanistické tradice a má zájem o navázání a udržování diplomatických styků se všemi demokratickými zeměmi světa.

Státní znak samostatné Slovenské republiky

Na rozdíl od České republiky, kde zůstaly z větší části instituce bývalé federace, Slovenská republika musela budovat většinu svých institucí od základu; týkalo se to hlavně samostatné zahraniční politiky, spojené s vybudováním vlastních diplomatických zastoupení, a také organizace vlastní armády.

Že politikům na obou stranách šlo především o udržení mocenských pozic, potvrdil i fakt, že po vzniku nových států se ani v jednom z nich nekonaly volby. Na Slovensku tak Slovenská národní rada, volená pouze jako orgán s omezenými pravomocemi a kompetencemi, působila dál pod názvem Národná rada Slovenskej republiky jako zákonodárný orgán suverénního státu.

Slovenská republika patří k malým evropským státům. Její rozloha činí 49 030 km^2, má 5 378 932 obyvatel (1996). Hustota osídlení činí 108 obyvatel na km^2.

Slovenská republika jako samostatný stát převzala zákony a mezinárodní závazky bývalé federace. Podobně jako parlament i republiková vláda se rázem přeměnila ve vládu suverénního státu. V platnosti zůstala ústava přijatá 1. září 1992.

Na základě ústavy zvolil slovenský parlament v únoru 1993 prezidentem Slovenské republiky Michala Kováče. Tím byly vytvořeny všechny nejdůležitější státní instituce.

V krátké době došlo k diplomatickému uznání Slovenské republiky téměř všemi zeměmi světa. Dne 19. února 1993 se Slovenská republika stala na základě rezoluce Bezpečnostní rady č. 800 180. členem Organizace spojených

Budova Národní rady Slovenské republiky

národů, před budovou OSN zavlála slovenská vlajka a v auditoriu Valného shromáždění přednesl vstupní projev ministr zahraničních věcí Slovenské republiky Milan Kňažko.

Dne 30. června 1993 se Slovenská republika stala členem Rady Evropy. Přijetí nebylo bez problémů, protože se proti němu vyslovil maďarský zástupce, poukazující na problémy Slovenska s dodržováním práv etnických menšin. Při závěrečném hlasování 28 delegátů Výboru ministrů Rady Evropy hlasovalo pro přijetí Slovenska do Rady Evropy; maďarský zástupce se zdržel hlasování.

V říjnu 1993 podepsala Slovenská republika v Lucemburku dohodu o přidružení k Evropskému společenství. Asociace znamenala v ekonomické oblasti vytvoření zóny volného obchodu mezi Slovenskou republikou a zeměmi Evropského společenství. Asociační dohoda byla postupně ratifikována Evropským parlamentem, slovenským parlamentem i parlamenty všech dvanácti zemí ES. Tím vstoupila v platnost.

Rozdělení česko-slovenské federace proběhlo klidně. Oba státy se dohodly, že vytvoří společnou celní unii. Společná zůstala předběžně i měna. Politici slibovali občanům, že rozdělení v praktickém životě nepocítí. Hranice byla v prvních dnech skutečně pouze symbolická, postupně se však mezi oběma nástupnickými zeměmi začal vytvářet režim běžný mezi ostatními sousedními státy.

Velmi rychle došlo i k měnové rozluce. Už měsíc po vzniku samostatných států padla měnová unie. Předsedové obou vlád se dohodli o jejím zániku již 27. ledna 1993 a podepsali smlouvu o měnovém vyrovnání. Zákon o měnové odluce schválili poslanci slovenského parlamentu 2. února 1993, hned vzápětí začala výměna bankovek za okolkované bankovky a od 8. února začala na Slovensku platit nová měna – Slovenská koruna. Zároveň se připravovaly nové bankovky a razily nové mince.

Nový samostatný stát ve středu Evropy nezačal svou existenci v nejpříznivějších podmínkách. Jeho hospodářství bylo ve špatném stavu, měl vysokou nezaměstnanost, neustále hrozily sociální konflikty. Neustálený demokratický systém poskytoval široký prostor pro mnohé, kteří mohli neujasněných pravidel a nedostatečné legislativy využívat pro osobní cíle a osobní moc.

V ekonomice se na Slovensku objevily problémy skoro hned po rozdělení federace. Vláda a ekonomičtí experti se problémy ekonomiky zabývali na pracovním setkání začátkem března 1993. Konstatovalo se, že rozdělení federace způsobilo slovenské ekonomice v první fázi určité těžkosti, další problémy souvisely s přijatou zásadou liberalizace cen, s restrikční finanční politikou a s vysokým daňovým zatížením malých a středních podnikatelů, čímž se nedostatečně rozvíjel sektor soukromého podnikání. V zemi byl celkově nedostatek finančních prostředků.

Nejvážnějším problémem slovenské ekonomiky byla i nadále konverze zbrojní výroby. Zatímco v roce 1988 se zbrojní výroba podílela na celkové průmyslové výrobě na Slovensku 6,3 %, roku 1989 to bylo už jen 2,9 % a roku 1992 pouhá 0,9 %. Ukázalo se, že je nezbytné uskutečnit přechod na civilní výrobu, což však vyžadovalo velké finanční prostředky, které Slovensku chyběly. Plánovaná konverze se v letech 1990–1992 uskutečnila pouze na 50 %. Nový stát tak dostal do vínku vážný ekonomický problém vyžadující neodkladné řešení.

Slovenská vlajka spolu s českou před budovou OSN v New Yorku

Vážným problém se jevila též platební neschopnost mnoha podniků, což se projevovalo nedostatečnými daňovými odvody a neodváděním příspěvků Národní pojišťovně, postihující financování zdravotnictví, školství, vědy a sociální sféry. Rychle začala stoupat nezaměstnanost. Ministerstvo práce a sociálních věcí uveřejnilo začátkem dubna 1993 statistiku nezaměstnanosti k 31. březnu. V porovnání s únorem, kdy míra nezaměstnanosti činila 11,82 %, stoupla už na 12,01 %. Znamenalo to, že v Slovenské republice bylo více než 300 000 nezaměstnaných a podporu v nezaměstnanosti pobíralo více než 108 000 občanů. V některých okresech míra nezaměstnanosti dosahovala 20 %, což byl vážný varovný signál. Nezaměstnanost postupně narůstala a v létě roku 1995 představovala již 13,3 %. Nepříznivá byla však i celková sociální situace, neboť ve srovnání s rokem 1989 vzrostly ceny na Slovensku o 132,2 % a jen za šest měsíců existence samostatného státu se životní náklady všech sociálních vrstev zvýšily v průměru o 11 %.

Před slovenskou vládou i celou společností stály opravdu velmi vážné hospodářské problémy. Postupně se ale podařilo nevyrovnaný vývoj zastavit a již v roce 1995 statistiky zaznamenaly mírný růst hrubého domácího produktu. V sociální oblasti a v oblasti životní úrovně se pokles zmírnil, ale nezastavil. Nedosáhl však dramatického bodu, který by vyvolal vážné sociální nepokoje. Ve srovnání se zeměmi Evropské unie a Spojenými státy je i nadále životní standard nízký, ale na tolerovatelné úrovni. Slovenská republika definovala své hlavní strategické cíle v ekonomické oblasti: ukončení procesu privatizace ekonomiky a přechod na tržní hospodářství s postupným včleňováním Slovenska do světových trhů a s výhledem na vstup do Evropské unie.

NÁRODNÍ STÁT A JEHO MENŠINY

Slovenská republika ve svých hlavních dokumentech, zejména v ústavě, definovala svůj vznik na základě principu národního státu, který byl plodem vývoje evropského nacionalismu a který by se dal shrnout do myšlenky, že každý národ má mít vlastní stát. Z této ideje se odvozoval princip sebeurčení národů. V preambuli slovenské ústavy je to dokumentováno slovy: „My, národ slovenský, pamětliv politického a kulturního dědictví svých předků i staletých zkušeností ze zápasů o národní bytí a vlastní státnost, ve smyslu cyrilometodějského duchovního dědictví a historického odkazu Velké Moravy, vycházejíce z přirozeného práva národů na sebeurčení, společně s příslušníky národnostních menšin a etnických skupin žijících na území Slovenské republiky..., tedy my, občané Slovenské republiky, usnášíme se prostřednictvím svých zástupců na této ústavě."

Podle toho je Slovenská republika národním státem, kde však existují národnostní menšiny a etnické skupiny. Z 5 289 608 obyvatel podle statistiky z roku 1991 tvořili Slováci 4 606 125, tj. 85,7 %, Maďarů bylo 578 408, tj. 10,8 %, Čechů 65 216, tj. 1,1 %, Rusínů-Ukrajinců 38 979, tj. 0,7 %. Na Slovensku žili ještě v malých počtech Němci, Židé, Poláci a Chorvati. Podle údajů ministerstva

Nejvýraznější osobnosti slovenské politické scény v prvních letech samostatného státu: Vladimír Mečiar, předeseda vlády a šéf strany HZDS, Ján Čarnogurský, předseda křesťanských demokratů, Peter Weiss, předák Strany demokratické levice (SDL), a Víťazoslav Móric, zakladatel a první předseda Slovenské národní strany

práce a sociálních věcí žije na Slovensku také 253 943 Romů, při sčítání lidu se však k romské národnosti přihlásilo jen 80 627 obyvatel. V každém případě téměř 15 % obyvatel se hlásí k jiné než slovenské národnosti.

V soužití většinového národa s národnostmi se neobjevily vážnější problémy. Zhoršené vztahy však existují mezi politickými představiteli maďarské menšiny a částí slovenské veřejnosti, reprezentované hlavně stoupenci nacionalistické Slovenské národní strany (SNS), respektive některými představiteli Hnutí za demokratické Slovensko (HZDS). Toto napětí vyplývá z historického vývoje a ze vzájemné nedůvěry. U Slováků se občas objevují obavy z maďarských pokusů o zabrání slovenského území; odvolávají se na historické precedenty: maďarský národnostní útlak v bývalých Uhrách, iredentistické snahy po první světové válce, zábor jihoslovenského území po vídeňské arbitráži v listopadu 1938 a vojenské akce proti Slovensku v březnu 1939. Na maďarské straně se špatné historické zkušenosti opírají především o pokusy vysídlit Maďary po druhé světové válce.

Otázka je to citlivá a nejeden politik se rád uchýlí k hraní touto tzv. maďarskou kartou hlavně v okamžiku, když ztrácí politické pozice. Extrémně nacionalisticky orientované síly na obou stranách tak vlastně tento problém potřebují pro zachování své existence.

V Slovenské republice existují pro etnické menšiny v zásadě standardní práva. Vychází tisk v menšinových jazycích, televize a rozhlas zařazují menšinová vysílání, pracují kulturní instituce. V podstatě všechny děti mají možnost navštěvovat školu s mateřským vyučovacím jazykem, působí síť středních i odborných škol s vyučovacím jazykem menšin. Menšiny používají svůj jazyk i v úředním styku. Představitelé maďarských politických stran jsou přiměřeně zastoupeni v parlamentě i v obecních a místních samosprávách.

Problémy existují spíše v oblasti psychologické a politické. Především představitelé maďarské menšiny se cítí ohroženi a předkládají nepřijatelné požadavky, směřující k jisté formě teritoriální autonomie. Ta by zas ohrozila slovenské etnikum na smíšených územích s maďarskou převahou, a tak se čas od času maďarská otázka na Slovensku objevuje jako vážný problém.

Nejdramatičtější konflikty vznikly v souvislosti s nepodstatnými otázkami, které měly spíš charakter zástupného problému. Hned v počátcích existence Slovenské republiky bylo takovým pseudoproblémem používání maďarských ženských jmen, která ve slovenštině přibírají koncovku „-ová“; takto se podle slovenského pravopisu upravovala i maďarská ženská jména, což vyvolalo protesty z maďarské strany. Dalším podobným problémem bylo používání tabulí s názvy obcí v maďarském jazyce. Z příkazu státní správy se tyto tabule začaly odstraňovat, což opět vyvolalo protesty maďarské veřejnosti.

Konflikt s maďarskou menšinou se nejvíc vyhrotil po volbách roku 1994 a po nástupu Mečiarovy koaliční vlády, v níž byla zastoupena i nacionalistická Slovenská národní strana. To se projevilo ve snížení státních dotací na rozvoj menšinové kultury, v některých opatřeních ve školství, které vedly k odbourání samosprávného principu ve školských věcech. Znovu se objevily zbytečné provokace, například v nařízení, že v menšinových školách nemají žáci dostávat dvojjazyčná, ale jen slovenská vysvědčení. Zde se už projevil největší problém dosavadních vztahů s maďarskou menšinou – roku 1996 přijal totiž slovenský parlament zákon o státním jazyku, který rušil všechny předcházející legislativní úpravy v otázkách jazyka, ale neobsahoval ustanovení na ochranu práv používání menšinových jazyků. Prezident Slovenské republiky zákon podepsal poté, co mu bylo slíbeno, že parlament v krátké době přijme zákon o používání jazyka národnostních menšin. V rozporu s tímto příslibem vláda návrh zákona neustále odkládala a parlamentu ho nepředložila ani přes urgence z Rady Evropy. Za takové situace je možné vyvolávat stále nové konflikty, jako byl například konflikt s dvojjazyčnými vysvědčeními.

Potenciální problém, který může vzniknout v souvislosti s maďarskou menšinou na Slovensku, je velmi zřetelně patrný v diametrálně odlišném hodnocení situace maďarské menšiny Slováky a samotnými příslušníky menšiny. Sociologický výzkum z konce roku 1995 ukázal, že pouze 2 % Slováků považují práva a možnosti rozvoje maďarské menšiny za omezované, zatímco 65 % se domnívá, že maďarská menšina má pro rozvoj vcelku příznivé podmínky, 28 % si dokonce myslí, že Maďaři jsou na Slovensku zvýhodňovaní; názor neprojevilo 5 % dotázaných. Naproti tomu až 73 % Maďarů se domnívalo, že jejich menšina má omezená práva a možnosti rozvoje, 24 % vyjádřilo názor, že Maďaři mají vcelku příznivé podmínky, zvýhodnění maďarské menšiny spatřovalo pouze jediné procento; ze všech dotázaných se dvě procenta nevyjádřila.

Tato polarizace neprobíhá pouze v názorové rovině, projevuje se v občasných demonstracích a v politických projevech na obou stranách. Otevřené konflikty motivované národnostní otázkou ve společnosti nebyly zaznamenány.

PROBLÉMY VNITŘNÍ POLITIKY

Politické spory a eskalující vnitropolitické napětí v samostatné Slovenské republice začaly již v roce 1993. Původní republikový parlament ve federativní republice se stal parlamentem suverénního státu, třebaže právně čisté řešení by vyžadovalo nové volby. Proto zůstala u moci i původní Mečiarova vláda, jež vzešla z voleb roku 1992. V červnu 1993 však kvůli vnitřním neshodám odešlo z HZDS osm poslanců, kteří kritizovali autoritářské metody předsedy vlády Mečiara, a jeho vláda tak ztratila v parlamentě většinovou podporu. Východiskem z nouze byl pokus o vytvoření koalice se Slovenskou národní stranou. Rozhovory o ní byly vleklé, několikrát byly přerušeny, nakonec se však podařilo v říjnu 1993 vytvořit koalici. Slovenská národní strana dosadila do vlády tři ministry, v parlamentě vláda disponovala spolehlivou většinou.

Tato situace však trvala jen krátce. Štěpení ve vládnoucím Hnutí za demokratické Slovensko pokračovalo a došlo také k rozpadu Slovenské národní strany. Mečiarova vláda se opět stala vládou menšinovou. V novoročním projevu roku 1994 navrhl prezident Kováč vytvoření vlády široké koalice, která by pomohla překonat nestabilitu v politických stranách. Vládnoucí HZDS o širokou koalici neprojevilo zájem, naopak usilovalo o koncentraci moci ve svých rukou. Z řad HZDS se proti prezidentovi zvedla vlna kritiky a došlo k pokusům o omezování jeho působnosti.

Prezident Michal Kováč při projevu v Národní radě

5 SPOLOČNÁ VOĽBA
...bez falošných tónov

Slovenská volební kampaň 1994: postávalo se i zpívalo

Narůstající negativní tendence ostře kritizoval prezident Kováč v březnu 1994 v parlamentním projevu o stavu slovenské republiky. Po tomto projevu parlament odvolal premiéra Mečiara, s nímž odstoupila i celá vláda. Byla nahrazena vládou Jozefa Moravčíka, složenou z představitelů Demokratické unie (DU), Křesťansko-demokratického hnutí (KDH) a Strany demokratické levice (SDL). Byla to koalice pravice a levice, přičemž Demokratická unie, která se deklarovala jako strana liberální, byla vlastně stranou, vzniklou z odštěpenců HZDS a SNS. Tato vláda měla dík podpoře maďarských stran v parlamentu spolehlivou většinu. Přesto, hlavně na naléhání Slovenské demokratické levice, jejíž preference tou dobou stoupaly, odhlasoval parlament na říjen 1994 nové volby.

Říjnové volby přinesly opět rozhodné volební vítězství HZDS, které získalo téměř 35 % hlasů, což bylo téměř o 10 % víc, než ukazovaly preference před volbami i prognózy z prvního dne voleb; tento obrovský rozdíl nebyl dodnes spolehlivě vysvětlen. Naopak Slovenská demokratická levice, tolik přesvědčená o svém úspěchu, utrpěla katastrofální porážku a se svou levicovou volební koalicí se jen taktak dostala do parlamentu.

Přesto Hnutí za demokratické Slovensko nemohlo samo sestavit vládu. Koaliční partnery našel Mečiar v nacionalistické Slovenské národní straně a v nestandardním, levicově populistickém Združení robotníkov Slovenska (ZRS). Nová koalice se ujala vlády velmi vehementně. Při zasedání parlamentu v noci z 3. na 4. listopad 1994 obsadila všechny funkce v parlamentě i v parlamentních výborech. Své kandidáty dosadila také do Rady pro televizní a rozhlasové vysílání a ovládla nejdůležitější sdělovací prostředky.

Mečiarova vláda zahájila ihned tvrdý kurs sledující ovládnutí celé společnosti. Cílem útoků vládní koalice se stal především prezident Kováč, jemuž Mečiar nemohl zapomenout jeho parlamentní řeč z března 1994. Prezidentovi byly odňaty mnohé kompetence, například právo jmenovat ředitele tajné služby – Slovenské informační služby (SIS) – a parlament na návrh vlády jmenoval do této funkce prezidentova zarytého nepřítele – Ivana Lexu. Začaly nevybíravé útoky na prezidenta, jejichž cílem se stalo odstranit ho z funkce. Pokračovaly tendence centralizovat co nejvíc státní moc a ovládnout státní správu.

Vláda začala využívat svých pozic k ovládnutí ekonomiky a zejména procesu privatizace. Tzv. kuponová privatizace, v níž měli zajištěnu účast všichni občané, byla zrušena, občanům byly jako náhrada přislíbeny dluhopisy, jejichž splatnost však byla od začátku nejasná. Privatizace probíhala přímým prodejem politickým stoupencům vládnoucí koalice, přičemž jejím prováděním nebyla pověřena vláda, ale Fond národního majetku, což bylo podle vyjádření Ústavního soudu v rozporu s platnou ústavou.

Vnitropolitický vývoj v zemi se stal důvodem k znepokojení ve Spojených státech i v zemích Evropské unie. Jejich rozhořčení vyvolaly především únos

Staronová Mečiarova vláda skládá na bratislavském hradě slib

zachráňme
KULTÚRU

Mítink „Zachráňme kultúru"

prezidentova syna v srpnu 1995, výměna dvou vyšetřovatelů tohoto únosu, jakož i nevyjasněná a neochotně vyšetřovaná vražda osoby blízké korunnímu svědkovi únosu. V obou případech se činy nevyšetřily a spisy byly odloženy.

Evropská unie a Spojené státy se snažily působit zprvu diskrétně diplomaticky, ale bez účinku. Proto se nakonec Evropská unie, k jejímž asociovaným členům patří i Slovensko, rozhodla pro ostré demarše, poukazující na rozpornost praktik vládnoucí koalice se standardem běžným v Evropské unii. Demarše měly jen částečný úspěch. Útoky na prezidenta se postupně zmírnily, komise, které se zabývaly vyšetřováním událostí z března 1994, měly už připraveno obvinění prezidenta z vlastizrady, ale nakonec s ním na veřejnost nevystoupily. Ustaly i pokusy vyloučit z parlamentu Demokratickou unii na základě obvinění, že petiční archy, umožňující Demokratické unii účast ve volbách, byly falšovány. Přesto vláda předkládala a parlament přijal nejeden zákon, který byl v rozporu s ústavou, nadále pokračoval stav, že tajná služba (SIS) fungovala bez parlamentní kontroly a veřejnoprávní elektronická média byla zcela podřízena vládní moci. Tyto praktiky představitelé Evropské unie a Spojených států označily za hlavní důvod, kvůli němuž stupeň demokracie na Slovensku neodpovídá úrovni potřebné k vstupu Slovenska do NATO a do Evropské unie. Vnitřní problémy Slovenska tak negativně ovlivnily zahraničněpolitické postavení státu.

Slovenská republika bezprostředně sousedí s pěti zeměmi. Vztahy k východnímu sousedu Ukrajině, s kterou má Slovensko nejkratší hranici (98 km), jsou založeny především na hospodářských souvislostech a jsou politicky bezkonfliktní. Významná je pro Slovensko hranice s Rakouskem (127 km), neboť od roku 1996, kdy se Rakousko stalo členem Evropské unie, se jedná o jedinou hranici Slovenska s Evropskou unií. Rakousko oficiálně velmi výrazně podporuje integraci Slovenska do evropských struktur a zasadilo se také o přijetí Slovenska do Rady Evropy. Korektní vztahy má Slovensko také se svým severním sousedem, Polskem (597 km).

Důležitého souseda představuje Česká republika, s níž hraničí na západě (265 km) a s kterou Slovensko spojuje množství ekonomických vztahů. Navzdory dosti rozdílnému vývoji nadále funguje mezi oběma zeměmi celní unie a obě země si navzájem představují nejvýznamnějšího exportního a importního partnera. Protože rozdělení Československa proběhlo bez vážnějších konfliktů, nejsou vzájemné vztahy zatíženy problémy. Přesto vlády obou zemí postupně vytvořily mezi svými státy standardní hranici. Jediným dosud platným ulehčením pro občany obou zemí je skutečnost, že mohou překračovat hranici bez pasu, pouze s platným osobním průkazem.

Nejproblematičtější jsou vztahy Slovenska k jižnímu sousedovi, Maďarsku, s nímž má stejně dlouhou hranici jako s Polskem (597 km). Poměr obou zemí je dodnes zatěžován nevyřešenými historickými otázkami, v jejichž interpretaci převládají mnohé stereotypy. Ještě během trvání federace došlo mezi Československem a Maďarskem k vážnému sporu o vodní dílo Gabčíkovo–Nagymaros. Smlouvu o společné výstavbě toho gigantického vodního díla podepsaly oba státy již roku 1976 a ještě za socialistických režimů začaly po projektových přípravách práce na výstavbě. Na slovenské straně byly již v pokročilém stadiu, když došlo k pádu komunismu. Tehdy se začaly na maďarské straně ozývat stále mohutnějící hlasy žádající zastavit výstavbu. Maďarská vláda je přijala a od smlouvy ustoupila, nicméně Slovensko ve výstavbě pokračovala. Spor se dostal až před soudní dvůr v Haagu, který svým rozhodnutím z roku 1997 ve velké většině sporných otázek dal za pravdu Slovensku.

Dalším sporným bodem se stala maďarská menšina na Slovensku. Maďarská vláda vystupuje navenek jako její protektor a poukazuje na problémy, které se objevují v menšinové otázce na Slovensku. Na tyto maďarské výhrady reaguje velmi citlivě slovenská strana, poukazující přitom, že v Maďarsku byla početná slovenská menšina již prakticky asimilována a že naopak na Slovensku požívají Maďaři standardní menšinová práva. Přes tyto občasné problémy, které v obou zemích vystupují do popředí hlavně v předvolebních obdobích, jsou v zásadě vztahy mezi oběma zeměmi korektní. S určitými problémy – i pod tlakem Evropské unie – se podařilo podepsat roku 1995 mezi nimi základní mezistátní smlouvu, kterou ratifikovaly oba parlamenty.

Vodní dílo Gabčíkovo

Podobně jako vodní dílo Gabčíkovo přineslo Slovensku konflikt s Maďarskem, jaderná elektrára Mochovce komplikuje vztahy s Rakouskem

Slovensko jako nástupnický stát po České a Slovenské Federativní Republice zdědilo po bývalé federaci všechny mezinárodní smlouvy a závazky. Zároveň převzalo i hlavní linii zahraniční politiky – směřování k členství v NATO a Evropské unii. Oba tyto hlavní strategické cíle potvrdily dosud všechny vlády a jsou obsaženy i v programovém prohlášení Mečiarovy vlády, která se vytvořila po volbách roku 1994. Paradoxem zůstává, že oba koaliční partneři HZDS ve vládě – SNS a ZRS – takové cíle odmítají. Lze považovat za jistou politickou zvláštnost, že přes nejednotnost v tak zásadní a důležité otázce se vládní koalice nerozpadla.

Odpovídá to i dalšímu paradoxu slovenské politiky. Bezpečnost Slovenska jako malého státu je do velké míry závislá na mezinárodní situaci a na zahraniční politice. Paradoxně však zahraniční politika v politickém životě Slovenska nedominuje. Ukázal to i sociologický průzkum z prosince 1995, podle něhož se o zahraniční politiku zajímá pouze 41 % obyvatelstva a svůj nezájem o ni deklarovalo až 58 % všech občanů. V odpovědích na otázku, jaké problémy považují obyvatelé Slovenska za nejnaléhavější, se zahraničněpolitické vůbec neobjevily. Průzkum zároveň ukázal, že se většina obyvatel sice staví za vstup Slovenska do NATO a do Evropské unie, za jednoznačné však toto směřování označili pouze stoupenci opozice. Stoupenci vládní koalice projevili velkou váhavost. Pro orientaci na NATO a Evropskou unii se vyjádřilo jen 44 % stoupenců HZDS, 43 % stoupenců ZRS a 40 % stoupenců SNS, přičemž orientace na přesněji nedefinovanou „vlastní cestu" představovala u stoupenců HZDS až 38 %.

Demarše, které dostávala slovenská vláda od Evropské unie a Spojených států, se netýkaly jen její zahraničněpolitické orientace, ale především velmi rozporné politiky vnitřní, která neodpovídá normám všeobecně používaným v zemích Evropské unie – autoritářské tendence, potlačování opozice, ovládnutí elektronických médií vládou, nekulturní a nedemokratické metody politického boje. V tomto smyslu lze hovořit o jisté schizofrenii vládní koalice, která sice oficiálně deklarovala zájem o integraci Slovenska do NATO a Evropské unie, ve skutečnosti však svou vnitřní politikou vytvořila situaci, že se integrace Slovenska do obou uskupení stala nereálnou. V důsledku toho ve vládní koalici zesílily hlasy zpochybňující, zda je prointegrační linie slovenské zahraniční politiky žádoucí, a začaly se objevovat různé koncepce o „vlastní cestě", neutralitě a podobně. Je zajímavé, že mezi stoupenci stran vládní koalice je 40–50 % těch, kdo demarše Evropské unie a Spojených států odmítají. Výjimkou je pouze ZRS, jehož vztah k demarším je většinou ambivalentní, což se dá vysvětlit i tak, že tyto demarše vlastně stoupenci ZRS vůbec nevnímají, respektive se o ně nezajímají. Demarše jako opodstatněné akceptují opět ve velké většině stoupenci opozičních stran.

Vládní koalice po všech demarších modifikovala svou politiku jen nepatrně. V zásadních otázkách svůj kurs nezměnila. V důsledku toho Slovensko vypadlo z okruhu zemí, které by měly být přijaty za řádné členy NATO v první vlně, tedy v průběhu roku 1999. Pro bezpečnost Slovenska a jeho další směřování tím vznikly vážné problémy. Právě tak dopadlo Slovensko, pokud jde o budoucí členství v Evropské unii. Také zde Slovensko, které mělo ještě při vzniku samostatnosti, roku 1993, stejné startovací podmínky jako sousední státy – Česká republika, Polsko a Maďarsko – , se v okruhu nejaktuálnějších kandidátů přestalo objevovat.

Otázka budoucí zahraničněpolitické orientace Slovenska je nejdůležitější, přímo životní otázkou státu. Rozhodovat o ní se však bude nikoli na poli diplomacie, ale ve vnitřní politice. Zahraničněpolitické postavení Slovenska závisí na stavu jeho demokracie.

Parlamentní volby v září 1998 přinesly pro Slovensko v tomto ohledu nadějné výsledky. Pozoruhodným jevem byla především velká účast, neboť k volebním urnám se dostavilo 84,2 % oprávněných voličů. Ještě významnějším se pak stalo rozdělení jejich hlasů. Mečiarovo HZDS sice získalo nejvíc – 27 % hlasů, ale pouze s nepatrným náskokem před Slovenskou demokratickou koalicí (SDK), která vznikla před volbami z pěti opozičních stran. SDK získala 26,3 % hlasů. Na třetím místě skončila Strana demokratické levice (SDL) se 14,7 % hlasů. Do parlamentu se dostaly ještě Strana maďarské koalice (SMK) – seskupení tří maďarských politických stran – s 9,12 % hlasů, Slovenská národní strana (SNS) s 9,07 % hlasů a Strana občanského porozumění (SOP), nový politický subjekt, který vznikl na jaře 1998, s 8 % hlasů. Z volebních výsledků vyplynulo, že se slovenští voliči jednoznačně vyslovili pro změnu stylu dosavadního stylu vládnutí. Jelikož všechny opoziční strany prohlásily, že do vlády s HZDS nevstoupí, znamenaly volby ve skutečnosti drtivou porážku vítěze voleb – HZDS.

Vláda složená z dosavadních opozičních stran a vedená předákem SDK Mikulášem Dzurindou (důvěru v novém parlamentu dostala měsíc po volbách) má ústavní většinu – 93 ze 150 mandátů. Otevřela se tak možnost vyřešit problémy s dodržováním demokratických zásad, obnovit fungování právního státu a opět se ucházet o ztracené pozice Slovenska v mezinárodních vztazích. Jedná se o naději na co nejrychlejší vstup do NATO a do Evropské unie, když už se odstranila největší překážka na této cestě. Výsledek tohoto usilování však bude záviset na tom, jak se nová vláda chopí šance a jak dokáže zvládnout ekonomické problémy, které zanechala předcházející vládnoucí garnitura.

16 ČESKO-SLOVENSKÉ VZTAHY

DO 19. STOLETÍ – DOTYKY A PŘESAHY

Vztahy Čechů a Slováků v dějinách představují v evropském historickém procesu ojedinělý fenomén. V současné Evropě neexistují národy, které by si byly natolik blízké, jejichž osudy by byly natolik navzájem spojeny. Češi a Slováci jsou dva sousední slovanské národy, oddělené nepříliš vysokými, průchodnými horami a řekou Moravou, kterou není obtížné na kterémkoli místě překročit. V mnoha historických obdobích byli Češi a Slováci partnery. Dotyky a přesahy, jejich vzájemné plynutí v dějinném procesu, to všechno se dá nejlépe vyjádřit metaforicky, pomocí bachovské fugy – dvě samostatné linie, které plynou, časově trochu posunuty, a pak se najednou setkají v kontrapunktu. Kontrapunktů najdeme v dějinách Čechů a Slováků mnoho. A přece to jsou rozdílné dějiny.

Když kolem roku 833 moravský kníže Mojmír napadl nitranského Pribinu a spojil do jednoho celku dva sousední útvary, Češi ani Slováci ještě v Evropě neexistovali. Byli zde staří Slované, vnitřně málo diferencovaní. Vytvoření Velké Moravy však přece zvláštním způsobem poznamenalo jak dějiny Čechů, tak také dějiny Slováků. Staré Slovany, žijící v 9. století na Moravě a nad Dunajem, považují Češi i Slováci za své předky, protože už od první poloviny 6. století v tomto prostoru střední Evropy žijí Slované autochtonně jako dominantní etnikum. Tak vlastně jakýmsi zvláštním řízením dějin česko-slovenské vztahy, dotyky a potýkání začaly v historii dřív, než se zformovali Češi a Slováci. Pravda, už během existence Velké Moravy se kmeny Čechů a Slováků začaly organizovat a Svatoplukovu nadvládu pociťovaly jako nepříjemné břemeno. Když se potom roku 895 česká knížata v Řezně podrobila východofranskému králi Arnulfovi, znamenalo to jejich rozchod s Velkou Moravou.

Vytvoření českého státu pod dynastií Přemyslovců otevřelo Čechům příznivé podmínky pro všestranný rozvoj. Nesporně i pro rozvoj českého etnika, pro formování jeho identity. Slováci v arpádovských Uhrách tak příznivé podmínky neměli. Bylo by však nesprávné vidět tento vývoj v příkrém kontrastu už od 10. století. Především ze tří důvodů:

1. Vývoj ve středoevropském prostoru probíhal postupně, přetržitě, ale kontinuálně. Ani včleňování dnešního území Slovenska do Uher, ani vývoj českého státu nebyly záležitostí krátkodobou. Byla tu období chaosu – aspirace Boleslava Chrabrého, posunutí uherské hranice ve prospěch českého knížete Vladislava I. roku 1116, byly tu vojenské operace Přemysla Otakara II. v letech 1271–1277, během nichž se celé čtyři roky udržela na bratislavském hradě česká posádka. Až nakonec, po vymření Arpádovců, se český princ Václav stal uherským králem. V tehdejší Evropě to nebylo nic neobvyklého, vždyť šlo

o prince ze sousedního království. Jistě není bez zajímavosti, že národní dynastie obou států vymřely téměř současně – na začátku 14. století.

2. V raně středověké Evropě, která byla budovaná na feudálních a křesťanských základech, nehrála etnicita velkou úlohu. Státy se budovaly na principu dynastickém a křesťanském. Mimořádná politická úloha tak připadala papeži a latině. Neznamená to, že by nedocházelo k etnickým konfliktům a střetům. Znamená to pouze, že nebyly dominantní a nelze v nich spatřovat „národní zápas“, jak se o to pokoušelo dějepisectví v 19. století. Z tohoto hlediska spočíval rozdíl mezi postavením Čechů a Slováků pouze v tom, že Češi byli poddanými království, v jehož čele byla etnicky česká dynastie. A také to platilo pouze do začátku 14. století.

3. Státní organizace měla nesporně vliv na formování a vývoj etnika. Tento vliv mohl probíhat dvěma zásadně odlišnými způsoby: a) dostředivě, tedy pozitivně. Pokud stát vytvořil pro etnikum podmínky, aby se rozvíjelo, etnikum se postupně formovalo a vyvíjelo v pozitivním vztahu k státu; b) odstředivě, tudíž negativně. Pokud stát nevytvářel podmínky pro rozvoj etnika, nebo se ho snažil potlačit, etnikum se formovalo v negativním, odstředivém směru, v odboji proti státu. Toto rozlišení je důležité právě pro vývoj Slováků. Uhry jako multietnický křesťanský stát s latinou jako úředním jazykem a jazykem vědy a liturgie Slovákům v etnickém vývoji nebránily. Naopak, vznik uherského státu byl mezníkem, v němž se začaly „pozůstatky Svatoplukova lidu“, které zůstaly v Uhrách, formovat jako samostatné slovenské etnikum. Uherské hranice oddělily Slováky jasnou dělicí čárou od jiných blízkých etnik, Čechů a Poláků. Přes pestrost dialektů historické osudy jako dominantní faktory vytvořily postupně ze Slováků jednotné etnikum a později, při vzniku národní ideologie, i národ. Právě odlišný dějinný vývoj je nejdůležitějším fenoménem, který Čechy a Slováky v konečném důsledku rozdělil. Občasné styky a společné problémy, jakož i jazyková a kulturní blízkost neměly dost síly, aby prolomily bariéru vytvořenou dvěma rozdílnými státními útvary.

Rozdílné podmínky však zde navzdory jednotě křesťanské a feudální Evropy byly a projevily se naplno za husitského hnutí. Také mezi Slováky se objevily reformní myšlenky, kritizující poměry v církvi, zejména u drobných kněží a vzdělanců, z nichž mnozí studovali na pražské univerzitě. Řada kazatelů slovenského původu zůstala v Čechách – Lukáš z Nového Mesta nad Váhom, Matej ze Zvolena, kněz Matej Slovák v Kutné Hoře. Někteří působili i na Slovensku – Ján Vavrinec z Račic, Mikuláš ze Žiliny, Jurík z Topoľčian. Husitské myšlenky se ujímaly také mezi šlechtou slovenského původu. Mezi Slováky však nebyly společenské podmínky pro vznik tak mohutného hnutí, jakým bylo husitství v Čechách. Ani pro etnický konflikt, přítomný v husitském hnutí, nebyly v tehdejších Uhrách podmínky. Společenská krize ani etnické napětí v Uhrách nedozrály pro masové revoluční vystoupení.

Slovenska se však husitské hnutí dotklo bezprostředně. Především proto, že úhlavní nepřítel husitů, Zikmund Lucemburský, byl už od roku 1387 uherským králem. Husité v rámci boje proti Zikmundovi nejednou vpadli do Uher a vždyc-

Spišský hrad, nejrozsáhlejší hradní areál na území Slovenska, jehož počátky spadají do 13. století, se stal opěrným bodem oddílů Jana Jiskry a později i slovenských bratříků

ky především do jeho severní části. Od roku 1428 se výpravy husitských vojsk na slovenské území pravidelně opakovaly. Stávalo se, že husitská vojska některá města, vesnice či hrady ušetřila, v zásadě však je třeba říci, že do Uher přicházela jako do země, kde panoval jejich úhlavní nepřítel. V starší literatuře, která hledala stůj co stůj koncepci „československých dějin", se vliv husitství i husitských spanilých jízd na Slovensko přeceňoval. Je však důležité vidět všechny události první třetiny 15. století střízlivě a bez ideologických konstrukcí. V takových souvislostech je pak možné konstatovat, že husitská vojska a husitská ideologie se sice na Slovensku neujaly, ale nebyly bez vlivu hlavně na města, která se také pod vlivem husitských posádek poslovenšťovala. Rozsah tohoto procesu byl omezený, historickým materiálem ho však lze bezpečně doložit.

Jinou kapitolu představuje působení Jana Jiskry z Brandýsa a jeho českých vojáků na Slovensku. Jan Jiskra přišel do Uher jako žoldnéř a jeho dějinná role patří jednoznačně do uherských dějin, v nichž zaujímá nikoliv nevýznamné místo. Čtvrtstoletí jeho působení převážně na slovenském území má proto velkou důležitost především pro slovenské dějiny. Snad právě proto, že na rozdíl od husitů nebyli jiskrovci a bratříci v Uhrách chápáni jako cizí a nepřátelské vojsko, zanechalo jejich působení na Slovensku trvalejší důsledky. Také v tomto případě se však v starší literatuře setkáváme s přeceňováním Jiskrova působení.

Je zajímavé, že slovenská publicistika i historiografie se proti takovému přeceňování musely bránit již na začátku 20. století. Impulsy tehdy ovšem vycházely z maďarské strany. Maďarské nacionalistické dějepisectví se pokoušelo dokazovat „prvotnost" a „autochtonnost" Maďarů v Karpatské kotlině i na slovenském území. Na základě takto šířených teorií roku 1902 maďarský poslanec Imre Hódossy prohlásil, že celé Uhry byly původně osídleny Maďary a teprve Jiskrovou zásluhou přišli do severních oblastí noví poddaní. Slováci tedy měli být vlastně českými kolonisty z 15. století. Tato teorie byla absurdní i na základě tehdy ještě nedokonalých historických vědomostí. Jozef Škultéty se Hódossymu a dalším maďarským nacionalistickým teoriím vysmál v *Slovenských pohľadech:* „Z Jana Jiskry udělali slovenského Deukaliona, který kudy šel, házel za sebe kameny a z těch kamenů vyrůstali lidé a plodným plemenem se zalidnila slovenská země." Maďarské teorie dovedené ad absurdum byly typickým projevem instrumentalizace dějin ve prospěch maďarského nacionalismu. Přesto je třeba říci, že působení Jana Jiskry a bratříků mělo svůj význam pro posílení slovenského etnika, a to i v oblastech, kam se předtím husité nedostali. Posílilo se i používání češtiny, jež byla Slovákům srozumitelná a místy se poslovenšťovala.

Zvláštní kapitolou česko-slovenských dějinných dotyků je společný život obou národů v habsburské monarchii. Dá se říci, že od roku 1526 žili Češi a Slováci v jednom státě; ostatně tento stav existoval již za Jagellonců, od okamžiku, kdy se Vladislav II. stal uherským králem, tedy fakticky od roku 1490. Je ovšem sporné, do jaké míry lze habsburskou monarchii považovat za jednotný stát v moderním slova smyslu. Byly doby, kdy se panující dynastii jejich snahy o centralizaci dařily víc, jindy míň; ale spíš míň než víc. Za vlády Rudolfa II. v Čechách a Matyáše II. v Uhrách byli i dva panovníci, i když z téže dynastie. Stejně jako v českých zemích (do 1620) i v Uhrách si šlechta velmi střežila svá privilegia a nezávislost. Uherský sněm, občas panovníky nesvolávaný, občas rozpouštěný, existoval jako symbol uherské samostatnosti. Za celou dobu existence podunajské monarchie se Habsburkům nepodařilo dosáhnout takového stupně centralizace, jaký si přáli; ani za Josefa II. a dokonce ani po Világoši roku 1849. Životní osudy Čechů a Slováků se tedy přes formální jednotu habsburské monarchie odehrávaly přece jen v rozdílných podmínkách.

Od raného středověku zde však byla jazyková i kulturní blízkost. Přes politickou divergenci tvořili Češi a Slováci jeden kulturní okruh. Významným činitelem zde byla především Karlova univerzita, vyhledávané učiliště mnohých slovenských vzdělanců. Studovala na něm plejáda slovenských intelektuálů a řada z nich zde působila jako učitelé. Připomeňme alespoň Jána Silvána, Martina Rakovského, Pavla Kyrmezera, Vavrince Benedikta z Nedožer, autora české gramatiky. A ovšem – snad nejznámějšího učitele a rektora univerzity slovenského původu Jana Jessenia, který se stal mučedníkem českého stavovského povstání.

V oblasti kultury se neobyčejně plodným a pro Slováky přínosným stalo v podstatě tragické období po Bílé hoře, s nímž je spojen exodus české nekatolické inteligence v čele s Janem Amosem Komenským. Je třeba říci, že Slováci přítomností početných českých vzdělanců získali. Reformace se na Slovensku šířila německým kulturním prostředím a hlavně působením německých univerzit skoro vzápětí po Lutherově vystoupení. Čeští exulanti posílili vzdělanostní úroveň slovenských evangelíků a přispěli k rozšíření češtiny mezi Slováky, a to nejen mezi stoupenci reformace, nýbrž i mezi katolíky.

JEDEN NÁROD, NEBO DVA NÁRODY?

Mimořádný význam v česko-slovenských vztazích má období utváření moderního českého a slovenského národa, jemuž se ve starší literatuře říkalo doba národního obrození.

Formování českého a slovenského národa probíhalo souběžně s ostatními národními hnutími v středoevropském prostoru (s Němci, Poláky, Maďary, Italy, Srby, Chorvaty atd.). Obě národní hnutí tak byla součástí vývoje evropského nacionalismu a měla podobné fáze, počínaje vzdělaneckým zájmem o národní jazyk, kulturu a dějiny na konci 18. století až po formulaci politického programu v polovině 19. století. U Slováků to byl vůbec první politický program orientovaný na národní společnost. Jak v českém, tak ve slovenském prostředí

Ján Kollár

Pavol Jozef Šafárik

Božena Němcová

Slovenské Pověsti.
Ilustrace Josefa Mánesa k Slovenským pověstem Boženy Němcové

však existovala už vyvinutá citlivost na myšlenky nacionalismu, vyplývající z jejich historického vývoje. U Čechů to byla permanentní konfrontace s německým etnikem a jeho ambicemi, u Slováků obrana před raným maďarským nacionalismem, který přicházel s představou, že uherský stát je vlastně státem maďarským a Nemaďaři se v něm měli stát občany druhé kategorie. U Čechů i u Slováků šlo tedy ještě před Herderem o národně politickou konfrontaci, která přispívala k utváření národní ideologie.

V první fázi národního hnutí, kdy převládly ve střední Evropě ideje Herderovy, podle nichž byl národ jednotkou jazykově kulturní i etnickou, měla otázka, zda jsou Češi a Slováci jeden národ, nebo dva národy, svůj hluboký smysl. A odpověď na ni nebyla jednoznačná. Především na slovenské straně. Pro teorii jednoho národa svědčily vážné argumenty. Pokud je národ společenstvím jazyka a kultury, pak mezi Čechy a Slováky existovala v této oblasti blízkost. Slovenští protestanti používali češtinu jako liturgický a literární jazyk. Otázka národa se tak na rozdíl od Čechů úzce prolínala s otázkou konfesionální. Evangelíci představovali menšinu, ale velmi agilní zejména v kulturní oblasti. Slovenští katolíci používali sice jako liturgický i odborný jazyk latinu, v kázáních a literární tvorbě, zejména pokud byla určena prostému lidu, užívali různých slovenských dialektů, občas doplňovaných a prostoupených blízkou češtinou. Nepřekvapuje tedy, že první vážný pokus o kodifikaci spisovné slovenštiny vyšel na konci 18. století z prostředí katolické inteligence kolem Antona Bernoláka. Evangelická část inteligence však tento pokus odmítla.

A protože se otázka jazyka ztotožňovala s otázkou národa, Slováci psali od konce 18. století dvěma různými spisovnými jazyky a zároveň se dělili na dvě skupiny – na ty, kdo se považovali za samostatný národ, a na ty, kdo se považovali za součást československého, nikoli však českého národa.

Aby otázka nebyla tak jednoduchá, přišel Ján Kollár a jeho souputník Pavol Jozef Šafárik s novou ideou: ne Češi, ne Slováci, ne Čechoslováci, ale Slované. Slované jsou národem a Češi spolu se Slováky tvoří v tomto velkém národě jednu společnou větev – československou. Bylo to novum, ale v podstatě, pokud šlo o vztah česko-slovenský, setrvání na původní luteránské koncepci. Kollár i Šafárik tak patří rovným dílem do národního hnutí českého i slovenského.

Řešení dilematu, a tedy i vnitřního slovensko-slovenského rozkolu, přinesl v polovině 19. století Ľudovít Štúr a jeho druhové. Nebylo to náhlé osvícení mysli, které evangelíka Štúra přivedlo k opuštění češtiny a s ní i obdivovaného Kollára, nýbrž důsledek společenského a politického vývoje v Uhrách. Maďaři začali už od začátku 19. století vehementně prosazovat maďarštinu a pokoušeli se zavádět zákony zvýhodňující maďarštinu před ostatními jazyky v Uhrách. Na slovenské jazykové požadavky, zformulované velmi mírně v *Slovenském prestolním prosbopisu* roku 1842, reagovali Maďaři velmi tvrdými opatřeními, které se dotkly Štúra hmotně – zbavily ho profesury na prešporském lyceu. Maďarský postup byl nadmíru srozumitelný, ba přímo názorný. Slováci musí čelit postupujícím maďarizačním snahám. Čelit jim mohou pouze tak, pokud se budou projevovat jako samostatný „svébytný“ národ v Uhrách. A mají-li být samostatným národem, musí mít svůj spisovný jazyk.

Adolf Heyduk

Štúrův postup byl rychlý a důsledný. Bylo to jeho hvězdné období. Roku 1843 uzákonil spisovnou slovenštinu, roku 1845 začal vydávat noviny, v nichž postupně zformuloval slovenský politický program. Zároveň roku 1847 dosáhl zásadní shody o spisovné slovenštině s bernolákovci. Slováci stačili zformulovat své požadavky dřív, než vypukla revoluce v březnu 1848. Byl to právě politický program, který definitivně rozdělil Čechy a Slováky a vytvořil z nich dva rozdílné národy. Politické programy obou národů vyplynuly z rozdílného historického vývoje i z toho, že jazykově i kulturně blízké národy žily v rozdílných částech habsburské monarchie a jejich politické požadavky nebyly shodné. Slováci nebyli součástí svatováclavské koruny a své požadavky – samosprávu – museli v tomto období prosazovat v rámci Uher.

Štúrův čin nepřijali všichni Slováci. Hlavním jeho odpůrcem se stal především Ján Kollár a jím vedení ortodoxní stoupenci češtiny nebo českoslovenštiny. Nebyla to však předchozí konfesionální dvojkolejnost. Štúrův program a spisovná slovenština se staly hlavním proudem slovenského života. Nepochopení Štúrova kroku však vedlo k problémům v českém „obrozeneckém" táboře, který ho téměř jednoznačně odmítl. Původní slovensko-slovenský rozkol se stal „rozkolem" česko-slovenským. Je zajímavé, že navenek se tento spor nejvíc projevoval jako spor dvou hegeliánů – Karla Havlíčka Borovského na straně české a Ľudovíta Štúra na straně slovenské. Karel Havlíček sice za revoluce do jisté míry mírnil svůj odpor vůči Štúrovi a jeho „rozkolu" a po revoluci, ne bez zjevného přemáhání se, akceptoval nakonec rozdílné cesty, kdesi v hloubce však zůstala otázka nedořešena. Tam někde začal vznikat stereotyp postoje české veřejnosti vůči Slovákům – to jsou ti, kteří ruší jednotu, kteří se separují.

Revoluce 1848–1849 svou romantickou euforií načas překryla nedorozumění i pocity nesouladu. Na Slovanském sjezdu však na českou nabídku vytvořit společný celek v rámci federalizované monarchie přišlo zdvořilé slovenské odmítnutí. Tento návrh podobně jako další Palackého pokus předložený kroměřížskému sněmu dokumentuje včasný český zájem o česko-slovenskou státnost a zároveň slovenskou nepřipravenost na takové řešení.

Po revoluci následovalo téměř půlstoletí malého sice, veřejně nedeklarovaného, ale přece jen odcizení. Přišel i Riegrův pokus o dohodu s Maďary, který znamenal českou rezignaci na podporu Slováků. Byla tu však stále kultura a hlavně literatura. I zde chyběl podobně intenzivní zájem, jaký projevovala svého času Božena Němcová, postupně se však objevovaly impulsy, které pozornost české kulturní veřejnosti obrátily i směrem k Slovákům – básnická sbírka *Cimbál a husle* Adolfa Heyduka, cestopisné črty Rudolfa Pokorného, počáteční aktivity Jaroslava Vlčka.

NA PŘELOMU STOLETÍ

Od přelomu 19. a 20. století nastala ve vzájemných česko-slovenských vztazích nová etapa.

Dualismus oddělil českou společnost od slovenské také vnitrostátní hranicí. Jedna monarchie, ale fakticky dva státy s rozdílným vnitřním režimem. Hranice na Moravě přestala být hranicí symbolickou. V podmínkách, jež nastolil dualismus, se od sebe české země a Slovensko vzdalovaly. Politicky, ekonomicky, úrovní národního hnutí i jeho mohutností. Až do vyrovnání probíhaly společenské a kulturní procesy v české i slovenské společnosti téměř paralelně. Po vyrovnání se začala projevovat zřetelná divergence, což také ovlivňovalo vzájemné slovensko-české vztahy. Slovensko-česká vzájemnost se stala na dlouhá léta skoro výlučně záležitostí kultury, hlavně literatury.

Zároveň však postupně vznikal protichůdný pohyb. Dualismus od sebe sice oba národy oddělil, perspektivně však začala působit tendence k jejich novému sbližování. Momentálně rozdílné politické zájmy nemohly úplně odstranit budoucí společné zájmy. Dualismus byl totiž pro oba národy nevýhodný a perspektivně znamenal nejen pro Slováky, ale také pro Čechy hrozbu. Míra této nevýhodnosti byla různá. V Předlitavsku lze hovořit o germanizačních snahách a růstu německého nacionalismu, nelze však mluvit o národnostním útlaku. Termín „národnostní útlak" je v daném období adekvátní pouze pro uherskou část státu. A Slováky postihl neobyčejně tvrdě. Růst německého i maďarského nacionalismu postavil před slovenskou i českou společnost otázku spojenectví. Oba národy se staly přirozenými spojenci proti dualismu i proti agresivnímu, mocenskému nacionalismu.

Jaroslav Vlček, významný literární historik a profesor pražské Karlovy univerzity, začal svou životní i vědeckou dráhu na Slovensku

Tendence k sblížení Čechů a Slováků se výrazněji začala projevovat teprve již na konci 19. století, kdy již působil v habsburské monarchii další činitel nepříznivě dopadající na slovenskou i českou společnost podepsání dvojspolkové smlouvy mezi Německem a Rakousko-Uherskem roku 1879. Tato smlouva, zprvu zdánlivě výhodná pro Rakousko-Uhersko, se postupně stala nástrojem německého pronikání do střední a jihovýchodní Evropy. I samo Rakousko-Uhersko se postupně stávalo sférou vlivu silnějšího německého spojence.

Vzrůstající německý vliv posiloval v Předlitavsku německý nacionalismu. Projevilo se to v úsilí některých německorakouských stran prosadit němčinu jako státní jazyk pro celé Předlitavsko a hlavně v známém Lineckém programu z roku 1882, který usiloval o „zachování německého charakteru Rakouska". Předlitavsko se mělo stát druhým německým státem, úzce spjatým s Německou říší.

Postupující německý vliv v habsburské monarchii se velmi nepříznivě projevil také v Uhrách. Německo vidělo v maďarských centralizačních snahách postupné posilování svého spojence. Na rozdíl od příliš liberální Vídně totiž maďarská snaha o státní centralizaci a s tím spojené odnárodňování nemaďarských národů imponovaly Berlínu a jeho snahám o ovládnutí střední Evropy. Maďaři zase s německou podporou v zádech mohli bez obav ze zahraničních komplikací zesilovat své odnárodňovací snahy. Za této situace se vytvořily vnější podmínky pro postupné sbližování Slováků a Čechů a pro vznik nové etapy česko-slovenské vzájemnosti.

Do tohoto stadia se zařadil svou skromnou činností i slovenský spolek v Praze Detvan, založený roku 1882. K jeho vzniku přispěl kromě osobní iniciativy Jaroslava Vlčka a Pavla Socháně také víceméně vnější popud – od začátku osmdesátých let vzrůstal počet slovenských studentů v Praze, a tak vznikla i myšlenka, aby se sdružili. Množství slovenských studentů v Praze plynulo jednak ze sílícího národnostního útlaku v Uhersku, ale také ze skutečnosti, že se rozdělením pražské univerzity na českou a německou část vytvořila samostatná univerzita česká.

Detvan představoval do roku 1914 pouze hrstku slovenských studentů a jeho činnost jistě nelze přeceňovat. Na druhé straně však právě v podmínkách příznivých pro česko-slovenské sbližování měla i existence Detvanu svůj podíl na formování nové etapy slovensko-české vzájemnosti, a to v několika rovinách. Slovenští studenti v Praze byli pro českou inteligenci prvními informátory o slovenských záležitostech. Tím, že zvali slovenské činitele do Prahy, zprostředkovávali vzájemné styky mezi Slovenskem a českými zeměmi. Důležitý

Matúš Dula s pražským primátorem Baxou

byl i vliv Prahy a českého prostředí na slovenské studenty. Pohybovali se stále v jednom mocnářství, ale jak rozdílné to byly světy! V Praze se mohli svobodně nadechnout, slovanská Praha žila intenzivním národním životem. Mohli se přesvědčit, jak daleko pokročili Češi při budování své národní společnosti. Ve srovnání s poměry v Uhersku mohli už vidět i výsledky dlouholeté drobné práce. Praha poskytovala mladým lidem, kteří se zamýšleli nad budoucností svého národa, tolik myšlenek a nápadů! Mohli se zde setkávat s předními představiteli českého kulturního a politického života. Prostřednictvím Prahy vnímali podněty z celé Evropy. Zde se formovaly zárodky slovenského liberalismu a moderního demokratismu.

S Detvanem je úzce spojeno vydávání *Hlasu*, časopisu mladé slovenské inteligence. Vedle Vavra Šrobára byl druhým vydavatelem časopisu Pavel Blaho; ten sice studoval ve Vídni, ideové kořeny Hlasu však spočívají jednoznačně v Praze. Detvanci koneckonců zcela otevřeně hovořili o časopise ještě ve stadiu příprav jako o svém záměru. V pozadí vzniku časopisu stál i profesor T. G. Masaryk, který měl na mladou slovenskou inteligenci silný vliv a jehož myšlenkový svět se prosazoval i v Hlase.

Detvan hrál významnou úlohu při Zemské jubilejní výstavě v Praze (1891), ještě víc při Národopisné výstavě československé (1895) a také při vzniku a činnosti Československé jednoty, jejíž stanovy byly oficiálně schváleny roku 1896, třebaže pracovala už vlastně celé desetiletí předtím. Vznikla jako reakce na vzrůstající nacionalismus v Rakousko-Uhersku a jejím prvotním úkolem bylo chránit český národ a jazyk v okrajových oblastech Čech, tedy v českém pohraničí a hlavně na Moravě. Brzy se však do centra její pozornosti dostalo také Slovensko a lze říci, že pomoc Slovákům se postupně stávala hlavním smyslem činnosti spolku.

Všimněme si pozoruhodné zvláštnosti: Československá jednota definovala svou funkci jako pomoc okrajovým českým oblastem, větší část energie však věnovala právě Slovensku. Pro mnohé její činitele to nebyl problém, protože byli přesvědčeni o československé národní jednotě. Navzdory disproporcím, přes vzájemné ochlazení vztahů žilo na české straně přesvědčení, že Slováci jsou nadále součástí českého nebo československého národa. Na slovenské straně sice někteří jednotlivci tento názor rovněž sdíleli, národní hnutí se svým politickým a kulturním programem však už bylo někde jinde. Svědčí o tom i neúspěch ankety, kterou při příležitosti Národopisné výstavy rozšířili organizátoři Československé jednoty mezi slovenskou inteligencí. V anketě byla nastolena otázka návratu Slováků k spisovné češtině, když ne úplného, tedy alespoň v odborné literatuře. Anketa skončila neúspěchem.

Za tehdejší situace však podobné disproporce nevystupovaly do popředí. Z české strany následovala všestranná pomoc. Nejen vysokoškoláci, ale i středoškoláci dostali možnost studovat v českých zemích, mnozí s různými podporami. Na Slovensko putovaly celé české knihovny, slovenským spisovatelům se nabízelo publikování v nejrůznějších českých časopisech. Na Slovensku českou pomoc také oceňovali; byla jedním z mála světlých bodů v těžkých dobách, v jakých se slovenská společnosti na přelomu století nacházela.

Pavol O. Hviezdoslav na oslavách 50. výročí založení pražského Národního divadla

Přelom 19. a 20. století znamená v česko-slovenských vztazích také rozhraní mezi dvěma koncepcemi. Koncem minulého století byla už idea československého národa jako jednotného kulturního etnika s jedním jazykem neaktuální. Neznamená to, že se na české, a ve výjimečných případech i na slovenské, straně neobjevily pokusy o vytvoření československé jazykové jednoty; byly však odsouzeny k neúspěchu. Slovenská literatura dosáhla v druhé polovině 19. století takového rozvoje a spisovná slovenština se prosadila tak jednoznačně, že pro slovenskou kulturní veřejnost byla tato otázka zcela mimo diskusi.

To však byla pouze jedna strana mince. Na druhé straně doba vyžadovala vzájemnou spolupráci. Výsledek byl logický: odložení jazykové otázky a pokus o spolupráci i při odlišných stanoviscích. Spolupráce byla oboustranně prospěšná a na obou stranách přijata. Nová vlna vzájemnosti tedy směřovala k politické spolupráci, k zformulování ideje politické jednoty při respektování jazykové rozdílnosti.

V takovém chápání slovenské otázky, respektive česko-slovenského poměru, dospěl nejdál T. G. Masaryk a jeho realistická strana. Masaryk vycházel z kritiky českého historického státního práva, a to v dvojím ohledu. Především chápal politiku „realisticky" jako politiku možného, jako proces, v němž je třeba dosahovat drobných, reálných cílů. A dosažení historického práva nebylo v dané vnitřní i mezinárodní situaci reálné. Druhý závažný moment spočíval v samotné povaze historického práva. Dosažení české státnosti za podmínek, že každý třetí občan státu je Němec a je tudíž v zásadě proti takovému historickému právu, za podmínek, kdy český kotel byl ze tří stran obklopen německým živlem, to rozhodně nebyla žádná světlá perspektiva. A právě tady vstupuje do Masarykových politických úvah slovenská otázka. Slovensko znamená otevření českého prostoru směrem na východ a slovenské etnikum může vyvážit německé obyvatelstvo v zemích české koruny. Tak by se dalo shrnout východisko T. G. Masaryka, který byl po otci Slovák (uherský Slovák) a vlastní volbou Čech.

Podobné úvahy přivedly Masaryka na Slovensko a stály v pozadí jeho zájmu o slovenskou otázku, v čemž daleko předběhl ostatní české politiky. Jako realista věděl, že česko-slovenskou vzájemnost a spolupráci je nutno budovat postupně, drobnou prací. Proto se vyhnul formulování programu společné státnosti a jakýmkoli nereálným vizím; to nebyl jeho styl. Vyhnul se také vědecké formulaci svého chápání česko-slovenské jednoty. Nebyl to pro něho vědecký, ale praktický problém.

Idea politického čechoslovakismu tak vzniká postupně a jaksi skrytě. Navenek se stále manifestuje kulturní spolupráce a kulturní vzájemnost. V této vzájemnosti však už silně zaznívá tón, který je i v pozadí politické spolupráce: Češi a Slováci se vzájemně potřebují. Slováci potřebovali českou pomoc, ale také Češi potřebovali Slovensko. Víceméně básnicky to vyjádřil Jaroslav Vlček: „Čím Čechy Slovensku byly v minulosti a čím kulturně i národně jsou mu doposud, ví každý. Ale často zapomínáme, čím Slovensko bývalo a je podnes Čechám... Během všech svých utrpení a bídy, během smutné osamocenosti a osiření Slovensko nepřestávalo a nepřestává též Čechy zavlažovat pramenem živé vody." Tento pramen živé vody měl nejen kulturní, ale také již politický smysl.

Toto období má ještě další zvláštnosti: česko-slovenská vzájemnost už nezůstávala uzavřena v kruhu vlastenecké inteligence, ale zasáhla široké vrstvy obyvatelstva, včetně selského lidu, což byla kromě nových okolností i zásluha neúnavného organizátora Pavla Blaha.

Z této spontánní vzájemné potřeby brzy přirozeně vyplynula potřeba setkávat se a organizovat. V srpnu 1905 se tak sešel v Hodoníně První sjezd přátel Slovače. Uherská vláda na něj reagovala velmi podrážděně; věděla proč. Na nějakou dobu se jí podařilo organizování společných setkání zabrzdit. Ovšem ne definitivně. Je ironií, že právě brutalita maďarské brachiální moci dala podnět k pokračování těchto setkání a k založení významné tradice.

Tímto mezníkem byly krvavé události v Černové roku 1907. Česká veřejnost reagovala na surovost maďarských četníků velmi rozhodně. To už byla téměř po celých Čechách a Moravě rozšířena činnost Československé jednoty. Přes 700 místních odborů Jednoty zorganizovalo protestní shromáždění. Ozvali se čeští poslanci na říšské radě ve Vídni, protestovaly noviny, zpráva o krutém zásahu četníků v Černové se dostala do světa. Andrej Hlinka se stal hrdinou české mládeže. Nadšení pražští studenti se zapřáhli do kočáru a odvezli Hlinku na místo shromáždění, na Žofín. Hlinkovo přednáškové turné po českých a moravských městech se stalo pokaždé manifestací česko-slovenské vzájemnosti. Jistě i pod dojmem těchto událostí prohlásil Hlinka roku 1908 před bratislavským soudem: „Ať se to našim maďarským bratřím líbí, nebo nelíbí, přece zůstane věčně pravdou, že my, Slováci, jsme s Čechy jedno plemeno, jedna kultura, jeden národ.“

Jako výsledek všech těchto aktivit se začaly od roku 1908 každoročně až do první světové války pořádat v Luhačovicích česko-slovenská setkání, jimž se dostalo honosného pojmenování česko-slovenské sjezdy nebo sněmy. Zpočátku na nich hrála prim kultura a literární vzájemnost, brzy se však dostávaly na přetřes i jiné otázky – hospodářství a také politika. Přelom v tomto směru znamenal rok 1911. Ze slovenské strany přišli na setkání i „Martinčané“ a z české strany někteří hospodářští činitelé. Toho roku přijala Československá jednota oficiální stanovisko, v němž akceptovala spisovnou slovenštinu. „Uznáváme nastalý jazykový stav, jsouce si dobře vědomi, že na národní příslušnosti, kterou příroda a doba společně vytvořily, nemůže nic změniti ani Čech, ani Slovák. S tímto vědomím a přesvědčením přijímáme dnešní fakt v otázce spisovné řeči, toužíce po tom, aby při volbě nových slov a tvarů nebyly dosavadní rozdíly zbytečně prohlubovány, ale umenšovány.“

Hospodářská spolupráce však zůstala teprve v začátcích. Hovořilo se o ní, český kapitál měl zájem proniknout na Slovensko, odpor ze strany uherské vlády však byl příliš silný. Za takových okolností se kapitál chová tržně, a ne národně. Nezanedbatelný vliv měla i skutečnost, že české banky měly užší (protože výhodnější) kontakty s institucemi maďarskými než slovenskými, což byl normální jev. Rozsáhlejší spolupráce probíhala mezi zemědělci, znovu především zásluhou Pavla Blaha.

Skutečně hmatatelných činů Luhačovice mnoho nepřinesly. Nezapomínejme však, že hlavně z české strany přijížděli do Luhačovic především slovakofilové a kulturní pracovníci; nikdo z významnějších politiků se tam neukázal. Proto bylo působení těchto česko-slovenských setkání limitováno a nelze je přeceňovat. Na druhé straně však zůstává nesporným faktem, že tato setkání měla vzestupnou tendenci, rok co rok se rozšiřoval okruh delegátů, ale také okruh projednávaných otázek. Jak ukázala předválečná anketa *Prúdů*, vědomí o nutnosti slovensko-české spolupráce bylo tehdy už skoro všeobecné. Občas se objevily i náznaky možné spolupráce politické. Setkání však byla zaměřena především na budoucnost. Když vypukla válka a s ní spatřil světlo světa i plán na vytvoření československého státu, luhačovická setkání patřila k těm událostem, které připravovaly půdu nejen pro vznik takového programu, ale hlavně pro to, aby tento program byl přijat veřejností.

Z tíživé situace a z nehybnosti tehdejší Evropy, kde se formovaly dva nepřátelské bloky, vznikala mezi Čechy a Slováky nová etapa úzkých kontaktů, předehra zápasu o společný československý stát.

BOJ ZA SPOLEČNÝ STÁT

Vypuknutí první světové války dramaticky rozbouřilo politickou hladinu v Evropě. Válka začala mohutným náporem Německa, neskončila však jeho „bleskovým“ vítězstvím. Dohodový blok byl dík nečekané ruské ofenzivě na podzim 1914 překvapivě homogenní. Ukazovala se možnost, že válka skončí kompromisem nebo i porážkou Německa. V takovém případě vznikala naděje i pro Čechy a Slováky.

Češi měli sice v Předlitavsku zabezpečena jazyková a kulturní práva, měli své školství i hospodářskou základnu, podařilo se jim však uskutečnit jen velmi málo z jejich politického programu, který směřoval k obnovení české státnosti. Slováci museli čelit postupující maďarizaci a jejich politický program – slovenská autonomie v Uhrách – zůstával formálně v platnosti, jenže bez naděje na úspěch. Po vypuknutí války se znovu objevila naděje na znovuoživení českého i slovenského politického programu. Zároveň se však před politiky odkrývaly slabé stránky těchto tradičních programů: česká státnost v podmínkách německého obklíčení a s každým třetím občanem německé národnosti, to nebylo řešení s perspektivou. Po zkušenostech s maďarskou politikou posledních desetiletí nemohli mít ani Slováci přílišnou důvěru ve smysluplnost plánu slovenské autonomie v Uhrách. To byla cesta k úvahám o dalších možnostech. Z idejí tradičního slovenského rusofilství se objevil plán připojení Slovenska k Rusku a k romanovské dynastii. Uvažovalo se rovněž o unii s obnoveným Polskem, popřípadě o trojunii Polsko – české země – Slovensko. Nejperspektivnějším pro Slováky však zůstávalo spojení s českými zeměmi, tedy řešení česko-slovenské. Připojení Slovenska k českému státu bylo optimální také pro českou politiku. Znamenalo vymanit se z německého obklíčení, otevřít se směrem na východ a Slováci mohli zároveň vytvořit protiváhu Němců v českých zemích. Rozumí se, za předpokladu, že se přinejmenším v deklarativní rovině dosáhne československé národní jednoty, když ne v etnickém a jazykovém slova smyslu, pak alespoň ve smyslu politickém. Tak se už na začátku války, aspoň v rovině úvah a projektů, setkávají český a slovenský politický program a začíná se formovat myšlenka československé státnosti.

Prvním, kdo tuto myšlenku formuloval a začal ji propagovat, byl T.G. Masaryk. Už na podzim 1914 ji předestřel Robertu Setonovi–Watsonovi a po odchodu do emigrace pracoval pro tento plán systematicky. Výsledkem byl manifest *Independent Bohemia,* který de facto v rozporu s doslovným názvem představoval plán na vytvoření československého státu. K tomu, aby se tento plán přenesl z roviny teoretické do praxe, bylo zapotřebí přinejmenším dvou „maličkostí“: 1. Německo a Rakousko-Uhersko musely válku prohrát. 2. Dohodové mocnosti musely souhlasit s plánem na rozbití Rakousko-Uherska.

Jestliže si uvědomíme, že Dohoda zprvu vůbec nebyla nakloněna myšlence likvidovat a rozčlenit Rakousko-Uhersko, a nezdálo se, že je schopna Německo vojensky porazit, pochopíme, jak odvážný, ba fantaskní byl tento plán.

V souladu s evangeliem sv. Jana tu bylo na počátku Slovo. Aby se stalo skutkem, bylo třeba uskutečnit dramatický a dodnes fascinující zápas – proti Německu a Rakousko-Uhersku, ale také proti politickým dogmatům a konzervativismu dohodových politiků. Masarykův plán však byl natolik přitažlivý, že nacházel mezi Čechy a Slováky stále víc stoupenců a odhodlaných bojovníků; v první fázi především v zahraničí.

Češi a Slováci v zahraničí – v dohodových státech i v neutrální cizině – podpořili s nadšením myšlenku společného státu a zahájili boj proti Rakousko-Uhersku. Významným se ukázal postoj početných krajanů ve Spojených státech, hlavně proto, že američtí Slováci vedení Slovenskou ligou byli mimořádně aktivní a iniciativní. Proto bylo podepsání *Clevelandské dohody* mezi Slováky a Čechy v říjnu 1915 ve Spojených státech velmi důležité. Největší význam Clevelandské dohody lze vidět především v tom, že Češi a Slováci ve Spojených státech přijali plán československé státnosti a začali ho aktivně podporovat, i když slovensko-česká spolupráce na půdě Spojených států nebyla vždy nejlepší. Plán československé státnosti podpořily také krajanské organizace v Rusku, Francii a Švýcarsku.

Mezníkem v dějinách československého odboje se stal začátek spolupráce Milana Rastislava Štefánika s Tomášem Garrigue Masarykem a Edvardem Benešem a následné vytvoření Československé národní rady v Paříži v únoru 1916. Štefánik byl nejen výraznou posilou odboje, ale také přepotřebným reprezentantem Slováků. Vytvořením ústředního orgánu odboje začal systematický zápas za uznání plánu vytvořit československý stát. Byl to vlastně boj s neochotou dohodových politiků podpořit výrazné politické změny ve střední Evropě.

Je známo, že Československá národní rada je vlastně používaným domácím, ale nepříliš přesným překladem francouzského originálu *Conseil national des pays tchèques.* Originální francouzský název vyjadřuje přesně linii, kterou pro-

Památník M. R. Štefánika na vrchu Bradlo

sazoval zahraniční odboj i způsob jeho argumentace. Československá státnost se měla probojovávat jako národní stát s výraznou většinou československého národa. Slovensko tedy mělo být považováno historicky nekorektně, ale takticky nevyhnutelně za jednu z „českých zemí". Taková taktika byla součástí zápasu. Při neochotě Dohody souhlasit s rozčleněním Rakousko-Uherska bylo totiž nepředstavitelné, aby se dohodovým politikům předkládal plán na vytvoření nového vícenárodního státu.

Nejzávažnějším problémem, s nímž zápasil zahraniční odboj, byla otázka vlastní legitimity. Po rozchodu s Josefem Dürichem byl Masaryk jediným představitelem odboje, který měl poslanecký mandát, a to mandát představitele malé, zdaleka ne reprezentativní politické strany. Potvrzením legitimity odboje se mělo stát především zorganizování zahraničního vojska – legií. Ani to ještě nestačilo. Masaryk potřeboval dohodovým politikům dokázat, že za ním stojí nejen zahraniční krajané, ale především politikové domácí. Potřeba potvrzení legitimity přivedla na svět i *Pittsburskou dohodu*. Když se Masaryk vydal koncem dubna 1918 do Spojených států, vedl ho záměr pokusit se překonat nedůvěru prezidenta Woodrowa Wilsona k plánu rozbití Rakousko-Uherska. Jedním z argumentů měla být i nově dokumentovaná jednota cílů mezi Čechy a Slováky – občany Spojených států. Dalším dokumentem, který měl mobilizovat americkou veřejnost ve prospěch československé věci, se stalo *Prohlášení nezávislosti*, známé spíš jako *Washingtonská deklarace*. Oba dokumenty svůj záměr splnily.

Čeští a slovenští domácí politikové se postupně také přihlašovali k programu československého státu. Ale až rok 1918 se stal rokem zesílené domácí aktivity. V českých zemích od *Tříkrálové deklarace* po 28. říjen, na Slovensku od 1. května v Liptovském Sv. Mikuláši až po *Martinskou deklaraci*. Dík dobře organizované Maffii byla mezi domácími politiky a zahraničním odbojem na válečné poměry až příliš dobře fungující součinnost. Všechna pozornost se soustředila na dosažení základního cíle – utvoření nezávislého československého státu.

Na okraji diskusí se vynořila i otázka postavení Slovenska, byla to však vždycky spíš otázka budoucnosti a podle všech zachovaných dokumentů se zdá, že ji nepovažovali politici ani na české, ani na slovenské straně za takovou, že by mohla působit větší problémy. Ve fázi revolučního vzepětí převládala na obou stranách vstřícnost. Čeští politici se často vyjadřovali, že Slováci dostanou všechno, co budou požadovat. Slováci zas většinou akceptovali myšlenku, že v první fázi, v zájmu mezinárodního uznání i v zájmu hladkého vymanění Slovenska z uherské administrativy, nejlíp vyhovuje centralistický model státu. Všechny síly se soustřeďovaly k dosažení základního cíle. Plánu, který byl ještě před nedávnem považován za blouznění stárnoucího pražského profesora.

V části literatury se vznik Československa označuje za událost, o niž se sami Češi a Slováci málo zasloužili. Nový stát dostali jakoby zadarmo, bez boje. I když tomu tak není, malé zrnko pravdy na takovém výkladu je a stojí za pozornost.

Při důkladné analýze slovenské i české společnosti a jejich politických postojů zjistíme, že aktivně pro plán československého státu vystupovala především politická elita na obou stranách – zahraniční emigrace, Slováci a Češi v dohodových a neutrálních zemích, příslušníci legií a politické špičky doma. Mezi domácími politiky však zdaleka ne všichni. Část politiků stála z různých důvodů dlouhou dobu na loajálních pozicích. Jistého obratu se podařilo dosáhnout pouze dík vytrvalé činnosti Maffie. Oběti přinášeli především legionáři, aktivní a cílevědomí bojovníci za nový stát. Velká část obyvatelstva však byla prostě – pasivní. Mnozí Slováci a Češi bojovali v c. a k. armádě a zejména v prvních letech války patřili k statečným a odhodlaným bojovníkům za svého císaře a krále. Platí to sice víc o Slovácích, ale představa, že všichni čeští vojáci byli rebelové nebo švejkové, rovněž neodpovídá skutečnosti.

Nový stát ovšem většina Slováků i Čechů akceptovala. Mnozí s nadšením, někteří s nedůvěrou. Pojem „akceptování státu" se ještě objeví v pozdějších obdobích; bylo by dobře si ho zapamatovat. Akceptování československého státu probíhalo od začátku jeho existence. Po 20 letech většina Slováků i Čechů považovala tento stát za svůj a za mnichovské krize byla ochotna bránit ho se zbraní v ruce. Přesto je třeba vidět rozdíl mezi dlouholetým cílevědomým bojem o stát, v němž je nutno systematicky přinášet oběti, a jeho akceptováním.

ČESKOSLOVENSKÁ STÁTNOST A JEJÍ DOZNÍVÁNÍ

Po 28. říjnu 1918 začaly dějiny československého státu. Tyto dějiny tvoří tři čtvrtiny století společného státu Čechů a Slováků s krátkým přerušením v letech 1939–1945. Je to tedy období, jež patří stejnou měrou do českých i do slovenských dějin, a lze v něm hovořit o československých státních dějinách. Česko-slovenské vztahy přestaly být vnějšími, tvoří vnitřní (a podstatnou) náplň československých dějin. Všechno, o čem se v této knize píše po roce 1918, jsou vlastně v té či oné formě vlastně i dějiny česko-slovenských vztahů. Proto se můžeme omezit na několik poznámek, jež jsou pro vývoj těchto vztahů rozhodující.

Vznikem Československé republiky se spojily v jednom celku dvě dost rozdílné země (pokud ponecháme stranou Podkarpatskou Rus jako speciální problém). Rozdíl byl i v kvantitě – poměr mezi Čechy a Slováky byl tehdy 3 : 1. To však nebylo nejpodstatnější. Mnohem větší rozdíl mezi oběma částmi nového státu spočíval v jejich rozvinutosti. Velmi odlišná byla kvalita národního uvědomění a stupeň organizovanosti české a slovenské společnosti. Na tomto rozdílu se podepsal půl století trvající dualistický systém, který Slováky v jejich vývoji tvrdě přibrzdil.

Rozdíl byl i v ekonomické vyvinutosti obou zemí. Slovensko, jedna z nejprůmyslovějších oblastí v rámci Uher, bylo ve srovnání s českými zeměmi zaostalou agrární zemí. Srovnávat celkovou úroveň společnosti bylo možno pouze na regionální úrovni. Jestliže v Čechách a na Moravě existovaly agrární oblasti srovnatelné s některými oblastmi na Slovensku, na druhé straně tak zaostalé oblasti jako některé regiony východního a severního Slovenska už v té době v západní části státu nebyly. Mnoho Čechů v tom vidělo idealizovanou a idylickou patriarchálnost, ve skutečnosti se však jednalo o zcela prozaickou bídu, která vyháněly Slováky za moře. Srovnávat bylo možno některá města, protože proces modernizace neobešel ani agrární Uhersko, globální srovnání obou částí státu však ukazovalo na zásadní rozdíl v hospodářském a společenském rozvoji. Rozdíl byl i v tom, že tou dobou byla slovenská společnost ještě hluboce religiózní, což v české společnosti, do jisté míry už sekularizované, naráželo na nepochopení. Reakce na takové střetávání byla v psychologické oblasti pochopitelná. Podle mnohých Čechů přicházejících na Slovensko, ale i podle českých politiků měla méně vyvinutá slovenská společnost postupně přebírat hodnotový systém vyspělejší společnosti české, kterýžto názor narážel na slovenské straně na pochopitelný odpor. Situace snad nebyla natolik dramatická, ale v jisté modifikaci se opakoval model, který byl známý i z jiných oblastí světa, kde došlo k střetu dvou rozdílných společností.

Štefánikova kolej v Korunovační ulici na Letné v Praze

Zatímco ve sféře kulturní se problémy výrazněji neprojevovaly, nejmarkantněji byla rozdílnost obou částí státu znát v hospodářství a v politice.

V hospodářské oblasti Slovensko utrpělo tím, že se vyčlenilo z relativně zaostalého Uherska a připojilo se k českým zemím. Nejpatrnější to bylo v oblasti průmyslu, kde se projevila technologická zaostalost řady slovenských podniků, které nebyly schopny konkurovat vyspělejšímu českému průmyslu, dostávaly se do krize a zanikaly. Český (a rovněž česko-německý) kapitál se choval podle zákonů trhu, a tak došlo k pohlcování a likvidaci mnoha průmyslových podniků na Slovensku. Liberální politika pražské vlády dostatečně nechránila slabší slovenský průmysl. Do nesnází se dostávalo i slovenské zemědělství.

Nejvážnější problémy se však objevily v oblasti politické, respektive státoprávní. Česká společnost akceptovala československý stát a viděla v něm realizaci svého státoprávního programu ve variantě vylepšené o připojení Slovenska. Tak to chápali i čeští politici. Bylo to osobité spojení nacionalistické ideje národního státu s politickým pragmatismem. Český národní stát by jinak byl za tehdejší situace velmi problematický vzhledem k početné německé menšině. To věděl ostatně už v polovině 19. století František Palacký.

Na Slovensku byl nový stát vnímán jinak. Slovenská společnost ho spontánně přivítala. Rozdíly ovšem byly mezi některými regiony a mezi společenskými vrstvami, přičemž dělníci patřili k národně uvědomělejší části slovenské společnosti. V zásadě se však na Slovensku československý stát chápal jako spojení dvou subjektů. Takové pojetí převažovalo i mezi politiky, přestože se mezi nimi vytvořila silná vrstva centralisticky orientovaných představitelů, pro niž však státní centralismus byl potřebný z praktických a taktických důvodů. Ukázala to už schůze, která předcházela deklaračnímu shromáždění v Turčianském Sv. Martině 30. října 1918. V diskusi byl předložen i návrh slovenské autonomie, byl však odmítnut jako v dané chvíli nevhodný. Zpočátku tedy převládala i mezi slovenskými politiky orientace centralistická, kromě jiného také proto, že nová maďarská vláda začala hrát se slovenskou autonomií politickou hru.

Postupem doby však začal mezi Slováky převažovat starý slovenský politický program – autonomie. Ukázalo se to dost jednoznačně v druhé polovině třicátých let, kdy i takoví centralističtí politici, jako byl Milan Hodža, začali mluvit o rovnoprávném postavení Slovenska. Problém slovenské autonomie v meziválečném období však spočíval především v tom, že se ho ujala Hlinkova slovenská ľudová strana, takže v jejím podání dostal klerikální rysy a už v třicátých letech se začaly objevovat náznaky protičeské averze, vyplývající právě z odmítání české sekularizované společnosti. Tyto averze pak naplno propukly v letech slovenského státu, kdy byly ještě znásobeny snahou ľudáků „vysvětlit" slovenským občanům vytvoření samostatného státu, který nevznikl z vůle Slováků, ale na Hitlerův nátlak.

Jozef Rotnágl

Přes všechny problémy se však v meziválečném období česko-slovenská otázka a otázka státoprávního uspořádání nestaly příčinou rozpadu státu. Byla tu jistá napětí, ale také spontánní jednota, například v době Mnichova. Slovenská autonomie z října 1938 už nemohla být impulsem pro nové, perspektivnější uspořádání státu. Uskutečnila se totiž v době, kdy

Hitlerův stín hrozil Evropě a pomnichovská druhá republika mu byla vydaná zcela napospas.

První skutečná propast mezi českou a slovenskou společností se vytvořila až po 14. a 15. březnu 1939. Méně podstatné bylo, že Češi a Slováci žili ve dvou státech, oddělených hranicí, kterou Němci dost přísně střežili. V mezinárodně právní oblasti byl tento fakt oslaben tím, že Spojenci už od let 1940–1941 začali uznávat kontinuitu předválečného Československa. Mnohem důležitější bylo, že se v onom relativně krátkém období vytvořily na obou stranách v pocitové oblasti hluboké stereotypy, které přetrvávají vlastně až do současnosti. Čechy a Morava se dostaly pod německý „protektorát", čili byly Německem přímo okupovány, což mělo za následek brutální nacistický teror. Slovensko bylo rovněž pod Hitlerovou kontrolou, bylo však formálně samostatné a německá přítomnost zde byla až do srpna 1944 podstatně méně viditelná. Ve frustrované české společnosti se šířila představa, akceptovaná i Edvardem Benešem, že „Slováci nám vrazili nůž do zad". Vytvořil se rovněž stereotyp, podle něhož Slováci vždycky využijí tragédie českého národa ve svůj prospěch (v souvislosti s federací, uzákoněnou po vstupu vojsk Varšavské smlouvy do Československa roku 1968 se tento stereotyp objeví znovu). Na slovenské straně se ľudáci snažili všemi možnými prostředky vnutit slovenské společnosti obraz Čechů jako kolonizátorů a neznabohů; soužití s nimi v jednom státě by přivodilo zánik slovenského národa.

Průběh války, odboj a Slovenské národní povstání sice do značné míry oslabily působnost těchto mýtů a stereotypů, úplně je však neodstranily. Ukázalo se to v těžkých vleklých jednáních v exilu kolem státoprávního uspořádání obnoveného Československa. Rozpory nakonec vedly k tomu, že šance obnovit Československou republiku po roce 1945 na nových základech a s lepší perspektivou vzájemných vztahů nebyla využita. Benešovo až dogmatické trvání na obnově předmnichovského Československa včetně státního centralismu nakonec dovršili komunisté, pro něž byl byrokratický centralismus základní metodou řízení státu i společnosti.

Česká společnost si tuto promarněnou šanci neuvědomovala, nevěděla o ní. Na Slovensku se pod zdánlivě klidnou hladinou skrývala nespokojenost, která občas vyrazila na povrch. Nejvíc při arogantním vystupování Antonína Novotného na Slovensku. Proto v dobách uvolnění se slovenská otázka vždycky vynořila znovu; v slabém náznaku už po Stalinově smrti a po odhaleních XX. sjezdu KSSS. Jasně – s požadavkem federace na jaře 1968. Formální federace po roce 1969 opět nic nevyřešila; zůstala jen na papíře a pro Slováky představovala velké zklamání. Požadavek federace byl vlastně motivován snahou o slovenskou samosprávu. Za komunistické normalizace však žádná samospráva existovat nemohla. O všem se rozhodovalo ani ne tak v Praze jako spíš a především v Moskvě.

Nelze tedy považovat za překvapující, jestliže se „slovenská otázka" objevila znovu po listopadu 1989. Otázka kompetencí byla jistě velmi složitá, jednání často bezvýsledná. Hýbala se z místa jen pomalu, a když se začalo ukazovat, že by se mohlo postupně dosáhnout řešení, vstoupily do dějinného procesu volby roku 1992. Problémy ve vzájemných česko-slovenských vztazích byly vážné a historickým vývojem i tabuizováním zkomplikované. Přece však nedosáhly takového stupně, aby rozdělení státu bylo nevyhnutelné. Rozdělení Československa bylo aktem politickým, bylo to rozhodnutí politických stran, které zvítězily ve volbách roku 1992, bez účasti občanů, bez referenda.

Po rozdělení Československa se obě části kdysi společného státu začaly od sebe poměrně rychle vzdalovat. Rozdílné směřování nemůže zakrýt stále existující celní unie. Odlišnost je nejmarkantnější v zahraničněpolitické oblasti. Česká republika je už fakticky na prahu NATO i Evropské unie. Slovensko, i když formálně stále členství v evropských a euroatlantických strukturách deklaruje, se ocitá v mezinárodní izolaci. Česko-slovenská hranice, která byla po rozdělení státu nějakou dobu velmi propustná, potom krátce „nadstandardní“, stala se normální státní hranicí. Po vstupu České republiky do NATO a Evropské unie se z ní stane hranice dvou světů.

Přes zmíněné rozdíly to, co vyplývá z celého předchozího historického vývoje, zůstává. Češi a Slováci jsou a zůstanou sousedy, dvěma velmi blízkými národy a vzhledem k svému postavení ve střední Evropě může kdykoli nastat doba, že se budou znovu, jako už mnohokrát předtím, potřebovat. Z toho vyplývá, že politické reprezentace obou zemí považují za potřebné udržovat dobré a korektní sousedské vztahy.

Právě věda a kultura tvoří oblast, kde se navzdory politickým problémům udržela kontinuita spolupráce a vzájemného ovlivňování. Tady byly kontakty po celá staletí i v desetiletích společného státu mimořádně plodné. Zpočátku těžilo zejména Slovensko ze spojení se všestranně vyspělejším a hlavně organizovanějším kulturním životem svého českého souseda. O tvůrčí činy nebyla ani na Slovensku nikdy nouze, chyběly však instituce, slovem: kulturní infrastruktura.

Po letech svobodného rozvoje v předmnichovském Československu bylo už Slovensko v kulturní oblasti partnerem, který dokázal obohatit i kulturu českou. Také v dalších letech, navzdory komunistické totalitě, si kultura a věda vyvzdorovaly jistý autonomní prostor a česko-slovenská vzájemnost zde nadále působila jako významný stimul. V tom lze spatřovat jeden z důvodů, proč právě kulturní a vědecké kruhy se nejvíc bránily rozdělení Československa. A je to opět kultura a věda, které navzdory těžkostem udržují česko-slovenskou spolupráci i po rozdělení společného státu.

DODATKY

asi 100 000 př. Kr.	nález odlitku neandrtálské lebky z Gánovců u Popradu
40 000–8300 př. Kr.	období mladšího paleolitu
22 8000 př. Kr.	Venuše z Moravian
8300–5000 př. Kr.	mezolit
5. tisíciletí př. Kr.	začátek „neolitické revoluce“
zač. 4. tisíciletí př. Kr.	kultura lengyelská
2800–2600 př. Kr.	kultura bádenská
1900–700 př. Kr.	střední, mladší a pozdní doba bronzová
7. stol. př. Kr.	začátek doby železné na Slovensku
pol. 5. stol. př. Kr.	začátek doby laténské
druhá půle 4. stol. př. Kr.	výrazný příliv Keltů do Karpatské kotliny
3.–1. stol. př. Kr.	Kelti se stali dominujícím etnikem na Slovensku
1.–4. stol. po Kr.	Slovensko v sousedství římské říše. Germáni na slovenském území
172	císař Marcus Aurelius napsal v táboře na řece Hronu první kapitolu filosofického spisu *Hovory k sobě samému*
173	vítězství Římanů nad Markomany a Kvády. příběh o zázračném dešti
179	římský nápis na trenčínské skále
5.–6. stol.	příchod Slovanů na slovenské území
druhá pol. 6. stol.	Slovensko sousedstvím avarské říše
623–658	Sámova říše, vytvoření obranného svazu slovanských kmenů
828	vysvěcení křesťanského kostela na Pribinově dvorci v Nitře
833	vznik Velké Moravy, připojení Pribinova knížectví ke knížectví Mojmírovu
846–870	vláda knížete Rastislava
855	vojenské tažení Ludvíka Němce proti Velké Moravě
863	příchod bratrů Konstantina a Metoděje na Velkou Moravu
867	papež Hadrián II. schválil slovanské překlady Písma svatého a bohoslužebných knih
869	sv. Cyril (Konstantin) zemřel v Římě
871–894	vláda Svatopluka I.
874	mírová smlouva mezi Svatoplukem a Ludvíkem Němcem
880	papež Jan VIII. schválil slovanskou liturgii, zřízení velkomoravské církevní provincie a nitranského biskupství

885	smrt arcibiskupa Metoděje
885	zákaz slovanské liturgie papežem Štěpánem V.
890	východofranský král Arnulf postoupil Svatoplukovi vrchní vládu nad českými knížectvími
894	začátek vlády knížete Mojmíra II.
895	česká knížata se odtrhla od Velké Moravy
896	příchod starých Maďarů do Podunají
907	bitva Bratislavy (Brezalauspurcu) mezi Maďary a bavorským vojskem
955	porážka Maďarů na řece Lechu od císaře Oty I.
997–1038	vláda Štěpána Svatého
1000	Štěpán Svatý uherským králem
1018	uzavření míru mezi polským králem Boleslavem I. Chrabrým a Štěpánem I., jímž se Polsko vzdalo všech nároků na území na jih od Karpat
1046–1060	stabilizace Uher za vlády Ondřeje I.
asi 1048	vznik nitranského biskupství
1074–1077	vlády Gejzy I.
1077–1095	vláda Ladislava I.
1095–1116	vláda Kolomana
1105	zánik nitranského údělného vévodství
1147	příchod prvních německých kolonistů na Spiš a do okolí Banské Štiavnice
1173–1196	Béla III. uherským králem
1205–1235	vláda Ondřeje II.
1222	vydání Zlaté buly, která obsahovala základní práva uherské šlechty
1235–1270	vláda Bély IV.
1241–1242	mongolský vpád
pol. 13. stol.	počátek výstavby nových a opevňování starých hradů na území celého Uherska
1272–1290	vláda Ladislava IV. Kumánského
1290–1301	vláda posledního Arpádovce Ondřeje III.
1299	Matúš Čák začal organizovat svou západo- a středoslovenskou državu s centrem v Trenčíně
1301–1305	český kralevic Václav uherským králem (jako Ladislav V.)
1308–1342	Karel I. Robert z rodu Anjou uherským králem
1312	bitva u Rozhanovců a porážka Omodejovců
1321	smrt Matúše Čáka
1335	schůzka polského krále Kazimíra III., českého krále Jana Lucemburského a Karla Roberta ve Višegrádě
1342–1382	vláda Ludvíka I. Velikého

1381	udělení stejných práv Slovákům a Němcům v žilinské městské radě Ludvíkem I. (*Privilegium pro Slavis*)
1387–1437	Zikmund Lucemburským uherským králem
1412	zástava 13 spišských měst a hradu Stará Ĺubovňa Polsku (trvala až do roku 1772)
1428	první husitský vpád na Slovensko
1440–1457	Ladislav Pohrobek uherským králem a boje jeho stoupenců s přívrženci Jagellonce Vladislava I.
1440	příchod českých žoldnéřů Jana Jiskry na Slovensko
1458–1490	vláda Matyáše I. Korvína
1462	Jan Jiskra vstoupil do služeb Matyáše Korvína
1467	*Academia Istropolitana* zahájila v Bratislavě svou činnost
1490–1516	Vladislav II. Jagellonský uherským králem
1514	schválení šlechtického zákoníku, tzv. *Tripartitum*
1516–1526	vláda Ludvíka II.
1525–1526	hornické povstání v Banské Štiavnici
1526, 29. srpna	porážka uherského vojska od Turků u Moháče
1526	Jan Zápolský přijat za uherského krále
1526	volba Ferdinanda I. Habsburského uherským králem
1530	první vpád Turků na Slovensko
1538	podpis mírové smlouvy mezi Ferdinandem I. a Janem Zápolským ve Velkém Varadínu
1540	smrt Jana Zápolského
1541	Turci obsadili Budín a okupovali celou střední část Uherska, které se tak rozdělilo na tři části.
1543	Turci obsadili Ostřihom. Ostřihomská kapitula se přemístila do Trnavy a ostřihomský arcibiskup přesídlil do Prešporka
1554	Turci dobyli Fiľakovo
1564–1576	vláda Maximiliána
1576–1608	vláda Rudolfa
1580	dobudovaní pevnosti Nové Zámky
1604–1606	povstání Štěpána Bocskaye
1606	podpis žitvatoreckého míru mezi Habsburky a osmanskou říší
1608–1619	vláda Matyáše II.
1616	začátek povstání Gabriela Bethlena
1619–1637	vláda Ferdinanda II.
1620	banskobystrický sněm zvolil G. Bethlena uherským králem
1635	založení univerzity v Trnavě
1637–1657	vláda Ferdinanda III.
1644–1645	povstání Jiřího I. Rákocziho
1648	vestfálský mír a konec třicetileté války
1657–1705	Leopold I. uherským králem

1660	potvrzení výsad univerzity v Košicích panovníkom
1664	podpis míru mezi císařem Leopoldem I. a osmanskou říší ve Vášváru
1671	mimořádný soud nad účastníky prozrazeného šlechtického Wesselényiho spiknutí
1678	začátek povstání Imricha Thökölyho
1683, 12. září	porážka Turků před Vídní
1684	porážka Imricha Thökölyho u Prešova
1687	„prešovská jatka": poprava 24 měšťanů podezřelých z přípravy povstání
1703	vpád Františka II. Rákocziho na Slovensko
1705–1711	vláda Josefa I.
1711–1740	vláda Karla VI. (jako uherského krále Karla III.)
1711, 30. duben	mír v Satu Mare a konec povstání Františka II. Rákocziho
1713	poprava Juraje Jánošíka
1713	vydání pragmatické sankce o úpravě nástupnických práv Karlem VI. Uherský sněm ji přijal roku 1722
1723	vydání Apologie Jána B. Magina
1740–1780	vláda Marie Terezie
1745	mírovou smlouvou v Drážďanech uzavřenou mezi pruským králem Fridrichem II. a Marií Terezií ztratila habsburská monarchie většinu Slezska
1763	počátek činnosti vysoké školy pro výchovu báňských odborníků, od 1770 oficiální název Báňská akademie v Banské Štiavnici
1767	vydání urbariálního dekretu
1777	vydání *Ratio educationis,* reformy školství
1780–1790	vláda Josefa II.
1781	vydání tolerančního patentu
1783	začaly vycházet *Prešpurské noviny*
1785	zrušení nevolnictví v Uhersku
1787	kodifikace spisovné slovenštiny Antonem Bernolákem
1790–1792	vláda Leopolda II.
1792–1835	vláda Františka II.
1792	založení Slovenského učeného tovaryšstva
1795	poprava sedmi předáků jakobínského spiknutí v Budíně
1803	založení katedry řeči a literatury československé na evangelickém lyceu v Prešporku
1815	vídeňský kongres
1824	první vydání Kollárovy *Slávy dcery*
1826	založení Slovenského čtenářského spolku v Pešti
1827	vznik Společnosti česko-slovenské na evangelickém lyceu v Prešporku
1831	rolnické povstání na východním Slovensku

1834	založení Spolku milovníků řeči a literatury slovenské
1835–1848	vláda Ferdinanda V.
1836	památný výlet Ľ. Štúra a jeho přátel na Devín
1842	vypracování a odevzdání Slovenského prestolného prosbopisu panovníkovi
1843	kodifikace spisovné slovenštiny Ľ. Štúrem
1844	založení spolku Tatrín
1845	začaly vycházet *Slovenské národní noviny*
1847	výroční zasedání spolku Tatrín v Čachticích, kde došlo k sjednocení štúrovců a bernolákovců
1847–1848	zasedání uherského sněmu v Prešporku
1848, březen	přijetí březnových zákonů uherským sněmem; zrušení poddanství
1848, květen	vyhlášení Žádosti slovenského národa na veřejném shromáždění v Liptovském Sv. Mikuláši
1848, červen	Slovanský sjezd v Praze
1848, 16. září	vznik Slovenské národní rady ve Vídni
1848, 19. září	výzva SNR k ozbrojenému povstání
1848–1916	vláda Františka Josefa I.
1848, prosinec	druhá, tzv. zimní výprava dobrovolníků na Slovensko
1849, srpen	porážka maďarských povstalců u Világoše
1851	společná porada katolických a evangelických stoupenců slovenštiny v Prešporku
1852	vydání *Krátké mluvnice slovenské* od M. Hattaly reforma spisovné slovenštiny
1856	smrt Ľudovíta Štúra
1859	porážka rakouských vojsk od italských a francouzských vojsk v severní Itálii
1861, březen	začaly vycházet *Pešťbudínske vedomosti*
1861, 6.–7. července	shromáždění v Turčianském Sv. Martine schválilo *Memorandum národa slovenského*
1862	založení slovenského gymnázia v Revúci
1863, 4. srpen	založení Matice slovenské
1866	rakousko-pruská válka
1867	rakousko-uherské vyrovnání
1867	založení slovenského gymnázia v Turčianském Sv. Martine
1868	J. Bobula začal vydávat *Slovenské noviny*
1868	vydání národnostního zákona v Uhersku
1869	založení slovenského gymnázia v Kláštore pod Znievom
1869	založení Spolku Sv. Vojtěcha
1869	založení Živeny, spolku slovenských žen
1872	vznik Slovenského pěveckého spolku, stálé ochotnické scény v Turčianském Sv. Martine

1872	vznik Slovenské strany vyrovnání
1874–1875	rušení slovenských gymnázií
1875, 6. duben	zrušení Matice slovenské
1875–1890	vláda Kálmána Tiszy
1882	založení studentského spolku pražských Slováků Detvan
1883	založení maďarizačného spolku FMKE (Hornouherský maďarský vzdělávací spolek)
1884	založení Tatrabanky, první slovenské banky
1884	vyhlášení politické (volební) pasivity
1895	založení Muzeální slovenské společnosti
1895	konání Národnostního kongresu utlačovaných národností v Uhrách v Pešti
1896	založení Československé jednoty v Praze
1901	konec volební pasivity Slovenskou národní stranou
1903	začal vycházet *Slovenský týždenník*
1904	začaly vycházet *Slovenské robotnícke noviny*
1905	vznik Slovenské sociálnědemokratické strany
1906	pro Slováky nejúspěšnější volby do uherského sněmu
1907	Apponyiho školské zákony a začátek maďarizace školství
1907, 30. květen	založení Slovenské ligy v USA
1907, říjen	krvavé události v Černové
1908–1913	každoroční česko-slovenské porady v Luhačovicích
1913	vznik Slovenské ľudové strany
1914, březen	smrt předsedy SNS P. Mudroně
1914, 28. červen	sarajevský atentát
1914, 10. září	memorandum Slovenské ligy v USA o právu sebeurčení pro Slováky
1914, listopad–1915, květen	boje v Karpatech a na slovenském území
1915, březen	vznik Svazu československých spolků v Rusku
1915, duben	Masarykovo memorandum *Independent Bohemia*
1915, 22. říjen	podpis Clevelandské dohody
1916, únor	vznik Československé národní rady v Paříži
1916, srpen	Kyjevský zápis, sjednocení českých a slovenských krajanských organizací v Rusku
1916, listopad	smrt Františka Josefa I., nástup na trůn Karla I. (IV.)
1917, 30. květen	vyhlášení českých poslanců v říšském sněmu nastolující požadavky spojení českých zemí a Slovenska
1917, červenec	bitva u Zborova
1918, březen	brestlitevský mír
1918, duben	kongres utlačovaných národů Rakousko-Uherska v Římě
1918, 1. květen	manifestace v Lipt. Sv. Mikuláši požadující československý stát

1918, květen	oslavy půlstoletí Národního divadla v Praze za účasti slovenské delegace
1918, 24. květen	tajná schůzka Slovenské národní strany v Turčianském Sv. Martinu, rozhodnutí o vytvoření československého státu
1918, 30. květen	podpis Pittsburské dohody
1918, červen	vzpoura slovenských vojáků v Kragujevaci
1918, 29. červen	francouzská vláda uznala československý odboj za svého spojence
1918, červenec	vznik revolučního Národního výboru v Praze
1918, 9. srpen	československý odboj byl uznán za spojence britskou vládou
1918, 3. září	uznání československého odboje za spojence vládou USA
1918, 12. září	porada představitelů Slovenské národní strany v Budapešti, vznik Slovenské národní rady
1918, 3. říjen	uznání československého odboje za spojence vládou Itálie
1918, 16. říjen	manifest císaře Karla o federalizaci Předlitavska
1918, 18. říjen	publikace *Vyhlášení nezávislosti Československa*
1918, 19. říjen	vystoupení F. Jurigy na uherském sněmu
1918, 28. říjen	vytvoření československé vlády v Ženeve
1918, 28. říjen	vznik Československa
1918, 30. říjen	Martinská deklarace
1918, 3. listopad	ve Villa Giusti u Padovy podpis příměří mezi Rakousko-Uherskem a Dohodou
1918, 4. listopad	Národní výbor jmenoval dočasnou vládu pro Slovensko na čele s V. Šrobárem
1918, 6. listopadu	dočasná vláda pro Slovensko sa ujala funkce ve Skalici
1918, 13. listopad	francouzský generál F. d`Esperey uzavřel s maďarskou vládou v Bělehradě zvláštní příměří
1918, 14. listopad	T.G. Masaryk zvolen za prvního prezidenta Československé republiky
1918, 3. prosinec	šéf dohodové vojenské mise v Budapešti pplk. Vyx žádal maďarskou vládu, aby její vojsko odešlo ze slovenského území
1918, 6. prosinec	československý vyslanec v Budapešti M. Hodža vyjednal s maďarskou vládou demarkačnú čáru, za kterou se mělo stáhnout maďarské vojsko
1918, 7. prosinec	vytvoření Ministerstva s plnou mocí pro správu Slovenska
1918, 11. prosinec	V. Dvortsák vyhlásil v Košicích Slovenskou ľudovou republiku

1918, 24. prosinec	pplk. Vyx odevzdal maďarské vládě nótu se stanovením demarkační čáry mezi Maďarskem a ČSR
1919, 1. leden	obnovení činnosti Matice slovenské
1919, 20. leden	rozpuštění Slovenské národní rady
1919, 4. únor	příchod Šrobárova ministerstva do Bratislavy
1919, 25. březen	na Slovensku bylo vyhlášeno stanné právo kvůli vyhlášení Maďarské republiky rad
1919, 16. duben	přijetí zákona o pozemkové reformě
1919, 4. května	smrt Milana Rastislava Štefánika
1919, květen–červen	boje o Slovensko s Maďarskou republikou rad
1919, 27. červen	založení Univerzity Komenského v Bratislavě
1919, 8. červenec	prezident jmenoval novou vládu na čele s Vl. Tusarem
1920, 29. únor	přijetí první ústavy Československé republiky
1920, 1. březen	založení Slovenského národního divadla v Bratislavě
1920, 16. duben	první volby do Národního shromáždění
1920, 25. květen	prezident vyjmenoval vládu na čele s Vl. Tusarem jako první, která vznikla na základě parlamentních voleb
1920, 27. květen	Národní shromáždění zvolilo prezidentem ČSR T.G. Masaryka
1920, 4.červen	podpis mírové smlouvy s Maďarskem v Trianonu
1920, 15. září	vznik úřednické vlády J. Černého
1921, 21. únor	v Nitře se konalo vysvěcení třech slovenských katolických biskupů J. Vojtaššáka, M. Blahu a K. Kmeťka
1921, 26. září	vládní kabinet vedený E. Benešem
1922, 25. leden	Slovenská ľudová strana předložila Národnímu shromáždění první návrh na autonomii Slovenska
1922, 7. říjen	prezident vyjmenoval novou vládu na čele s agrárníkem A. Švehlou
1922, 22. říjen	v Liptovském Sv. Mikuláši sa konalo vysvěcení dvou slovenských evangelických biskupů J. Janiošky a S. Zocha
1923, 6. březen	parlament přijal tzv. zákon na ochranu republiky
1925, 15. listopad	parlamentní volby
1925, 12. říjen	prezident vyjmenoval vládu A. Švehly
1925, 2. prosinec	zakládací shromáždění Šafárikovy učené společnosti v Bratislavě
1927–1929	účast Hlinkovy slovenské ľudové strany na vládě
1927, 27. květen	T.G. Masaryk byl zvolen opět prezidentem ČSR
1927, 14. červenec	přijetí zákona o reformě veřejné správy 1928
1927, 1. červenec	na Slovensku vzniklo krajinské zřízení na čele s krajinským prezidentem
1929, 27. říjen	parlamentní volby
1929, 7. prosinec	vláda F. Udržala
1930–1934	velká hospodářská krize

1932, 25.–26. červen	sjezd mladé slovenské inteligence v Trenčianských Teplicích sa vyslovil za autonomii Slovenska
1932, 29. říjen	prezident vyjmenoval vládu na čele s J. Malypetrem
1933, 24. květen	T.G. Masaryk byl opět zvolen prezidentem ČSR
1933, 12.–15. srpen	v Nitře sa konaly tzv. Pribinovy oslavy, které HSĽS přeměnila na politickou demonstraci autonomismu
1935, 16. květen	podpis spojenecké smlouvy mezi ČSR a SSSR
1935, 19. květen	volby do parlamentu a do krajinského zastupitelstva
1935, 4. červen	jmenování druhé vlády J. Malypetra
1935–1938	Milan Hodža předsedou československé vlády
1935, 18. prosinec	Edvard Beneš byl zvolen prezidentem ČSR
1936, 30. květen– –1. červen	v Trenčianských Teplicích se sešel první kongres slovenských spisovatelů
1937, 25. červen	založena Slovenská vysoká škola technická
1938, 4.– 5. červen	sjezd HSĽS přijal nový návrh autonomie Slovenska
1938, 16. srpen	smrt Andreje Hlinky
1938, 22. září	demise vlády M. Hodži, kterou vystřídala vláda J. Syrového
1938, 23. září	mobilizace československé armády
1938, 29. září	mnichovský diktát
1938, 5. říjen	prezident E. Beneš rezignoval, aby vzápětí emigroval do Londýna
1938, 6. říjen	vyhlášení slovenské autonomie v Žilině
1938, 7. říjen	jmenování krajinské autonomní vlády J. Tisa
1938, 2. listopad	vídeňská arbitráž a následující odtržení jižních oblastí Slovenska a Podkarpatské Rusi, které připojeny k Maďarsku
1938, 8. listopad	vytvoření HSĽS – Strany slovenské národní jednoty
1938, 22. listopad	schválení zákona o autonomii Slovenska Národním shromážděním
1938, 30. listopad	Emil Hácha zvolen za prezidenta ČSR
1938, 1. prosinec	prezident vyjmenoval vládu R. Berana
1938, 18. prosinec	volby do autonomního slovenského sněmu
1939, 2. únor	první zasedání slovenského sněmu
1939, 9. březen	sesazení a reorganizace slovenské autonomní vlády, tzv. Homolův puč
1939, 11. březen	prezident vyjmenoval autonomní vládu na čele s K. Sidorem
1939, 14. březen	vyhlášení slovenského státu slovenským sněmem
1939, 23. březen	podpis ochranné smlouvy mezi Německem a Slovenskem
1939, 23. březen	maďarská invaze na východním Slovensku (začátek tzv. malé války)
1939, 21. červen	přijetí ústavy Slovenské republiky
1939, září	účast Slovenska na válce proti Polsku

1939, 26. říjen	Jozef Tiso zvolen prezidentem Slovenské republiky
1939, 22. listopad	M. Hodža založil v Paříži Slovenskou národní radu
1940, 21. květen	prezident J. Tiso přijal demisi A. Macha na funkci hlavního velitele Hlinkovy gardy
1940, 21. červenec	uznání československé vlády v Londýně britskou vládou
1940, 28. červenec	salzburské rozhovory mezi Hitlerem a Tisem
1940, 24. listopad	Slovensko přistoupilo k Paktu tří mocností
1941, 23. červen	vstup Slovenska do války proti SSSR
1941, 18. červenec	Sovětský svaz sa připojil k britskému uznání londýnské československé vlády
1941, 9. září	vydání vládního nařízení, tzv. židovského kodexu
1941, 25. listopad	Slovensko přistoupilo k paktu proti Kominterně
1942, 25. březen	první transport se slovenskými Židy do vyhlazovacích táborů
1942, 2. červenec	založení Slovenské akademie věd a umění
1942, 22. říjen	slovenský sněm udělil J. Tisovi titul vůdce
1943, 12. prosinec	podpis spojenecké smlouvy mezi ČSR a SSSR
1943, prosinec	vytvoření ilegální Slovenské národní rady a podpis tzv. vánoční dohody
1944, 10. duben	vznik 1. čs. armádního sboru v SSSR
1944, 29. srpen	vyhlášení Slovenského národního povstání
1944, 17. září	vyšlo první číslo Času, orgánu Demokratické strany
1944, 6. říjen	Rudá armáda a 1.čsl. armádní sbor překročily u Dukly hranice Slovenska
1944, 27. říjen	německá armáda obsadila Banskou Bystrici, centrum SNP
1945, 4. duben	Rudá armáda vstoupila do Bratislavy
1945, 5. duben	v Košicích byl vyhlášen košický vládní program
1945, 9. květen	osvobození Prahy
1945, 10. květen	vláda Z. Fierlingera vstoupila do Prahy
1945, 15. květen	SNR vydala nařízení o retribučních soudech
1945, 2. srpen	dekret prezidenta o ztrátě občanství Němců a Maďarů
1945, 24. říjen	vydání dekretů prezidenta republiky o znárodnění
1946, 22. únor	československo-maďarská dohoda o výměně obyvatelstva
1946, 5. duben	zveřejnění dohody mezi Demokratickou stranou a slovenskými katolickými politiky, tzv. aprílová dohoda
1946, 26. květen	volby do Ústavodárného národního shromáždění
1946, 19. červen	E. Beneš byl zvolen za prezidenta ČSR
1946, 28. červen	třetí pražská dohoda o vztazích mezi celostátními a slovenskými politickými orgány
1946, 2. červenec	vláda na čele s komunistou K. Gottwaldem
1946, 13. srpen	komunista G. Husák se stal předsedou Sboru pověřenců
1947, 1. leden	začátek dvouletého plánu
1947, 18. duben	poprava Jozefa Tisa

1947, červenec	vláda ČSR odmítla se participovat na Marshallově plánu
1947, 14. září	pověřenectvo vnitra vydalo správu o „protistátním spiknutí"
1947, 19. listopad	komunisty vynucená reorganizace Sboru pověřenců
1948, 21. únor	G. Husák v rozporu s ústavou odvolal ze Sboru pověřenců příslušníky Demokratické strany
1948, 25. únor	komunistický puč
1948, 29. duben	ukončení soudního projednávání proti účastníkům „protistátního spiknutí"
1948, 9. květen	přijetí nové ústavy ČSR
1948, 15. květen	odsouzení funkcionářů Demokratické strany J. Kempného a M. Bugára
1948, 30. květen	volby s „jednotnou kandidátkou" do Národního shromáždění
1948, 14. červen	komunista K. Gottwald byl zvolen prezidentem ČSR
1948, 15. červen	vláda A. Zápotockého
1949, 23. únor	přijatí zákona o jednotných zemědělských družstvech
1949, 25.–29. květen	IX. sjezd KSČ přijal „generální linii výstavby socialismu"
1949, 11. červenec	rozsudek nad příslušníky Bílé legie
1950, 13. duben	násilná likvidace klášterů v ČSR
1950, 1. září	vznik prvních středisek Pomocných technických praporů (PTP)
1950, 21. říjen	ukončení procesu s partizánským velitelem V. Žingorem
1951, 10.–15. leden	proces s biskupy J. Vojtaššákem, M. Buzalkem a P. Gojdičem
1952, 20.–27. listopad	proces s R. Slánským a spol.
1953, 14. březen	smrt K. Gottwalda
1953, 21. březen	prezidentem sa stal A. Zápotocký, předsedou vlády pak následně V. Široký
1953, květen	měnová reforma v ČSR
1953, 26. červen	vznik Slovenské akademie věd
1953, 5. září	prvním tajemníkem ÚV KSČ sa stal A. Novotný
1954, duben	proces s tzv. slovenskými buržoazními nacionalisty
1957, 13. listopad	smrt A. Zápotockého
1957, 19. listopad	prezidentem se stal A. Novotný
1960, 11. červenec	schválení nové ústavy a přejmenování státu na Československou socialistickou republiku (ČSSR)
1963, duben	po zasedání ÚV KSČ začal proces rehabilitace komunistů postižených v procesech
1967, červenec	IV. sjezd Svazu československých spisovatelů kritizoval politiku A. Novotného
1968, leden	Alexander Dubček byl zvolen za prvního tajemníka ÚV KSČ. Začátek tzv. pražského jara
1968, 30. březen	L. Svoboda byl zvolen za prezidenta ČSSR

1968, duben	přijetí a zveřejnění reformního Akčního programu ÚV KSČ
1968, 8. duben	vláda O. Černíka
1968, 27. červen	zveřejnění výzvy Dva tisíce slov
1968, 21. srpen	vstup vojsk varšavské smlouvy do Československa
1968, 23.–26. srpen	moskevské „rozhovory" mezi L. Brežněvem a československou delegací
1968, 27. říjen	přijetí zákona o česko-slovenské federaci
1969, 17. duben	zvolení G. Husáka za prvního tajemníka ÚV KSČ
1970, 6. květen	podpis smlouvy o přátelství, spolupráci a vzájemné pomoci mezi ČSSR a SSSR
1970, prosinec	vydání „Poučení z krizového vývoje ve straně a ve společnosti"
1975, 29. květen	G. Husák zvolen prezidentem ČSSR
1977, 1. leden	vznik Charty 77
1977, 16. září	podpis mezistátní smlouvy s Maďarskem o stavbě vodního díla Gabčíkovo–Nagymaros
1987, 11. duben	při oficiální návštěvě ČSSR navštívil M. Gorbačov Bratislavu
1987, 17. prosinec	G. Husáka ve funkci generálního tajemníka ÚV KSČ nahradil M. Jakeš
1988, 25. březen	manifestace věřících, tzv. svíčková demonstrace, v Bratislavě
1989, 16. listopad	demonstrace studentů v Bratislavě
1989, 17. listopad	brutální zásah policie proti studentské demonstraci v Praze
1989, 19. listopad	vznik Veřejnosti proti násilí (VPN)
1989, 24. listopad	M. Jakeš odstoupil z funkce generálního tajemníka ÚV KSČ. Nahradil ho K. Urbánek
1989, 27. listopad	generální stávka v Československu
1989, 5. prosinec	rozhodnutí ministerstva vnitra zrušit drátěné zátarasy na hranicích s Rakouskem
1989, 8. prosinec	odstoupila slovenská vláda, pověření sestavit nový kabinet dostal M. Čič
1989, 10. prosinec	nástup vlády „národního porozumění" vedené M. Čalfou
1989, 28. prosinec	předsedou Federálního shromáždění se stal A. Dubček
1989, 29. prosinec	za prezidenta ČSSR byl zvolen V. Havel
1990, březen	kardinál J. Tomko vysvětil tři biskupy, takže všechny slovenské diecéze opět obsazeny
1990, 20. duben	změna oficiálního názvu státu na Česká a slovenská federativní republika (ČSFR)
1990, 22. duben	v průběhy návštěvy ČSFR navštívil papež Jan Pavel II. Bratislavu
1990, červen	svobodné volby do Federálního národního shromáždění a Slovenské národní rady

1990, 27. červen	nástup koaliční vlády VPN a Křesťansko-demokratického hnutí (KDH) na čele s V. Mečiarem
1990, 5. červenec	federální shromáždění zvolilo opět V. Havla za prezidenta ČSFR
1991, 27. březen	poslední sovětské vojenské jednotky opustily území ČSFR
1991, 23. duben	na čele zrekonstruované slovenské vlády nahradil odvolaného V. Mečiara J. Čarnogurský
1991, 1. květen	rozkol ve VPN vyústil do vzniku Hnutí za demokratické Slovensko (HZDS) na čele s V. Mečiarem
1992, 5.–6. červen	parlamentní volby
1992, 24. červen	koaliční vláda HZDS a Slovenské národní strany (SNS) vedená V. Mečiarem
1992, 17. červenec	SNR schválila deklaraci o svrchovanosti Slovenské republiky
1992, 26. srpen	předsedové vlád ČR a SR dohodli v Brně termín rozdělení ČSFR na 1. ledna 1993
1992, 1. září	SNR přijala ústavu Slovenské republiky
1992, 7. listopadu	na následky autohavárie (1. září) zemřel A. Dubček
1992, 25. listopadu	Federální shromáždění schválilo ústavní zákon o zániku ČSFR
1993, 1. leden	vznik samostatné Slovenské republiky (SR)
1993, 19. leden	SR sa stala 180. členským státem OSN
1993, 8. února	po měnové odluce začala na Slovensku platit nová měna: slovenská koruna
1993, 15. únor	prezidentem SR byl zvolen M. Kováč
1993, 23. červen	SR podepsala asociační dohodu s Evropským společenstvím
1993, 30. červen	SR byla přijata do Rady Evropy
1994, 11. březen	odvolání V. Mečiara z funkce předsedy vlády
1994, 15. březen	nástup vlády J. Moravčíka
1994, 30. září–1. říjen	předčasné parlamentní volby, po kterých vznikla koaliční vláda HZDS, SNS a Sdružení dělníků Slovenska (SRS) na čele s V. Mečiarem
1995, 19. březen	v Paříži předsedové vlád Slovenska a Maďarska podepsali základní mezistátní smlouvu
1995, 27. červen	SR podala oficiální žádost na vstup do EU
1995, 31. srpen	únos prezidentova syna do Rakouska
1997, 23. květen	ministrem vnitra zmařené referendum o přímé volbě prezidenta
1998, 2. březen	ukončení funkčního období prezidenta M. Kováče, přechod prezidentských pravomocí na premiéra V. Mečiara
1998, 25.–26. září	parlamentní volby, po kterých se vlády ujala koalice opozičních stran (SDK, SDL, SOP a SMK v čele s premiérem Dzurindou

Velkomoravská knížata

Dynastie Mojmírovců

Mojmír I. okolo 830–846
Rastislav 846–870
Svatopluk I. 871–894
Mojmír II. 894–907

Uherští panovníci

Dynastie Arpádovců (do 1301)

Gejza 940–997
Štěpán I. Svatý 997–1038, od 1000 král
Petr Orseolo 1038–1041
Samuel Aba 1041–1044
Petr Orseolo (podruhé) 1044–1046
Ondřej I.1046–1060
Béla I.1060–1063
Šalamoun 1063–1074
Gejza I. 1074–1077
Ladislav I. Svatý 1077–1095
Koloman 1095–1116
Štěpán II. 1116–1131
Béla II. Slepý 1131–1141
Gejza II. 1141–1162
Štěpán III. 1162–1172
Ladislav II. (protikrál) 1162–1163
Štěpán IV. (protikrál) 1163–1165
Béla III. 1172–1196
Emerich 1196–1204
Ladislav III. 1204–1205
Ondřej II. 1205–1235
Béla IV. 1235–1270
Štěpán V. 1270–1272
Ladislav IV. Kumánský 1272–1290
Ondřej III. 1290–1301

Ladislav V. (český královic Václav, pozdější Václav III.) 1301–1305
Ota Bavorský 1305–1307

Dynastie Anjou (1308–1395)

Karel I. Robert 1308 (1301)–1342
Ludvík I. Veliký 1342–1382
Marie 1382–1395
Karel II. Malý (protikrál) 1385–1386
Zikmund Lucemburský 1387–1437

Albrecht Habsburský 1437–1439

Vladislav I. Varnenčík 1440–1444
Ladislav V. (VI.) Pohrobek 1440–1457
Matyáš I. Korvín 1458–1490

Dynastie Jagellonců (1490–1526)

Vladislav II.1490–1516
Ludvík II.1516–1526

Jan I. Zápolský 1526–1540
Jan II. Zikmund (zvolený král) 1540–1570

Dynastie Habsburků (1527–1780)

Ferdinand I. 1527–1564
Maxmilián 1564–1576
Rudolf 1576–1608
Matyáš II. 1608–1619
Ferdinand II. 1619–1637
Ferdinand III. 1637–1657
Ferdinand IV. 1647–1654
Leopold I. 1657–1705
Josef I. 1705–1711
Karel III. (jako římský císař Karel VI.) 1711–1740
Marie Terezie 1740–1780

Dynastie habsbursko-lothrinská (1780–1918)

Josef II. 1780–1790
Leopold II. 1790–1792
František I. 1792–1835
Ferdinand V. 1835–1848
František Josef I. 1848–1916
Karel IV. (jako rakouský císař Karel I.) 1916–1918

Českoslovenští (česko-slovenští) prezidenti

Tomáš Garrigue Masaryk 1918–1935
Edvard Beneš 1935–1938
Emil Hácha 1938–1939
Jozef Tiso (prezident Slovenské republiky) 1939–1945
Edvard Beneš 1945–1948
Klement Gottwald 1948–1953
Antonín Zápotocký 1953–1957
Antonín Novotný 1957–1968
Ludvík Svoboda 1968–1975
Gustáv Husák 1975–1989
Václav Havel 1989–1992

Prezidenti Slovenské republiky

Michal Kováč 1993–1998

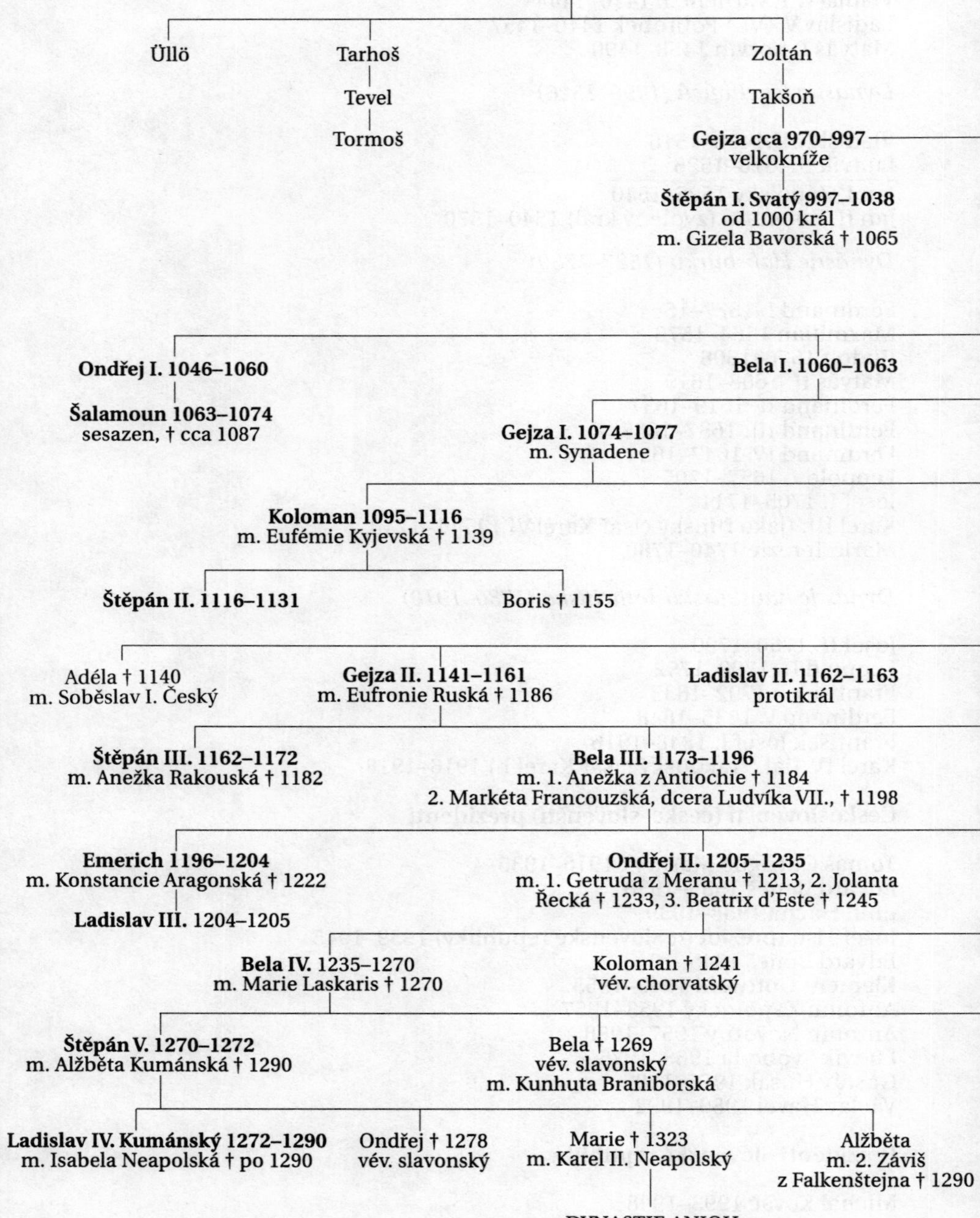

Arpád † 907
Üllö
Tarhoš
Tevel
Tormoš
Zoltán
Takšoň
Gejza cca 970–997
velkokníže
Štěpán I. Svatý 997–1038
od 1000 král
m. Gizela Bavorská † 1065
Ondřej I. 1046–1060
Bela I. 1060–1063
Šalamoun 1063–1074
sesazen, † cca 1087
Gejza I. 1074–1077
m. Synadene
Koloman 1095–1116
m. Eufémie Kyjevská † 1139
Štěpán II. 1116–1131
Boris † 1155
Adéla † 1140
m. Soběslav I. Český
Gejza II. 1141–1161
m. Eufronie Ruská † 1186
Ladislav II. 1162–1163
protikrál
Štěpán III. 1162–1172
m. Anežka Rakouská † 1182
Bela III. 1173–1196
m. 1. Anežka z Antiochie † 1184
2. Markéta Francouzská, dcera Ludvíka VII., † 1198
Emerich 1196–1204
m. Konstancie Aragonská † 1222
Ladislav III. 1204–1205
Ondřej II. 1205–1235
m. 1. Getruda z Meranu † 1213, 2. Jolanta
Řecká † 1233, 3. Beatrix d'Este † 1245
Bela IV. 1235–1270
m. Marie Laskaris † 1270
Koloman † 1241
vév. chorvatský
Štěpán V. 1270–1272
m. Alžběta Kumánská † 1290
Bela † 1269
vév. slavonský
m. Kunhuta Braniborská
Ladislav IV. Kumánský 1272–1290
m. Isabela Neapolská † po 1290
Ondřej † 1278
vév. slavonský
Marie † 1323
m. Karel II. Neapolský
Alžběta
m. 2. Záviš
z Falkenštejna † 1290
DYNASTIE ANJOU
viz rodokmen II.

I. RODOKMEN ARPÁDOVCŮ

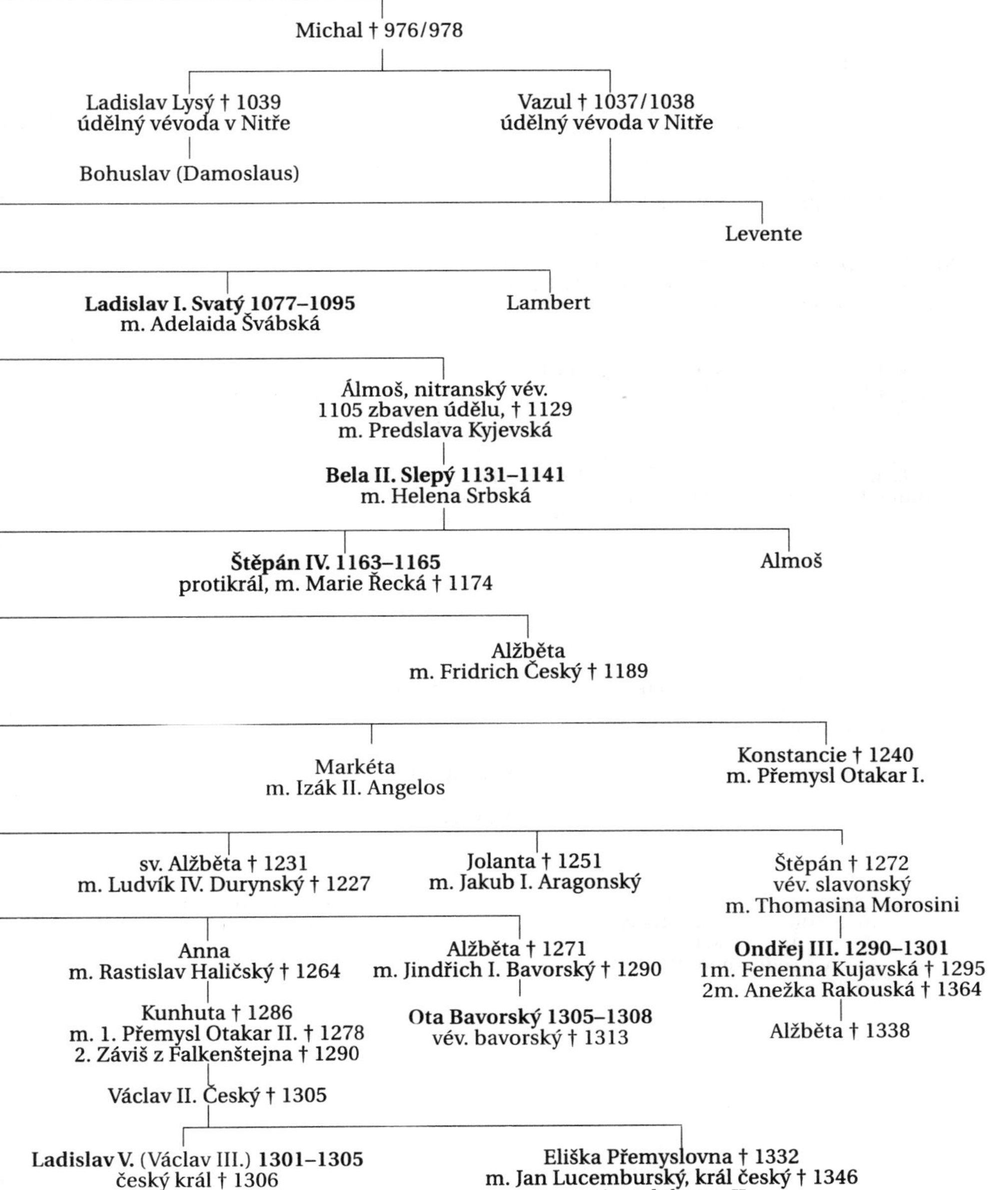
Michal † 976/978
Ladislav Lysý † 1039
údělný vévoda v Nitře
Vazul † 1037/1038
údělný vévoda v Nitře
Bohuslav (Damoslaus)
Levente
Ladislav I. Svatý 1077–1095
m. Adelaida Švábská
Lambert
Álmoš, nitranský vév.
1105 zbaven údělu, † 1129
m. Predslava Kyjevská
Bela II. Slepý 1131–1141
m. Helena Srbská
Štěpán IV. 1163–1165
protikrál, m. Marie Řecká † 1174
Almoš
Alžběta
m. Fridrich Český † 1189
Markéta
m. Izák II. Angelos
Konstancie † 1240
m. Přemysl Otakar I.
sv. Alžběta † 1231
m. Ludvík IV. Durynský † 1227
Jolanta † 1251
m. Jakub I. Aragonský
Štěpán † 1272
vév. slavonský
m. Thomasina Morosini
Anna
m. Rastislav Haličský † 1264
Alžběta † 1271
m. Jindřich I. Bavorský † 1290
Ondřej III. 1290–1301
1m. Fenenna Kujavská † 1295
2m. Anežka Rakouská † 1364
Kunhuta † 1286
m. 1. Přemysl Otakar II. † 1278
2. Záviš z Falkenštejna † 1290
Ota Bavorský 1305–1308
vév. bavorský † 1313
Alžběta † 1338
Václav II. Český † 1305
Ladislav V. (Václav III.) 1301–1305
český král † 1306
Eliška Přemyslovna † 1332
m. Jan Lucemburský, král český † 1346
viz rodokmen II.

II. RODOKMEN DYNASTIE ANJOU, LUCEMBURKŮ, HABSBURKŮ A JAGELLONCŮ, VLÁDNOUCÍCH V UHRÁCH VE 14.–15. STOL.

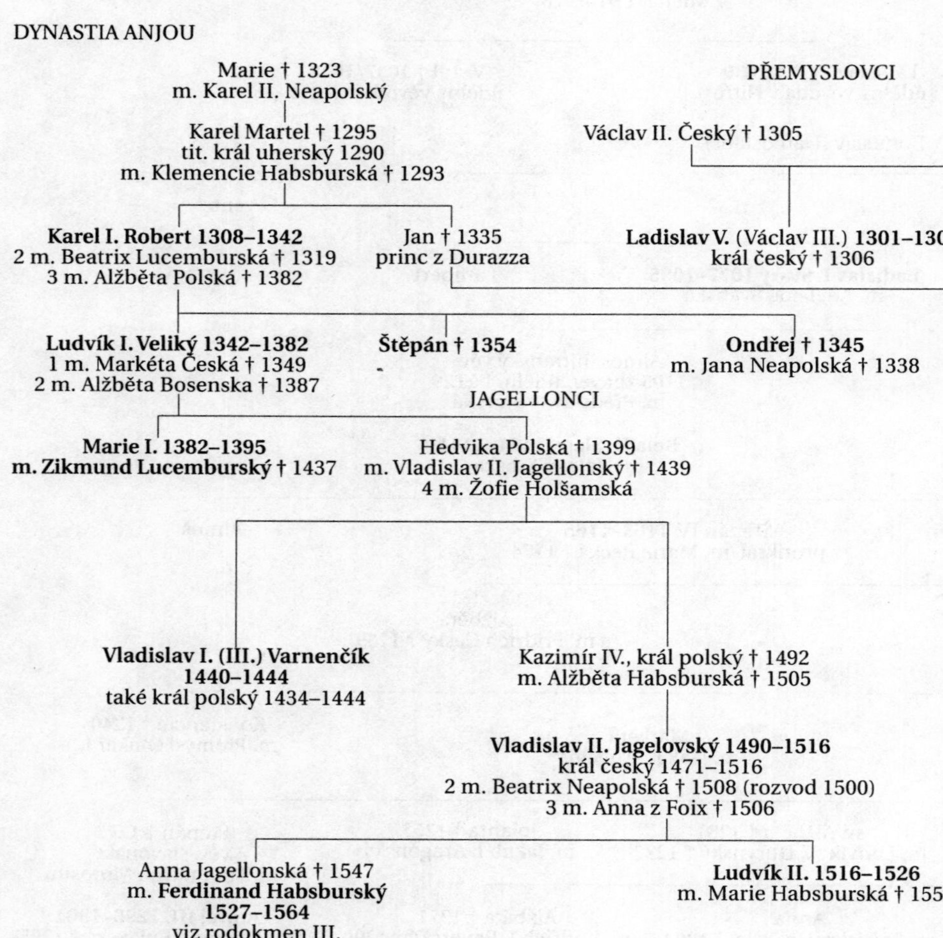
DYNASTIA ANJOU
Marie † 1323
m. Karel II. Neapolský
Karel Martel † 1295
tit. král uherský 1290
m. Klemencie Habsburská † 1293
PŘEMYSLOVCI
Václav II. Český † 1305
Karel I. Robert 1308–1342
2 m. Beatrix Lucemburská † 1319
3 m. Alžběta Polská † 1382
Jan † 1335
princ z Durazza
Ladislav V. (Václav III.) 1301–1305
král český † 1306
Ludvík I. Veliký 1342–1382
1 m. Markéta Česká † 1349
2 m. Alžběta Bosenska † 1387
Štěpán † 1354
Ondřej † 1345
m. Jana Neapolská † 1338
JAGELLONCI
Marie I. 1382–1395
m. Zikmund Lucemburský † 1437
Hedvika Polská † 1399
m. Vladislav II. Jagellonský † 1439
4 m. Žofie Holšamská
Vladislav I. (III.) Varnenčík
1440–1444
také král polský 1434–1444
Kazimír IV., král polský † 1492
m. Alžběta Habsburská † 1505
Vladislav II. Jagelovský 1490–1516
král český 1471–1516
2 m. Beatrix Neapolská † 1508 (rozvod 1500)
3 m. Anna z Foix † 1506
Anna Jagellonská † 1547
m. Ferdinand Habsburský
1527–1564
viz rodokmen III.
Ludvík II. 1516–1526
m. Marie Habsburská † 1558

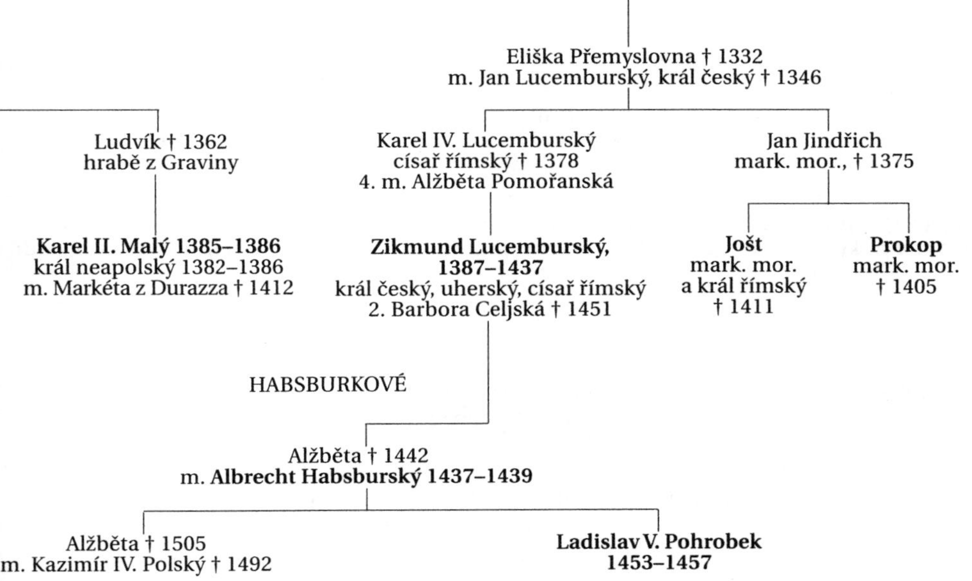
LUCEMBURKOVÉ
Eliška Přemyslovna † 1332
m. Jan Lucemburský, král český † 1346
Ludvík † 1362
hrabě z Graviny
Karel IV. Lucemburský
císař římský † 1378
4. m. Alžběta Pomořanská
Jan Jindřich
mark. mor., † 1375
Karel II. Malý 1385–1386
král neapolský 1382–1386
m. Markéta z Durazza † 1412
Zikmund Lucemburský,
1387–1437
král český, uherský, císař římský
2. Barbora Celjská † 1451
Jošt
mark. mor.
a král římský
† 1411
Prokop
mark. mor.
† 1405
HABSBURKOVÉ
Alžběta † 1442
m. **Albrecht Habsburský 1437–1439**
Alžběta † 1505
m. Kazimír IV. Polský † 1492
Ladislav V. Pohrobek
1453–1457

III. RODOKMEN HABSBURKŮ (RAKOUSKÉ VĚTVE) V 16.–18. STOLETÍ

Karel V. 1519
císař římský (do 1554)
a král španělský (do 1556)

ŠPANĚLŠTÍ HABSBURCI

Maxmilián II. 1564–1576
m. Marie Španělská † 1603

Ferdinand Tyrolský † 1595
1m. Filipina Welserová † 1580
2m. Anna Kateřina Gonzaga † 1621

Rudolf I. (II.) 1576–1608
císař a král český (do 1612)

Arnošt † 1595
uherský místodržitel

Matyáš II. 1608–1619
Anna Tyrolská † 1618

Maxmilián † 1618
velmistr Řádu něm. rytířů

Jan Karel † 1619

Ferdinand III. 1637–1657
2 m. Marie Leopolda Tyrolská † 1649
3 m. Eleanor Gonzaga † 1686

Leopold Vilém † 1662
biskup štrasburský,
olomoucký a vratislavský

Ferdinand IV. 1647–1654

Leopold I. 1657–1705
1 m. Margareta Španělská † 1673
2 m. Claudia Felicitas † 1676
3 m. Eleanor Falcká † 1720

Josef I. 1705–1711
m. Wilhelmina Brunšvická † 1742

Marie Josefa † 1757
m. Fridrich August II. Saský
† 1732

Marie Amálie † 1756
m. Karel Albrecht Bavorský † 1745

Maxmilián I.
císař římský 1493–1519
m. Marie Burgundská † 1482

Filip I. Sličný † 1506
vév. burgundský, král kastilský
m. Johana Šílená † 1555

Ferdinand I. (1527–1564)
císař římský (1556-1564) a král český (od 1526)
m. Anna Jagellonská † 1547

Marie Habsburská † 1558
m. **Ludvík II. † 1526**

Karel Štýrský † 1590
m. Marie Bavorská † 1608

Albrecht † 1621
m. Isabela Španělská † 1633

Ferdinand II. 1619–1637
1m. Marie Anna Bavorská † 1616
2m. Eleanor Gonzaga † 1655

Leopold V. †1632
hrabě tyrolský
m. Klaudie Toskánská † 1648

Marie Leopolda † 1649
m. Ferdinand III.

Marie Anna † 1665
m. Maxmilián Bavorský † 1651

Zikmund † 1665
kardinál, biskup augsburský

Eleanor † 1697
2. m Karel IV. Lotrinský † 1690

Marie Anna †1689
m. Jan Vilém Falcký † 1718

Karel III. (VI.) 1711–1740
m. Alžběta Brunšvicko-Wolfenbüttelská † 1750

Marie Terezie 1740–1780
m. František I. Štěpán Lotrinský † 1765

Marie Anna † 1744
m. Karel Lotrinský † 1780

IV. RODOKMEN DYNASTIE HABSBURSKO-LOTRINSKÉ

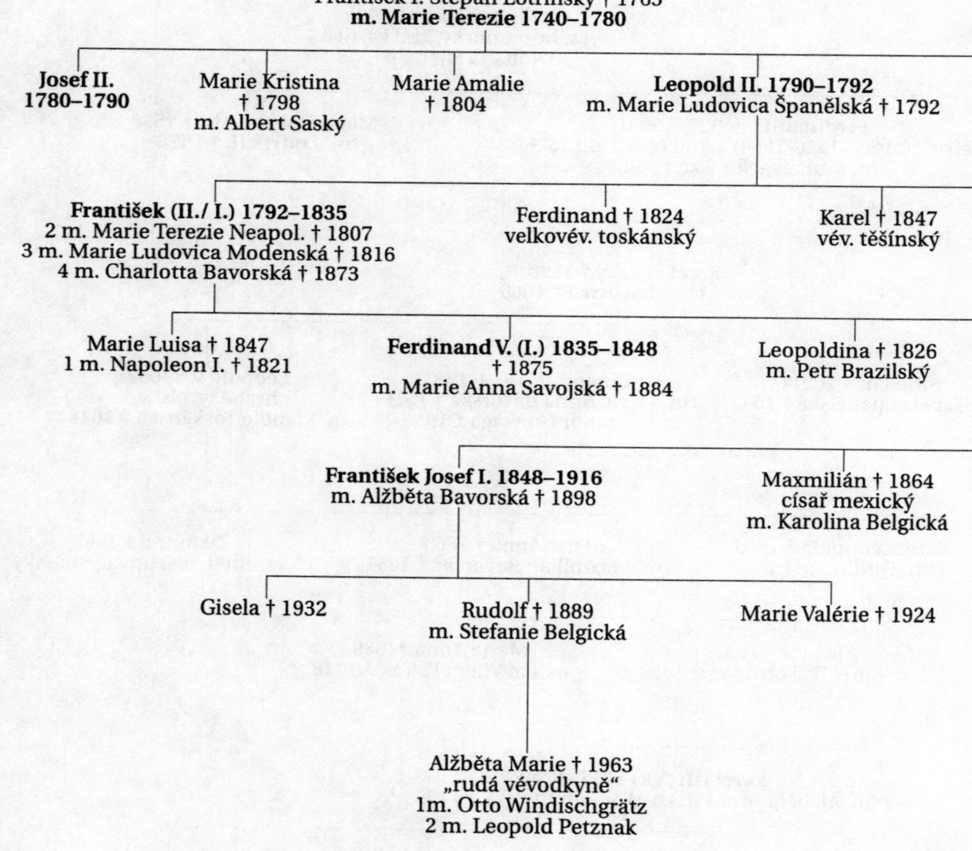
František I. Štěpán Lotrinský † 1765
m. Marie Terezie 1740–1780
Josef II.
1780–1790
Marie Kristina
† 1798
m. Albert Saský
Marie Amalie
† 1804
Leopold II. 1790–1792
m. Marie Ludovica Španělská † 1792
František (II./ I.) 1792–1835
2 m. Marie Terezie Neapol. † 1807
3 m. Marie Ludovica Modenská † 1816
4 m. Charlotta Bavorská † 1873
Ferdinand † 1824
velkovév. toskánský
Karel † 1847
vév. těšínský
Marie Luisa † 1847
1 m. Napoleon I. † 1821
Ferdinand V. (I.) 1835–1848
† 1875
m. Marie Anna Savojská † 1884
Leopoldina † 1826
m. Petr Brazilský
František Josef I. 1848–1916
m. Alžběta Bavorská † 1898
Maxmilián † 1864
císař mexický
m. Karolina Belgická
Gisela † 1932
Rudolf † 1889
m. Stefanie Belgická
Marie Valérie † 1924
Alžběta Marie † 1963
„rudá vévodkyně"
1m. Otto Windischgrätz
2 m. Leopold Petznak

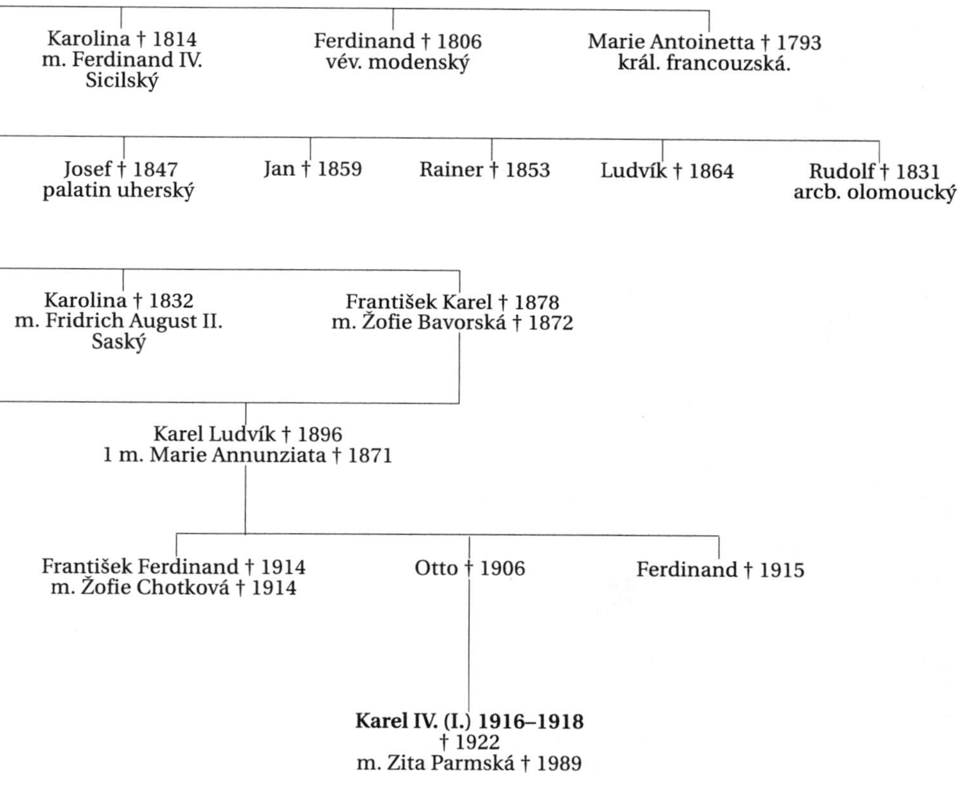
Karolina † 1814
m. Ferdinand IV.
Sicilský
Ferdinand † 1806
vév. modenský
Marie Antoinetta † 1793
král. francouzská.
Josef † 1847
palatin uherský
Jan † 1859
Rainer † 1853
Ludvík † 1864
Rudolf † 1831
arcb. olomoucký
Karolina † 1832
m. Fridrich August II.
Saský
František Karel † 1878
m. Žofie Bavorská † 1872
Karel Ludvík † 1896
1 m. Marie Annunziata † 1871
František Ferdinand † 1914
m. Žofie Chotková † 1914
Otto † 1906
Ferdinand † 1915
Karel IV. (I.) 1916–1918
† 1922
m. Zita Parmská † 1989

VÝBĚR Z LITERATURY

CELKOVÉ ZPRACOVÁNÍ

KOVÁČ, Dušan: *Slováci. Češi. Dějiny,* Bratislava 1997
ŠKVARNA, Dušan a kol.: *Lexikón slovenských dejín,* Bratislava 1997
TIBENSKÝ, Ján: *Dejiny Slovenska slovom a obrazom I.,* Bratislava 1973
TIBENSKÝ, Ján: *Dejiny vedy a techniky na Slovensku,* Bratislava 1979
TIBENSKÝ, Ján a kol.: *Slovensko I., Dejiny,* Bratislava 1978
Slovenské dejiny (Richard Marsina, Viliam Čičaj, Dušan Kováč, Ľubomír Lipták), Martin (1992)
Vojenské dejiny Slovenska 1–4, Bratislava 1993–1996
ŽUDEL, Jozef: *Stolice na Slovensku,* Bratislava 1984

DĚJINY DO ROKU 1526

BAGIN, Anton: *Apoštoli Slovanov Cyril a Metod a Veľká Morava,* Bratislava 1987
BÁRTA, Juraj: *Slovensko v staršej a strednej dobe kamennej,* Bratislava 1965
BIALEKOVÁ, Darina: *Pobedim – Slovanské hradisko a sídlisko z 9. storočia,* Nitra 1975
DEKAN, Ján: *Veľká Morava. Doba a umenie,* Bratislava 1976
FIALOVÁ, Hilda – FIALA, Andrej.: *Hrady na Slovensku,* Bratislava 1966
FILIP, Jan: *Keltská civilizace a její dědictví,* Praha 1963
FURMÁNEK, Václav – RUTTKAY, Alexander – ŠIŠKA, Stanislav: *Dejiny dávnovekého Slovenska,* Bratislava 1991
FURMÁNEK, Václav – VELIAČIK, Ladislav – VLADÁR, Jozef: *Slovensko v dobe bronzovej,* Bratislava 1991
GÜNTHEROVÁ, Alžbeta – MIŠIANIK, Ján: *Stredoveká knižná maľba na Slovensku,* Bratislava 1977
HAVLÍK, Lubomír: *Velká Morava a středoevropští Slované,* Praha 1964
Humanizmus a renesancia na Slovensku, Bratislava 1967
CHROPOVSKÝ, Bohuslav: *Slovensko na úsvite dejín,* Bratislava 1970
KOLNÍK, Titus: *Rímske a germánske umenie na Slovensku,* Bratislava 1984
KOMOROVSKÝ, Ján: *Kráľ Matej Korvín v ľudovej prozaickej slovesnosti,* Bratislava 1957
KRAJČOVIČ, Rudolf: *Slovenčina a slovanské jazyky I.,* Bratislava 1974
KRIČKA-BUDÍNSKY, Vojtech: *Výtvarný prejav slovenského praveku,* Martin 1942
Kroniky stredovekého Slovenska, ed. Július Sopko, Budmerice 1995
KUČERA, Matúš: *Postavy veľkomoravskej histórie,* Martin 1986
KUČERA, Matúš: *Slovensko po páde Veľkej Moravy,* Bratislava 1974
KUČERA, Matúš: *Slovensko v dobách stredovekých,* Bratislava 1985
Majster Pavol z Levoče, Bratislava 1961
MARSINA Richard a kol.: *Dejiny Slovenska I (Do roku 1526),* Bratislava 1986
MARSINA, Richard: *Metodov boj,* Bratislava 1985
MENCL, Vojtěch: *Stredoveká architektúra na Slovensku I,* Praha – Prešov 1937
MIŠIANIK, Ján a kol.: *Dejiny staršej slovenskej literatúry I,* Bratislava 1958
Národnostný vývoj miest na Slovensku do r. 1918, (Žilina–Martin) 1984
NOVÁK, Jozef: *Slovenské mestské a obecné erby,* Martin 1972
NOVOTNÝ, Bohuslav: *Slovensko v mladšej dobe kamennej,* Bratislava 1958
O počiatkoch slovenských dejín, ed. Peter Ratkoš, Bratislava 1965
ONDROUCH, Vojtěch: *Limes Romanus na Slovensku,* Bratislava 1938
PAULÍK, Jozef: *Praveké umenie na Slovensku,* Bratislava 1980
PAULÍK, Jozef – NOVOTNÁ, Mária – BENADIK, Blažej: *Život a umenie doby železnej na Slovensku,* Bratislava 1962

PAULÍNY, Eugen: *Slovesnosť a kultúrny jazyk Veľkej Moravy,* Bratislava 1964
PELIKÁN, Oldřich: *Slovensko a rímske impérium,* Bratislava 1960
PIETA, Karol: *Umenie doby železnej,* Bratislava 1982
RATKOŠ, Peter: *Povstanie baníkov na Slovensku roku 1525–1526,* Bratislava 1963
RATKOŠ, Peter: *Slovensko v dobe veľkomoravskej,* Košice 1988
RUTTKAY, Alexander: *Stredoveké umelecké remeslo,* Bratislava 1979
Slovensko v mladšej dobe kamennej, Bratislava 1970
ŠÁŠKY, Ladislav: *Kamenná krása našich miest,* Bratislava 1981
ŠPIESZ, Anton: *Remeslo na Slovensku v období existencie cechov,* Bratislava 1972
VACULÍk, Karol: *Staré slovenské umenie,* Bratislava 1978
VARSÍK, Branislav: *Husitské revolučné hnutie a Slovensko,* Bratislava 1965
VARSÍK, Branislav: *Slovanské (slovenské) názvy riek na Slovensku a ich prevzatie Maďarmi v 10.–12. storočí,* Bratislava 1990
VARSÍK, Branislav: *Zo slovenského stredoveku,* Bratislava 1972
VAŠICA, Josef: *Literární památky epochy velkomoravské (863–885),* Praha 1966
Veľká Morava a naša doba, Bratislava 1963
VLADÁR, Jozef: *Dávne kultúry a Slovensko,* Bratislava 1983

NOVOVĚK

BANÍK, Anton: *Ján Baltazár Magin a jeho politická, kultúrna a národná obrana Slovákov z roku 1728,* Trnava 1936
CESNAKOVÁ-MICHALCOVÁ, Milena: *Premeny divadla,* Bratislava 1981
ČIČAJ, Viliam: *Knižná kultúra na strednom Slovensku v 16.–18. storočí,* Bratislava 1985
ČIČAJ, Viliam a kol., *Trnavská univerzita v slovenských dejinách,* Bratislava 1987
DANGL, Vojtech: *Slovensko vo víre stavovských povstaní,* Bratislava 1986
HOLČÍK, Štefan: *Korunovačné slávnosti, Bratislava 1563–1830,* Bratislava 1988
HORVÁTH, Pavol: *Podanný ľud na Slovensku v prvej polovici 18. storočia,* Bratislava 1963
HORVÁTH, Pavol – KOPČAN, Vojtech: *Turci na Slovensku,* Bratislava 1971
KARŠAI, František: *Ján Amos Komenský a Slovensko,* Bratislava 1970
KOČIŠ, Jozef: *Neznámy Jánošík,* Martin 1986
KOPČAN, Vojtech – KRAJČOVIČOVÁ, Klára: *Slovensko v tieni polmesiaca,* Bratislava 1987
KOPČAN, Vojtech: *Turecké nebezpečenstvo a Slovensko,* Bratislava 1986
KUČERA, Matúš: *Slovensko na prahu novoveku,* Bratislava 1993
MACŮREK, Josef: *České země a Slovensko (1620–1750),* Brno 1969
MACŮREK, Josef: *Valaši v západních Karpatech v 15.–18.století,* Ostrava 1959
Matej Bel. Doba – život – dielo, ed. Ján Tibenský, Bratislava 1987
MATULA, Vladimír – VOZÁR, Jozef a kol., *Dejiny Slovenska II (1526–1848),* Bratislava 1987
PETROVÁ-PLESKOTOVÁ, Anna: *Maliarstvo 18. storočia na Slovensku,* Bratislava 1963
SIRÁCKY, Ján: *Sťahovanie Slovákov na Dolnú zem v 18. a 19. storočí,* Bratislava 1966
ŠPIESZ, Anton: *Remeslá, cechy a manufaktúry na Slovensku,* Martin 1983
ŠPIESZ, Anton: *Slobodné kráľovské mestá na Slovensku v rokoch 1680–1780,* Košice 1983
TIBENSKÝ, Ján: *Juraj Papánek – Juraj Sklenár, obrancovia slovenskej národnej minulosti,* Martin 1958
TIBENSKÝ, Ján: *Slovenský Sokrates (Adam František Kollár),* Bratislava 1983
TIBENSKÝ, Ján: *Veľká ozdoba Uhorska. Dielo, život a doba Mateja Bela,* Bratislava 1984

OBDOBÍ FORMOVÁNÍ MODERNÍHO SLOVENSKÉHO NÁRODA

BOKES, František: *Viliam Pauliny-Tóth, slovenský poslanec v r. 1869–1872,* Martin 1942

Bratislava a počiatky slovenského národného obrodenia. Dokumenty, ed. Ján Hučko, Bratislava 1992
BRTÁŇ, Rudolf: *Pri prameňoch slovenskej obrodeneckej literatúry,* Bratislava 1970
BUTVIN, Jozef: *Slovenské národnozjednocovacie hnutie (1780–1848),* Bratislava 1965
FABIÁN, Juraj: *Posledné dni Uhorska,* Bratislava 1990
GAŠPARÍK, Mikuláš: *Ján Palárik a jeho boj o demokratizáciu slovenského národného života,* Bratislava 1952
GOLÁŇ, Karol: *Štúrovské pokolenie,* Bratislava 1964
HAPÁK, Pavol: *Dejiny železiarskeho priemyslu na Slovensku od konca 18. storočia do roku 1867,* Bratislava 1962
HARAKSIM, Ľudovít: *K sociálnym a kultúrnym dejinám Ukrajincov na východnom Slovensku do roku 1867,* Bratislava 1961
HOLEC, Roman: *Tragédia v Černovej a slovenská spoločnosť,* Martin 1997
HUČKO, Ján: *Michal Miloslav Hodža,* Bratislava 1970
HUČKO, Ján: *Slovenská jar,* Bratislava 1994
HUČKO, Ján: *Sociálne zloženie a pôvod slovenskej obrodeneckej inteligencie,* Bratislava 1974
HUČKO, Ján: *Život a dielo Ľudovíta Štúra,* Martin 1984
CHMEL, Rudolf: *Dejiny v dejinách. K storočnici Slovenských pohľadov,* Bratislava 1981
IVANTYŠYNOVÁ, Tatiana: *Česi a Slováci v ideológii ruských slavjanofilov,* Bratislava 1987
Ján Kollár (1793–1993). Zborník štúdií, ed. Cyril Kraus, Bratislava 1993
JANŠÁK, Štefan: *Hospodárske a sociálne príčiny revolúcie roku 1848,* Bratislava 1947
JANŠÁK, Štefan: *Život dr. Pavla Blahu,* Bratislava 1947
JASENÁK, Ladislav: *Andrej Kmeť 1841–1908. Život a dielo,* Bratislava 1987
JURÍČEK, Ján: *Martin Rázus, básnik a politik,* Bratislava 1993
JURÍČEK, Ján: *Vajanský. Portrét odvážneho,* Bratislava 1989
K počiatkom slovenského národného obrodenia, Bratislava 1964
KOSTICKÝ, Bohuš: *Nová škola slovenská,* Bratislava 1959
KOVÁČ, Dušan a kol.: *Muži deklarácie,* Martin 1991
KOVÁČ, Dušan: *Slovensko v Rakúsko-Uhorsku,* Bratislava 1996
KOWALSKÁ, Eva: *Štátne ľudové školstvo na Slovensku na prelome 18. a 19. stor.,* Bratislava 1987
KRAJČOVIČ, Milan: *Slovenská politika v strednej Európe 1890–1901,* Bratislava 1971
KRAUS, Cyril: *Impulzy a inšpirácia slovenského romantizmu,* Bratislava 1979
KUSÝ, Ivan: *Jozef Miloslav Hurban,* Bratislava 1948
KUSÝ, Ivan: *Mladý Vajanský (1847–1883),* Bratislava 1987
KUSÝ, Ivan: *Zrelý Vajanský,* Bratislava 1992
Matica slovenská v našich dejinách, Bratislva 1963
MAŤOVČÍK, Augustín: *Martin Hamuljak,* Bratislava 1971
MAŤOVČÍK, Augustín: *Slovenské národné obrodenie v kultúre a literatúre (postavy, problémy, súvislosti),* Dolný Kubín 1993
MATULA, Vladimír – VOZÁR, Jozef a kol., *Dejiny Slovenska II. (1526–1848),* Bratislava 1987
MATUŠKA, Alexander: *Štúrovci,* Bratislava 1948
MÉSÁROŠ, Július: *Roľnícka a národnostná otázka na Slovensku 1848–1900,* Bratislava 1959
MRÁZ, Andrej: *Ján Kollár,* Bratislava 1952
MÜNZ, Teodor: *Filozofia slovenského osvietenstva,* Bratislava 1961
OPAT, Jaroslav – TOMČÍK, Miloš – URBAN, Zdeněk: *T.G.Masaryk a Slovensko,* Praha 1992
PODRIMAVSKÝ, Milan a kol., *Dejiny Slovenska III. Od roku 1848 do konca 19. storočia,* Bratislava 1992

PODRIMAVSKÝ, Milan: *Slovenská národná strana v druhej polovici XIX. storočia,* Bratislava 1983
POVAŽAN, Ján: *Bernolák a Bernolákovci,* Martin 1990
PRŮCHA, Václav a kol.: *Hospodárske dejiny Československa v 19. a 20. storočí,* Bratislava 1974
RAPANT, Daniel: *Sedliacke povstanie na východnom Slovensku roku 1831, I – Dejiny, II – Dokumenty,* Bratislava 1953
RAPANT, Daniel: *Slovenské povstanie roku 1848–1849, Dejiny a dokumenty I.–V.,* Turč. Sv. Martin – Bratislava 1937–1973
RAPANT, Daniel: *Slovenský prestolný prosbopis z roku 1842,* Liptovský Mikuláš 1943
RAPANT, Daniel: *Tatrín,* Martin 1950
RAPANT, Daniel: *Viedenské memorandum slovenské z r. 1861,* Martin 1944
REBRO, Karol: *Urbárska regulácia Márie Terézie a poddanské reformy Jozefa II. na Slovensku,* Bratislava 1959
RUTTKAY, Fraňo: *Samuel Jurkovič, priekopník slovenského družstevníctva a jeho doba,* Bratislava 1965
RYBECKÝ, Milan: *Muzeálna slovenská spoločnosť a jej miesto v národnej kultúre,* Martin 1983
SIRÁCKY, Ján: *Sťahovanie Slovákov na Dolnú zem v 18. a 19. storočí,* Bratislava 1966
Slovenské učené tovarišstvo 1792–1992, ed. Milan Petráš, Trnava 1993
Štefan Moyses 1869–1969, Martin 1971
ŠTVORECKÝ, Štefan: *Náš Milan Rastislav Štefánik,* Bratislava 1990
ŠVORC, Peter: *Rozbíjali monarchiu (Populárny slovník osobností česko-slovenského odboja 1914–1918),* Košice 1992
TIBENSKÝ, Ján: *Chvály a obrany slovenského národa,* Bratislava 1965
TIBENSKÝ, Ján: *P. J. Šafárik. Život a dielo,* Bratislava 1975
TKADLEČKOVÁ-VANTUCHOVÁ, Jarmila: *Živena – spolok slovenských žien,* Bratislava 1969
TURZO, Ivan: *Maják v tme. Slovenský spevokol v Martine,* Martin 1974
URBAN, Zdeněk: *Problémy slovenského národního hnutí na konci 19. století,* Praha 1972
VÁROSSOVÁ, Elena: *Slovenské obrodenecké myslenie,* Bratislava 1963
VYVÍJALOVÁ, Mária: *Mladý Ján Hollý,* Bratislava 1975
Z prameňov národa. Na pamiatku stodvadsiateho piateho výročia vzniku Memoranda slovenského národa z roku 1861, ed. Michal Eliáš, Martin 1988
Začiatky českej a slovenskej emigrácie do USA, ed. Josef Polišenský, Bratislava 1970

20. STOLETÍ

ADAMOVÁ, Karolina – ZAVACKÁ, Katarína – KAPLAN, Karel: *K ústavnímu vývoji v českých zemích a na Slovensku v letech 1938–1948,* Praha 1992
Andrej Hlinka a jeho miesto v slovenských dejinách, ed. František Bielik, Bratislava 1991
BAKOŠ, Vladimír: *Filozofické myslenie na Slovensku v medzivojnovom období,* Bratislava 1988
BARNOVSKÝ, Michal: *Na ceste k monopolu moci. Mocenskopolitické zápasy na Slovensku v rokoch 1945–1948,* Bratislava 1993
BROKLOVÁ, Eva: *První československá ústava. Diskuse v ústavním výboru v lednu a únoru 1920,* Praha 1992
BYSTRICKÝ, Valerián – DEÁK, Ladislav: *Európa na prelome. Diplomatické a politické vzťahy v rokoch 1932–1933,* Bratislava 1974
Cestami česko-slovenské vzájemnosti, Liberec 1993

ČARNOGURSKÝ, Pavol: *14. marec 1939*, Bratislava 1992
ČARNOGURSKÝ, Pavol: *6. október 1938*, Bratislava 1993
Československo roku 1968, 1.–2., Praha 1993
Češi a Slováci a východní Evropa ve 20. století, Brno 1994
Češi a Slováci ve střední Evropě ve 20. století, Brno 1993
ČIERNA-LANTAYOVÁ, Dagmar: *Podoby česko-slovensko-maďarského vzťahu 1938–1949*, Bratislava 1992
DEÁK, Ladislav: *Hra o Slovensko. Slovensko v politike Maďarska a Poľska v rokoch 1933–1939*, Bratislava 1991
DEÁK, Ladislav: *Slovensko v politike Maďarska v rokoch 1938–1939*, Bratislava 1990
Dejiny Slovenského národného povstania 1944, I.–V., Bratislava 1984
Dr. Edvard Beneš – politik a státnik, Brno 1994
DRUG, Štefan: *DAV a davisti*, Bratislava 1965
DUBČEK, Alexander: *Z pamätí. Nádej zomiera posledná*, Bratislava 1993
Důsledky rozdělení Československa, Praha 1992
DVOŘÁK, Pavel: *Kto zabil Viliama Žingora?*, Budmerice 1994
Edvard Beneš a střední Evropa, Praha 1994
FALTUS, Jozef – PRŮCHA, Václav: *Prehľad hospodárskeho vývoja na Slovensku v r. 1918–1945*, Bratislava 1969
GAJDOŠ, Marián – KONEČNÝ, Stanislav: *K politickému a sociálno-ekonomickému postaveniu Rusínov-Ukrajincov na Slovensku v povojnových rokoch*, Košice 1991
GALANDAUER, Jan: *Vznik Československé republiky 1918. Programy, projekty, perspektivy*, Praha 1988
GEBHART, Jan – ŠIMOVČEK, Ján: *Partizáni v Československu 1941–1945*, Bratislava – Praha 1984
HRONSKÝ, Marián: *Slovensko na rázcestí. Slovenské národné rady a gardy v roku 1918*, Košice 1976
HRONSKÝ, Marián: *Slovensko pri zrode Československa*, Bratislava 1988
HRONSKÝ, Marián: *Vzbura slovenských vojakov v Kragujevci roku 1918*, Martin 1983
HRNKO, Anton: *Politický vývin a protifašistický odboj na Slovensku (1939–1941)*, Bratislava 1988
Charta 77. 1977–1989. Od morální k demokratické revoluci. Dokumentace, ed. Vilém Prečan, Bratislava 1990
Idea Československa a střední Evropa?, Brno 1994
JABLONICKÝ, Jozef: *Glosy o historiografii SNP. Zneužívanie a falšovanie dejín SNP*, Bratislava 1994
JABLONICKÝ, Jozef: *Povstanie bez legiend. Dvadsať kapitol o príprave a začiatku Slovenského národného povstania*, Bratislava 1990
JABLONICKÝ, Jozef: *Z ilegality do povstania*, Bratislava 1969
Jan Masaryk a československá zahraniční politika, Praha 1991
JUROVÁ, Anna: *Vývoj rómskej problematiky na Slovensku po roku 1945*, Bratislava 1993
KAMENEC, Ivan: *Tragédia politika, kňaza a človeka*, Bratislava 1998
KAMENEC, Ivan: *Slovenský stát 1939–1945*, Praha 1992
KAPLAN, Karel: *K politickým procesům v Československu 1948–1954*, Praha 1994
KAPLAN, Karel: *Nekrvavá revoluce*, Praha 1993
KAPLAN, Karel: *Stát a církev v Československu 1948–1953*, Brno 1993
KLIMKO, Jozef: *Tretia ríša a ľudácky režim na Slovensku*, Bratislava 1986
KOVÁČ, Dušan: *Milan Rastislav Štefánik*, Budmerice 1996
KOVÁČ, Dušan: *Nemecko a nemecká menšina na Slovensku (1870–1945)*, Bratislava 1991
KOVTUN, Jiří: *Masarykův triumf. Příběh konce velké války*, Praha 1991

KOVTUN, Jiří: *Masarykův triumf. Příběh konce velké války*, Praha 1991

KVAČEK, Robert – CHALUPA, Aleš – HEYDUK, Miloš: *Československý rok 1938*, Praha 1988

KVAČEK, Robert: *Nad Evropou zataženo. Československo a Evropa 1933–1937*, Praha 1966

LACINA, Vlastislav: *Velká hospodářská krise v Československu 1929–1934*, Praha 1964

LETTRICH, Jozef: *Dejiny novodobého Slovenska*, Bratislava 1993

LIPSCHER, Ladislav: *Židia v slovenskom štáte 1939–1945*, Bratislava 1992

LIPTÁK, Ľubomír: *Slovensko v 20. storočí*, Bratislava 1968

Malá vojna (Vojenský konflikt medzi Maďarskom a Slovenskom v marci 1939), ed. Ladislav Deák, Bratislava 1993

Masarykova idea československé státnosti ve světle kritiky dějin, Praha 1993

MEDVECKÝ, Karol A.: *Slovenský prevrat I.–IV.*, Trnava 1930–1931

MICHÁLEK, Slavomír: *Ján Papánek. Politik, diplomat, humanista*, Bratislava 1996

MIKLOŠKO, František: *Nebudete ich môcť rozvrátiť. Z osudov katolíckej cirkvi na Slovensku v rokoch 1943–1989*, Bratislava 1991

Milan Hodža – štátnik a politik, Bratislava 1994

Národohospodár Peter Zaťko spomína, ed. Štefan Teren, Liptovský Mikuláš 1994

Národy, národnosti a etnické skupiny v demokratickej spoločnosti, Bratislava 1992

Národnosti na Slovensku, ed. Ľudovít Haraksim, Bratislava 1993

Od diktatúry k diktatúre, ed. Michal Barnovký, Bratislava 1995

PEŠEK, Jan – BARNOVSKÝ, Michal: *Štátna moc a cirkvi na Slovensku 1948–1953*, Bratislava 1997

PICHLÍK, Karel: *Bez legend. Zahraniční odboj 1914–1918. Zápas o československý program*, Praha 1991

Podiel posttotalitných elít na vývoji Česko-Slovenska (november 1989–jún 1992), Trnava 1993

Pokus o politický a osobný profil Jozefa Tisa, ed. Valerián Bystrický, Bratislava 1992

Politické elity v Československu 1918–1948, Praha 1994

Politické strany na Slovensku 1860–1989, ed. Ľubomír Lipták, Bratislava 1992

Politický systém a státní politika v prvních letech existence Československé republiky (1918–1923), Praha 1990

Ponovembrové Slovensko, Bratislava 1995

PREČAN Vilém: *Slovenské národné povstanie. Dokumenty*, Bratislava 1965

PREČAN Vilém: *Slovenské národné povstanie. Nemci a Slovensko 1944. Dokumenty*, Bratislava 1971

První světová válka, moderní demokracie a T.G.Masaryk, Praha 1995

RATAJ Jan – KLIMEK Antonín –ZIDOVÁ-LEŠKOVÁ Zlatica: *Z druhé republiky 1–2*, Praha 1993

RENNER Hans – SAMSON Ivo: *Dejiny Česko-Slovenska po roku 1945*, Bratislava 1993

Rozloučení s Československem. Příčiny a důsledky česko-slovenského rozchodu, Praha 1993

Rozpad Rakousko-Uherska a fenomén versaillského systému ve střední Evropě, Olomouc 1994

RYCHLÍK Jan: *Češi a Slováci ve 20. století. Česko-slovenské vztahy 1914–1945*, Bratislava 1997; *Česko-slovenské vztahy 1945–1992*, Bratislava 1998

SCHELLE Karel: *Vývoj správy v předválečném Československu 1, 2.*, Brno 1991

SIKORA, Stanislav a kol.: *Kapitoly z dejín sociálnej demokracie na Slovensku*, Bratislava 1996

Slovenská otázka v dejinách Česko-Slovenska (1945–1992), ed. Michal Barnovský, Bratislava 1994

Slovenská otázka v 20. storočí, ed. Rudolf Chmel, Bratislava 1997
Slovenská spoločnosť v krízových rokoch, Zborník štúdií I–III, Bratislava 1992
Slovensko v rokoch druhej svetovej vojny, ed. Valerián Bystrický, Bratislava 1991
Slovensko na konci druhej svetovej vojny (stav, východiská a perspektívy), ed. Valerián Bystrický – Štefan Fano, Bratislava 1994
Slovensko v politickom systéme Československa, Bratislava 1992
Slovensko-maďarské vzťahy v 20. storočí, ed. Peter Zelenák, Bratislava 1992
Slovensko 1996, ed. Martin Bútora, Bratislava 1997
SNP v pamäti národa, Bratislava 1994
ŠOLC Jaroslav: *Slovensko v českej politike*, Banská Bystrica 1993
ŠUTAJ Štefan: *„Akcia Juh" – Odsun Maďarov zo Slovenska do Čiech v roku 1949*, Praha 1993
ŠUTAJ Štefan: *Maďarská menšina na Slovensku v rokoch 1945–1948 (Východiská a prax politiky k maďarskej menšine na Slovensku)*, Bratislava 1993
TAJTÁK Ladislav: *Národnodemokratická revolúcia ma východnom Slovensku v roku 1918*, Bratislava 1972
T.G. Masaryk a Slovensko, Praha 1992
T.G. Masaryk a střední Evropa, Brno 1994
Tomáš Garrigue Masaryk a česko-slovenské vztahy, Hodonín 1992
Tragédia slovenských Židov, ed. Dezider Tóth, Banská Bystrica 1992
V tieni totality. Perzekúcie na Slovensku v začiatkoch komunistickej totality, ed. Jan Pešek, Bratislava 1996
VÁROŠ Milan: *Posledný let generála Štefánika*, Bratislava 1991
Vatikán a Slovenská republika (1939–1945). Dokumenty, ed. Ivan Kamenec – Vilém Prečan – Stanislav Škorvánek, Bratislava 1992
Veľké a malé dejiny Milana Šimečku, Bratislava 1992
Viedenská arbitráž (2. november 1938) – Mníchov pre Slovensko, ed. Ladislav Deák, Bratislava 1993
VIETOR Martin: *Dejiny okupácie južného Slovenska*, Bratislava 1968
WINKLER Tomáš: *Matica slovenská v rokoch 1919–1945*, Martin 1971
ŽATKULIAK Jozef: *Federalizácia československého štátu 1968–1970*, Praha – Brno 1996

REJSTŘÍK

Jména osob a národů jsou v rejstříku uvedena tučně, místní a zeměpisné názvy polotučnou kurzivou, názvy legend, literárních a vědeckých děl, historických edic, novin a časopisů pak kurzivou obyčejnou; názvy věcí a pojmů nejsou nijak zvýrazněny. Do rejstříku nejsou zaneseny obsahy mapek, seznam literatury, chronologický přehled či přehledy panovníků a prezidentů či jejich rodokmeny, také ne obsah. Nejsou též registrovány pojmy Slovensko či Slováci (pro jejich častý výskyt). Polotučnými literami vysazené číslice znamenají odkaz na popisek pod obrázkem či mapkou.

A

B

C

Č

D

Ď

E

F

G

H

handlovská stávka 1940 224
Happelius E.G., německý spisovatel 70
Harminc Michal Milan (1869–1964), slovenský architekt 152
Hattala Martin (1821–1903), slov. jazykovědec 123, **125**
hatvanská kultura 14
Havel Václav (nar. 1936), český a československý politik, dramatik, prezident ČSFR (1989–1992) a ČR (od 1993) 282, 306, **312**, 312–315, **314**, 318–320, **320**, 323
Havlíček Borovský Karel (1821–1856), český spisovatel, novinář a politik 346
Hazuchová Nina (nar. 1926), slovenská operní zpěvačka 273
Hečko František (1905–1960), slovenský spisovateľ 272
Hegel Georg Wilhelm Friedrich (1770–1831), německý filosof 102
hegeliáni 346
Heimatschutz 243
Hell Maximilián (1720–1792), slovenský astronom 79
Hellich Josef Vojtěch (1807–1880), český malíř **117**
helsinská konference 1975 304
helsinský proces 302
Hendrych Jiří (1913–1979), komunistický funkcionář 282
Henisch Juraj (1549–1618), slovenský humanista 73
Henlein Konrad (1898–1945), sudetoněmecký politik 203, 205, 206, **206**, 207
henleinovci 206, 207
Herder Johann Gottfried (1744–1803), německý filosof a básník 87, 88, 91, 98, 99, 102, 344
Hermann Göring-Werke 226
Herulové 21
Heydrich Reinhard (1904–1942), německý nacistický politik 232
Heyduk Adolf (1836–19xy), český básník 147, **148**, **345**, 346
historismus 148
Hitler Adolf (1889–1945), německý nacistický politik, říšský kancléř a „vůdce“ německého národa (1933–1945) 9, 191, 202, 204–207, 212–215, **215**, 216–223, 225, 230, 232, **242**, 243, 358, 359
hlaholice 27, 29, 31
Hlas, časopis 154, **154**, **159**, 349
hlasisté 149, 154, 165
Hlboké 109, 124, **145**
Hlinka Andrej (1864–1938), slovenský katolický kněz a politik 154, 156, 157, **157**, 158, 174, 182, 189, **192**, 208–210, 220, 351
Hlinkova slovenská ľudová strana (HSĽS) 189, 192, 202, 204, 208–210, 212–214, 217, 219–221, 223, 225, 227, 231, 232, 234, 243, 248, 249, 358
Hlinkovy gardy (HG) 212, 215, 222, 227, 228, 231, 243
Hlohovec 119
Hložník Vincent (nar. 1919), slovenský malíř a grafik 277
Hnúšťa-Likier **201**
Hnutí mladého Slovenska 104
hnutí uherských jakobínů 84
Hnutí za demokratické Slovensko (HZDS) 318, 321, **329**, 330–332, 337
Hodža Michal Miloslav (1811–1870), slovenský obrozenec a spisovatel 104, **106**, **108**, 109, 116, 117, 119, 123, **124**
Hodža Milan (1879–1944), slovenský agrárnický politik, ministerský předseda ČSR (1935–1938) 156, 159, 160, 163, 171, 178, 179, 185, 190, **191**, **203**, 204, 206–209, 232, 233, 241, 358
Hojč Samuel (1806–1868), autor slovenských obran 103
Holdoš Ladislav (nar. 1901), československý komunistický funkcionář, politik a diplomat 268
Hollý Ján (1785–1849), slovenský básník 90, **90**, **108**, 109
Hollý Martin (1904–1965), slovenský divadelní režisér 273
Holoubek Ladislav (nar. 1913), slovenský hudební skladatel, dirigent 275
Holuby Jozef Ľudovít (1836–1923), slovenský botanik, národopisec 151
Holuby Karol (1826–1848), slovenský student, popravený roku 1848 119
„Homolův puč“ 215
honťanská (hontská) stolica 37, 115
hornictví
těžba drahých kovů a mědi 96
těžba rud 38, 50
těžba uhlí 303
těžba v Banské Štiavnici 75, 95
těžba zlata a stříbra 40
těžba železné rudy 15
Horov Pavol (1914–1975), slovenský básník 272
Horváth Ivan (1904–1960), slovenský spisovatel, čsl. diplomat 268

CH

I

J

K

Karpatoněmecká strana 190, 203, 206, 212
karpatská fronta 164, 165
Karpatská kotlina 5, 7, 12–16, 19–22, 32, 147, 342
karpatská mohylová kultura 15
Katolícke noviny 135
Katvalda, germánský náčelník 17
Katzianer Ján († 1539), kapitán „Horního Uherska" 59
Kavkaz 225
Kazimír III. Veliký (1310–1370), polský král (1333–1370) 40, 41
Keitel Wilhelm (1882–1946), německý generál, náčelník generálního štábu wehrmachtu **226**
Keltové 7, 15–17, **16**, 22
Kempný Ján (nar. 1912), funkcionář Demokratické strany 256
Kempný Jozef (nar. 1920), československý komunistický politik, předseda vlády ČR (1969–1970), předseda ČNR (1981–1989) 309
Keppler Wilhelm 215
Kežmarok 46, 71, 80, 236
Khuen-Héderváry Károlyi (1849–1918), uherský politik, předseda vlády (1903, 1910–1912) 160
Kimmeriové 15
Klaus Václav (nar. 1941), český a československý politik, předseda vlády České republiky (1992–1997) 321, 322, **322**, 323
Kláštor pod Znievom 133
Klemens Jozef Božetech (1817–1873), slovenský malíř 110
Klíma Ivan (nar. 1931), český spisovatel 282
sv. Kliment († 101), třetí římský biskup, mučedník **30**
Klofáč Václav (1868–1942), československý politik 178
Klub angažovaných nestraníků (KAN) 289
Klub 231 289
Kmeť Andrej (1841–1908), zakladatel Slovenského národního muzea 150, **150**, 151
Kňažko Milan (nar. 1945), slovenský herec, politik, ministr zahraničí (1993–1995) **313**, **314**, 326
Köhler Bruno (nar. 1900), komunistický politik 281
Kohout Pavel (nar. 1928), český spisovatel a disident 282
Kojnok Eduard (nar. 1933), biskup 316
kolaborace s hitlerovským Německem 219, 223, 224, 231
kolaborace se Sovětským svazem 1968–1969 295
Kolísek Alois (1868–1931), český kulturní pracovník, katolický kněz, publicista **157**, 158
Kollár Adam František (1718–1783), slovenský osvícenský vzdělanec 79, 80, **80**, 85
Kollár Ján (1793–1852), slovenský básník 87, 97–101, **99**, **100**, 103, 104, 109, 122, 123, 146, 284, **343**, 345, 346
Koloman (asi 1068–1116), uherský král (1095–1116) 34, 199
Komárno 18, 55, **62**, 76
Komenský Ján Amos (1592–1670), český pedagog, filosof 67, 196, 343
Komunistická strana Československa (KSČ) 188, 190, 267, 277, 309, 313
Komunistická strana Slovenska (KSS) 231, 232, 248, **250**, 256, 260, 262, 267, 268, 281, 284, 286, 301, 307, 321
koncentrační tábory **228**, **230**
Kongres utlačených národů v Římě roku 1918 170
Konstantinopol (Cařihrad, Istanbul) 42, 166
sv. Konstantin zvaný Filosof (Cyril, 826–869), byzantský učenec a misionář 29, 30, **30**, 131
Konstantin VII. Porfyrogenet (905–959), byzantský císař (913–959) 28, 31
Kopáň, arpádovský kníže 33
Korec Ján Chryzostom (nar. 1924), slovenský církevní hodnostář, kardinál 309, 316
korunovace **60**
Kossuth Lajos (1802–1894), maďarský politik, publicista 103, 105, **107**, 115, 118, 121, 122
Kostka Jozef (nar. 1912), slovenský sochař 276
Kostra Ján (1910–1975), slovenský básník 272
Kosygin Alexej (1904–1980), sovětský politik, předseda vlády (1964–1980) 288
Košice 7, 39, 46, 55, 63, 66, 69, 72, 74, 141, 152, **153**, 182, 183, 185, 197, 198, 200, 244, **245**, **251**, 271, **279**, **303**
Východoslovenské železárny **279**
Košický vládní program 244, 245, **245**, 250, 252, 254
Košúty 201
Kotini, keltský kmen 16
Kotzebue August (1761–1819), německý publicista a dramatik 151
Kováč Michal (nar. 1930), první prezident

N

R

Ráb viz Györ
Rada Evropy 325, 326, 331, 335
Rada vzájemné hospodářské pomoci 266
Radlinský Andrej (1817–1879), slovenský publicista a novinář 123, 128
Radošiná 12
Rajter Ľudovít (nar. 1906), slovenský dirigent 275
Rákoczi František II. (1676–1735), sedmihradský vévoda (od 1704) **71**, 72
rakouské císařství 94
Rakousko 13, 14, 18, 21, 24, 46, 93–95, 114, 115, 117, 126, 127, 134, 175, 184, 185, 205, 214, 215, 244, 246, 247, 335, **337**, 347
  rakousko-uherské vyrovnání (1866) 134
Rakousko-Uhersko 134, 135, **136**, 139, 140, 145, 146, 166, 168–170, 172, 173, 176–178, 186, 347, 349, 353–355
Rakovský Martin (1535–1579), slovenský humanista 65, 342
Rambouská Ludmila (1899–1952), česká malířka a ilustrátorka, ve 20. letech působící v Bratislavě 197
Rastislav († po 870), velkomoravský kníže (846–870) 25–27, 29
Ratbod, markrabě Východní marky 25, 26
Ratio educationis 79
Rázus Martin (1888–1937), slovenský básník, spisovatel, politik 189, **189**, 199
reformace 47, 60, 62, 65, 66, 72, 79, 343
reformy Marie Terezie a Josefa II. 78–83, 86
renesance 10, 52, 72
Reportér, časopis **287**
Republikánská strana zemědělského a malorolnického lidu (agrárníci) 167, 187, 188, 190, 191, 202, 204, 209, 248
Rerum novarum, papežská bula 154
reslovakizace 247
Revoluční mládež Slovenska 232
Revúca 133
Ribay Juraj (1754–1812), slovenský spisovatel, jazykovědec 91
Ribbentrop Joachim (1893–1946), německý ministr zahraničí (1938–1945) **210**, 214, 216, 217
Rizner Ľudovít Vladimír (1844–1913), slovenský vědec, bibliograf 151, **151**
Robotnícke noviny (*Slovenské robotnícke noviny*) 155, 163,
Roman Štefan (1921–1988), zakladatel Světového kongresu Slováků 308
Romanovci, ruská carská dynastie 166, 353
romantismus 10, 100, 101, 104, 110, 111, 133, 134, 151, 346
Romové (romské obyvatelstvo) 11, 55, 64, **64**, 77, 83, 107, 157, 186, 188, 231
Rotarides Ján (1822–1900), slovenský revolucionář, pedagog a kulturní pracovník 115, 117
Rotnágl Josef (1875–1958), český technik a propagátor česko-slovenské vzájemnosti, starosta Československé jednoty (od 1911) 176, **358**
Rousseau Jean Jacques (1712–1778), francouzský osvícenský filosof 84
„rovný s rovným" 233, 234
Rudá armáda 223, 226, 232, 235, 240, 243, 244
Rudá armáda maďarská 184
Rudnay Alexander (1760–1831), arcibiskup 102
Rudolf II. (1552–1611), římsko-německý císař (1576–1612), český (1576–1611) a uherský král (1576–1608) 68, 342
Rumunsko 46, 138, 193, 206, 235, 239, 244, 289
Runciman Walter, lord, vikomt z Doxfordu (1870–1949), britský diplomat 207
Ruprecht Anton (1748–1814), profesor na Báňské akademii v Banské Štiavnici 79
Rusíni 40, 46, 67, 77, 107, 113, 118, 125, 126, 131, 135, 170, 186, 188, 223, 328
Rusko 19, 93, 94, 97–99, 101, 113, 125, 136, 143, 146, 153, 159, 162, 164, 166–168, **168**, 170, 172, 204, 353, 354
  ruská armáda 93, 95, 121, 164–166 (viz též Rudá armáda)
  ruská emigrace 204
  ruská revoluce 155, 168, 172
Rusovce (Gerulata) 18
Ružindol-Borové 14
Ružomberok **192**
Rúfus Milan (+ 1928), slovenský básník 272
rychlá divize 225

Ř

řády církevní
  antoniti 55
  benediktini 54, **54**, 74
  cisterciáci 55
  dominikáni 55
  františkáni 55

Š

vysoká 41, 43, 45, 50, 102
šlechtická hotovost 70
šlechtická samospráva 45, 82
Šmidke Karol (1897–1952§, slovenský komunistický politik 233, **259**, 261, 262
Šoporňa 13
Šrobár Vavro (1867–1950), slovenský buržoazní politik, hlasista, ministr s plnou mocí pro Slovensko (1919) 154, 156, **159**, 165, 171, **172**, 172–174, 184, 190, 236, 349
Špork (Sporck) Johann (1597–1679), habsburský generál 71
Štefánik Milan Rastislav (1880–1919), slovenský vědec a politik, ministr války (1919–1920) 10, 152, 166, **167**, 167–170, 173, 174, 177, 178, 184, **185**, 310, 354, 354, **357**
Štefunko Fraňo (1916–1974), slovenský sochař 276
Štěpán I. Svatý (975–1038), uherský kníže (od 997) a první král (1000–1038) 33, 34 53, 54
svatoštěpánská koruna 34, **34**, **87**
Štěpán V., uherský král (1270–1272) 36–38
Štěpán V., římský papež (885–891) 31
Štěpán (Štefan) z Košic (Tarner), pozdněgotický sochař 52
Štěpán Miroslav (nar. 1945), český a československý komunistický politik 314
Štrougal Lubomír (nar. 1924), československý komunistický politik, předseda federální vlády (1969–1988) 295, 304, 309
Štúr Ľudovít (1815–1856), slovenský obrozenec a veřejný činitel 70, 85, **104**, 104–108, **108**, 109, 110, 112, 113, 115–117, **117**, 119, 123–125, 136, 146, 345, 346
štúrovci 99, 104, 109, 112, 116, 133
Štýrsko 36
Šuhajda Ľudovít M. (1806–1872), slovenský evangelický duchovní a pedagog 103
Šulek Vilko (1825–1848), slovenský student 119
Šurany 224
Švantner František (1912–1950), slovenský spisovatel 199
Švehla Antonín (1873–1933), československý politik, ministerský předseda (1922–1929) 190–192
Šverma Jan (1901–1944), český komunistický funkcionář **241**
Švýcarsko 99, 150, 166, 354

T

Tablic Bohuslav (1769–1823), slovenský obrozenec, básník 92, 93
tábory nucených prací 263
Tacitus Publius Cornelius (asi 55–kolem 120), římský historik 17
Tajovský Jozef Gregor (1874–1940), slovenský spisovatel 151
Talleyrand-Périgord Charles Maurice, vévoda (1754–1838), francouzský politik, ministr zahraničí (1796–1809), prozatímní předseda vlády (1814) 94
Tardini, státní sekretář Svaté stolice 229
Tartu (Jurjev) 167, **167**
Tasnády Ján, vůdce rolníků roku 1831 97
Tatarescu Gheorghe (1886–1957), rumunský politik, předseda vlády (1934–1937, 1939–1940) **203**
Tatarka Dominik (1913–1989), slovenský spisovatel **307**
tatarský vpád viz Mongolové
Tatra banka 142
Tatrín, spolok 109, 112
taverník 38
Tedešík Samuel (1742–1820), slovenský osvícenský pedagog 79
Telgárt 239, **239**,
Tesák Mošovský Juraj (1547–1617), humanistický vzdělanec 65
Tesár Eduard 49, 265
Thatcher Margaret (nar. 1925), britská politička, předsedkyně vlády (1979–1990) 315
Thököly Imrich (1657–1705), sedmihradský vévoda (od 1678) 67, **70**, 71
Thurzo Juraj (1567–1616), uherský palatin 66, 68, 73, **73**
Thurzové 50
Tibava 12
Tiberius Claudius Nero (42 př. Kr.–37 po Kr.), římský císař (14–37) 16, 17
Timon Samuel (1675–1736), slovenský barokní historik a pedagog 74
Timrava, vl. jménem Božena Slančíková (1867–1951), slovenská spisovatelka 151
Tisa, maďarská řeka 23, 44, 289
Tiso Jozef (1887–1947), slovenský kněz a politik, prezident Slovenské republiky (1939–1945) 192, 202, 210, 213– 215, **215**, 216, 217, 220, **221**,221–223, 227, 230, 236, 242, 243–245

U

V

W

Z

Ž

OBSAH

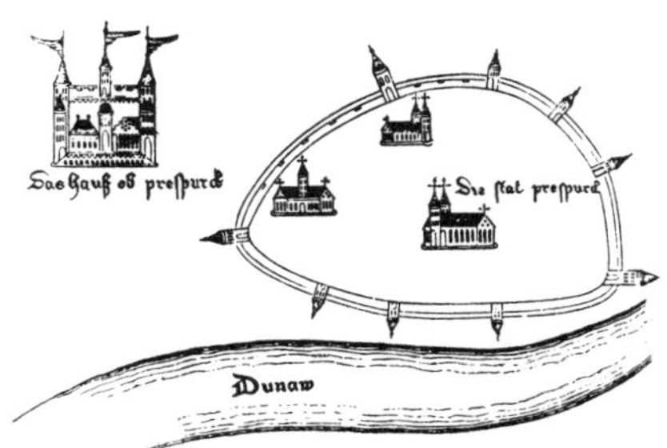
Dunaw

DĚJINY SLOVENSKA

DUŠAN KOVÁČ

Ze slovenštiny přeložil Emil Charous
Obálku navrhl a text graficky upravil Vladimír Vimr
Na obálce je použito obrazu Martina Benky *Na Liptovských holiach,*
Slovenská národná galéria, Bratislava
V roce 1999 vydalo NLN, s. r. o., Nakladatelství Lidové noviny,
Jana Masaryka 56, 120 00 Praha 2
První doplněné vydání
Odpovědný redaktor Jan Urban
Sazba a reprodukce Ctirad Suchan – NLN, s. r. o.
Vytiskla tiskárna EKON, družstvo, Srázná 17, 586 01 Jihlava
Doporučená cena včetně DPH 295,- Kč

Mont Crapack
Brinn
Leopolstatt
Eperies
Presburg
Caschaw
Zemlin
Mongatz
Tokay
Tissa fl
VIENN
Rab
Chege
Zabnar
Barkan
Novigrad
Gran
Grass Waradyn
Pest
BUDA OFEN
Zolnock
Gyula
Kanisa
HUNGARIA
Colocza
Segedin
SCLAVONIA
Chonad
Patsch
Temeswa
Sigeth
Posega
Esseck
CROATIA
Donau
Belgrad
Zeng
BOSNIA
Seraio
Bagnialuch
Zara
DALMATIA
SERV
Lesina I.
Pristina
S. Andrea
Melissello
Stagno
Cura
Augusta
Ragusa
Castel Novo
Pelagosa